FUNDAMENTOS DE ESTRATEGIA

Autores

Gerry Johnson
Lancaster University Management School

Kevan Scholes
Sheffield Hallam University

Richard Whittington
Saïd Business School, University of Oxford

Traducción

Francisco Javier Forcadell Martínez
Universidad Rey Juan Carlos

Prentice Hall
es un sello editorial de

Harlow, England • London • New York • Boston • San Francisco • Toronto • Sydney • Singapore • Hong Kong
Tokyo • Seoul • Taipei • New Delhi • Cape Town • Madrid • Mexico City • Amsterdam • Munich • Paris • Milan

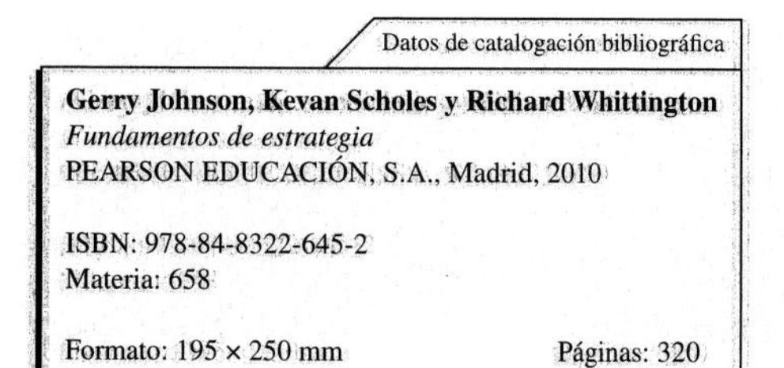
Datos de catalogación bibliográfica

Gerry Johnson, Kevan Scholes y Richard Whittington
Fundamentos de estrategia
PEARSON EDUCACIÓN, S.A., Madrid, 2010

ISBN: 978-84-8322-645-2
Materia: 658

Formato: 195 × 250 mm Páginas: 320

PEARSON-PRENTICE HALL es un sello editorial autorizado de PEARSON EDUCACIÓN

Gerry Johnson, Kevan Scholes y Richard Whittington
Fundamentos de estrategia

ISBN: 978-84-8322-645-2
Depósito Legal: M-7.576-2010

Equipo editorial:
Editor: Alberto Cañizal
Técnico editorial: María Varela

Equipo de producción:
Director: José Antonio Clares
Técnico: José A. Hernán

Diseño de cubierta: Equipo de Diseño de PEARSON EDUCACIÓN, S. A.
Composición: JOSUR TRATAMIENTO DE TEXTOS, S.L.
Impreso por: Lavel, S.A.

IMPRESO EN ESPAÑA - *PRINTED IN SPAIN*

Este libro ha sido impreso con papel y tintas ecológicos

Índice

3. Capacidad estratégica

4. Propósito estratégico

5. Cultura y estrategia

6. Estrategia a nivel de negocio

9. Métodos de desarrollo y evaluación de la estrategia

10. Estrategia en acción

Prólogo

Sobre *Fundamentos de Estrategia*

Tenemos el placer de presentar *Fundamentos de Estrategia.* Basado en la octava edición de la obra líder en el mercado *Dirección Estratégica*, este libro se concentra en las cuestiones y técnicas fundamentales de la estrategia. *Fundamentos de Estrategia* se ajusta particularmente a cursos breves sobre estrategia —por ejemplo, cursos iniciales de grado, postgrado o para profesionales, o quizás para el estudio de la estrategia como parte de un grado más amplio en ciencias o ingeniería—.

Los estudiantes pueden estar seguros de que cuentan en este libro con los materiales fundamentales, saben que fácilmente pueden profundizar dentro de los distintos temas particulares acudiendo al libro *Dirección Estratégica*. Los profesores familiarizados con *Dirección Estratégica* encontrarán que las definiciones y conceptos de *Fundamentos de Estrategia* son totalmente consistentes, haciendo fácil la docencia en los distintos cursos que utilicen ambos libros en paralelo.

Fundamentos de Estrategia está compuesto por diez capítulos, poniendo el énfasis en lo que *Dirección Estratégica* denomina *posición estratégica* y *elecciones estratégicas*. Dentro de la "posición estratégica", *Fundamentos de Estrategia* presenta distintos aspectos relacionados con el análisis del entorno, capacidad estratégica, propósito estratégico y cultura y estrategia. Dentro de las *elecciones estratégicas,* el libro aborda el análisis la estrategia a nivel de negocio, a nivel corporativo, la estrategia internacional y los métodos de desarrollo y evaluación de la estrategia. El capítulo décimo y final, "Estrategia en Acción", aborda cuestiones relacionadas con la implementación, tales como estructura organizativa, procesos de dirección y cambio estratégico.

Un tratamiento más amplio y extensivo de otras cuestiones, como la puesta en práctica y la obtención de recursos para la estrategia, un análisis más profundo mediante *discusiones clave, perspectivas sobre la estrategia* y *comentarios,* así como muchos más casos, pueden encontrarse en la obra *Dirección Estratégica*.

Estamos entusiasmados con el lanzamiento de esta nueva obra *Fundamentos de Estrategia*, y creemos que proporcionará las ventajas de *Dirección Estratégica* al cada vez mayor número de estudiantes de cursos más breves.

Esperamos que aproveche y se divierta utilizando *Fundamentos de Estrategia*. Siempre estaremos encantados de recibir sus opiniones; puede contactar con nosotros en las siguientes direcciones de correo electrónico:

Gerry Johnson (gerry.johnson@lancaster.ac.uk)
Kevan Scholes (KScholes@scholes.u-net.com)
Richard Whittington (Richard.whittington@sbs.ox.ac.uk)
Noviembre de 2008

Agradecimientos de los autores

Mucha gente nos ha ayudado con el desarrollo de la octava edición de *Dirección Estratégica*, de la que se deriva este texto.

Especial agradecimiento merecen los siguientes miembros del Consejo Asesor por sus valiosos y constructivos comentarios.

Anders Soderholm, Umea Universiteit
Antony Beckett, University of West England
Bruce Millett, University of Southern Queensland
Erik Dirksen, Universiteit Van Amsterdam
Frederic Frery, ESCP-EAP, Paris
Ian McKeown, University of Wolverhampton
James Cunningham, National University of Ireland, Galvay
Jamie Weatherston, University of Borthumbria
Jesper Norus, Copenhagen Business School (F)
Jill Shepherd, Simo Fraser University
John Toth, Leeds Metropolitan University
Keld Harbo, Aarhus School of Business
Mary Klemm, Bradford University
Mike Danilovic, Jonkoping Business School
Hans Roosendaal, University of Twente
Rehan Ul Haq, University of Birmingham
Robert Morgan, Cardiff University
Ron Livingstone, Glasgow Caledonian University
Sarah Dixon, Kingston University
Tina McGuiness, Sheffield University

Además agradecemos a los siguientes revisores, quienes han proporcionado comentarios sobre los borradores de los distintos capítulos de *Fundamentos de Estrategia*. Sus revisiones nos han ayudado a confirmar la selección de contenidos de la octava edición para asegurarnos de que *Fundamentos de Estrategia* se ajusta a las necesidades de los cursos breves para los que está diseñado.

Declan Bannon, University of the West of Scotland
Laure Cabantous, Nottingham University
Marko Kohtamäki, University of Vaasa
Olivier Furrer, radboud University, Nijmegen
Sue Hornibrook, University of Kent
Volver Mahnke, Copoenhagen Business School

Además de estos agradecimientos, muchos otros usuarios del libro han proporcionado consejo y sugerencias de manera más informal. Agradecemos a profesores —muchos de los cuales hemos tenido el placer de conocer en nuestros talleres anuales— y a nuestros estudiantes y clientes de Sheffield, Stratchclyde, Lancaster y Oxford y de otros muchos lugares en todo el mundo por sus comentarios de valor incalculable.

Queremos agradecer a aquellos que han contribuido directamente proporcionando casos de estudio e ilustraciones y a aquellas organizaciones que han sido lo suficientemente valientes como para aparecer en estos. Estas organizaciones en ocasiones se enfrentan a dificultades a la hora de responder a las preguntas de los tutores y los estudiantes en relación a los casos, por lo que esperamos que se respete su deseo de que no se contacte con ellos directamente para obtener una mayor información.

Existen muchos colegas a los que queremos agradecer que nos hayan ayudado a mantenernos al día respecto a determinados aspectos de la materia y de áreas relacionadas. Por tanto, nuestro agradecimiento a Julia Balogun, John Barbour, George Burt, Stéphane Girod, Mark Gilmartin, Royston Greenwood, Paula Jarzabkowski, Phyl Johnson, Aidan McQuade, Michael Mayer, Jill Shepherd, Angela Sutherland, Thomas Powell y Basak Yakis.

También debemos agradecer a Christine Reid y Scott McGowan de Strathclyde su valiosa ayuda con las referencias, así como a Lorna Carlaw de Strathclyde y Kate Goodman de Oxford por su preparación del manuscrito para el libro.

1

Introducción a la estrategia

OBJETIVOS DE APRENDIZAJE

Tras leer este capítulo, usted debería ser capaz de:

- Comprender las características de las decisiones estratégicas y lo que suponen para la estrategia y la dirección estratégica, distinguiéndolas de la dirección operativa.
- Comprender cómo varían las prioridades estratégicas en los distintos niveles: corporativo, de negocio y operativo.
- Comprender el vocabulario básico de la estrategia, tal y como se emplea en diferentes contextos.
- Comprender los elementos fundamentales del modelo de dirección estratégica: posición estratégica, elecciones estratégicas y estrategia en acción.

1.1 INTRODUCCIÓN

En noviembre de 2006, el directivo de Yahoo! Brad Garlinghouse hizo público un memorándum que desafió de manera directa a la alta dirección del gigante de Internet. Filtrado a los medios como el "Manifiesto de la crema de cacahuete", su memorándum acusaba a los líderes de Yahoo! de carecer de orientación estratégica. El crecimiento se había ralentizado, Google había superado a Yahoo! en términos de ingresos por publicidad en línea y el precio de las acciones había descendido hasta casi la tercera parte desde el comienzo del año. De acuerdo con Brad Garlinghouse, Yahoo! se había extendido demasiado, como la crema de cacahuete. Era el momento para el cambio estratégico.

Todas las organizaciones se enfrentan a los retos que supone establecer una orientación estratégica; algunos derivados del deseo de aprovechar nuevas oportunidades, otros de superar problemas importantes, como en Yahoo! Este libro se ocupa de por qué tienen lugar en la organización cambios en la orientación estratégica, por qué son importantes, cómo son tomadas tales decisiones y los conceptos que pueden resultar útiles para comprender dichas cuestiones. Este capítulo de introducción aborda, en particular, el significado de la los conceptos de "estrategia" y de "dirección estratégica", por qué son tan importantes y qué los distingue de otros retos organizativos, tareas y decisiones. El capítulo recurrirá al ejemplo de Yahoo! en la Ilustración 1.1 para mostrar estos aspectos.

1.2 ¿QUÉ ES LA ESTRATEGIA?

¿Por qué las cuestiones a las que se enfrentaba Yahoo! eran calificadas como "estratégicas"?[1] ¿Qué cuestiones son estratégicas y qué las distingue de las cuestiones operativas en las organizaciones?

1.2.1. Características de las decisiones estratégicas

Los términos "estrategia" y "decisiones estratégicas" normalmente se encuentran asociados con cuestiones como las siguientes:

- *La orientación a largo plazo de una organización*. Brad Garlinghouse reconocía explícitamente que el cambio estratégico en Yahoo! requeriría un "maratón y no un sprint". La estrategia en Yahoo! suponía decisiones a largo plazo sobre el tipo de compañía que debería ser, e identificar tales decisiones requeriría mucho tiempo.
- *El alcance de las actividades de una organización*. Por ejemplo, ¿debería concentrarse la organización en un área de actividad, o debería hacerlo en varias? Brad Garlinghouse creía que Yahoo! estaba extendiéndose en demasiadas actividades diferentes.

- *Ventaja de la organización sobre la competencia*. El problema en Yahoo! era que estaba perdiendo su ventaja frente a compañías con un crecimiento más rápido, como Google. La ventaja puede conseguirse de diferentes formas y puede suponer diferentes cosas. Por ejemplo, en el sector público, podría considerarse ventaja estratégica proporcionar servicios de mayor calidad que otros proveedores, de manera que se atraigan el apoyo y la financiación del gobierno.

- *Ajuste estratégico con el entorno empresarial.* Las organizaciones necesitan un *posicionamiento* apropiado en su entorno, por ejemplo en términos del grado en el que los productos o servicios se ajustan claramente a las necesidades de mercado identificadas. Esto puede tomar la forma de un pequeño negocio que trata de encontrar un determinado nicho de mercado o de una multinacional que está buscando adquirir negocios que ya hayan alcanzado posiciones de éxito en el mercado. De acuerdo con Brad Garlinghouse, Yahoo! estaba tratando de tener éxito en demasiados entornos.

- *Recursos y competencias de la organización*[2]. Siguiendo el "enfoque basado en los recursos" de la estrategia, la estrategia se refiere a la explotación de la capacidad estratégica de una organización, en términos de sus recursos y competencias, para proporcionar una ventaja competitiva o nuevas oportunidades, o ambas cosas. Por ejemplo, una organización puede tratar de explotar recursos como pueden ser las habilidades tecnológicas o las marcas sólidas. Yahoo! afirma poseer una marca "sinónimo de Internet", lo que teóricamente le proporciona una clara ventaja en tal entorno.

- *Los valores y expectativas* de fuertes actores en y en torno a las organizaciones. Tales actores —individuos, grupos o incluso otras organizaciones— pueden hacer surgir cuestiones fundamentales como pueden ser si una organización es expansionista o se encuentra más preocupada con la consolidación, o dónde se establecen las fronteras de las actividades de la organización. En Yahoo!, la alta dirección podría haber perseguido el crecimiento en demasiadas direcciones y ser demasiado reacia a hacerse responsable. Pero los directivos intermedios, empleados ordinarios, proveedores, clientes y usuarios de Internet también tienen una participación en el futuro de Yahoo!. Las creencias y valores de tales *grupos de interés* tendrán una mayor o menor influencia en el desarrollo de la estrategia de una organización, dependiendo del poder de cada uno. Ciertamente, Brad Garlinghouse estaba haciendo una fuerte apuesta para conseguir influir sobre lo que parecía una estrategia defectuosa.

La **estrategia** constituye la *orientación* y *alcance* de una organización a *largo plazo*, que consigue alcanzar una ventaja en un *entorno* cambiante mediante su configuración de *recursos y competencias* con la intención de satisfacer las expectativas de los *grupos de interés*.

En conjunto, la definición más básica de estrategia puede ser la de "orientación a largo plazo de una organización"; sin embargo, las características antes descritas pueden proporcionar las bases para una definición más completa:

La **estrategia** constituye la *orientación* y *alcance* de una organización a *largo plazo*, que consigue alcanzar una ventaja en un *entorno* cambiante mediante su configuración de *recursos y competencias* con la intención de satisfacer las expectativas de los *grupos de interés*.

Ilustración 1.1

El manifiesto de la crema de cacahuete de Yahoo!

La estrategia puede suponer decisiones difíciles sobre el alcance de los negocios, su dirección y la estructura de la organización.

En noviembre de 2006, Brad Garlinghouse, titulado MBA y vicepresidente de Yahoo!, escribió un memorándum para sus directivos, argumentando que Yahoo!, la compañía diversificada de Internet, estaba extendiendo sus recursos en exceso, como la crema de cacahuete en una tostada. A continuación, se muestran algunos extractos del memorándum:

Hace tres años y medio, llegué a Yahoo! con entusiasmo. La magnitud de la oportunidad era solo comparable a la magnitud de los activos. Y un equipo magnífico había sido responsable de reconstruir Yahoo!...

Pero no todo va bien...

Imagino que existe una gran discusión entre la mayoría de los líderes de la compañía respecto a los retos a los que nos enfrentamos. A riesgo de resultar redundante, trataba de compartir mi visión de la situación actual y ofrecer un camino a seguir, un intento de ser parte de la solución, en lugar de parte del problema.

RECONOCER NUESTROS PROBLEMAS

Carecemos de una visión centrada y cohesiva de nuestra compañía

Queremos hacer todo y ser todo para todos. Hemos reconocido esto durante años, hablado de ello incesantemente, pero no hacemos nada para tratarlo de manera fundamental. Hemos temido abandonarlo. Hemos sido reactivos en lugar de trazar un curso firme. Nos hemos separado en silos que frecuentemente nos impedían hablar entre nosotros. Y cuando hablábamos, no era para colaborar en una estrategia claramente enfocada, sino para argumentar y luchar sobre la propiedad, estrategias y tácticas...

He oído que nuestra estrategia ha sido descrita como crema de cacahuete extendida a lo largo del gran número de oportunidades que continúan evolucionando en el mundo online. El resultado: una fina capa de inversiones repartida a lo largo de todo lo que hacemos y, por lo tanto, no nos centramos en nada en particular.

Odio la crema de cacahuetes. Deberíamos hacerlo todos.

Carecemos de claridad sobre la propiedad y responsabilidad

La manifestación más dolorosa de esto es la masiva redundancia que existe en toda la organización. Operamos ahora en una estructura organizativa —creada con la mejor de las intenciones, hay que reconocerlo— que se ha convertido en demasiado burocrática. Para demasiadas personas, existe otra persona con responsabilidades similares y superpuestas. Esto reduce nuestra velocidad y carga a la compañía con costes innecesarios.

Existe una razón por la que un centrocampista y un jugador de banda cuentan con áreas de propiedad diferentes: perseguir el mismo balón puede resultar en colisiones o en balones perdidos. Saber que otra persona está persiguiendo la pelota y esperar evitar la colisión nos convierte en tímidos en nuestra persecución. De nuevo, el balón se pierde.

Carecemos de decisión. Combina una visión centrada junto con una propiedad que no está clara y el resultado es que las decisiones no son tomadas o son tomadas cuando ya es demasiado tarde. Sin una visión clara y centrada y sin una completa claridad de propiedad, carecemos de una visión global que guíe nuestras decisiones y de la visibilidad de quien debería tomarlas. A menudo nos encontramos bloqueados por decisiones complicadas y que requieren de mucho esfuerzo. Somos víctimas de nuestra parálisis en el análisis.

Terminamos con iniciativas competidoras (o redundantes) y oportunidades sinérgicas que conviven en los diferentes departamentos estancos de nuestra compañía...

RESOLVER NUESTROS PROBLEMAS

Tenemos activos maravillosos. Casi cualquier compañía de medios y comunicación envidia nuestra posición. Contamos con la mayor audiencia, que se encuentra muy fidelizada, y nuestra marca es sinónimo de Internet.

Si nos recuperamos, adoptando cambios drásticos, ganaremos.

No quiero decir que solo exista para nosotros un camino a seguir; sin embargo, querría formar parte de la solución y, por tanto, perfilar un plan en el que creo que podemos trabajar. Estoy completamente convencido de que necesitamos actuar con mucha rapidez, si no, nos arriesgamos a caer por una resbaladiza pendiente. Este plan no es perfecto, pero es mucho mejor que no hacer nada.

Mi plan cuenta con tres pilares:

1. Centrar la visión.
2. Restaurar la responsabilidad y claridad sobre la propiedad.
3. Ejecutar una reorganización radical.

1. Centrar la visión

a) Necesitamos declarar con valor y de manera definitiva lo que somos y lo que no somos.
b) Necesitamos dejar (¿de vender?) los negocios no esenciales y eliminar proyectos y negocios duplicados.

Mi idea es que la fina capa de mantequilla de cacahuete necesita convertirse en una estrategia deliberadamente modelada; es decir, muy centrada.

2. Restaurar la responsabilidad y claridad sobre la propiedad

a) Los propietarios de los negocios existentes deben tener claro dónde nos encontramos hoy: deben rodar cabezas.
b) Debemos definir figuras sénior que cuenten con responsabilidad global sobre una determinada línea de negocios...
c) Debemos rediseñar nuestros sistemas de evaluación del rendimiento e incentivos.

Creo que hay demasiados líderes de unidades de negocio que se han marchado con resultados inaceptables y, lo que es peor, con un liderazgo inaceptable. Con demasiada frecuencia ellos (o nosotros) somos los más culpables de los problemas apuntados aquí. Debemos lanzar la señal tanto a los empleados como a nuestros accionistas de que haremos responsables a tales líderes y de que implementaremos el cambio...

3. Ejecutar una reorganización radical

a) Debe abandonarse la estructura actual de unidades de negocio.
b) Debemos descentralizar y eliminar de la matriz de forma radical todo lo que sea posible.
c) Debemos reducir nuestro personal en un 15-20%

Creo firmemente que solamente debemos eliminar las redundancias que hemos creado y el primer paso es reestructurar nuestra organización. Podemos ser más eficientes con menos personas y podemos hacer más, con más rapidez. Necesitamos devolver un mayor papel en la toma de decisiones al nuevo conjunto de unidades de negocio y a sus líderes. Pero no podemos conseguir esto con pequeños pasos. Debemos reconsiderar de manera fundamental cómo nos organizamos para ganar...

Me apasiona Yahoo! Estoy orgulloso de admitir que mi sangre es púrpura y amarilla. Estoy orgulloso de admitir que me he afeitado una Y detrás de mi cabeza.

Mi motivación para escribir este memorándum es la firme creencia de que, como nunca antes, tenemos enfrente una tremenda oportunidad. No pretendo tener la única respuesta correcta, pero necesitamos que comience el debate. El cambio es necesario y se necesita pronto. Podemos ser una compañía más fuerte y rápida, una compañía con una visión, una propiedad y una responsabilidad más claras.

Hemos podido venirnos abajo, pero la carrera es un maratón y no un sprint. No pretendo decir que esto vaya a ser fácil: requerirá coraje, convicción, perspicacia y un tremendo compromiso. Tengo muchas ganas de afrontar el desafío.

Así que retrocedamos.
Hagámonos con el balón.
Y dejemos de comer crema de cacahuete.

Fuente: Extractos del memorándum de Brad Garlinghouse presentado a los directivos de Yahoo!, noviembre de 2006. Reimpreso en *Wall Street Journal*, 16 de noviembre de 2006.

Preguntas

1. ¿Por qué las cuestiones a las que se enfrenta Yahoo! son descritas como estratégicas? Haga referencia a la Figura 1.1.
2. Identifique ejemplos de cuestiones que se ajusten a cada uno de los círculos del modelo de la Figura 1.3.

La Figura 1.1 resume las características de las decisiones estratégicas y también pone de manifiesto algunas de las implicaciones siguientes:

- La *complejidad* es una característica que define la estrategia y las decisiones estratégicas, especialmente en aquellas organizaciones con un alcance geográfico amplio, como empresas multinacionales, o con amplias gamas de productos o servicios. Por ejemplo, Yahoo! afronta la complejidad tanto de un entorno de mercado de rápido movimiento como de negocios inadecuadamente organizados.
- La *incertidumbre* es inherente a la estrategia, debido a que nadie puede estar seguro sobre el futuro. Para Yahoo!, el entorno de Internet se encuentra en innovación constate e impredecible.
- Las *decisiones operativas* se encuentran vinculadas con la estrategia. Por ejemplo, cualquier intento de incrementar la coordinación de las unidades de negocio de Yahoo! tendrá consecuencias en los diseños y vínculos de las páginas Web, desarrollos de carrera y relaciones con los anunciantes. Este vínculo entre la estrategia global y los aspectos operativos de la organización es importante por otras dos razones. En primer lugar, si los aspectos operativos de la organización no se encuentran en línea con la estrategia, entonces no importa lo bien diseñada que se encuentre la estrategia, que no tendrá éxito. En segundo lugar, es en el nivel operativo en el que puede

Figura 1.1 Decisiones estratégicas

Las decisiones estratégicas se refieren a:

- La orientación a **largo plazo** de una organización.
- El **alcance** de las actividades de una organización.
- La obtención de una **ventaja** sobre los competidores.
- Afrontar cambios en el **entorno de negocio**.
- Basarse en recursos y competencias (**capacidad**).
- Valores y expectativas de los **grupos de interés**.

Por lo tanto es probable que:

- Sean de naturaleza **compleja**.
- Sean tomadas en situaciones de **incertidumbre**.
- Afecten a las decisiones **operativas**.
- Requieran de un enfoque **integrado** (tanto dentro como fuera de la organización).
- Supongan un **cambio** considerable.

conseguirse la verdadera ventaja estratégica. De hecho, la competencia en determinadas actividades operativas puede determinar qué desarrollos estratégicos pueden tener más sentido.

- Se requiere *integración* para una estrategia efectiva. Los directivos tienen que atravesar fronteras funcionales y operativas para afrontar los problemas estratégicos y llegar a acuerdos con otros directivos, quienes, inevitablemente, cuentan con diferentes intereses y quizás diferentes prioridades. Por ejemplo, Yahoo! necesita un enfoque integrado para todos sus negocios frente a anunciantes poderosos como Sony o Vodafone.
- Las *relaciones* y *redes* fuera de la organización son importantes en la estrategia, por ejemplo con proveedores, distribuidores y clientes. Para Yahoo!, los anunciantes y usuarios constituyen conjuntos de relaciones cruciales.
- El cambio normalmente es un componente crucial de la estrategia. A menudo, el cambio es difícil debido a la herencia de recursos y a la cultura organizativa. De acuerdo con Brad Garlinghouse, las barreras para el cambio en Yahoo! parecen incluir una alta dirección que teme tomar decisiones duras y una carencia de responsabilidad clara entre los directivos de menor nivel.

1.2.2. Niveles de la estrategia

La estrategia corporativa se ocupa del propósito general y alcance de una organización y de cómo se añadirá valor a las diferentes partes (unidades de negocio) de la organización.

Las estrategias existen a distintos niveles en una organización. Tomando de nuevo como ejemplo a Yahoo!, es posible distinguir al menos tres niveles diferentes de estrategias. El nivel más alto es el de la **estrategia corporativa,** que se refiere al alcance global de una organización y a cómo se añadirá valor a sus diferentes partes (unidades de negocio). Esto podría incluir aspectos relacionados con la cobertura geográfica, con la diversidad de productos/servicios o unidades de negocio y con cómo deben ser asignados los recursos entre las diferentes partes de la organización. Para Yahoo!, decidir si vender alguno de sus negocios existentes es claramente una decisión crucial de nivel corporativo. En general, es probable que la estrategia a nivel corporativo también que se ocupe de las expectativas de los propietarios –los accionistas y el mercado de capitales. También puede incluir una declaración explícita o implícita de "misión" que refleje tales expectativas. Ser claro en lo que se refiere a la estrategia a nivel corporativo es importante: determinar el rango de negocios a incluir es la *base* de otras decisiones estratégicas.

La **estrategia de negocio** se refiere a cómo competir con éxito en mercados particulares.

El segundo nivel es el de la **estrategia de negocio,** que se refiere a cómo deberían competir los distintos negocios incluidos en la estrategia corporativa en sus mercados particulares (por esta razón, la estrategia a nivel de negocio en ocasiones es denominada "estrategia competitiva"). En el sector público, el equivalente a la estrategia a nivel de negocio son las decisiones sobre cómo las unidades deberían proporcionar servicios de la mejor calidad. Normalmente se ocupa de aspectos como la estrategia de fijación de precios, de innovación o de diferenciación, por ejemplo mediante una mayor calidad o un canal de distribución distintivo. Por lo tanto, mientras que la estrategia corporativa involucra

Una **unidad estratégica de negocio** es una parte de una organización para la que existe un mercado externo de bienes o servicios que es diferente del de otras UEN.

decisiones sobre la organización en conjunto, las decisiones de la estrategia de negocio se relacionan con unidades estratégicas de negocio (UEN) particulares dentro de la organización en su conjunto. Una **unidad estratégica de negocio** es una parte de una organización para la que existe un mercado externo de bienes o servicios que es diferente del de otras UEN. Las unidades estratégicas de negocio de Yahoo! incluyen negocios como el de fotos o el de música.

Por supuesto, en organizaciones muy simples con un solo negocio, la estrategia corporativa y la estrategia a nivel de negocio son casi idénticas. Sin embargo, incluso en este caso, resulta útil distinguir una estrategia corporativa, debido a que proporciona el marco para decidir si, y bajo qué condiciones, podrían añadirse o rechazarse otras oportunidades de negocio. Si la estrategia corporativa incluye varios negocios, debería existir un claro vínculo entre estrategias a nivel de UEN y el nivel corporativo. En el caso de Yahoo!, las relaciones con los anunciantes en línea se extienden a lo largo de diferentes unidades de negocio y el uso, protección y fortalecimiento de la marca Yahoo! es vital para todos. La estrategia corporativa respecto a la marca debería proporcionar apoyo a las UEN, pero al mismo tiempo las UEN deben asegurarse de que sus estrategias a nivel de negocio no perjudican al conjunto de la corporación o a otras UEN del grupo.

Las **estrategias operativas** se ocupan de cómo las partes que componen una organización apoyan las estrategias corporativa y de negocio en términos de recursos, procesos y personas.

El tercer nivel de la estrategia se encuentra en el nivel operativo de una organización. En él existen **estrategias operativas,** que se ocupan de cómo las partes que componen una organización apoyan las estrategias corporativa y de negocio en términos de recursos, procesos y personas. Por ejemplo, Yahoo! cuenta con diseñadores Web en cada uno de sus negocios, para los que existen estrategias operativas en términos de diseño, imágenes y renovación. De hecho, en la mayoría de los negocios, las estrategias de negocio de éxito dependen de un gran número de decisiones que son tomadas, o que se producen, a nivel operativo. La integración de decisiones operativas y estrategia es por tanto de gran importancia, tal y como se ha mencionado antes.

1.2.3. El vocabulario de la estrategia

Encontrará distintos términos utilizados en relación con la estrategia, por lo que merece la pena dedicar un pequeño espacio a clarificar alguno de ellos. La Figura 1.2 y la Ilustración 1.2 emplean algunos de los términos con los que los lectores se encontrarán en este y en otros libros sobre estrategia y en el día a día de los negocios. La Figura 1.2 los explica en relación con los que los lectores de estrategia han podido encontrarse al mejorar su forma física.

No todos estos términos son siempre utilizados en las organizaciones o en los libros de estrategia. De hecho, en este libro la palabra "meta" apenas es utilizada. También se comprobará, mediante los muchos ejemplos de este libro, que la terminología no es utilizada de manera consistente en las distintas organizaciones (véase también la Ilustración 1.2). Los directivos y estudiantes de estrategia necesitan ser conscientes de esto. Además, puede que la misión, las metas, los objetivos, las estrategias y otros conceptos similares estén puestos por escrito de manera precisa o no. En algunas organizaciones esto se hace de

Figura 1.2 El vocabulario de la estrategia

Término	Definición	Un ejemplo personal
Misión	Propósito primordial en línea con los valores o expectativas de los grupos de interés.	Estar sano y delgado.
Visión o propósito estratégico	Estado futuro deseado: la aspiración de la organización.	Correr el maratón de Londres.
Meta	Declaración general de objetivo o propósito.	Perder peso y fortalecer los músculos.
Objetivo	Cuantifica (si es posible), o declaración más precisa de la meta.	Perder 5 kilos el 1 de septiembre y correr el maratón el próximo año.
Capacidad estratégica	Recursos, actividades y procesos. Algunos serán únicos y proporcionarán "ventaja competitiva".	Proximidad a un gimnasio, una buena dieta.
Estrategias	Orientación a largo plazo.	Ejercicio regular, competir en maratones locales, seguir una dieta apropiada.
Modelos de negocio	Cómo "fluyen" producto, servicio e información entre los grupos participantes.	Asociarse con una red (por ejemplo participar en un club atlético).
Control	• La supervisión y control de los pasos de acción para:Evaluar la efectividad de las estrategias y acciones. • Modificar si es necesario las estrategias y/o acciones.	Controlar el peso, kilómetros corridos y medida de tiempos: si progresa satisfactoriamente, no hacer nada; si no es así, considerar otras estrategias y acciones.

manera muy formal, mientras que en otras, una misión o estrategia pudiera estar implícita y, por lo tanto, debe ser deducida a partir de lo que una organización esté haciendo. Sin embargo, como pauta general, los siguientes términos son utilizados a menudo:

- La *misión* es la expresión del propósito general de la organización, lo que, de manera ideal, se encuentra en línea con los valores y expectativas de los principales grupos de interés y se ocupa del alcance de la organización. En ocasiones se alude a ella en términos de la aparentemente simple pero desafiante cuestión: "¿En qué negocios nos encontramos?"
- Una *visión* o *propósito estratégico* es el estado futuro deseado de la organización. Es una aspiración en torno a la que los estrategas, quizás un director general, podrían centrar la atención y las energías de los miembros de la organización.
- Si la palabra *meta* es utilizada, normalmente hace referencia a un objetivo general en línea con la misión. Suele ser de naturaleza cualitativa.
- Por otra parte, es más probable que un *objetivo* sea cuantificado, o al menos que lo sea de manera más precisa que la meta. En este libro, la palabra "objetivo" es utilizada exista o no esta cuantificación.

Ilustración 1.2

El vocabulario de la estrategia en diferentes contextos

Todo tipo de organizaciones utilizan el vocabulario de la estrategia. Compare estos extractos procedentes de declaraciones de Nokia, gigante de la comunicación, y la Universidad de Kingston, una institución pública que se encuentra en Londres, con 20.000 estudiantes.

Nokia

Visión y misión. Conectar es ayudar a la gente a sentirse cerca de lo que importa. En cualquier momento y lugar, Nokia cree en comunicar, en compartir y en el increíble potencial de conectar a los dos billones que lo hacen con los 4 billones que no lo hacen.

Si nos centramos en la gente y utilizamos la tecnología para ayudar a la gente a sentirse cerca de lo que importa, entonces se producirá el crecimiento. En un mundo en el que todos pueden estar conectados, Nokia adopta un enfoque muy humano de la tecnología.

Estrategia. En Nokia, los clientes son nuestra principal prioridad. Centrarse en los clientes y comprenderlos debe dirigir siempre nuestro comportamiento cotidiano. La prioridad de Nokia es ser el socio preferido de las operadoras, minoristas y empresas.

Nokia seguirá siendo una compañía en crecimiento y se expandirá hacia nuevos mercados y negocios. Un nivel de productividad líder en el mundo es crítico para nuestro éxito futuro. Nuestra meta como marca Nokia es convertirnos en la marca más querida por los clientes.

En línea con estas prioridades, la estrategia de la cartera de negocios de Nokia se centra en cinco áreas y cada una de las cuales cuenta con cinco objetivos a largo plazo: crear dispositivos ganadores; abarcar los distintos servicios de consumo de Internet; ofrecer soluciones a las empresas; generar escala en las redes y expandir los servicios profesionales.

Existen tres grandes activos en los que invertirá Nokia y a los que dará prioridad: marca y diseño; compromiso y satisfacción de los clientes y tecnología y arquitectura.

Universidad de Kingston, Londres

Misión: La misión de la Universidad de Kingston es promover la participación en la educación superior, que considera un derecho democrático; esforzarse por alcanzar la excelencia en el aprendizaje, enseñanza e investigación; hacer realidad el potencial creativo y avivar la imaginación de todos sus miembros; y preparar a sus estudiantes para que hagan contribuciones efectivas a la sociedad y la economía.

Visión: La Universidad de Kingston trata de ser una universidad integral y social. Nuestra ambición es crear una universidad que no se encuentre restringida por las posibilidades actuales, sino que cuente con una visión de nuestro futuro mayor y más ambiciosa.

Metas:

- Proporcionar a todos nuestros alumnos actuales y futuros las mismas oportunidades para alcanzar su ambición de aprendizaje.
- Proporcionar un rango completo de cursos de alta calidad y un entorno de apoyo que potencie el aprendizaje crítico y desarrolle habilidades personales, sociales y de empleabilidad.
- Crear autoridad en la investigación y práctica profesional para el beneficio de los individuos, la sociedad y la economía.
- Desarrollar vínculos de colaboración con los proveedores y grupos de interés, dentro de la región, nacionalmente e internacionalmente.
- Hacer la organización, estructura, cultura y sistemas de la universidad apropiados para la consecución de su misión y objetivos.
- Gestionar y desarrollar sus recursos humanos, físicos y financieros para conseguir el mejor valor académico posible de manera eficiente.

Fuentes: www.nokia.com; Kingston University Plan, 2006-2010 (www.kingston.ac.uk).

Preguntas

1. ¿Cómo se ajusta el vocabulario empleado por Nokia y por la Universidad de Kingston con las definiciones proporcionadas en la Figura 1.2?
2. ¿En qué grado es diferente la estrategia para una organización comercial como Nokia y una organización pública como la Universidad de Kingston?
3. Compare las declaraciones estratégicas de su universidad (o empresa) con las de Kingston o Nokia (utilice una búsqueda en la Web con el nombre de su organización y términos como "estrategia", "visión" y "misión"). ¿Qué implicaciones podrían tener para usted las distintas similitudes y diferencias?

- La *capacidad estratégica* se refiere a los *recursos y competencias* que pueden utilizarse en una organización para proporcionar valor a los clientes. Los *recursos únicos* y las *competencias esenciales* son las bases sobre las que una organización consigue una ventaja competitiva y se distingue de sus competidores.
- El concepto de *estrategia* ya ha sido definido. Es la orientación a largo plazo de la organización. Es probable que esté expresada en declaraciones amplias sobre la orientación que debería tomar la organización y los tipos de acciones requeridas para alcanzar los objetivos. Por ejemplo, puede establecerse en términos de entrada en el mercado, nuevos productos o servicios, o formas de operar.
- Un *modelo de negocio* describe la estructura de flujos de productos, servicios e información y los papeles de los grupos participantes. Por ejemplo, un modelo tradicional para los productos manufacturados es un flujo lineal del producto desde los fabricantes de componentes hacia los fabricantes de productos, los distribuidores, los minoristas y finalmente los consumidores. Pero la información puede fluir directamente entre el fabricante de productos y el cliente final (publicidad e investigación de mercado).
- El *control estratégico* supone controlar el grado en el que la estrategia está alcanzando los objetivos y sugerir acciones correctoras (o una reconsideración de los objetivos).

Conforme el libro vaya avanzando, se introducirán y explicarán muchos otros términos. Estos son los básicos con los que comenzar.

La Ilustración 1.2 compara el vocabulario de la estrategia en dos organizaciones que operan en *contextos* muy diferentes. Nokia es un gigante privado del sector de la comunicación, que compite con corporaciones globales como Motorola y Samsung. El beneficio es vital para Nokia, pero aun así concibe su visión y su misión en términos de conectar a más gente en el mundo. La Universidad de Kingston, por otra parte, es una universidad pública, con un compromiso con incrementar la participación en la educación superior. Pero también debe obtener ingresos y necesita generar un margen para ser capaz de invertir en el futuro. La Universidad de Kingston también compite por los estudiantes y fondos para la investigación, en competencia con universidades similares en Reino Unido y en todo el mundo. Las estrategias corporativa y de negocio no son menos importantes para una institución pública como la Universidad de Kingston que para una comercial como Nokia.

Por lo tanto, el vocabulario de la estrategia es relevante en un amplio rango de contextos. Una pequeña empresa de naturaleza emprendedora de nueva creación necesitará de una declaración de estrategia para persuadir a los inversores y prestamistas de su viabilidad. Las organizaciones del sector público necesitan declaraciones de la estrategia, no solo para saber lo que hacen, sino también para asegurar a sus proveedores de fondos y reguladores de lo que hacen y de lo que deberían hacer. Las organizaciones sin ánimo de lucro necesitan comunicar estrategias sugerentes para inspirar a los voluntarios y donantes. Si tienen que crecer dentro de una organización mayor, los directivos de las UEN necesitan proponer estrategias claras que sean consistentes con los objetivos de la corporación a la que pertenecen y con las necesidades de otras UEN dentro de la corporación. Incluso las organizaciones privadas necesitan de declaraciones de estrategia persuasivas para motivar a sus empleados y para construir relaciones a largo plazo con sus clientes y proveedores clave. Por lo tanto, el vocabulario de la estrategia es utilizado en muchos contextos diferentes con muchos propósitos diferentes. La estrategia es parte del lenguaje de trabajo del día a día.

1.3 DIRECCIÓN ESTRATÉGICA

La **dirección estratégica** incluye *comprender la posición* estratégica de una organización, tomar las elecciones estratégicas para el futuro y gestionar la *estrategia en acción.*

El término ***dirección estratégica*** subraya la importancia de los directivos en lo que se refiere a la estrategia. Las estrategias no tienen lugar por sí mismas. La estrategia involucra a personas, especialmente a los directivos que deciden e implementan la estrategia. Por tanto, este libro utiliza el concepto dirección estratégica para poner de manifiesto el elemento humano de la estrategia.

El papel de la dirección estratégica es de naturaleza diferente del de otros aspectos de la dirección. A un directivo operativo a menudo se le requiere que se ocupe de problemas de control operativo, como la producción eficiente de bienes, la gestión de la fuerza de ventas, el control del resultado financiero o el diseño de algún nuevo sistema que mejorará el nivel de servicio a los clientes. Todas estas son tareas muy importantes, pero que se refieren fundamentalmente a la gestión efectiva de recursos ya utilizados, a menudo en una parte limitada de la organización dentro del contexto de una estrategia existente. El control operativo es aquello en lo que los directivos están ocupados la mayor parte de su tiempo. Resulta vital para el éxito de la estrategia, pero no es lo mismo que la dirección estratégica.

Para los directivos, la dirección estratégica supone un mayor alcance que cualquier área de dirección operativa. La dirección estratégica se refiere a la complejidad generada por situaciones ambiguas y no rutinarias, con implicaciones para la organización en su conjunto, en lugar de específicas de una determinada operación. Esto constituye un gran desafío para los directivos que están acostumbrados a dirigir los recursos que controlan sobre la base del día a día. Puede suponer un problema debido a que la experiencia de los directivos, quienes han sido entrenados, quizás durante muchos años, para desarrollar tareas operativas y asumir responsabilidades operativas. Los contables tienden a ver los problemas sobre una base financiera, los directivos de tecnologías de la información en términos de TI, los directivos de marketing en términos de marketing, y así sucesivamente. Por supuesto, cada uno de estos aspectos es importante, pero ninguno es adecuado por sí solo. El directivo que aspire a dirigir o influir sobre la estrategia necesita desarrollar una capacidad que consista en una visión general, para concebir el conjunto en lugar de sólo las partes de la situación a la que se está enfrentando una organización. Esto a menudo se denomina "visión de helicóptero".

Como la dirección estratégica se caracteriza por su complejidad, también es necesario tomar decisiones y emitir juicios basados en la *conceptualización* de cuestiones difíciles. No obstante, la primera formación y experiencia de los directivos a menudo se refiere a emprender acción, o sobre *planificación* o *análisis* detallados. Este libro explica muchos enfoques analíticos de la estrategia y se ocupa también de la acción relacionada con la dirección de la estrategia. Sin embargo, el principal énfasis se pone en la importancia de comprender los *conceptos estratégicos* que informan este análisis y acción.

La dirección estratégica puede ser concebida como compuesta por tres elementos principales: comprender cuál es la *posición estratégica* de una organización, tomar *decisiones estratégicas* para el futuro y la dirección de la *estrategia en acción* (véase la Figura 1.3). Como este libro se refiere a los fundamentos de la estrategia, se concentra en los dos primeros elementos, posición y elección. Se pone un menor énfasis en las cuestiones de dirección de la estrategia en acción: este libro sólo se centra en cuestiones clave como la dirección del cambio estratégico y el establecimiento de estructuras y procesos para hacer funcionar la estrategia elegida. Otras cuestiones a realizar con la puesta en marcha de la estrategia –como la gestión de recursos y la práctica de la estrategia- son tratadas con mayor profundidad en *Exploring Corporate Strategy*[3]. Sin embargo, resulta importante comprender por qué los tres círculos de la Figura 1.3 han sido dibujados de esta particular forma.

La Figura 1.3 podría haber mostrado los tres elementos de la dirección estratégica mediante una secuencia lineal —primero comprender la posición estratégica,

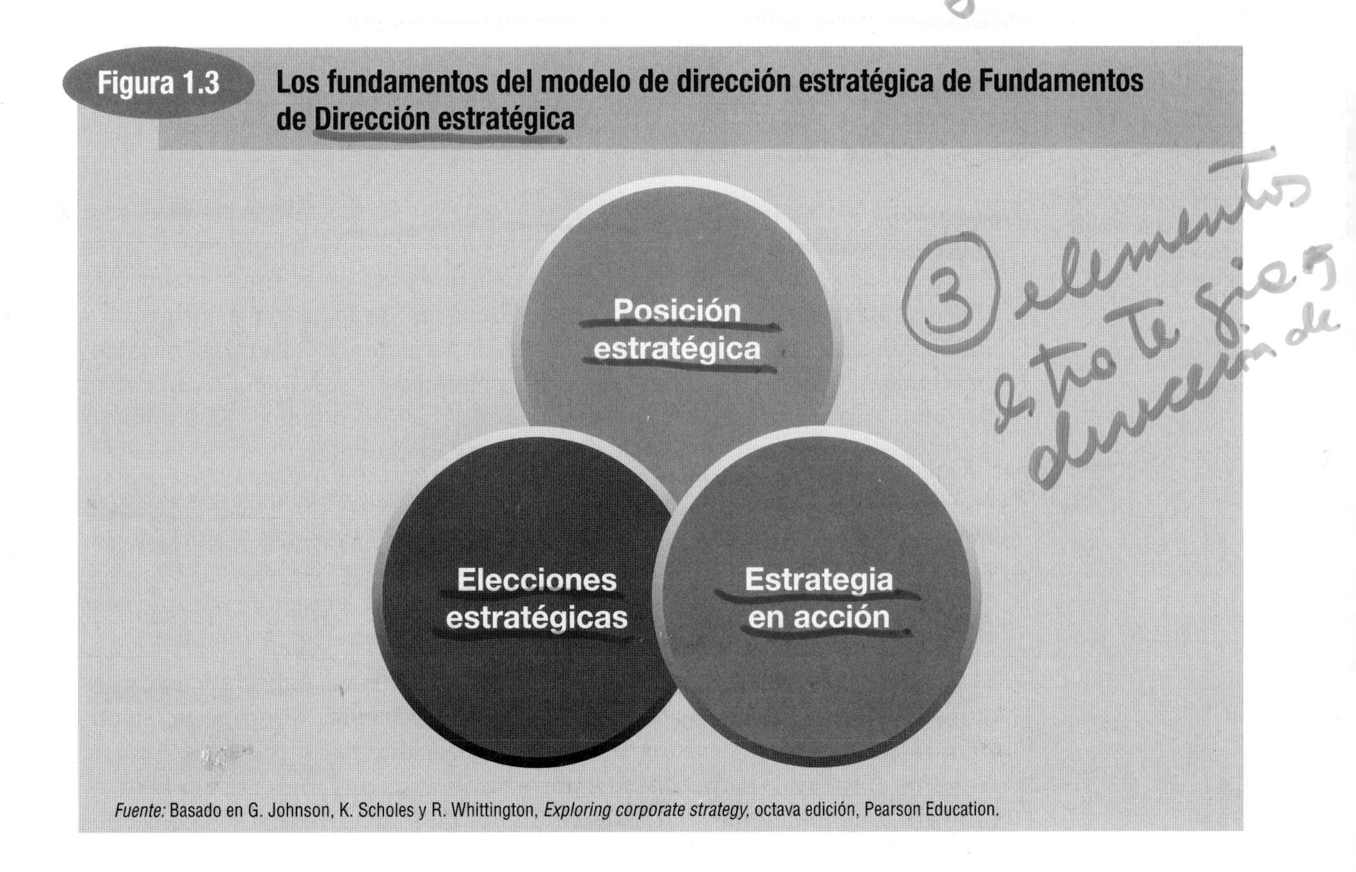

Figura 1.3 **Los fundamentos del modelo de dirección estratégica de Fundamentos de Dirección estratégica**

Fuente: Basado en G. Johnson, K. Scholes y R. Whittington, *Exploring corporate strategy*, octava edición, Pearson Education.

después las elecciones estratégicas y finalmente poner la estrategia en funcionamiento. De hecho, muchos textos sobre el tema hacen precisamente esto. Sin embargo, en la práctica, los elementos de la dirección estratégica no siguen esta secuencia lineal —se encuentran interrelacionados e influyen entre sí. Por ejemplo, en algunas circunstancias la determinación de la posición estratégica puede ser mejor construida a partir de la experiencia de probar una estrategia en la práctica. Probar en el mercado un prototipo podría ser un buen ejemplo. En este caso, la estrategia en acción proporciona información sobre la posición estratégica.

Los círculos interconectados de la Figura 1.3 se encuentran diseñados para enfatizar esta naturaleza no lineal de la estrategia. Posición, elecciones y acción deberían ser considerados como íntimamente relacionados y en la práctica ninguno tiene prioridad sobre cualquier otro. Sólo por conveniencia estructural este libro comienza con la posición estratégica, continúa con importantes elecciones como son la diversificación y la internacionalización y después concluye con la estrategia en acción. Esta secuencia no significa que sugiera que el proceso de dirección estratégica deba seguir un camino claro y ordenado. De hecho, la evidencia sobre cómo se produce en la práctica la dirección estratégica, sugiere que normalmente no lo hace de forma ordenada.

1.3.1. La posición estratégica

La **posición estratégica** se refiere al impacto sobre la estrategia del entorno externo, una capacidad estratégica de la organización (recursos y competencias) y las expectativas e influencia de los grupos de interés.

La **posición estratégica** se refiere al impacto sobre la estrategia del entorno externo, una capacidad estratégica de la organización (recursos y competencias) y las expectativas e influencia de los grupos de interés. El tipo se cuestiones que plantea son centrales para las estrategias futuras y estas cuestiones son cubiertas en los Capítulos 2 al 5 de este libro:

- El *entorno*. La organización existe en el contexto de un mundo político, económico, social, tecnológico, ambiental y legal complejo. Este entorno cambia y es más complejo para unas organizaciones que para otras. Cómo afecta esto a la organización podría incluir la determinación de los efectos históricos y ambientales, así como los cambios esperados y potenciales en las variables ambientales. Muchas de tales variables constituirán *oportunidades*, mientras que otras supondrán *amenazas* sobre la organización –o ambas. El Capítulo 2 muestra cómo analizar estos distintos factores ambientales.
- La *capacidad estratégica* de la organización —constituida por *recursos y competencias*. Una forma de pensar sobre la capacidad estratégica de una organización es considerar sus *fortalezas* y *debilidades*. El propósito es formar una visión de las influencias internas —y restricciones— sobre las elecciones estratégicas para el futuro. El Capítulo 3 examina la capacidad estratégica en detalle.
- El Capítulo 4 explora las principales influencias de las expectativas de los grupos de interés sobre los *propósitos* de la organización. El propósito se encuentra resumido en la *visión* de una organización, *misión* y *valores*. A este respecto, el *gobierno corporativo* es importante: a quién debería servir la organización principalmente y cómo deberían los directivos hacerse responsables

de ello. Esto plantea cuestiones de *responsabilidad social corporativa* y *ética*. El capítulo explora cómo variaciones en los sistemas de gobierno corporativo internacionales y en las configuraciones de *poder* dentro de las organizaciones pueden influir sobre el propósito.

- El Capítulo 5 muestra que las influencias cultural e histórica también pueden influir sobre la estrategia. Las influencias culturales pueden ser *organizativas*, *sectoriales*, o *nacionales*. Las influencias históricas pueden crear un *bloqueo* sobre determinadas trayectorias estratégicas. El impacto de tales trayectorias puede resultar en *deriva estratégica*, o incapacidad de generar el cambio necesario. El capítulo muestra cómo los directivos pueden analizar y desafiar tales influencias históricas y culturales sobre la estrategia.

Tales cuestiones sobre el posicionamiento fueron importantes para afrontar la crisis por parte de Yahoo! en 2006. El entorno externo ofrecía la amenaza de una competencia creciente por parte de Google. Su fuerte marca en Internet y la audiencia existente fueron recursos clave para defender su posición. La compañía estaba teniendo problemas con sus propósitos, con una alta dirección aparentemente indecisa. La compañía, sin embargo, había heredado una fuerte cultura, lo suficientemente fuerte para hacerse afeitar una Y en la cabeza a Brad Garlinghouse.

1.3.2. Elecciones estratégicas

Las **elecciones estratégicas** suponen comprender las bases subyacentes de la estrategia futura, tanto a nivel de unidad de negocio como corporativo, y las opciones para desarrollar la estrategia en términos de las direcciones y métodos de desarrollo.

Las **elecciones estratégicas** incluyen las opciones para desarrollar la estrategia en términos de las direcciones en las que la estrategia se puede mover y los métodos de desarrollo mediante los que la estrategia puede ser perseguida. Por ejemplo, una organización puede tener que elegir entre movimientos de diversificación alternativos, por ejemplo entrando en nuevos productos y mercados. Conforme diversifica, cuenta con diferentes métodos disponibles, por ejemplo desarrollando un nuevo producto por sí misma o adquiriendo una organización ya activa en el área. Las opciones y métodos típicos se encuentran recogidos en los Capítulos 6 al 9, como sigue:

- Existen elecciones estratégicas en términos de cómo la organización busca competir a *nivel de negocio*. Normalmente, éstos incluyen la fijación de precios y estrategias de diferenciación y las decisiones sobre cómo competir o colaborar con los competidores. Estas cuestiones de estrategias a nivel de negocios serán abordadas en el Capítulo 6.
- En el nivel más alto de una organización existen cuestiones de *estrategia corporativa*, que se refieren al alcance, o amplitud de una organización. Éstas incluyen decisiones sobre *diversificación* de la cartera de productos y la extensión de los mercados. Para Yahoo!, encontrarse extendida en demasiados negocios parecía ser el principal problema estratégico. La estrategia corporativa también se ocupa de la relación entre las distintas partes de los negocios y de cómo la matriz corporativa añade valor a esas partes. En Yahoo!, no está claro cuánto valor añade la matriz a sus partes componentes. Estas cuestiones sobre

el papel del centro y cómo añade valor son cuestiones de la *matriz* que serán analizadas en el Capítulo 7.

- La *estrategia internacional* es una forma de diversificación en nuevos mercados geográficos. A menudo es tan exigente como la diversificación. El Capítulo 8 examina las elecciones que tienen que hacer las organizaciones respecto a qué mercados geográficos priorizar y cómo entrar en ellos, mediante exportación, licencia, inversión directa o adquisición.
- Las organizaciones tienen que tomar decisiones sobre los *métodos* mediante los que persigue sus estrategias. Muchas organizaciones prefieren crecer "orgánicamente", es decir, construyendo nuevos negocios con sus propios recursos. Otras organizaciones pueden desarrollarse mediante fusiones/adquisiciones y/o alianzas estratégicas con otras organizaciones. Estos métodos alternativos son analizados en el Capítulo 9.

1.3.3. Estrategia en acción

La **estrategia en acción** se ocupa de asegurar que las estrategias funcionen en la práctica.

La **estrategia en acción** se ocupa de asegurar que las estrategias funcionen en la práctica. El capítulo 10 cubre tres cuestiones clave para la estrategia en acción:

- *Estructurar* una organización para poder conseguir unos buenos resultados. De acuerdo con Brad Garlinghouse, los compartimentos estructurales estancos, la organización matricial y la burocracia eran grandes problemas para Yahoo!
- Los *procesos* son necesarios para controlar la forma en la que la estrategia es implementada. Los directivos necesitan asegurarse que las estrategias son implementadas de acuerdo a lo planificado, comprobar el progreso y hacer los ajustes necesarios sobre la marcha.
- La dirección del *cambio estratégico* normalmente es una parte importante de la puesta en marcha de la estrategia. Esto incluye la necesidad de comprender cómo el contexto de una organización influiría en el enfoque a adoptar para el cambio y los diferentes tipos de *papeles* de las distintas personas en la dirección del cambio. También abarca los *estilos* que pueden ser adoptados para gestionar el cambio y los *inductores* mediante los que el cambio puede ser efectuado.

El Capítulo 10 es una introducción a la estrategia en acción: estos temas y otros relacionados, serán tratados de manera más extensiva en el libro de los mismos autores, *Exploring Corporate Strategy*.

1.4 PROCESOS DE DESARROLLO DE LA ESTRATEGIA

El apartado anterior introdujo la posición estratégica, las elecciones estratégicas y la estrategia en acción. Hasta el momento, se encuentra implícito el hecho de que las estrategias son producto de cuidadosos análisis y elecciones. Sin embargo, existen dos grandes explicaciones respecto al desarrollo de la estrategia:

- El *enfoque racional-analítico* del desarrollo de la estrategia es la explicación convencional. Bajo este enfoque, las estrategias son desarrolladas mediante procesos racionales y analíticos, guiados normalmente por la alta dirección. Existe una secuencia lineal. En primer lugar, se analiza la posición estratégica. Tras valorar las distintas opciones, se realizan las elecciones estratégicas. Finalmente, son dispuestas las estructuras, procesos y procedimientos de cambio, a fin de permitir una efectiva implementación. A menudo, los sistemas formales de planificación estratégica son importantes para el análisis y formulación de la estrategia. Bajo este enfoque, las estrategias son *deliberadas*, lo que significa que son producto de elecciones deliberadas.
- El *enfoque de la estrategia emergente* es la explicación alternativa general sobre cómo se desarrollan las estrategias. Bajo este enfoque, las estrategias normalmente no se desarrollan de manera deliberada o planeada, sino tienden a surgir en las organizaciones a lo largo del tiempo como resultado de acciones ad hoc, incrementales e incluso accidentales. Las buenas ideas y oportunidades a menudo surgen de la experiencia práctica en los niveles más bajos de la organización, en lugar de la alta dirección y los planes estratégicos formales. Incluso los planes mejor diseñados pueden necesitar ser abandonados conforme las nuevas oportunidades surgen o la organización aprende del mercado.

Los dos enfoques no son mutuamente excluyentes. Las estrategias deliberadas a menudo pueden tener éxito, especialmente en mercados estables en los que existen pocas sorpresas. Sin embardo, los grupos de interés clave —empleados, propietarios, clientes, reguladores, etcétera— normalmente desean ver una evidencia de la elaboración deliberada de la estrategia. Raramente resulta aceptable decir que todo es simplemente emergente. Las herramientas y conceptos que se encuentran en el libro, particularmente en los Capítulos 2, 3 y 6 al 9, son especialmente útiles en esta elaboración deliberada de la estrategia. Pero resulta adecuado estar abierto también a las posibilidades de la emergencia. Los planes inflexibles pueden dificultar el aprendizaje y evitar el aprovechamiento de oportunidades. Además, las elecciones estratégicas no siempre surgen como resultado del simple análisis racional. Los *procesos culturales y políticos* en las organizaciones pueden también dirigir el cambio en la estrategia, tal y como se mostrará en los Capítulos 4 y 5.

Este libro da cabida, tanto a un enfoque racional-analítico, como emergente. De hecho, la interconexión de los círculos del modelo presentado en la Figura 1.3, de forma deliberada subraya la posibilidad de los aspectos no lineales de la estrategia. No se trata sólo de poner en marcha las elecciones estratégicas dentro de una secuencia lógica, comenzando por la formulación de la estrategia hasta la implementación de la estrategia. La estrategia en acción a menudo genera las elecciones estratégicas en primer lugar, conforme las nuevas oportunidades y restricciones son descubiertas en la práctica. La implementación lleva también a la formulación[4].

RESUMEN

- La estrategia es la *orientación* y alcance de una organización durante el *largo plazo*, lo que permite conseguir una *ventaja* en un *entorno* cambiante mediante su configuración de *recursos y competencias*, con el ánimo de satisfacer las expectativas de los *grupos de interés*.
- Las decisiones estratégicas son tomadas en distintos niveles en las organizaciones. La *estrategia corporativa* se ocupa del propósito y alcance global de una organización. La *estrategia de negocio (o competitiva)* se ocupa de cómo competir con éxito en un mercado, mientras que las *estrategia operativas* lo hacen respecto a cómo los recursos, procesos y personas pueden hacer posibles las estrategias corporativa y de negocio. La dirección estratégica se distingue de la gestión operativa del día a día por la complejidad de las influencias en las decisiones, la amplitud de las implicaciones en toda la organización y sus implicaciones a largo plazo.
- La dirección estratégica cuenta con tres elementos principales: la determinación de la *posición estratégica*, las *elecciones estratégicas* para el futuro y la *estrategia en acción*. La posición estratégica de una organización se encuentra influida por el entorno externo, la capacidad estratégica interna y las expectativas e influencia de los grupos de interés. Las elecciones estratégicas incluyen las bases subyacentes de la estrategia, tanto a nivel corporativo como de negocio, y las direcciones y métodos de desarrollo. La estrategia en acción se refiere a cuestiones de estructura y procesos para implementar la estrategia y la dirección del cambio.

Lecturas clave recomendadas

Siempre resulta útil leer en torno a un tema. Además de las referencias específicas que se muestran más adelante, destacamos en particular:

- Se puede encontrar una visión general de la naturaleza evolutiva de la disciplina estratégica en R. Whittington, *What is strategy - and does it matter?*, segunda edición, International Thompson, 2000; y H. Mintzberg, B. Ahlstrand y J. Lampel, *Strategy Safary: a Guided tour through the wilds of Strategic Management,* Simon and Schuster, 2000.
- Se pueden encontrar los desarrollos más recientes en la práctica de la estrategia en los diarios económicos como *Financial Times, Les Echos y The Wall Street Journal*, así como en revistas económicas como *Business Week, The Economist, L'Expansion* y *Manager-Magazin.* Véanse también las páginas web de las principales empresas de consultoría: www.mckinsey.com; www.bcg.com; www.bain.com.

Referencias

1. La pregunta ¿Qué es la estrategia? ha sido abordada en R. Whittington, *What is strategy - and does it matter?* (1993/2000), International Thompson; M. Porter, "What is strategy?", *Harvard Business Review*, noviembre-diciembre (1996), pp. 61-78; y F. Fréry, "The fundamental dimensions of strategy", *MIT Sloan Management Review*, vol. 48, no. 1 (2006), pp. 71-75.
2. La tradición de Harvard sobre "business policy" se aborda en L. Greiner, A. Bhambri y T. Cummins, "Searching for a strategy to teach strategy", *Academy of Management Learning and Education*, vol.2, no. 4 (2003), pp. 401-420.
3. G. Johnson, K. Scholes y R. Whittington, *Exploring Corporate Strategy*, octava edición (2008), Pearson.
4. La clásica discusión sobre los papeles de la formulación racional de la estrategia se encuentra en H. Mintzberg, "The design school: reconsidering the basic premises of strategic management", *Strategic Management Journal*, vol. 11 (1991), pp. 171-195 y en H.I. Ansoff, "Critique of Henry Mintzberg's The Design School', *Strategic Management Journal*, vol. 11 (1991), 449-461.

CASO DE EJEMPLO

Electrolux

En 2005, la compañía sueca Electrolux era la mayor productora mundial de electrodomésticos para uso doméstico y profesional para la cocina, lavado y uso exterior. Sus productos incluyen cocinas, aspiradoras, lavadoras, frigoríficos, cortacéspedes, motosierras y herramientas para la construcción y para canteras. Empleaba a 70.000 personas y vendía unos 40 millones de productos anualmente en unos 150 países. Sus ventas en 2005 fueron de 129 billones de coronas suecas (unos 14 billones de euros) y sus beneficios fueron de unos 3,9 millones de coronas (unos 420 millones de euros). Pero 2005 supuso dos cambios que colocarían a la compañía en segundo lugar en la industria –tras la compañía americana Whirlpool. En primer lugar, Whirlpool completó la adquisición de Maytag, que le proporcionó un 47 por ciento de la cuota de mercado en Estados Unidos y unas ventas totales de unos 15 billones de euros (19 billones de dólares). En segundo lugar, Electrolux anunció que iba a escindir su división de productos para exterior (cortacéspedes, motosierras, etc.) como Husqvarna. Esto dejaba que Electrolux se centrara en los productos de interior para uso en el hogar o profesional y empresas de limpieza. Por lo tanto, la "nueva Electrolux" contaría con 57.000 empleados y unas ventas totales de unas 104 coronas (unos 11 billones de euros).

Historia

Este era sólo el último cambio en la estrategia de Electrolux, cuyo impresionante crecimiento comenzó bajo el liderazgo de Alex Wenner-Gren en la Suecia de los años 20. El primer crecimiento fue generado en torno a conocimiento en diseño industrial, creando productos líderes en refrigeración y aspiración. A mediados de los años 30, la compañía había establecido su producción fuera de Suecia, en Alemania, Reino Unido, Francia, Estados Unidos y Australia.

El periodo que siguió a la Segunda Guerra Mundial vio un importante crecimiento en la demanda de electrodomésticos y Electrolux expandió su rango de productos hacia las lavadoras y lavavajillas. En 1967, Hans Werthén se convirtió en presidente y se embarcó en una serie de adquisiciones que reestructuraron la industria en Europa: se realizaron 59 adquisiciones sólo en los 70, seguidas por las importantes adquisiciones de Zanussi (Italia), White Consolidated Products (Estados Unidos), la división de electrodomésticos de Thorn EMI (Reino Unido), la compañía de productos para el exterior Poulan/Weed Eater (Estados Unidos) y AEG Hausgeräte (Alemania). Pero la mayor adquisición de los 80 fue la de la sueca Granges (que constituyó una diversificación hacia un conglomerado del metal).

Como resultado de todas estas adquisiciones, en 1990, el 75 por ciento de las ventas de Electrolux se realizaban fuera de Suecia y esto se incrementó durante los noventa, cuando Leif Johansson se expandió hacia Europa del Este, Asia (La India y Tailandia) y América Central y del Sur (México y Brasil). Entonces disponía de numerosas actividades industriales "no esenciales" (particularmente Granges). Una gran reestructuración a finales de los 90 determinó la forma del grupo para el comienzo del siglo XXI, con aproximadamente un 85 por ciento de las ventas en bienes de consumo duradero y un 15 por ciento en productos relacionados para usuarios profesionales (como servicios profesionales de alimentación y equipamiento de lavandería).

El mercado

El informe anual de 2005 ponía de manifiesto dos aspectos críticos de los mercados de la compañía que sus estrategias tenían que abordar:

Globalización

"Electrolux opera en una industria con una fuerte competencia global... La productividad dentro de la industria se había incrementado a lo largo de los años y a los consumidores se les ofrecían cada vez mejores productos a menores precios. Cada vez más y más fabricantes están estableciendo plantas en países en los que los costes de producción son considerablemente menores... y cada vez compran más componentes en tales países. A la vez, los costes de producción de los principales productores se irán colocando al mismo nivel. Esto estimulará un cambio del foco competitivo hacia el desarrollo de productos, el marketing y el fortalecimiento de la marca".

Polarización del mercado

"La combinación de cambios en las preferencias de los consumidores, el crecimiento de las cadenas globales de minoristas y una mayor competencia global está llevando a la polarización del mercado. Más consumidores están demandando productos básicos. Las compañías que pueden mejorar la eficiencia en la producción y distribución serán capaces de conseguir un crecimiento rentable en este segmento. Al mismo tiempo, se está incrementando la demanda para productos de mayor precio".

Consolidación de los minoristas

"La estructura de los minoristas en el mercado de electrodomésticos (particularmente en Estados Unidos) se está consolidando. Los minoristas tradicionales están perdiendo cuota de mercado a favor de mayores cadenas de minoristas. Las grandes cadenas se benefician de grandes volúmenes de compra y una amplia cobertura geográfica. Esto les proporciona mayores oportunidades para mantener precios bajos. Además, los costes de los productores de servir a grandes minoristas son menores que a los tradicionales, gracias a los mayores volúmenes y a una logística más eficiente".

Estos tres factores estaban interconectados. Por ejemplo, la rápida penetración de los productores asiáticos (por ejemplo, LG y Samsung) en el mercado de Estados Unidos se llevó a cabo mediante grandes contratos con los principales minoristas estadounidenses (The Home Depot y Lowe's respectivamente).

Las estrategias de Electrolux

En el informe anual de 2005, el director general (Hans Stråberg) reflexionó sobre sus primeros cuatro años en la compañía y los desafíos para el futuro:

Hace cuatro años llegué como presidente y director general de Electrolux. Mi meta era acelerar el desarrollo de Electrolux como compañía impulsada por el mercado, basada en un mayor entendimiento de las necesidades del cliente... Nosotros (digo que nosotros) podríamos conseguir (nuestras metas):

- Continuando el recorte de costes y eliminando la complejidad en todos los aspectos de las operaciones.
- Incrementando la tasa de renovación de productos en base al conocimiento del consumidor.
- Incrementando nuestra inversión en marketing y fortaleciendo la marca Electrolux como líder global en nuestra industria.

Stråberg continuó describiendo los principales cambios que se habían producido en la estrategia durante los cuatro años, a la vez que miraba hacia lo que quedaba por hacer y los nuevos desafíos tras la escisión de 2006:

Gestionar las unidades con malos resultados

Hemos desinvertido o cambiado el modelo de negocio para aquellas unidades que podrían considerarse como no esenciales o en las que la rentabilidad era demasiado baja. Por ejemplo, en lugar de mantener la producción de aparatos de aire acondicionado en los Estados Unidos, que no era rentable, externalizamos estos productos a un fabricante en China. Nuestras operaciones en motores y compresores habían sido desinvertidas.

Trasladar la producción hacia países de bajo coste

Mantener costes de producción competitivos es un prerrequisito para sobrevivir en nuestros mercados. Trabajaremos para mejorar la rentabilidad desinvirtiendo determinadas unidades de negocio o cambiando el modelo de negocio. También es importante continuar relocalizando producción de países con altos costes hacia países con bajos costes... Hemos cerrado plantas en las que los costes eran excesivos y construido nuevas en países con niveles de costes competitivos. Por ejemplo, hemos trasladado la producción de frigoríficos de Greenville en Estados Unidos a Juárez en México. Esto nos ha permitido recortar costes y al mismo tiempo abrir una unidad de producción con la última tecnología para servir a todo el mercado de Norteamérica. El objetivo es haber completado tales actividades a finales de 2008.

Producción y logística más eficientes

Hemos dedicado bastante tiempo y esfuerzo para hacer la producción y logística más eficientes. Esto ha supuesto reducir el número de plataformas de producto, incrementar la productividad, reducir los niveles de inventario e incrementar la precisión en los envíos.

Compras más eficientes

Las compras son otra área en la que hemos implementado cambios para mejorar nuestra posición en costes, principalmente mediante una mejor coordinación a nivel global. Hemos lanzado un proyecto diseñado para reducir drásticamente el número de proveedores. También hemos intensificado nuestra cooperación con proveedores para recortar los costes de los componentes. No obstante, todavía queda por hacer bastante trabajo. Entre otras cosas, hemos incrementado la cuota de compras de países de bajo coste.

Intensificar la renovación de productos

Nuestro futuro depende de lo bien que podamos combinar un foco continuado en los costes con una intensificada renovación de productos y un desarrollo sistemático de nuestras marcas y nuestro personal... Nuestros procesos de desarrollo de producto basados en el conocimiento del consumidor reducen el riesgo de decisiones sobre inversión incorrectas. Conseguir un mayor impacto en el desarrollo de nuevos productos ha supuesto hacer más eficiente la coordinación global, lo que nos ha proporcionado una serie de nuevos productos globales. El resultado de nuestra inversión en desarrollo de productos durante los últimos años se ha reflejado claramente en el número de lanzamientos de productos en el área de electrodomésticos, que se ha incrementado desde unos 200 en 2000 a unos 370 en 2005... La inversión en desarrollo de nuevos productos se ha incrementado unos 500 millones de coronas (unos 77 millones de euros) durante los últimos tres años. Nuestro objetivo es invertir al menos el 2% de las ventas en desarrollo de productos. Continuaremos lanzando productos a una tasa elevada.

Acceso a la competencia

Durante los últimos años hemos establecido procesos y herramientas de gestión del talento que aseguren el acceso a la competencia en el futuro. Desarrollo de liderazgo activo, oportunidades internacionales de carrera, y una cultura orientada a los resultados nos permite desarrollar con éxito nuestros recursos humanos. A fin de encabezar el desarrollo en nuestra industria, tendremos que actuar rápido y atrevernos a hacer cosas diferentes. También necesitaremos un fuerte compromiso con el medioambiente y buenas relaciones con nuestros proveedores.

Comenzar a construir una fuerte marca global

Cuando asumí el puesto de presidente y director general en 2002, recalqué que teníamos que priorizar el reforzamiento de la marca Electrolux, tanto globalmente como en todas las categorías de productos. Una fuerte marca permite una significativa prima en el precio de mercado, lo que lleva a un incremento sostenible en el largo plazo en el precio. El trabajo en la construcción de una fuerte marca ha sido muy exhaustivo. La cuota de los productos vendidos bajo la marca Electrolux se ha incrementado desde el 16% de las ventas en 2002 hasta casi el 50% en 2005. Continuaremos trabajando en el reforzamiento de la marca Electrolux como líder global en nuestra industria. Nuestro objetivo es que la inversión en el reforzamiento de la marca suponga al menos un 2% de las ventas.

Mirar hacia el futuro próximo

Hans Stråberg concluyó su revisión del negocio con una mirada hacia el año siguiente:

Esperamos que el Grupo genere una alta rentabilidad de nuevo en 2006... Tanto en Europa como en Norteamérica vamos a lanzar una serie de importantes nuevos productos. Los productos profesionales para el interior mejorarán su posición en el mercado norteamericano en 2006, desarrollando nuevos canales de distribución para el equipamiento de servicios alimentarios. El éxito de nuestros productos de cuidado del suelo en segmentos de alto precio continuará, entre otras cosas sobre la base de mayores volúmenes de aspiradoras sin bolsa.

No habrá cambios en la tasa de deslocalización de la producción hacia países de bajo coste. Durante la segunda mitad de 2006, veremos el efecto completo de los ahorros de costes generados por trasladar la producción de Greenville a Juárez. Esperamos que las ventas sean afectadas de manera negativa por la huelga en nuestra planta de electrodomésticos en Nuremberg, Alemania (que está previsto su cierre en 2007). La continua reducción en los costes de compra es un factor muy importante para el incremento de nuestra rentabilidad en 2006.

La estrategia que ha sido implementada de manera efectiva en los últimos años por todos en nuestra organización está valiendo la pena. En 2006 continuaremos este importante trabajo de reforzamiento de la marca Electrolux, lanzando nuevos productos y reduciendo costes.

Fuentes: Página web de la empresa (www.electrolux.com); informe anual 2005.

Preguntas

1. Examine el Apartado 1.2.1 y explique por qué las cuestiones a las que se enfrenta Electrolux son estratégicas. Trate de encontrar ejemplos de todos los ítems citados en ese apartado.
2. ¿Qué niveles de la estrategia puede identificar en Electrolux? Refiérase al Apartado 1.2.2.
3. Identifique los principales factores respecto a la posición estratégica de Electrolux. Enumérelos de manera separada bajo el entorno, capacidad y expectativas (véase el Apartado 1.3.1). En su opinión, ¿cuáles son los factores más importantes?
4. Piense sobre las elecciones estratégicas para la compañía en relación con las cuestiones abordadas en el Apartado 1.3.2.
5. ¿Cuáles son las principales cuestiones sobre estrategia en acción que pudieran determinar el éxito o fracaso de las estrategias de Electrolux? Refiérase al Apartado 1.3.3.

2

EL ENTORNO

OBJETIVOS DE APRENDIZAJE

Tras leer este capítulo, usted debería ser capaz de:

- Analizar el macroentorno general de una organización, en términos de factores políticos, económicos, sociales, tecnológicos, ambientales (verdes) y legales.
- Identificar los inductores clave en este macroentorno y utilizarlos para construir escenarios alternativos con respecto al cambio en el entorno.
- Utilizar el análisis de las cinco fuerzas para definir el grado de atractivo de industrias y sectores en los que invertir e identificar su potencial de cambio.
- Identificar grupos estratégicos, segmentos de mercado y factores clave de éxito, y utilizarlos para reconocer espacios estratégicos y oportunidades en el mercado.

2.1 INTRODUCCIÓN

El entorno es lo que proporciona a las organizaciones su medio de supervivencia. En el sector privado, los clientes satisfechos son los que mantienen a una organización en el negocio. En el sector público, son el gobierno, los clientes, los pacientes o los estudiantes los que normalmente juegan el mismo papel. Sin embargo, el entorno también es fuente de las amenazas, como, por ejemplo, los cambios hostiles en la demanda del mercado, los nuevos requerimientos legales, las tecnologías revolucionarias o la entrada de nuevos competidores. El cambio ambiental puede ser fatal para las organizaciones. Por tomar un ejemplo, tras doscientos años de prosperidad, el editor en papel de la *Encyclopedia Britannica* casi desapareció por el auge de las fuentes de información electrónica, como Microsoft Encarta o Wikipedia. Resulta vital para los directivos analizar su entorno cuidadosamente para anticiparse y —si es posible— influir en el cambio del entorno.

Por lo tanto, este capítulo proporciona modelos para el análisis de entornos cambiantes y complejos. Tales modelos se encuentran organizados en una serie de *estratos* brevemente introducidos aquí y resumidos en la Figura 2.1.

Figura 2.1 Estratos en el entorno de negocio

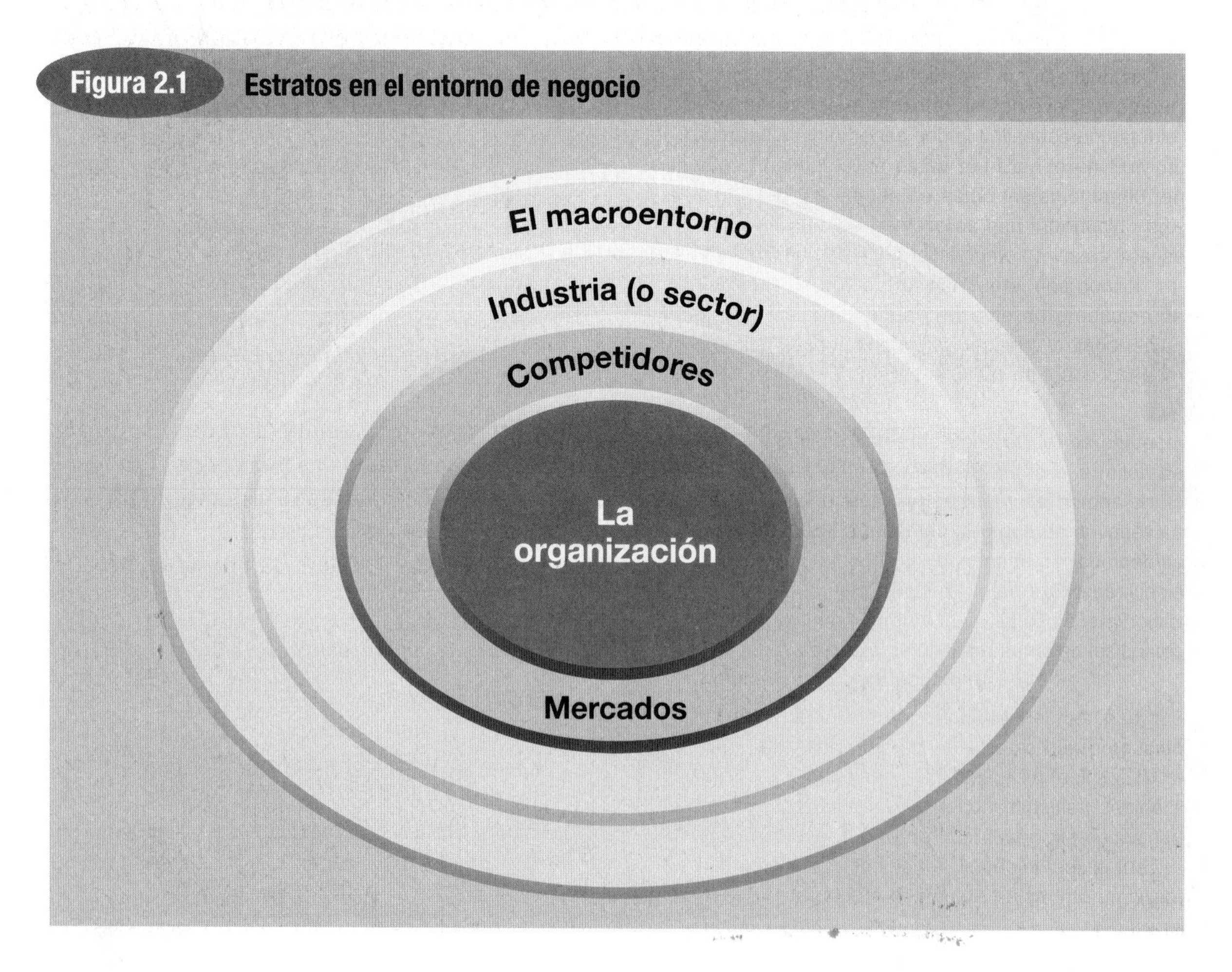

- El *macroentorno* es el estrato situado en el nivel superior. Consiste en factores ambientales generales que impactan en mayor o menor grado en casi todas las organizaciones. El modelo PESTEL puede utilizarse para identificar cómo pueden afectar a las organizaciones las tendencias futuras en los entornos *político, económico, social, tecnológico, ambiental (verde)* y *legal*. Este análisis PESTEL proporciona los *datos* generales a partir de los cuales identificar los *inductores clave del cambio*. Tales inductores clave pueden utilizarse para construir *escenarios* de posibles futuros. Los escenarios consideran cómo puede ser necesario cambiar las estrategias dependiendo de las diferentes formas en las que el entorno para los negocios *pudiera* cambiar.
- La *industria o sector* conforma el siguiente estrato con respecto al entorno general. Este se encuentra compuesto por organizaciones que producen los mismos productos o servicios. Resulta particularmente útil el modelo de las *cinco fuerzas* para la comprensión del atractivo de determinas industrias o sectores, y de las potenciales amenazas del exterior del conjunto actual de competidores.
- *Competidores y mercados* son los estratos que rodean a las organizaciones de manera más inmediata. Dentro de la mayor parte de las industrias o sectores existirán muchas organizaciones diferentes con distintas características, algunas más cercanas a una organización en particular y otras más remotas. El concepto de *grupos estratégicos* puede ayudar a identificar a los competidores más cercanos y más remotos. De manera similar, en el mercado, no serán siempre iguales las expectativas de los clientes. Cuentan con una serie de requerimientos diferentes y la importancia de estos puede ser comprendida mediante los conceptos de *segmentos de mercado* y *factores clave del éxito*.

Este capítulo estudia estos tres estratos, comenzando por el macroentorno.

2.2 EL MACROENTORNO

Los tres conceptos que se analizan en este apartado —PESTEL, inductores clave y escenarios— son herramientas interrelacionadas para el análisis del macroentorno de una organización. El modelo PESTEL proporciona una visión general, los inductores clave ayudan a centrarse en lo que es más importante y los escenarios se construyen sobre los inductores clave para explorar las diferentes formas en las que el macroentorno puede cambiar.

2.2.1. El modelo PESTEL

El **modelo PESTEL** categoriza las influencias del entorno en seis tipos principales: política, económica, social, tecnológica, entorno ambiental y legal.

El **modelo PESTEL** (véase la Ilustración 2.1) proporciona una lista integral de las influencias sobre el posible éxito o fracaso de una estrategia particular. PESTEL significa Político, Económico, Social, Tecnológico, Entorno ambiental y Legal[1]. La dimensión Política pone de manifiesto el papel de los poderes públicos; la Económica se refiere a los factores macroeconómicos, como tipos de cambio, ciclos de los negocios y tasas de crecimiento económico diferenciales en todo el mundo;

Ilustración 2.1

Análisis PESTEL de la industria de transporte aéreo

La influencia del entorno sobre las organizaciones puede resumirse dentro de seis categorías. Para la industria de aerolíneas, una lista inicial de influencias bajo las categorías del análisis PESTEL puede incluir las siguientes:

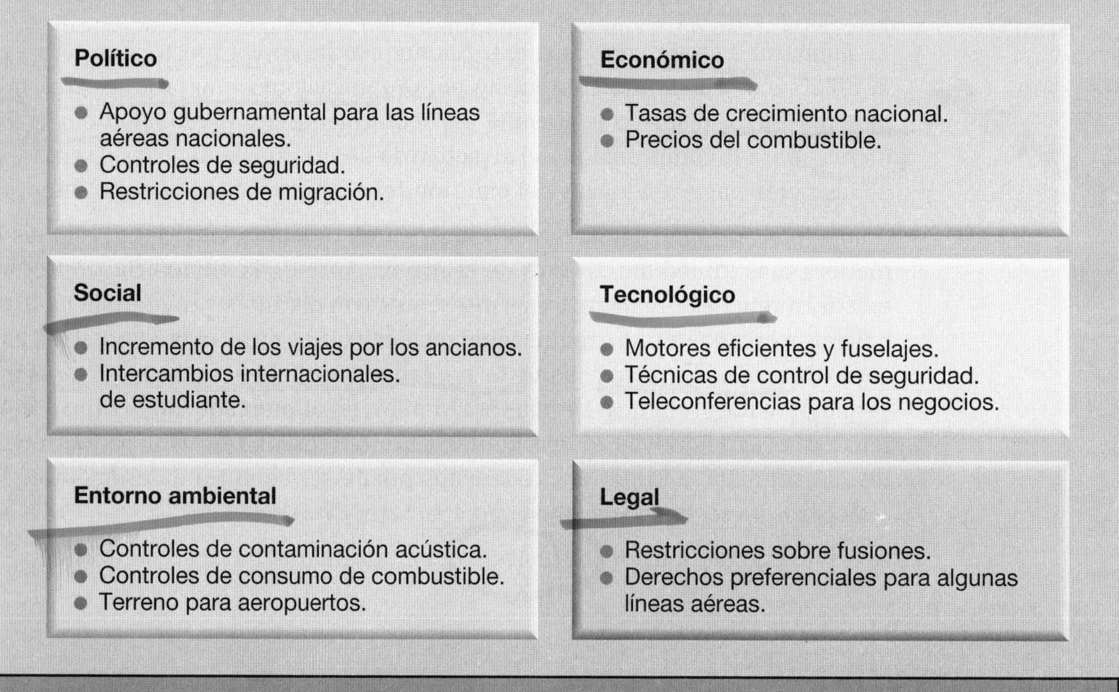

Preguntas

1. ¿Qué influencias ambientales añadiría a esta lista inicial para la industria del transporte aéreo?
2. A partir de su lista más completa, ¿cuáles de estas influencias destacaría como las que es más probable que constituyan los *inductores de cambio clave* para las líneas aéreas en los próximos cinco años?

la influencia Social incluye cambios culturales y demográficos como, por ejemplo, el envejecimiento de las poblaciones en muchas sociedades occidentales; la influencia de la Tecnología se refiere a innovaciones como Internet, nanotecnologías o la utilización de nuevos compuestos de materiales; el Entorno ambiental se refiere de manera específica a cuestiones *verdes*, como polución y desechos; y finalmente la dimensión Legal recoge restricciones legislativas o cambios, como pueden ser en la legislación sobre salud y seguridad en el trabajo, o restricciones a las fusiones y adquisiciones de compañías.

Para los directivos, resulta importante analizar cómo estos factores están cambiando y cómo es probable que cambien en el futuro, de lo que pueden extraerse implicaciones para la organización. Muchos de estos factores se encuentran relacionados entre sí. Por ejemplo, los desarrollos tecnológicos simultáneamente pueden cambiar factores económicos (por ejemplo, creando nuevos trabajos), factores sociales (facilitando un mayor tiempo libre) y factores medioambientales (reduciendo la polución). Como puede imaginarse, el análisis de estos factores y sus interrelaciones puede generar largas y complejas listas.

Los **inductores clave del cambio** son factores ambientales que es probable que ejerzan un alto impacto en el éxito o el fracaso de la estrategia.

Por lo tanto, para no verse abrumado por multitud de detalles, finalmente es necesario retroceder para identificar los **inductores clave del cambio.** Los inductores clave del cambio son los factores de alto impacto que es probable que afecten de manera significativa al éxito o el fracaso de la estrategia. Los inductores clave típicos variarán dependiendo de la industria o el sector. Por ejemplo, un vendedor al por menor de ropa puede estar principalmente preocupado por los cambios sociales que dirigen los gustos y comportamiento de los clientes, y los lleva a la compra fuera de la ciudad. Un fabricante de ordenadores es probable que se preocupe por el cambio tecnológico, como por ejemplo, los incrementos en las velocidades de los microprocesadores. Los directivos del sector público es probable que se preocupen especialmente por el cambio social (por ejemplo, una población más envejecida), el cambio político (cambio en la financiación pública y políticas públicas) y cambio legislativo (introducción de nuevos requerimientos). Identificar los inductores clave del cambio ayuda a los directivos a centrarse en los factores PESTEL más importantes y a los que se debe atender con la mayor prioridad. En cualquier caso, muchos otros cambios dependerán de tales inductores clave (por ejemplo, una población más envejecida producirá cambios en la financiación y políticas públicas). Sin un claro sentido de los inductores clave del cambio, los directivos no serán capaces de tomar las decisiones que permitan la acción efectiva.

2.2.2. Construcción de escenarios

Cuando el entorno de negocio se caracteriza por elevados niveles de incertidumbre que surgen de la complejidad o del rápido cambio (o de ambos), resulta imposible desarrollar una única visión sobre cómo la influencia del entorno puede afectar a las estrategias de una organización, y de hecho podría ser peligroso hacerlo. Los análisis de escenarios son llevados a cabo para permitir diferentes posibilidades y ayuda a evitar que los directivos cierren sus mentes sobre las distintas opciones. Por lo tanto, los **escenarios** ofrecen visiones distintas plausibles sobre cómo puede desarrollarse el entorno de negocio de una organización en el futuro [2]. Normalmente se construyen a partir de los análisis PESTEL y los inductores clave del cambio, aunque no ofrecen una previsión única sobre cómo cambiará el entorno.

Los **escenarios** son visiones detalladas y plausibles sobre cómo puede desarrollarse el entorno de negocio de una organización en el futuro, de acuerdo con los inductores clave sobre los que existe un elevado nivel de incertidumbre.

Los escenarios normalmente parten de los inductores clave del cambio sujetos a una mayor incertidumbre. Tales inductores clave podrían crear visiones radicalmente diferentes del futuro de acuerdo a cómo resultaran. Por ejemplo, en el negocio del petróleo, los inductores clave podrían ser el cambio tecnológico, las reservas de crudo, el crecimiento económico y la estabilidad política internacional.

Puede suponerse que el cambio tecnológico y las reservas de crudo son relativamente ciertos, mientras que el crecimiento económico y la estabilidad económica no lo son. Los escenarios pueden construirse en torno a diferentes visiones sobre estabilidad política futura y crecimiento económico. Por supuesto, estos inductores clave se encuentran interrelacionados. Una elevada inestabilidad política y un bajo crecimiento económico es probable que vayan unidos. Por lo tanto, construir visiones alternativas plausibles sobre cómo pudiera desarrollarse en el futuro el entorno de negocio depende de entretejer inductores interrelacionados en escenarios internamente consistentes. Así, en este análisis podrían proponerse dos escenarios internamente consistentes: uno basado en un bajo crecimiento y una elevada inestabilidad, y otro basado en un elevado crecimiento y una baja inestabilidad.

Es preciso notar que la planificación de escenarios no trata de predecir lo impredecible. La cuestión es considerar futuros alternativos plausibles. Compartir y debatir escenarios alternativos mejora el aprendizaje de la organización al hacer a los directivos más perceptivos sobre las fuerzas en el entorno de negocio y sobre lo que es realmente importante. Los directivos deberían también evaluar y desarrollar estrategias (o planes de contingencia) para cada escenario. Deberían entonces observar el entorno para ver cómo las estrategias se están desarrollando y ajustando en realidad.

Debido a que debatir y aprender es tan valioso en el proceso de construcción de escenarios, y a que los escenarios abordan tal elevada incertidumbre, algunos expertos en escenarios recomiendan a los directivos evitar elaborar solo tres escenarios. Los tres escenarios tienden a caer en uno de estos tres rangos: *optimista, regular* y *pesimista*. Los directivos naturalmente se centran en el escenario regular y olvidan los otros dos, reduciendo la cantidad de aprendizaje organizativo y la planificación de contingencia. Por lo tanto, es mejor contar con dos o cuatro escenarios, evitando un fácil punto intermedio. No importa si los escenarios no llegar a producirse, ya que el valor radica en el proceso de exploración y planificación de contingencia que llevan consigo.

La Ilustración 2.2 muestra un ejemplo de planificación de escenarios para las ciencias biológicas para 2020. En lugar de incorporar múltiples factores, los autores se centran en dos inductores clave que (i) ejercen un elevado impacto potencial y (ii) son inciertos: avance tecnológico y aceptación pública. Ambos inductores pueden tener diferentes futuros, que pueden combinarse para crear cuatro escenarios del futuro internamente consistentes. A cada uno de estos cuatro escenarios se les han dado nombres memorables, a fin de facilitar la comunicación y el debate. Los autores no predicen cuál de ellos prevalecerá sobre los demás ni les asignan probabilidades relativas. La predicción podría cerrar el debate y el aprendizaje, mientras que las probabilidades implicarían una especie de falsa precisión.

Los escenarios son especialmente útiles en aquellos casos en los que exista un limitado número de inductores clave que influyen sobre el éxito de la estrategia, en los que exista un elevado nivel de incertidumbre sobre tales influencias, en los que los resultados podrían ser radicalmente diferentes y en los que las organizaciones deberían incurrir en compromisos importantes en el futuro que podrían

Ilustración 2.2

Escenarios para las ciencias biológicas en 2020

Nadie conoce el futuro, pero es posible preparse para las posibles alternativas.

En 2006, investigadores de la Wharton Business School colaboraron con importantes compañías como Hewlett Packard, Johnson & Johnson y Procter & Gamble para producir cuatro escenarios para el futuro de las ciencias biológicas en 2020. Las ciencias biológicas incluyen interesantes industrias de alta tecnología, como genómica, terapia con células madre y medicina de clonación y regenerativa. La idea era proporcionar un amplio modelo para que gobiernos, negocios, investigadores y doctores trabajaran dentro de él tal y como consideraban el futuro para sus respectivas especialidades. El equipo de Wharton tenía en mente que los dominios de alta tecnología previos no habían sido capaces de hacer realidad sus promesas iniciales. Por ejemplo, la tecnología nuclear se había pasado de moda a finales de los setenta. El futuro de las ciencias biológicas distaba de ser cierto.

El equipo de Wharton identificó dos inductores del cambio fundamentales aunque inciertos: avance tecnológico y aceptación pública. Sobre el primero, la incertidumbre se refería al éxito de las tecnologías: después de todo, la energía nuclear no había generado la energía barata que originalmente se esperaba. Con respecto a la segunda, la opinión pública sobre las ciencias biológicas pendía de un hilo, con muchas personas pidiendo el final de la investigación con células madre y la clonación. Las posibilidades del éxito o fracaso tecnológico y la aceptación o el rechazo público definen una matriz con cuatro escenarios básicos.

	La tecnología falla	La tecnología tiene éxito
Aceptación pública	**Carne sin hueso**	**Nueva edad de la medicina**
Rechazo público	**Mucho ruido y pocas nueces**	**Ciencias biológicas atrapadas**

Fuente: adaptado de P.J.H. Schoemaker y M.S. Tomczyk (eds), *The future of BioSciences,* The Mark Center for Technological Innovation y DSI, 2006

El escenario *Carne sin hueso* propone un mundo en el que las grandes iniciativas de investigación de empresas y gobiernos han fracaso en generar las curas que se esperaban para enfermedades como el Alzheimer y el sida, aunque el público todavía tiene grandes expectativas. Las compañías estarían en el punto de mira y bajo el riesgo de una intervención política. El escenario *Mucho ruido y pocas nueces* es un mundo en el que el público se convierte en escéptico tras muchas decepciones tecnológicas. El resultado es que la financiación pública para la investigación empresarial y universitaria se agota. El escenario *Ciencias biológicas atrapadas* es muy diferente: los éxitos tecnológicos realmente asustan al público, haciéndolo reaccionar contra la tecnología las preocupaciones éticas y de seguridad llevan a severas restricciones sobre la investigación, prueba y comercialización. Finalmente, la *Nueva edad de la medicina* ofrece las posibilidades del éxito y la aceptación, un mundo en el que la investigación de las corporaciones privadas y de las universidades prosperaría en conjunto en la medida en que proporcionara innovaciones importantes a un público agradecido.

La cuestión en relación con los escenarios no es decir que uno es más probable que los otros. El equipo de Wharton muestra que los cuatro escenarios son perfectamente posibles. Aunque las compañías de biología pueden con facilidad centrarse en el escenario positivo *Nueva Era*, necesitan tener en mente las demás posibilidades. La implicación es que deberían ser cautas en sus expectativas sobre los grandes avances y gestionar la opinión pública hábilmente, de forma que las ciencias biológicas podrían convertirse en la industria nuclear del siglo XXI.

Fuente: http://mackcenter.wharton.upenn.edu/biosciences.

Pregunta

¿Sobre cuál de los dos inductores —avance tecnológico y aceptación pública— tendrían más influencia las compañías? ¿Cómo deberían ejercer tal influencia?

resultar altamente inflexibles y difíciles de invertir ante circunstancias adversas. La industria del petróleo, en la que las compañías deben invertir en la exploración de campos petrolíferos que pueden tener una vida útil de veinte años o más, ha sido tradicionalmente líder en el uso de escenarios, debido a que se enfrenta a una combinación de las cuatro condiciones.

2.3 INDUSTRIAS Y SECTORES

Una **industria** es un grupo de empresas que producen el mismo producto o servicio principal.

El apartado anterior consideraba cómo las fuerzas del macroentorno pueden influir en el éxito o el fracaso de las estrategias de una organización. Pero el impacto de tales factores generales tiende a salir a la superficie en el entorno más inmediato mediante cambios en las fuerzas competitivas que rodean a las organizaciones. Un aspecto importante de esto para la mayoría de las organizaciones será la competencia dentro de su industria o su sector. La teoría económica define una **industria** como "un grupo de empresas que producen el mismo producto principal[3]" o, de manera más amplia, "un grupo de empresas que producen productos que son sustitutos cercanos entre sí[4]". Este concepto de industria puede extenderse a los servicios públicos mediante la idea de *sector*. Servicios sociales, salud o educación también cuentan con muchos productores del mismo tipo de servicios, que compiten efectivamente por recursos. Desde una perspectiva de dirección estratégica resulta útil para los directivos en cualquier organización comprender las fuerzas competitivas en su industria o sector, ya que estos determinarán el atractivo de tal industria y el éxito o el fracaso probable de una determinada organización dentro de este.

Este apartado examina el modelo de las *cinco fuerzas* de Michael Porter para el análisis de la industria.

2.3.1. Fuerzas competitivas. El modelo de las cinco fuerzas

El **modelo de las cinco fuerzas** ayuda a identificar el atractivo de una industria o sector en términos de las fuerzas competitivas.

El **modelo de las cinco fuerzas** de Porter[5] fue desarrollado originalmente como una forma de valorar el atractivo (potencial de beneficio) de diferentes industrias. Las cinco fuerzas constituyen la *estructura* de una industria (véase la Figura 2.2). Aunque fue desarrollado inicialmente con determinados negocios en mente, el análisis de la estructura de la industria con el modelo de las cinco fuerzas es útil para la mayoría de las organizaciones. Puede proporcionar un valioso punto de partida para el análisis estratégico, incluso cuando el criterio del beneficio no es aplicable. Por ejemplo, en la mayor parte del sector público, cada una de las fuerzas cuenta con sus equivalentes. Además de valorar el atractivo de una industria o sector, las cinco fuerzas pueden ayudar a establecer una agenda para la acción sobre los distintos *puntos de atención* que identifica.

Las cinco fuerzas son: *amenaza de entrada* en una industria, *amenaza de sustitutos* para los productos o servicios de la industria, *poder de los compradores* de los productos o servicios de la industria, *poder de los proveedores* en la industria y

Figura 2.2 El modelo de las cinco fuerzas

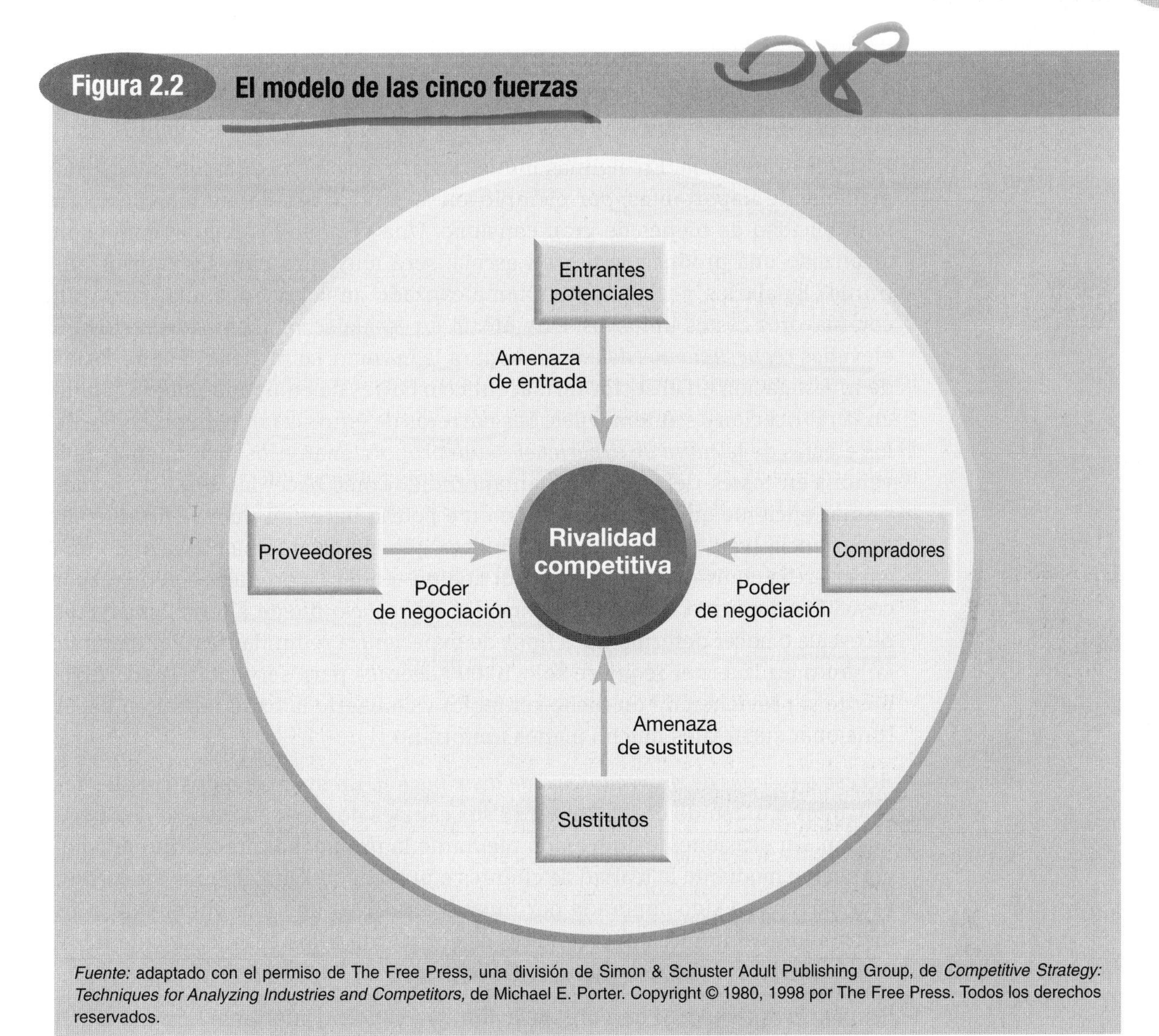

Fuente: adaptado con el permiso de The Free Press, una división de Simon & Schuster Adult Publishing Group, de *Competitive Strategy: Techniques for Analyzing Industries and Competitors,* de Michael E. Porter. Copyright © 1980, 1998 por The Free Press. Todos los derechos reservados.

grado de rivalidad entre los competidores en la industria. El mensaje esencial de Porter es que aquellas industrias donde estas cinco fuerzas son intensas no son atractivas para competir en ellas. Existirán demasiada competencia y demasiada presión como para permitir beneficios razonables. El resto de este apartado presentará cada una de las cinco fuerzas con mayor detalle.

La amenaza de entrada

Las **barreras de entrada** son factores que necesitan ser superados por los nuevos entrantes para poder competir con éxito.

Obviamente, lo fácil que es entrar en la industria influye sobre el grado de competencia. La amenaza de entrada depende del número e importancia de las **barreras de entrada.** Las barreras de entrada son factores que necesitan ser superados por los nuevos entrantes para poder competir con éxito. Elevadas barreras de entrada son buenas para los incumbentes (competidores existentes), ya que les protegen de que entren nuevos competidores. Las barreras típicas son las siguientes:

- *Escala y experiencia*. En algunas industrias, las *economías de escala* son extremadamente importantes; por ejemplo, en la producción de automóviles o en la publicidad de bienes de gran consumo. Una vez que los incumbentes han alcanzado una producción a gran escala, será muy caro para los nuevos entrantes igualarlos, y una vez que han alcanzado un volumen similar contarán con mayores costes unitarios. Este efecto de escala se ve acentuado si existen elevados *requerimientos de inversión* para la entrada, como por ejemplo, costes de investigación en el sector farmacéutico o costes de equipamiento de capital en la fabricación de automóviles. Las barreras de entrada también proceden de los efectos de la *curva de experiencia,* que proporcionan a los incumbentes una ventaja en costes, debido a que han aprendido cómo hacer las cosas de manera más eficiente que lo que posiblemente podría hacer un nuevo entrante sin experiencia (véase el Capítulo 3). Una vez que el entrante ha conseguido una experiencia equivalente a lo largo del tiempo, tenderá a producir con un mayor coste. Por supuesto, cambiar los *modelos de negocio* puede alterar los efectos de escala o hacer determinados tipos de experiencia redundantes. Por ejemplo, la banca en Internet requiere solo 10.000 clientes para ser viable (particularmente si provienen de un nicho rentable) y convierte la experiencia en hacer funcionar sucursales mucho menos importante.
- *Acceso a canales de proveedores o de distribución*. En muchas industrias, los fabricantes han tenido el control sobre sus canales de proveedores y/o de distribución. En ocasiones, esto ha sido mediante la propiedad directa (integración vertical) o mediante la lealtad de clientes o proveedores. En algunas industrias, esta barrera ha sido superada por nuevos entrantes que han puenteado a los distribuidores minoristas y vendido directamente a los clientes mediante el comercio electrónico (por ejemplo Dell y Amazon).
- *Respuesta esperada*. Si una organización que está considerando entrar en una industria cree que la respuesta de una empresa existente será tan grande como para evitar la entrada o hacer que la entrada sea demasiado costosa, también constituye una barrera. El mero conocimiento de que los incumbentes se encuentran preparados para la represalia a menudo es suficientemente disuasivo para actuar como una barrera. En mercados globales, esta respuesta puede tener lugar en muchos diferentes *puntos* o localizaciones (véase el Capítulo 8).
- *Legislación y acción gubernamental*. Las restricciones legales sobre nuevas entradas varían desde la protección por patentes (por ejemplo, farmacéuticas) hasta la acción directa del gobierno (por ejemplo, aranceles). Por supuesto, las organizaciones son vulnerables a los nuevos entrantes si los gobiernos eliminan tales protecciones, tal y como ha ocurrido con la desregulación de la industria del transporte aéreo.
- *Diferenciación*. La diferenciación significa proporcionar un producto o servicio con un valor percibido mayor que la competencia. Los coches se encuentran

diferenciados, por ejemplo, por la calidad y la marca. Por el contrario, el acero es, por lo general, una materia prima no diferenciada y, por lo tanto, vendida por toneladas. Los compradores de acero simplemente comprarán el más barato. La diferenciación reduce la amenaza de entrada, debido a que incrementa la lealtad del cliente.

Amenaza de sustitutos

La **sustitución** reduce la demanda de una determinada categoría de productos en la medida en que los clientes cambian hacia otras alternativas.

Los **sustitutos** son productos o servicios que ofrecen un beneficio similar a los productos o servicios de una industria pero mediante un proceso diferente. Por ejemplo, el aluminio es un sustituto del acero en los automóviles los trenes de los coches, y las películas y el teatro son sustitutos entre sí. Los directivos a menudo se centran en los competidores de su propia industria y descuidan la amenaza que representan los sustitutos. Los sustitutos pueden reducir la demanda de una determinada *categoría* de productos, en la medida en que los clientes cambian hacia las alternativas —incluso hasta el extremo de que esta categoría de productos o servicios se vuelve obsoleta—. Sin embargo, no es necesario que sea mucho el cambio real para que la amenaza de sustituto tenga efecto. El simple riesgo de sustitución pone un límite a los precios que pueden cargarse en una industria. Así, aunque el Eurostar no tenga competidores directos en términos de servicios de tren de París a Londres, los precios que puede cargar se encuentran en último término limitados por el coste de los vuelos entre las dos ciudades.

Existen dos aspectos importantes que hay que tener presentes sobre los sustitutos:

- *La relación entre precio y rendimiento* es crítica para las amenazas de sustitución. Un sustituto es una amenaza efectiva incluso si es más caro en la medida en que ofrezca ventajas en rendimiento que los clientes valoren. Así, el aluminio es más caro que el acero, pero su ligereza relativa y su resistencia a la corrosión le proporciona una ventaja en algunas aplicaciones en la fabricación de automóviles. Es la relación entre precio y rendimiento lo que importa en lugar del simple precio.
- Los *efectos del exterior de la industria* son la esencia del concepto de sustitución. Los sustitutos provienen del exterior de la industria de los incumbentes y deberían no confundirse con las amenazas de los competidores de dentro de la industria. El valor del concepto de sustitución radica en que fuerza a los directivos a pensar fuera de su propia industria para considerar amenazas y restricciones más distantes. Cuantas más amenazas de sustitución existan, más probable es que la industria sea menos atractiva.

El poder de los compradores

Los **compradores** son los clientes inmediatos de la organización, no necesariamente los consumidores finales.

Los clientes, por supuesto, son esenciales para la supervivencia de cualquier negocio. Pero en ocasiones los clientes —aquí **compradores**— pueden contar con tal poder de negociación que sus proveedores son muy presionados, de manera que no obtienen ningún tipo de beneficio.

El *poder de compra* es probablemente mayor cuando prevalezca alguna de las siguientes condiciones:

- *Compradores concentrados*. Si unos pocos grandes compradores reúnen la mayoría de las ventas, el poder de compra se acumula. Este es el caso de artículos como la leche en el sector de las tiendas de comestibles en muchos países europeos, en los que unos pocos minoristas dominan el mercado. Si un producto o servicio supone un gran porcentaje de las compras totales del comprador, su poder también es probable que se incremente en la medida en que es más probable que *compare precios* para conseguir el mejor precio y por lo tanto *exprima* a los proveedores más que lo que podría hacer para compras más pequeñas.
- *Bajos costes de cambio*. Si los compradores pueden cambiar fácilmente entre un proveedor y otro, cuentan con una posición de negociación más fuerte y pueden exprimir a los proveedores que se encuentran en una situación desesperada en sus negocios. Los costes de cambio normalmente son más bajos para materias primas poco diferenciadas como el acero.
- *Amenaza competitiva del comprador*. Si el comprador cuenta con algunas instalaciones para suministrarse él mismo o tiene la posibilidad de adquirir tales instalaciones, tiende a ser poderoso. En la negociación con los proveedores, pueden lanzar la amenaza de hacer el trabajo de los proveedores ellos mismos. Esto se llama *integración vertical hacia atrás,* trasladándose atrás hacia las fuentes de suministro, y puede ocurrir si no pueden obtenerse de los proveedores unos precios o calidad satisfactorios. Por ejemplo, los fabricantes de vidrio han perdido poder frente a sus compradores en la medida en que algunos grandes fabricantes de ventanas han decidido producir sus propios vidrios.

Es muy importante que los *compradores* sean diferenciados de los *consumidores finales*. Por tanto, para compañías como Nestlé o Unilever, sus compradores son minoristas como Carrefour o Tesco, no los consumidores ordinarios (véase la discusión sobre el *comprador estratégico* en 2.4.3). Carrefour y Tesco cuentan con un poder de negociación muy superior que el que un consumidor ordinario podría tener. El elevado poder de negociación de tales supermercados se ha convertido en una fuerza de presión importante para las compañías que las proveen.

El poder de los proveedores

Los **proveedores** suministran a la organización lo que se necesita para producir el bien o servicio, e incluye trabajo y fuentes de financiación.

Los **proveedores** son aquellos que suministran a la organización lo que se necesita para producir el bien o servicio. Junto al combustible, las materias primas y el equipamiento, puede incluir trabajo y fuentes de financiación. Los factores que incrementan el poder de los proveedores son los inversos de los del poder de los compradores. Por tanto, el *poder del proveedor* es probable que sea alto cuando existan:

- *Proveedores concentrados*. Cuando solo unos pocos proveedores dominan el mercado, los proveedores tienen mayor poder sobre los compradores. La industria de mena de hierro ahora se encuentra concentrada en manos de los tres principales productores, dejando a las compañías de acero relativamente fragmentadas en una posición de negociación muy débil para esta materia prima esencial.

- *Altos costes de cambio*. Si resulta caro o disruptivo cambiar de un proveedor a otro, entonces el comprador se convierte en relativamente dependiente y, en consecuencia, débil. Microsoft es un proveedor poderoso debido a los altos costes de cambiar de un sistema operativo a otro. Los compradores están dispuestos a pagar una prima para evitar el problema, y Microsoft lo sabe.
- *Amenaza competitiva del proveedor*. Los proveedores incrementan su poder cuando son capaces de eliminar a los compradores que actúan como intermediarios. Así, las aerolíneas han sido capaces de negociar duros contratos con agencias de viajes en la medida en que la reserva en línea les ha permitido crear una vía directa con los clientes. Esto se denomina *integración vertical hacia delante,* ascendiendo hacia el cliente final.

La mayoría de las organizaciones cuenta con muchos proveedores, por lo que es necesario concentrar el análisis sobre los proveedores o las categorías más importantes. Si su poder es elevado, los proveedores pueden capturar todo el beneficio de los clientes simplemente incrementando sus precios. Las estrellas del fútbol han tenido éxito al elevar sus salarios hacia niveles astronómicos, incluso cuando los principales clubes de fútbol —sus *compradores*— tenían dificultades para generar dinero.

Rivalidad competitiva

Estas cuatro fuerzas competitivas generales (las cuatros flechas en el modelo) afectan a la rivalidad competitiva directa entre una organización y sus rivales más inmediatos. Así, bajas barreras a la entrada incrementan el número de rivales, mientras que compradores poderosos con bajos costes de cambio fuerzan a sus proveedores a una alta rivalidad para ofrecer los acuerdos. Cuanto mayor sea la rivalidad competitiva, peor es para los incumbentes dentro de la industria.

Los **rivales competitivos** son organizaciones con productos y servicios similares dirigidos al mismo grupo de clientes.

Los **rivales competitivos** son organizaciones con productos y servicios similares dirigidos al mismo grupo de clientes (es decir, no sustitutos). En la industria europea de las aerolíneas, Air France y British Airways son rivales, ya que los trenes son sustitutos. Además de la influencia de las cuatro fuerzas anteriores, existe una serie de factores adicionales que afectan directamente al grado de rivalidad competitiva en una industria o sector:

- *Equilibrio entre competidores*. Si los competidores tienen un tamaño similar, existe el peligro de competencia intensa, en la medida en que un competidor trata de conseguir el dominio sobre los demás. Por el contrario, las industrias con una menor rivalidad tienden a tener una o dos organizaciones dominantes, con los actores más pequeños reacios a desafiar a los grandes directamente (por ejemplo, centrándose en nichos para evitar la *atención* de las compañías dominantes).
- *Tasa de crecimiento de la industria*. En situaciones de fuerte crecimiento, una organización puede crecer con el mercado, pero en situaciones de bajo crecimiento o declive, cualquier crecimiento es probable que se haga a expensas del

rival y se encuentre con una fiera resistencia. Por tanto, mercados con bajo crecimiento a menudo se encuentran asociados con competencia en precios y baja rentabilidad. El *ciclo de vida de la industria* influye en las tasas de crecimiento, y de ahí en las condiciones competitivas.

- *Altos costes fijos*. Las industrias con unos altos costes fijos, quizá debido a que requieren elevadas inversiones en equipamiento de capital o investigación inicial, tienden a experimentar una elevada rivalidad. Las compañías buscarán reducir los costes unitarios incrementando sus volúmenes, y para hacerlo normalmente reducen sus precios, induciendo a los competidores a hacer lo mismo y, por lo tanto, provocando guerras de precios en las que sufren todos en la industria. De manera similar, si solo puede añadirse capacidad extra en grandes incrementos (como en muchos sectores competitivos, como por ejemplo, una factoría química o de vidrio), el competidor que realiza tal adición es probable que provoque una sobrecapacidad en la industria a corto plazo, llevando a una mayor competencia para utilizar la capacidad.
- *Elevadas barreras de salida*. La existencia de elevadas barreras de salida —en otras palabras, cierre o desinversión— tiende a incrementar la rivalidad, especialmente en industrias en declive. El exceso de capacidad persiste y, en consecuencia, los incumbentes luchan para mantener la cuota de mercado. Las barreras de salida pueden ser altas debido a una variedad de razones. Por ejemplo, costes de despidos o altas inversiones en activos específicos como planta y equipamiento que otros podrían no comprar.
- *Baja diferenciación*. En un mercado de materias primas, en el que productos o servicios se encuentran muy poco diferenciados, la rivalidad es elevada debido a que hay poco que impida que los clientes cambien entre competidores y la única forma de competir es en precio.

2.3.2. Implicaciones del análisis de las cinco fuerzas

El modelo de las cinco fuerzas proporciona conclusiones útiles acerca de las fuerzas que operan en el entorno de la industria o sector de una organización. La Ilustración 2.3 describe las cinco fuerzas en la cambiante industria del acero. Sin embargo, resulta importante utilizar el modelo para más que una simple lista de fuerzas. El resultado final es una valoración del grado de atractivo de la industria. El análisis debería concluir con un juicio sobre si la industria es buena para competir.

El análisis debería provocar una posterior investigación de las *implicaciones* de tales fuerzas. Por ejemplo:

- *¿En qué industrias entrar (o abandonar)?* El propósito fundamental del modelo de las cinco fuerzas es identificar el atractivo relativo de diferentes industrias: las industrias son atractivas cuando las fuerzas son débiles. Los directivos deberían invertir en aquellas industrias en las que las cinco fuerzas operen en su favor y evitar o desinvertir de aquellos mercados en los que estén fuertemente en contra.
- *¿Qué influencia puede ejercerse?* Las estructuras industriales no son necesariamente fijas, sino que pueden estar influidas por estrategias empresariales deli-

Ilustración 2.3

La consolidación de la industria del acero

El análisis de las cinco fuerzas ayuda a comprender el cambio del atractivo de una industria.

Durante mucho tiempo, la industria del acero ha sido estática y poco rentable. Los productores eran nacionales, a menudo propiedad del estado y frecuentemente no rentables —entre finales de los noventa y 2003, más de 50 productores de acero independientes quebraron en Estados Unidos—. El siglo XXI ha presenciado una revolución. Por ejemplo, durante 2006, Mittal Steel pagó 35 billones de dólares (19,6 billones de libras, veintiocho billones de euros) para adquirir el gigante europeo del acero Arcelor, creando la mayor compañía del mundo del sector del acero. Al año siguiente, el conglomerado indio Tata adquirió la compañía angloholandesa Corus por trece billones de dólares. Estos altos precios indicaban una considerable confianza en la posibilidad de dar un giro a la industria.

Nuevos entrantes

Durante los últimos diez años, dos poderosos grupos han entrado en los mercados mundiales del acero. En primer lugar, tras un periodo de privatización y reorganización, grandes productores rusos como Severstal y Evraz entraron en los mercados de exportación, exportando treinta millones de toneladas de acero en 2005. Al mismo tiempo, los productores chinos habían invertido en nuevas instalaciones productivas, incrementando la capacidad durante el periodo 2003-2005 a una tasa del treinta por ciento al año. Desde los años noventa, la cuota china de la capacidad mundial se había incrementado más de dos veces, hasta llegar al veinticinco por ciento en 2006, y los productores chinos se habían convertido en los terceros mayores exportadores mundiales, por detrás de Japón y Rusia.

Sustitutos

El acero es una tecnología del siglo XIX, cada vez más sustituida por otros materiales como el aluminio en los coches, plásticos y aluminio en el envasado, y cerámica y otros compuestos en muchas aplicaciones de alta tecnología. Los avances tecnológicos del propio acero en ocasiones tratan de reducir la necesidad de acero: las latas de acero se han convertido en tres veces más finas durante las últimas décadas.

Poder de compra

Los compradores clave de acero incluyen los fabricantes de coches globales, como Ford, Toyota y Volkswagen, y los productores de latas, como Crown Holdings, que fabrica una tercera parte de las latas para alimentación producidas en Europa y Norteamérica. Tales compañías compran en grandes volúmenes, coordinando compras en todo el mundo. Los fabricantes de coches son usuarios sofisticados, a menudo liderando el desarrollo tecnológico de sus materiales.

Poder de los proveedores

La materia prima principal para los productores de acero es la mena de hierro. Los tres mayores productores —CVRD, Rio Tinto y BHP Billiton— controlan el setenta por ciento del mercado internacional. En 2005, los productores de mena de hierro controlaban el setenta por ciento del mercado internacional. En 2005, los productores de mena de hierro explotaron el incremento de la demanda incrementando los precios en un 72 por ciento. En 2006, incrementaron los precios un diecinueve por ciento.

Rivalidad competitiva

Tradicionalmente, la industria se había encontrado muy fragmentada. En 2000, los cinco mayores productores sumaban solo el catorce por ciento de la producción. La mayor parte del acero es comercializada como materia prima, por toneladas. Los precios son muy cíclicos, y los *stocks* no se deterioran y tienden a inundar el mercado cuando la demanda se ralentiza. A finales del siglo XX, el crecimiento medio de la demanda se encontraba en un dos por ciento anual. El comienzo del siglo XXI experimentó una gran demanda, inducida especialmente por el crecimiento chinúm. Entre 2003 y 2005, los precios de las láminas de acero para los coches y frigoríficos se triplicaron hasta llegar a los seiscientos dólares (336 libras; 480 euros) por tonelada. Compañías como Nucor en Estados Unidos, Thyssen-Krupp en Alemania y Mittal y Tata respondieron adquiriendo empresas más débiles internacionalmente. El nuevo gigante del acero, Mittal, sumaba en torno al diez por ciento de la producción mundial en 2007. Mittal en realidad redujo capacidad en algunos de sus centros de producción occidentales.

Preguntas

1. En los últimos años, ¿cuáles de las cinco fuerzas se ha convertido en más positivas para los productores de acero y cuáles menos?
2. Explique las estrategias de adquisición de empresas como Mittal, Tata y Nucor.
3. En el futuro, ¿qué cambios pueden hacer la industria del acero más o menos atractiva?

beradas. Por ejemplo, las organizaciones pueden construir barreras de entrada incrementando la publicidad gastada para mejorar la lealtad del cliente. Entonces pueden adquirir competidores para reducir la rivalidad e incrementar el poder sobre los proveedores o compradores. Influir sobre la estructura de la industria implica muchas cuestiones relacionadas con la *estrategia competitiva*, lo que será el tema principal del Capítulo 6.

- *¿Se encuentran afectados los competidores de diferentes formas?* No todos los competidores se encontrarán afectados de la misma forma por cambios en la estructura de la industria, deliberados o espontáneos. Si las barreras se están incrementado debido a mayores gastos en I+D o publicidad, los actores más pequeños en la industria pueden no ser capaces de mantener el ritmo de los mayores actores, lo que les pondrá en una situación incómoda. De manera similar, un mayor poder de negociación de los compradores es probable que a quien afecte más sea a los pequeños competidores. El análisis de los grupos estratégicos en este caso resulta útil (véase 2.4.1).

Aunque con origen en el sector privado, el análisis de las cinco fuerzas puede tener importantes implicaciones para las organizaciones en el sector público. Por ejemplo, las fuerzas pueden utilizarse para ajustar la oferta de servicios o centrarse en cuestiones clave. Por lo tanto, puede merecer la pena cambiar la iniciativa directiva desde un campo con muchos servicios saturados y traslapados (por ejemplo, trabajo social, servicios de libertad condicional y educación) hacia otro en el que exista una menor rivalidad y en el que la organización pueda hacer algo distintivo. De manera similar, las estrategias podrían ser lanzadas para reducir la dependencia de proveedores particularmente poderosos y caros, como por ejemplo, fuentes de energía o habilidades escasas.

2.3.3. Aspectos clave en el uso del modelo de las cinco fuerzas

El modelo de las cinco fuerzas debe utilizarse con cuidado y no es necesariamente completo, incluso desde el punto de vista de la industria. Cuando se utiliza este modelo, es importante tener en mente las tres cuestiones siguientes:

- *Definir la industria "correcta"*. La mayoría de las industrias pueden ser analizadas a niveles diferentes. Por ejemplo, la industria del transporte aéreo cuenta con varios segmentos diferentes, como doméstico y largo recorrido, y diferentes grupos de clientes, como placer, negocios y carga (véase 2.4.2). Las fuerzas competitivas es probable que sean diferentes para cada uno de tales segmentos y pueden ser analizadas de manera separada. A menudo resulta útil realizar análisis de la industria a un nivel desagregado para cada segmento diferente. Entonces, a partir de estos la visión global de la industria en su conjunto puede ser conseguida.
- *Industrias convergentes*. La definición de industria a menudo es demasiado difícil debido a que las fronteras de la industria están en continuo cambio. Por ejemplo, muchas industrias, especialmente en áreas de alta tecnología, se encuentran en **convergencia,** mediante la cual industrias previamente separadas comienzan a superponerse en términos de actividades, tecnologías, productos

La **convergencia** se produce cuando industrias previamente separadas comienzan a superponerse en términos de actividades, tecnologías, productos y clientes.

y clientes[6]. El cambio tecnológico ha llevado a la convergencia entre las industrias telefónica y fotográfica, por ejemplo, en la medida en que los teléfonos móviles incluyen de manera creciente funciones de fotografía y video. Para una compañía que fabrica cámaras, como Kodak, los teléfonos cada vez más son un sustituto y la posibilidad de enfrentarse a Samsung o Nokia como competidores directos no es remota.

Los **complementadores** son productos o servicios por los que los clientes están dispuestos a pagar más juntos que si estuvieran separados.

- *Productos complementarios*. Algunos analistas argumentan que existe una *sexta fuerza*, compuesta por aquellas organizaciones que proporcionan productos o servicios complementarios. Estos **complementadores** son actores para los que los clientes adquieren productos complementarios que tienen un mayor valor juntos que separados. Así, Dell y Microsoft son complementadores en la medida en que los ordenadores y el *software* son productos complementarios para los compradores. Microsoft necesita que Dell produzca máquinas potentes para hacer funcionar su *software* de última generación. Dell necesita a Microsoft para que haga funcionar sus máquinas. Asimismo, quienes hacen programas de televisión y los productores de guías de televisión son complementos. Los complementadores se enfrentan a dos cuestiones. La primera es que los complementadores tienen oportunidades para la *cooperación*. Tiene sentido para Dell y Microsoft estar en contacto con respecto a sus desarrollos tecnológicos, por ejemplo. Esto implica un importante cambio de perspectiva. Aunque el modelo de las cinco fuerzas de Porter considera las organizaciones en lucha entre sí por una parte del valor de la industria, los complementadores pueden cooperar para incrementar el valor de la *tarta*[7]. Sin embargo, la siguiente cuestión es el potencial para algunos complementadores de demandar una elevada cuota del valor disponible para ellos mismos. Microsoft ha sido mucho más rentable que los fabricantes de productos informáticos complementarios y sus elevados márgenes pueden haber reducido las ventas y márgenes disponibles para compañías como Dell. El potencial para la cooperación o antagonismo con tal *sexta fuerza* complementaria necesita ser incluida en los análisis de la industria[8].

2.3.4. El ciclo de vida de la industria

El poder de las cinco fuerzas normalmente varía con las etapas del ciclo de vida de la industria. El concepto de ciclo de vida de la industria propone que las industrias comienzan pequeñas en su etapa de desarrollo, después avanzan a través de un periodo de rápido crecimiento (el equivalente a la adolescencia en el ciclo de vida humano), culminando en un periodo de *sacudida*. Las dos etapas finales son primero un periodo de crecimiento bajo o incluso nulo (madurez), antes de la etapa final de decline (declive). Cada una de estas etapas cuenta con implicaciones para las cinco fuerzas[9].

La *etapa de desarrollo* es experimental, normalmente con pocos actores ejerciendo poca rivalidad directa y con productos muy diferenciados. Por lo tanto, es probable que las cinco fuerzas sean débiles, a pesar de lo cual los beneficios pueden ser escasos debido a los elevados requerimientos de inversión. La siguiente etapa es de alto crecimiento, con una rivalidad baja en la medida en que existe multitud de oportunidades para todos. Los compradores pueden tratar de asegurar los suministros y carecer de sofisticación sobre lo que están comprando, por lo que ven reducido su poder. Un problema de la etapa de crecimiento es que las barreras de entrada pueden ser bajas, en la medida en que los competidores no han conseguido una gran escala, experiencia o lealtad del cliente. Otro potencial problema es el poder de los proveedores si existe carencia de componentes o materiales que necesiten para la expansión los negocios en crecimiento. La etapa de *sacudida* comienza cuando la tasa de crecimiento comienza a reducirse, por lo que la mayor rivalidad fuerza a los entrantes más débiles a salir del negocio. En la *etapa de madurez* las barreras de entrada tienden a incrementarse, en la medida en que se establece el control sobre la distribución y comienzan a entrar en juego los beneficios de las economías de escala y la curva de experiencia. Los productos o servicios tienden a estandarizarse. Los compradores pueden convertirse en más poderosos en la medida en que son menos ávidos de los productos o servicios, y más confiados en el cambio entre proveedores. Para los principales actores, la cuota de mercado normalmente es clave para sobrevivir, lo que les sitúa en una buena posición frente a los compradores y de cara a una ventaja competitiva en términos de costes. Finalmente, la *etapa de declive* puede ser un periodo de extrema rivalidad, especialmente cuando existen unas elevadas barreras de salida, ya que la reducción en las ventas fuerza a los competidores que quedan a una competencia feroz. La Figura 2.3 resume algunas de las condiciones que pueden esperarse en diferentes etapas del ciclo de vida.

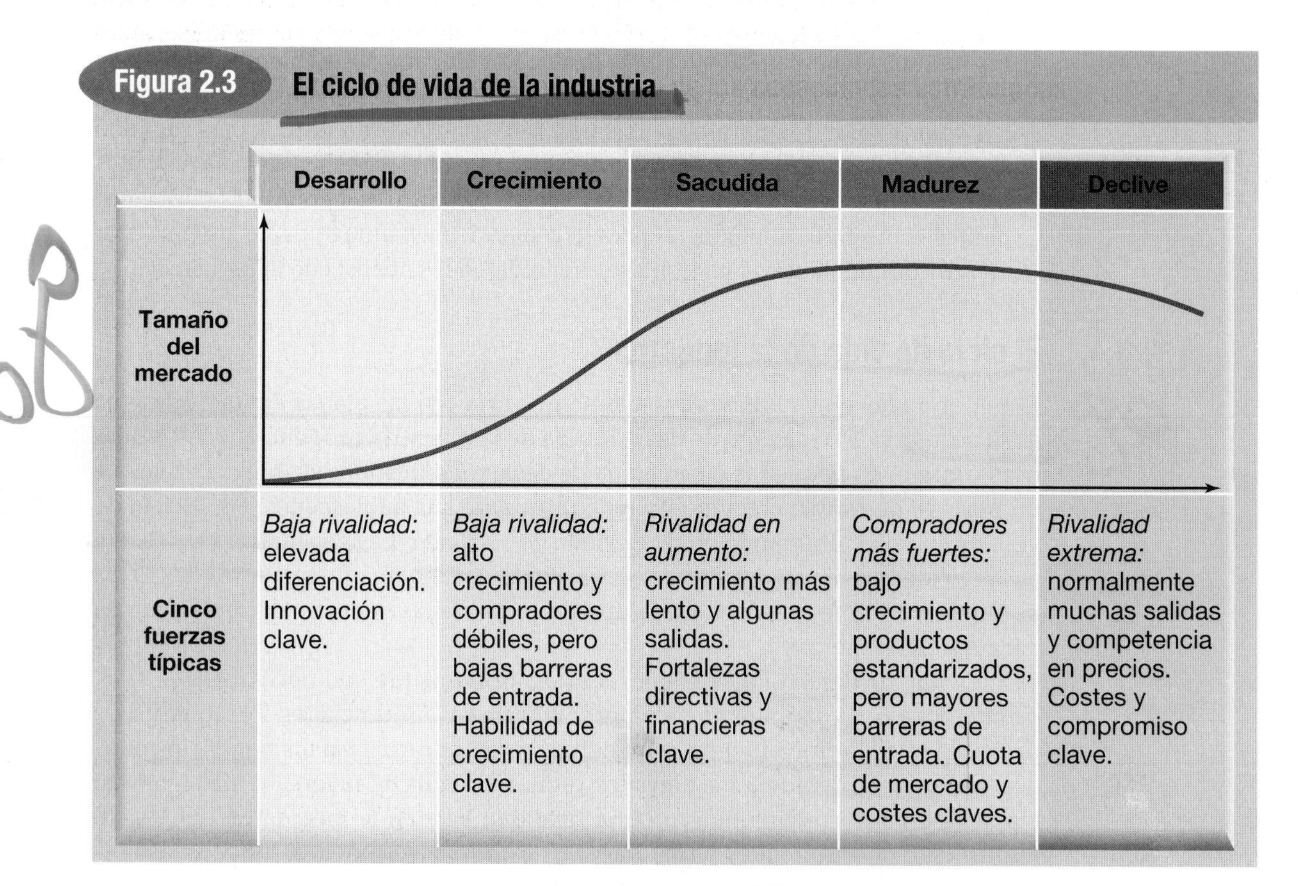

Figura 2.3 El ciclo de vida de la industria

Es importante evitar tener una excesiva fe en la inevitabilidad de las etapas del ciclo de vida. Una etapa no sucede a otra de manera predecible, ya que las industrias varían ampliamente en la duración de sus etapas de crecimiento y otras pueden rápidamente *desmadurar* mediante la innovación radical. La industria telefónica, basada durante casi un siglo en los teléfonos de línea fija, desmaduradon rápidamente con la introducción del teléfono móvil y la telefonía a través de Internet. Anita McGahan advierte de la "perspectiva de madurez," que puede mantener a muchos directivos complacientes y lentos a la hora de responder a la nueva competencia[10]. Dirigir en industrias maduras no necesariamente se refiere solo a esperar al declive. Aunque el progreso continuo hacia las etapas no es inevitable, el concepto de ciclo de vida recuerda sin embargo que las condiciones cambiarán a lo largo del tiempo. Especialmente en industrias de rápido movimiento, los análisis de las cinco fuerzas necesitan ser revisados de manera bastante regular.

Análisis comparativo de la estructura de la industria

La idea del ciclo de vida de la industria subraya la necesidad de hacer dinámico el análisis de la estructura de la industria. Una forma efectiva de hacer esto es comparar las cinco fuerzas a lo largo del tiempo en un simple *mapa de radar*.

La Figura 2.4 proporciona un modelo para resumir el poder de cada una de las cinco fuerzas en cinco ejes. El poder disminuye en la medida en que los ejes van hacia afuera. Donde las fuerzas son bajas, el área total encerrada por las líneas entre

Figura 2.4 Análisis comparativo de la industria

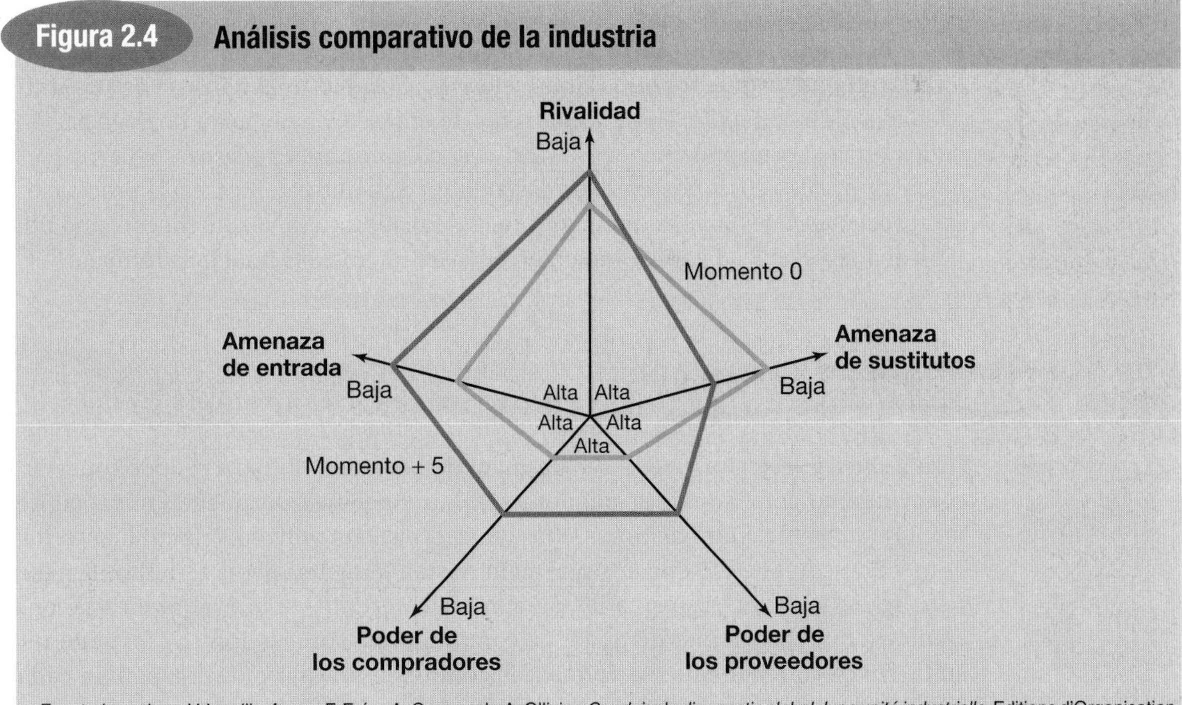

Fuente: basado en V. Lerville-Anger, F. Fréry, A. Gazengel y A. Ollivier, *Conduire le diagnostic global dune unité industrielle*, Editions d'Organisation, Paris, 2001.

los ejes es grande. Donde las fuerzas son altas, el área total encerrada por las líneas es pequeña. Por lo tanto, cuanto mayor sea el área encerrada, mayor será el potencial de beneficio. En la Figura 2.4, la industria en el momento 0 (representado por las líneas azul claro) tiene una rivalidad relativamente baja (solo unos pocos competidores) y se enfrenta a bajas amenazas de sustitución. La amenaza de entrada es moderada, aunque el poder de proveedores y clientes es relativamente alto. En conjunto, esto supone solo una industria moderadamente atractiva donde invertir.

Sin embargo, dada la naturaleza dinámica de las industrias, los directivos necesitan mirar más lejos, en este caso cinco años, representados por las líneas azul oscuro en la Figura 2.4 [11]. Los directivos están prediciendo en este caso cierto incremento en la amenaza de sustitutos (quizá se desarrollen nuevas tecnologías). Por otra parte, predicen una reducción de la amenaza de entrada, mientras que el poder de proveedores y clientes disminuirá. La rivalidad se reducirá aún más. Este parece el caso clásico de una industria en la que aparecen unos pocos actores con un dominio global. El área delimitada por las líneas azul oscuro es grande, lo que sugiere una industria relativamente atractiva. Para una empresa que confía en convertirse en uno de los actores dominantes, pudiera ser una industria en la que merezca la pena invertir.

Por lo tanto, comparar el modelo de las cinco fuerzas a lo largo del tiempo en un mapa de radar ayuda a proporcionar una perspectiva dinámica al análisis de la industria. Pueden confeccionarse mapas similares para ayudar a las decisiones de diversificación (véase el Capítulo 7), donde posibles nuevas industrias en las que entrar pueden ser comparadas en términos de su grado de atractivo. Por supuesto, las líneas son solo aproximadas porque agregan los muchos elementos individuales que constituyen las fuerzas en una medida simple compuesta. También hay que poner de manifiesto que si una de las fuerzas es muy adversa, puede anular las valoraciones positivas de los otros cuatro ejes. Por ejemplo, una industria con baja rivalidad, baja sustitución, elevadas barreras de entrada y bajo poder de negociación de los proveedores puede no ser atractiva si compradores poderosos son capaces de exigir precios con unos grandes descuentos. Sin embargo, con estas precauciones presentes, tales mapas de radar pueden constituir a la vez un mecanismo útil para el análisis inicial y un resumen efectivo de un análisis final más refinado.

2.4 COMPETIDORES Y MERCADOS

Una industria o sector puede ser un nivel demasiado alto para proporcionar un conocimiento detallado de la competencia. Las cinco fuerzas pueden impactar de manera diferente sobre distintos tipos de actores. Para volver al ejemplo anterior, Ford y Porsche pueden encontrarse en la misma industria general (automóviles), pero se encuentran posicionados de manera diferente, ya que, al menos, se enfrentan a diferentes tipos de poder de compradores y proveedores. A menudo resulta útil desagregar. Muchas industrias contienen una serie de compañías, cada una de las cuales posee diferentes capacidades y compite sobre bases diferentes. Tales diferencias entre competidores son capturadas por el concepto de *grupos estratégicos*. Los clientes también pueden diferenciarse de manera significativa. Tales diferencias entre clientes pueden ser capturadas, distinguiendo entre *clientes estratégicos* y consumidores finales, y entre diferentes *segmentos de mercado*. Tras los grupos estratégicos y segmentos de mercado se encuentra el hecho de reconocer *lo que los clientes valoran* y *los factores clave de éxito*. Estos distintos conceptos serán ahora analizados.

2.4.1. Grupos estratégicos [12]

Los **grupos estratégicos** son organizaciones dentro de una industria con similares características estratégicas, siguiendo estrategias similares o compitiendo sobre bases similares

Los **grupos estratégicos** son organizaciones dentro de una industria con similares características estratégicas, siguiendo estrategias similares o compitiendo sobre bases similares. Estas características son diferentes de las de otros grupos estratégicos en la misma industria o sector. Por ejemplo, en la industria de la distribución alimentaria, los supermercados, tiendas de conveniencia y de ultramarinos pertenecen a diferentes grupos estratégicos. Existen muchas características que distinguen a los distintos grupos estratégicos, pero estas pueden ser agrupadas en dos categorías principales (véase la Figura 2.5)[13]. En primer lugar, el *al-*

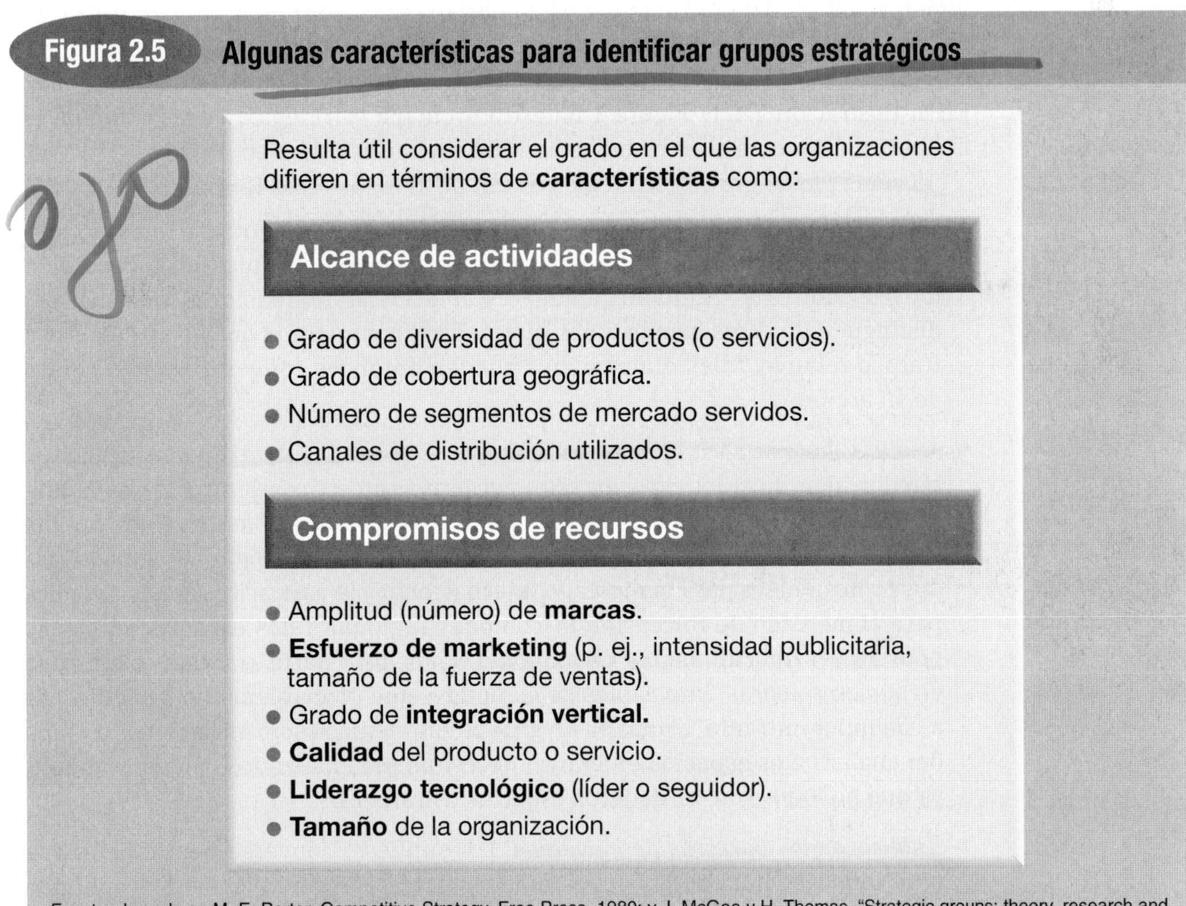

Figura 2.5 Algunas características para identificar grupos estratégicos

Resulta útil considerar el grado en el que las organizaciones difieren en términos de **características** como:

Alcance de actividades

- Grado de diversidad de productos (o servicios).
- Grado de cobertura geográfica.
- Número de segmentos de mercado servidos.
- Canales de distribución utilizados.

Compromisos de recursos

- Amplitud (número) de **marcas**.
- **Esfuerzo de marketing** (p. ej., intensidad publicitaria, tamaño de la fuerza de ventas).
- Grado de **integración vertical.**
- **Calidad** del producto o servicio.
- **Liderazgo tecnológico** (líder o seguidor).
- **Tamaño** de la organización.

Fuentes: basado en M. E. Porter, Competitive Strategy, Free Press, 1980; y J. McGee y H. Thomas, "Strategic groups: theory, research and taxonomy", *Strategic Management Journal*, vol. 7, núm. 2 (1986), pp. 141-160.

cance de las actividades de una organización (como gama de productos, cobertura geográfica y rango de canales de distribución utilizados). En segundo lugar, el *compromiso de recursos* (como marcas, gasto en *marketing* y grado de integración vertical). Cuál de tales características es especialmente relevante en términos de una determinada industria necesita ser entendido en términos de la historia y desarrollo de tal industria, y de las fuerzas que actúan en el entorno.

Los grupos estratégicos pueden ser representados en un mapa con dos dimensiones —por ejemplo, un eje puede ser la amplitud de la gama de productos y el otro la cuantía del gasto en *marketing*—. Un método para establecer las dimensiones clave a partir de las que construir el mapa de grupos estratégicos es identificar las empresas con mejores resultados (en cuanto a crecimiento o rentabilidad) en una industria y compararlos con las que obtienen peores resultados. Las características que son compartidas por aquellas con mejores resultados y no por las que los tienen peores es probable que sean relevantes para determinar los grupos estratégicos. Por ejemplo, las empresas más rentables en una industria pudieran tener todas ellas una gama de productos estrecha y tener una elevada intensidad en *marketing,* mientras que las menos rentables pudieran estar más dispersas en términos de productos y ser moderadas en el gasto en *marketing.* Con ello, las dos dimensiones para determinar el mapa podrían ser la gama de productos y el gasto en *marketing.* Una posible recomendación para aquellas empresas menos rentables podría ser que reduzcan su gama de productos y que potencien su *marketing.* En la Ilustración 2.4, la Figura 1 muestra un mapa estratégico de las principales instituciones que ofrecen estudios de MBA en Países Bajos en 2007.

El concepto de grupo estratégico es útil de al menos tres formas:

- *Conocimiento de la competencia*. Los directivos pueden centrarse en sus competidores directos dentro de su grupo estratégico particular, en lugar de en toda la industria. También pueden establecer las dimensiones que más les distinguen de otros grupos y las que pudieran constituir las bases de éxito o fracaso relativo. Tales dimensiones pueden entonces convertirse en el centro de su acción.

- *Análisis de las oportunidades estratégicas*. Los mapas de grupos estratégicos pueden identificar los *espacios estratégicos* más atractivos dentro de una industria. Algunos espacios en el mapa pueden ser *espacios en blanco* relativamente infraocupados. En el caso del mercado holandés de MBA, ejemplos son los grados profesionales para el mercado internacional y la educación semiacadémica para el mercado de formación in-company regional. Tales espacios en blanco podrían ser oportunidades no explotadas. Por otra parte, podrían convertirse en *agujeros negros,* imposibles de explotar y que probablemente perjudicaran a cualquier entrante. Un mapa de grupos estratégicos solo es la primera etapa del análisis. Los espacios en blanco necesitan ser analizados cuidadosamente, ya que no todos son verdaderos espacios estratégicos.

- *Análisis de las barreras de movilidad*. Por supuesto, moverse dentro del mapa para tomar ventaja de las oportunidades no está exento de costes. A menudo requerirá decisiones difíciles y recursos raros. Por lo tanto, los grupos estratégicos se encuentran caracterizados por *barreras de movilidad,* obstáculos al movimiento de un grupo estratégico a otro. Estas son similares a las barreras de entrada en el análisis de las cinco fuerzas. En la Ilustración 2.4, la Figura 2 muestra ejemplos de barreras de movilidad de las agrupaciones identificadas en la industria. Estas pueden ser sustanciales, porque para entrar en el grupo estratégico internacional académico, un competidor dedicado a la formación profesional podría tener que establecer la imagen apropiada, movilizar redes, cambiar sus métodos de enseñanza y mejorar sus niveles de remuneración. Tal y como ocurre con las barreras de entrada, es bueno estar dentro de un grupo estratégico de éxito para el que existen fuertes barreras de movilidad, para impedir la imitación.

2.4.2. Segmentos de mercado

El concepto de grupos estratégicos analizado ayuda a comprender las similitudes y diferencias en las características de los *productores* —aquellas organizaciones que son competidores reales o potenciales—. El concepto de segmento de mercado centra la atención en las diferencias en las necesidades de los clientes. Un **segmento de mercado** [14] es un grupo de clientes que tienen necesidades similares y que son diferentes de las necesidades de clientes en otras partes del mercado. Se mostrará en el Capítulo 3 que este conocimiento de lo que valoran los clientes (y otros grupos de interés) y cómo se encuentra posicionada una organización y sus competidores para cubrir tales necesidades resulta crítico para comprender la capacidad estratégica.

Un **segmento de mercado** es un grupo de clientes que tienen necesidades similares y que son diferentes de las necesidades de clientes en otras partes del mercado.

El concepto de segmentos de mercado debería recordar a los directivos varias cuestiones importantes:

- *Las necesidades del cliente* pueden variar por distintas razones —algunas de las cuales son identificadas en la Figura 2.6—. Teóricamente, cualquiera de estos factores podría ser utilizado para identificar segmentos de mercado. Sin embargo, en términos prácticos es importante considerar qué bases para la segmentación son más importantes en cualquier mercado particular. Por ejemplo, en mercados industriales, la segmentación a menudo es concebida en términos de clasificación industrial de compradores —como podría ser, "vendemos a la industria de electrodomésticos"—. Sin embargo, puede ser que no sea la base de segmentación más relevante cuando se piensa en el futuro. La segmentación a partir del comportamiento del comprador (por ejemplo, compra directa frente a aquellos usuarios que compran mediante terceras partes como contratistas), o valor de la compra (por ejemplo, compradores al por mayor de alto valor frente a compradores frecuentes de bajo valor), podría ser más apropiada en algunos mercados. De hecho, a menudo resulta útil considerar diferentes bases de segmentación en el mismo mercado para ayudar a comprender la dinámica de tal mercado y cómo está cambiando.
- *La cuota de mercado relativa* (es decir, la cuota en relación a la de los competidores) dentro de un segmento de mercado es una consideración importante. Las organizaciones que han construido la mayor parte de la experiencia para servir a un determinado segmento de mercado deberían no solo tener

Ilustración 2.4

Grupos estratégicos en la educación de MBA en Países Bajos

Construir el mapa de grupos estratégicos puede proporcionar una idea de las estructuras competitivas de industrias o sectores y las oportunidades y restricciones para el desarrollo.

A mediados de los 2000, existían tres tipos de instituciones que ofrecían cursos de MBA en Países Bajos: universidades tradicionales, escuelas de negocio con ánimo de lucro (ENAL) y politécnicas:

- Las universidades tradicionales ofrecían un amplio rango de materias, desarrollaban investigación y atraían a estudiantes nacionales e internacionales. Sus programas eran más académicos que profesionales. Un título universitario normalmente era más valorado que el de una politécnica.
- Las ENAL eran relativamente nuevas y solo proporcionaban títulos MBA. Algunas de las ENAL también proporcionaban cursos de doctorado. Normalmente se encontraban localizadas cerca del centro o de la capital del país. La educación de MBA en los ENAL normalmente se encontraba más orientada a la práctica, lo que la hacía más atractiva para los directivos. Muchos estudiantes ya poseían diplomas de una universidad o politécnica. Algunas de estas escuelas recibieron la acreditación del Consejo de Validación Holandés. En 2005, el ministerio de educación y cultura holandés reconoció a NIMBAS, una ENAL, como una universiteit oficial. Posteriormente, NIMBAS se fusionó con TIAS, la escuela de negocios de la Tilburg Universiteit.
- Las politécnicas (en Países Bajos denominadas Hoge-Scholen), a menudo atraen a estudiantes de la región y proporcionan educación orientaba más a la aplicación de la teoría que al desarrollo de pensamiento conceptual. Algunas de las politécnicas ofrecían títulos de MBA, en algunos casos en cooperación con universidades de Reino Unido.

La Figura 1 proporciona una idea de cómo estos tres tipos de instituciones estaban posicionadas en términos de cobertura geográfica y orientación. La Figura 2 muestra las barreras a las que se enfrentan las organizaciones que deseaban moverse de un grupo a otro (muestra las barreras para entrar en un grupo). Por ejemplo, si los ENAL trataban de entrar en el grupo estratégico de las universidades tradicionales necesitarían construir una reputación en investigación o innovación. Pueden no estar interesados en realizar investigación, ya que incurrirían en altos costes y una pequeña recompensa por su esfuerzo. Por el contrario, para las universidades tradicionales, moverse en la dirección de las ENAL puede ser difícil, porque el cuerpo docente puede no tener habilidades en el aprendizaje orientado a la práctica y puede no tener experiencia en el trabajo con estudiantes de más edad.

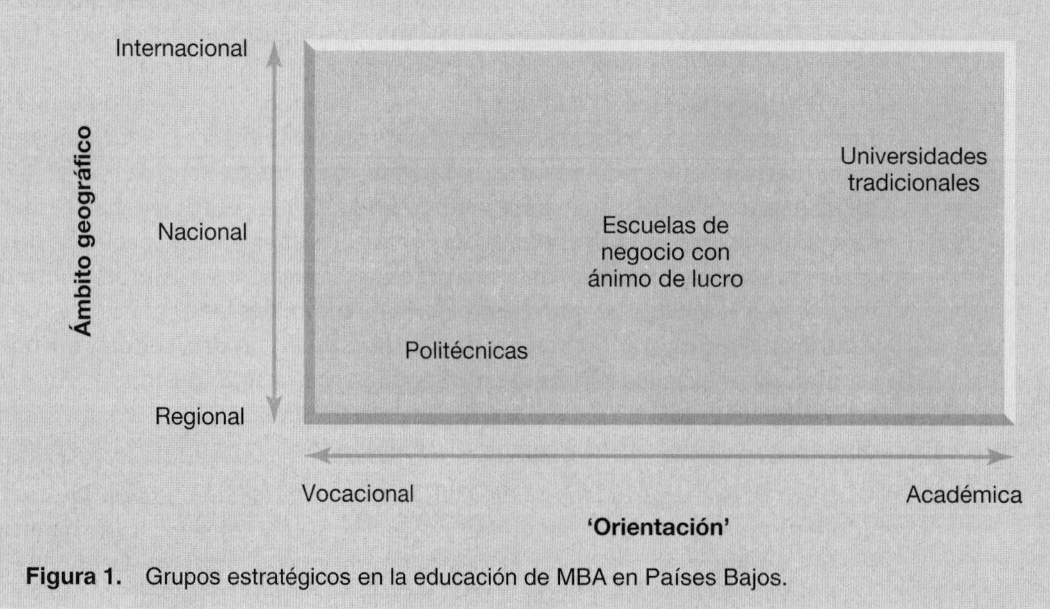

Figura 1. Grupos estratégicos en la educación de MBA en Países Bajos.

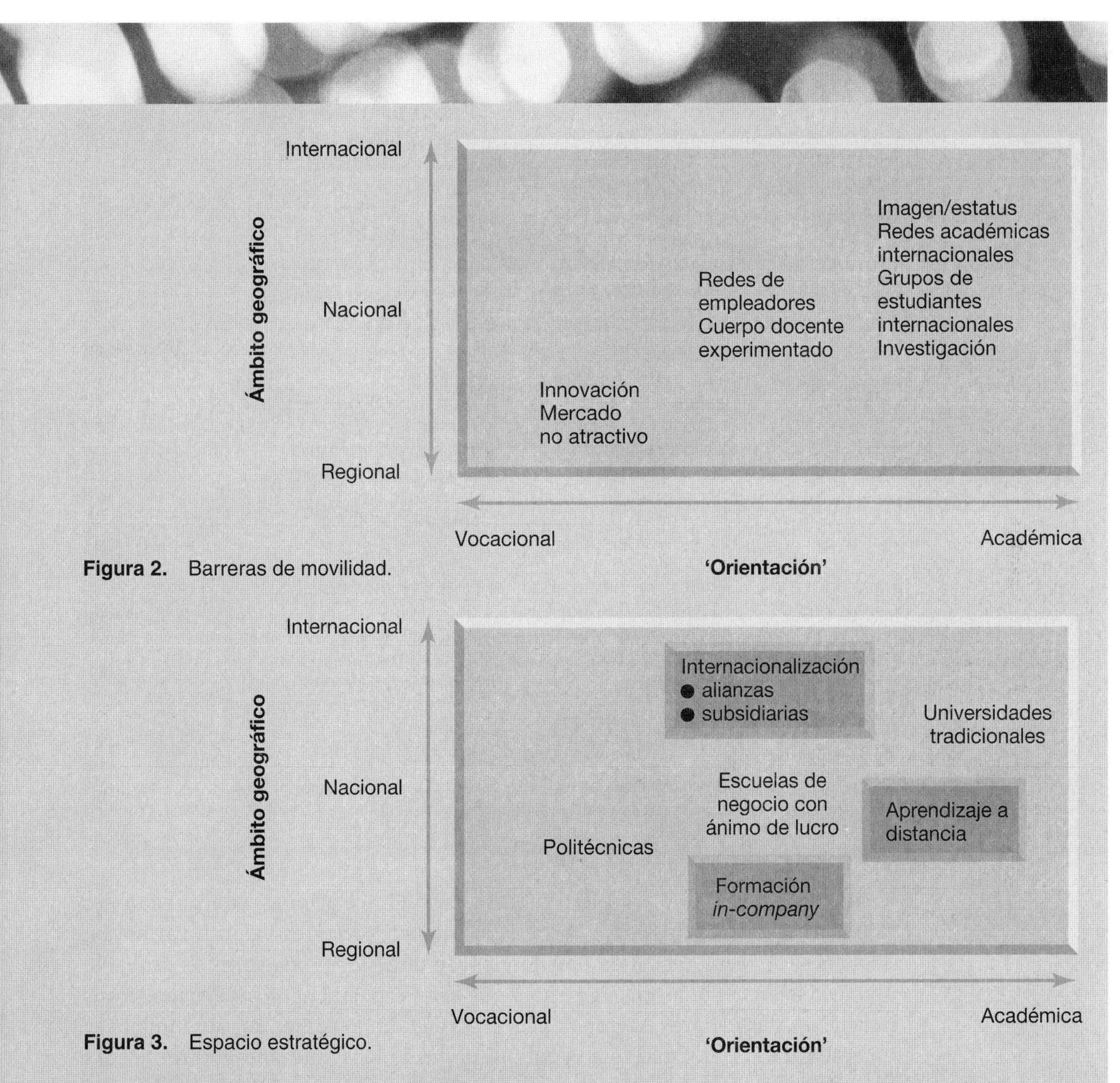

Figura 2. Barreras de movilidad.

Figura 3. Espacio estratégico.

La Figura 3 muestra dónde podrían encontrarse los espacios estratégicos. Estos espacios son creados por cambios en el macroentorno —particularmente globalización y tecnologías de la información—. Esto podría proporcionar oportunidades para las escuelas de negocio holandesas de cara a buscar más negocios internacionales. Sin embargo, la amenaza inversa de competidores internacionales que entren en el mercado holandés era una cuestión de especial preocupación. Las tecnologías de la información y la comunicación ayudan a los estudiantes a estudiar en su lugar de trabajo o en el hogar, y también les permite aprovecharse de una red internacional. Por lo tanto, una escuela de negocios estadounidense o británica podría proporcionar contenido para Internet y soporte a los estudiantes locales mediante un acuerdo de cooperación con instituciones holandesas. De hecho, la Universidad de Phoenix ya ha hecho esfuerzos en ese sentido.

Fuente: esta es una versión actualizada de D. J. Eppink y S. de Waal, "Global influences on the public sector", en G. Johnson y K. Scholes (eds.), *Exploring Public Sector Strategy,* FT/Prentice Hall, 2001, capítulo 3.

Pregunta

¿Cómo puede afectar este análisis a los próximos movimientos estratégicos de cada uno de los tres tipos de instituciones?

Figura 2.6 Algunas bases para la segmentación de mercado

Tipo de factor	Mercados de consumo	Mercados industriales/ organizativos
Características de la gente/ organizaciones	Edad, sexo, raza Ingresos Tamaño de la familia Etapa del ciclo de vida Estilo de vida	Industria Localización Tamaño Tecnología Rentabilidad Dirección
Situación de compra/uso	Tamaño de la compra Lealtad a la marca Propósito de uso Comportamiento de la compra Importancia de la compra Criterios de elección	Aplicación Importancia de la compra Volumen Frecuencia de compra Procedimiento de compra Criterios de elección Canal de distribución
Necesidades y preferencias de de los usuarios de las características de los productos	Similitud de productos Preferencia de precio Preferencia de marca Características deseadas Calidad	Requerimientos de rendimiento Asistencia de los proveedores Preferencias de marca Características deseadas Calidad Requerimientos de servicio

costes inferiores, sino también haber construido relaciones que puedan ser difíciles para otros de acabar con ellas. Lo que los clientes valoran variará en los distintos segmentos de mercado y por lo tanto los *productores* es probable que consigan ventajas en segmentos que sean especialmente adecuados a sus fortalezas particulares. Pueden encontrar muy difícil competir sobre una base más amplia. Por ejemplo, una pequeña cervecera local que compite frente a las grandes marcas sobre la base de sus precios bajos a partir de bajos costes de distribución y *marketing* se encuentra limitada a ese segmento local que valora los precios bajos.

- Cómo pueden ser *identificados y servidos* los segmentos de mercado [15] se encuentra influido por una serie de tendencias en el entorno de negocios ya analizados en este capítulo. Por ejemplo, la amplia disponibilidad de datos sobre consumidores y la habilidad de procesarlos electrónicamente en combinación con la mayor flexibilidad de las operaciones de las compañías permite que se lleve a cabo la segmentación a micro niveles —incluso descender a consumidores individuales (denominados *mercados de uno)*—. Por lo tanto, las ventas por Internet se dirigen de manera selectiva a consumidores con ofertas especiales de acuerdo con sus patrones de compra pasados. La aparición de consumidores con mayor poder adquisitivo y movilidad supone que la segmentación geográfica puede resultar mucho menos efectiva que la segmentación según el estilo de vida (más allá de las fronteras nacionales).

2.4.3. Identificación del cliente estratégico

El **cliente estratégico** es la persona o personas a las que la estrategia se encuentra principalmente dirigida, debido a que ejercen la principal influencia sobre qué bienes o servicios son adquiridos

Proporcionar bienes o servicios al mercado normalmente implica una serie de organizaciones desarrollando diferentes papeles. En el Capítulo 3 se analizará con más detalle mediante el concepto de sistema de valor. Por ejemplo, la mayoría de los consumidores adquiere bienes mediante establecimientos minoristas. Por lo tanto, los fabricantes deben atender a dos tipos de clientes: las tiendas —sus clientes directos— y los clientes de las tiendas —los clientes finales del producto—. Aunque ambos clientes influyen sobre la demanda, normalmente uno de estos será más influyente que los otros —este es el cliente estratégico—. El **cliente estratégico** es la persona o personas a las que la estrategia se encuentra principalmente dirigida, debido a que ejercen la principal influencia sobre qué bienes o servicios son adquiridos. Si no está claro quién es el cliente estratégico, los directivos pueden terminar analizando y dirigiéndose a las personas inadecuadas. Son los deseos del cliente estratégico los que proporcionan un punto de partida para la estrategia. Los requerimientos de los demás clientes no dejan de ser importantes —tienen que ser satisfechos—, pero los requerimientos del cliente estratégico son primordiales. Volviendo al ejemplo, debería quedar claro que para muchos bienes de consumo el establecimiento minorista es el cliente estratégico en la medida en que la forma en que expone, promueve y da soporte a los productos en la tienda es enormemente influyente sobre las preferencias del cliente final. En el sector público, el cliente estratégico es muy a menudo el *cuerpo* que controla los fondos o autoriza el uso, en lugar del usuario del servicio. Por lo tanto, los médicos de familia son los clientes estratégicos de las compañías farmacéuticas, tal y como ocurre en otros casos.

2.4.4. Comprender qué valoran los clientes. Factores clave de éxito

Los **factores clave de éxito** son aquellas características del producto que son particularmente valoradas por un grupo de clientes y, por lo tanto, donde la organización debe sobresalir para superar a la competencia.

Aunque el concepto de segmentos de mercado resulta útil, los directivos pueden no llegar a ser realistas sobre cómo los mercados se encuentran segmentados y las implicaciones estratégicas de tal segmentación. Se verá en el capítulo siguiente que una comprensión de las necesidades de los clientes y cómo difieren entre segmentos resulta crucial para desarrollar la capacidad estratégica apropiada en una organización. Sin embargo, los clientes valorarán distintas características del producto/servicio en un mayor o menor grado. Desde el punto de vista de potenciales proveedores, es valioso entender qué características son de particular importancia para un grupo de clientes (segmento de mercado). Estas son conocidas como factores clave de éxito. Los **factores clave de éxito** son aquellas características del producto que son particularmente valoradas por un grupo de clientes y, por lo tanto, donde la organización debe sobresalir para superar a la competencia.

El grado en el que las ofertas de los diferentes proveedores consideran los factores valorados por los clientes puede visualizarse mediante la creación de un lienzo estratégico [16] (véase la Figura 2.7). El lienzo es una forma simple aunque útil de comparar las posiciones y potencial de los competidores en un mercado en diferentes segmentos. La figura está relacionada con el mercado de equipamiento eléctrico de ingeniería e ilustra lo siguiente:

- Se identifican cinco *factores clave de éxito* en la Figura 2.7 como particularmente importantes para los clientes en *media* (ordenados por importancia, reputación del productor, servicio postventa, fiabilidad en la distribución, instalaciones de pruebas y calidad técnica). Estas son listas *medias* para los cinco factores que determinan las elecciones del cliente, dados precios similares. Es preciso notar que los clientes individuales varían.
- Se trazan tres *perfiles de competidores* sobre el lienzo frente a estos factores. Está claro que las fortalezas relativas que posee la compañía A no son los factores *más* valorados por el cliente medio, mientras que las fortalezas de B parecen tener un mejor ajuste. Pero nadie lo está haciendo particularmente bien

Figura 2.7 Un lienzo estratégico. Valor percibido por los clientes en el mercado de equipamiento eléctrico en ingeniería

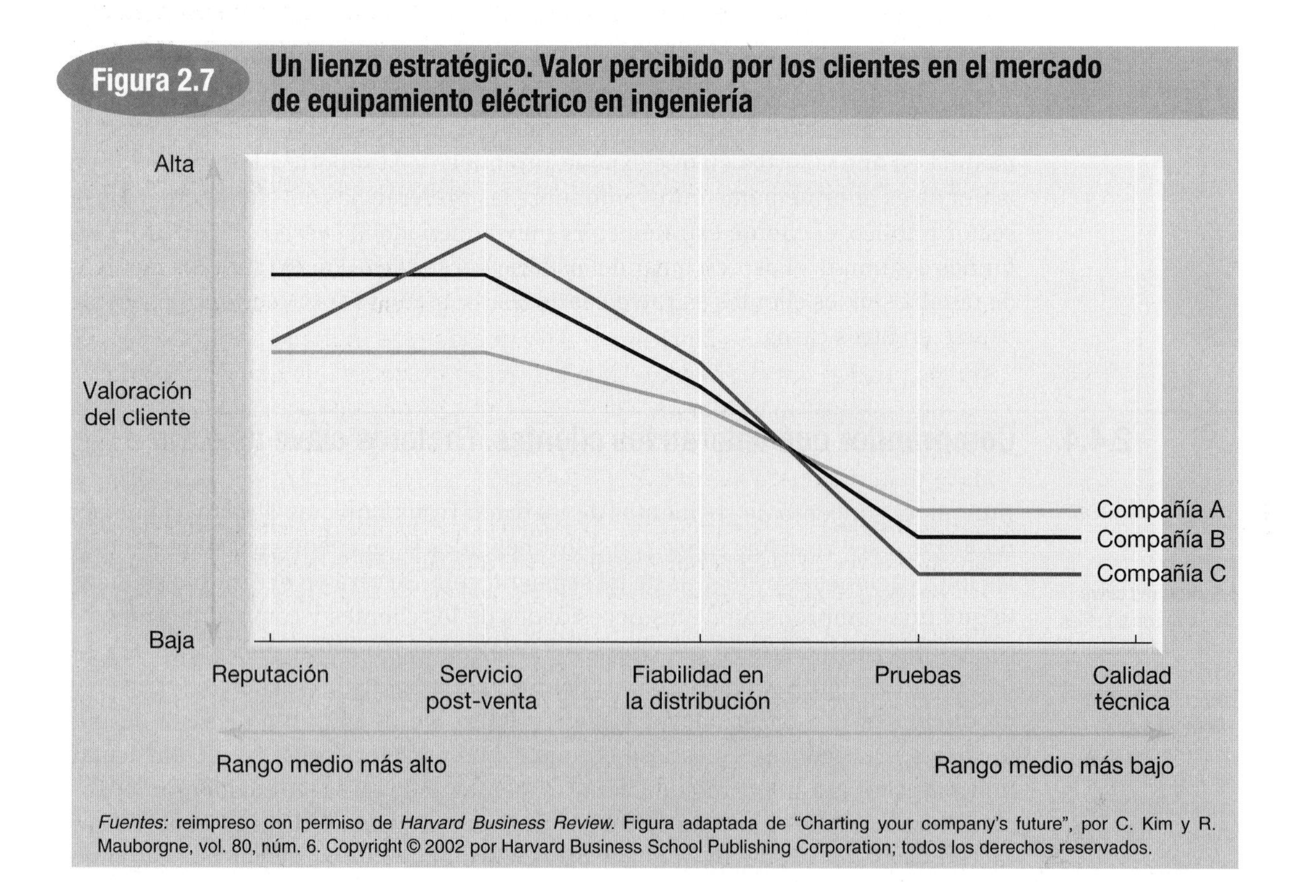

Fuentes: reimpreso con permiso de *Harvard Business Review.* Figura adaptada de "Charting your company's future", por C. Kim y R. Mauborgne, vol. 80, núm. 6. Copyright © 2002 por Harvard Business School Publishing Corporation; todos los derechos reservados.

con respecto a las pruebas y calidad técnica, lo que puede ser muy importante para algunos clientes.

- La cuestión siguiente es la *elección del segmento*. La compañía A podría tratar de mejorar sobre los factores que se encuentran en el rango medio más alto. Pero las compañías B y C son ya fuertes en esta área y sus clientes se encuentran muy satisfechos. Una alternativa para la compañía A es centrarse en un segmento de mercado en particular, aquellos para los cuales las pruebas y la calidad sean mucho más importantes que para el cliente medio. En este ámbito existe menos competencia y un mayor espacio para la mejora. Este segmento puede ser relativamente pequeño, pero centrarse en este de manera específica podría ser mucho más rentable que enfrentarse frontalmente a las compañías B y C en sus puntos fuertes. La compañía A podría centrarse en mejorar su perfil en el extremo derecho del lienzo.

El mensaje clave de este ejemplo es que es importante mirar el valor a través de los ojos del cliente y tener claras las fortalezas *relativas*. Aunque pueda parecer evidente, un punto de vista de cliente y tener claras las fortalezas puede no ser fácil de conseguir por distintas razones:

- *Tomar conciencia*. Los directivos pueden no ser capaces de *ser conscientes* de la complejidad y los distintos comportamientos que experimentan en sus mercados. A menudo tendrán grandes cantidades de datos en bruto sobre las preferencias y movimientos de los clientes, pero carecerán de la capacidad de extraer conclusiones útiles de tales datos (por ejemplo, para encontrar tendencias o conexiones). Los investigadores de mercado y consultores de *marketing* pueden ser capaces de proporcionar una visión más clara desde el exterior.
- *Distancia del cliente final*. Los proveedores de componentes y materias primas, por ejemplo, pueden encontrarse alejados de los usuarios finales por distintos intermediarios —otros fabricantes y distribuidores—. Aunque estos clientes directos pueden ser clientes estratégicos existe un peligro de que no sea entendido lo que significa valor para el cliente final. En otras palabras, las compañías pueden no ser conscientes de lo que lo que en última instancia está impulsando la demanda para su producto o servicio.
- *Sesgos internos*. Los directivos son proclives a suponer que sus fortalezas particulares son valoradas por los clientes y que de alguna manera sus competidores son necesariamente inferiores. Por ejemplo, los grupos profesionales en muchos servicios públicos han tendido a suponer que lo que piensan que es mejor para el cliente automáticamente es lo mejor, mientras se muestran escépticos de la habilidad de los proveedores del sector privado de ocuparse de las *verdaderas* necesidades de los clientes.
- *Cambios a lo largo del tiempo*. Los valores de los clientes normalmente evolucionan, ya sea porque consiguen una mayor experiencia (mediante la repetición de compras) o debido a que las ofertas competitivas disponibles ofrecen

un mayor valor. Sin embargo, los directivos a menudo se encuentran atrapados por su experiencia histórica en el mercado (véase el Capítulo 5).

2.5 OPORTUNIDADES Y AMENAZAS

Los conceptos y modelos analizados hasta este punto deberían resultar útiles en la comprensión de los factores en los entornos macro, industrial y de mercado/competidor de una organización. Sin embargo, la cuestión fundamental es la relativa a las *implicaciones* que se extraen de este conocimiento para la guía de las decisiones y elecciones estratégicas. Por lo tanto, la siguiente etapa crucial es extraer del análisis del entorno las oportunidades y amenazas estratégicas para la organización. Identificar tales oportunidades y amenazas es extremadamente valioso cuando se piensa sobre las elecciones estratégicas de cara al futuro (el objeto de los Capítulos 6 al 8). Las oportunidades y amenazas constituyen una de las mitades de los análisis de las Debilidades, Amenazas, Fortalezas y Oportunidades (DAFO) que llevan a cabo muchas compañías en la formulación de su estrategia (véase el Apartado 3.5.3) [17]. Para responder de manera estratégica al entorno, el objetivo es reducir las amenazas identificadas y obtener ventaja de las mejores oportunidades.

Un **espacio estratégico** es una oportunidad en el entorno competitivo que no está siendo completamente explotada por los competidores

Obtener ventaja de un **espacio estratégico** es una forma efectiva de gestionar las amenazas y oportunidades. W. Chan Kim y Renée Mauborgne han argumentado que si las organizaciones simplemente se concentran en competir frente a frente con los rivales competitivos esto llevará a la convergencia competitiva respecto de todos los *actores* con respecto a la concepción y tratamiento del entorno[18]. Estos describen esto como una estrategia de *océano rojo* —rojo debido a lo sangriento de la competencia y a los números rojos provocados por las pérdidas financieras—. Instan a los directivos a que en lugar de ello persigan estrategias de *océano azul* —buscar o crear amplios espacios abiertos, libres de competencia—. Los océanos azules son espacios estratégicos en el mercado, oportunidades que no están siendo completamente explotadas por los competidores. Una estrategia de océano azul fue la creación por los productores vinícolas australianos de vinos divertidos, fáciles de entender y de beber. Una estrategia de océano rojo podría haber sido competir frente a los productores franceses establecidos con lujosas etiquetas, jerga del mundo del vino y sabores complejos.

Los espacios estratégicos pueden ser identificados con la ayuda de las técnicas de este capítulo. En términos de las cinco fuerzas de Porter, los espacios estratégicos se producen donde la rivalidad es baja. En términos de los mapas de grupos estratégicos, los vacíos normalmente se refieren a los *espacios en blanco* poco ocupados. En términos del lienzo estratégico, los espacios estratégicos potenciales son donde puede establecerse una gran diferencia con la posición de la mayoría de las compañías sobre los distintos factores valorados por los clientes.

RESUMEN

- Las influencias del entorno pueden concebirse como estratos en torno a una organización, donde el estrato exterior está compuesto por el *macroentorno*, el estrato intermedio lo constituye la *industria o sector*, y el estrato interno los *grupos estratégicos* y *segmentos de mercado*.
- El macroentorno puede ser analizado en términos de los *factores PESTEL*, a partir de los cuales pueden identificarse los *inductores clave del cambio*. Pueden construirse *escenarios* alternativos cobre el futuro de acuerdo a cómo se desarrollan los inductores clave.
- Las industrias y sectores pueden ser analizados en términos de las *Cinco Fuerzas de Porter* —barreras de entrada, sustitutos, poder de compradores, poder de proveedores y rivalidad—. Todos estos factores juntos determinan el grado de atractivo de la industria o sector e influyen sobre el resultado global.
- En el estrato interno del entorno, el análisis de los *grupos estratégicos*, el análisis de los *segmentos de mercado* y el *lienzo estratégico* puede ayudar a identificar espacios u oportunidades.
- Las estrategias de *océano azul* caracterizadas por la baja rivalidad es probable que sean mejores oportunidades que las estrategias de *océano rojo* con muchos rivales.

Lecturas clave recomendadas

- El libro clásico sobre el análisis de las industrias es M. E. Porter, *Competitive Strategy*, Free Press, 1980. Una visión actualizada se encuentra en M. E. Porter, "Strategy and the Internet", *Harvard Business Review*, marzo (2001), pp. 2-19. Una adaptación notable de las ideas básicas de Porter es W. C. Kim y R. Mauborgne, *Blue Ocean Strategy: How to Create Uncontested Market Space and Make Competition Irrelevant*, Harvard Business School Press, 2005.
- Para encontrar enfoques sobre cómo cambia el entorno, véase K. van der Heijden, *Scenarios: the art of strategic conversation*, segunda edición, Wiley, 2005, y el trabajo de la colega de Michael Porter, A. McGahan, *How Industries Evolve*, HBS Press, 2004.
- Una colección de artículos académicos sobre las últimas perspectivas sobre el PEST, los escenarios y herramientas similares se encuentra en el número especial de *International Studies of Management and Organization*, vol. 36, núm. 3 (2006), editado por Peter McKiernan.

Referencias

1. El modelo PESTEL es una extensión del modelo PEST (Político, Económico, Social y Tecnológico), teniendo más en cuenta los aspectos ambientales o del entorno *(verdes)* y legales. Para ver una apliación del modelo PEST al mundo de las escuelas de negocios, adecuado también para el PESTEL, véase H. Thomas, "An analysis of the environment and competitive dynamics of management education". *Journal of Management Development,* vol. 26, núm. 1 (2007), pp. 9-21.
2. Para un análisis del método de los escenarios en la práctica, véase K. van der Heijden, *Scenarios: the art of strategic conversation,* segunda edición, Wiley, 2005. Para ver cómo el método de los escenarios se ajusta a otras formas de análisis del entorno como el modelo PESTEL, véase P. Walsh, "Dealing with the uncertainties of environmental change by adding scenario planning to the strategy reformulation equation", *Management Decision,* núm. 43, vol. 1 (2005), pp. 113-122; y G. Burt, G. Wright, R. Bradfield y K. van der Heijden, "The Role of Scenario Planning in Exploring the Environment in view of the limitations of PEST and its derivatives", *International Studies of Management and Organization,* vol. 36, núm. 3 (2006), pp. 50-76.
3. D. Rutherford, *Routledge Dictionary of Economics,* segunda edición, Routledge, 1995.
4. Véase M. E. Porter, *Competitive Strategy: Techniques for analysing industries and competitors.* Free Press, 1980, p. 5.
5. Porter, referencia 4, Capítulo 1. C. Christensen, "The past and future of competitive advantage", *Sloan Management Review,* vol. 42, núm. 2 (2001), pp. 105-109, proporciona una interesante crítica y actualización de los factores que subyacen en las cinco fuerzas de Porter.
6. Véase L. Van den Berghe y K. Verweire, "Convergence in the financial services industry", *Geneva papers on Risk and Insurance,* vol. 25, núm. 2 (2000), pp. 262-272; y A. Malhotra y A. Gupta, "An investigation of firms" responses to industry convergence", *Academy of Management Proceedings,* 2001, pp. Gl-6.
7. Para un análisis de la necesidad de un enfoque colaborativo además del enfoque competitivo de Porter para el análisis de la industria, véase J. Burton, "Composite strategy: the combination of collaboration and competition", *Journal of General Management,* vol. 21, núm. 1 (1995), pp. 3-28 y R. ul-Haq, *Alliances and Co-evolution: insights from the Banking Sector,* Palgrave Macmillan (2005).
8. El análisis clásico es el de A. Brandenburger y B. Nalebuff, "The right game: use game theory to shape strategy", *Harvard Business Review,* vol. 73, núm. 4 (1995), pp. 57-71. Sobre el peligro de los "complementadores", véase D. Yoffie y M. Kwak, "With friends like these", *Harvard Business Review,* vol. 84, núm. 9 (2006), pp. 88-98.
9. Una introducción clásica al ciclo de vida de la industria es S. Klepper, "Industry life cycles", *Industrial and Corporate Change,* vol. 6, núm. 1, (1996), pp. 119-143. Véase también A. McGahan, "How industries evolve", *Business Strategy Review,* vol. 11, núm. 3 (2000), pp. 1-16.
10. McGahan, "How industries evolve", *Business Strategy Review,* vol. 11, núm. 3 (2000), pp. 1-16.
11. Para una exposición detallada de esta técnica, véase V. Lerville-Anger, F. Fréry, A. Gazengel y A. Ollivier, *Conduire le diagnostic global d'une unité industrielle,* Éditions d'Organisation, París, 2001.
12. Para una revision de la investigación sobre grupos estratégicos, ver: J. McGee, H. Thomas y M. Pruett, "Strategic groups and the analysis of market structure and industry dynamics", *British Journal of Management,* vol. 6, núm. 4 (1995), pp. 257-270. Para un ejemplo del uso del análisis de los grupos estratégicos, véase J. Pandian, J. Rajendran, H. Thomas y O. Furrer, "Performance differences across strategic groups: an examination of financial market-based performance measures", *Strategic Change,* vol. 15, núm. 7/8 (2006), pp. 373-383.
13. Estas características se basan en Porter, referencia 4.
14. Un análisis útil de la segmentación en relación con la estrategia competitiva es proporcionado en M. E. Porter, *Competitive Advantage,* Free Press, 1985, Capítulo 7. Para una revision más detallada de los métodos de segmentación véase M. Wedel y W. Kamakura, *Market Segmentation: Conceptual and Methodological Foundations,* segunda edición, Kluwer Academic, 1999.

15. M. Wedel, "Is segmentation history?", *Marketing Research,* vol. 13, núm. 4 (2001), pp. 26-29.

16. El término lienzo estratégico fue introducido por C. Kim y R. Mauborgne, "Charting your company's future", *Harvard Business Review,* vol. 80, núm. 6 (2002), pp. 76-82. Existe una discussion similar en el capítulo de G. Johnson, C. Bowman y P. Rudd, "Competitor analysis", en V. Ambrosini con G. Johnson y K. Scholes (eds.), *Exploring Techniques of Analysis and Evaluation in Strategic Management,* Prentice Hall, 1998.

17. Véase también el capítulo de T. Jacobs, J. Shepherd y G. Johnson sobre el análisis DAFO, en V. Ambrosini con G. Johnson y K. Scholes (véase referencia 16); y E. Valentin, "SWOT analysis from a resource-based view", *Journal of Marketing Theory and Practice,* vol. 9, núm. 2 (2001), pp. 54-69. El DAFO será analizado con mayor profundidad en el Apartado 3.5.3. y la Ilustración 3.4.

18. W. C. Kim y R. Mauborgne, "Value innovation: a leap into the blue ocean", *Journal of Business Strategy,* vol. 26, núm. 4 (2005), pp. 22-28, y W.C. Kim y R. Mauborgne, *Blue Ocean Strategy: How to Create Uncontested Market Space and Make Competition Irrelevant,* Harvard Business School Press (2005).

CASO DE EJEMPLO

Fuerzas globales y la industria cervecera europea

Mike Blee y Richard Whittington

Este caso se centra en la industria cervecera europea y examina cómo la cada vez mayor presión competitiva de operar dentro de mercados globales está conduciendo a la consolidación mediante adquisiciones, alianzas y cierres dentro de la industria. Esto ha resultado en el aumento de la dependencia de los cerveceros de grandes marcas.

En la primera década del siglo XXI, los cerveceros europeos se enfrentaron a una sorprendente paradoja. El centro tradicional de la industria de la cerveza mundial, y todavía el mayor mercado regional, Europa, estaba perdiendo el gusto por la cerveza. El consumo de cerveza estaba descendiendo en los mayores mercados de Alemania y Reino Unido, mientras que estaba creciendo con rapidez en todo el mundo. China, con el siete por ciento de crecimiento anual, se había convertido en el mayor mercado por volumen, mientras que los volúmenes de Brasil habían superado a Alemania en 2005 (Euromonitor, 2006).

La Tabla 1 detalla el declive en el consumo global de cerveza en Europa. El declive en los mercados tradicionalmente más importantes es debido a varios factores. Los gobiernos estaban haciendo fuertes campañas contra el alcohol en la carretera, lo que afecta a la propensión a beber cerveza en restaurantes, *pubs* y bares. Existe cada vez una mayor conciencia de los efectos del alcohol sobre la salud y la forma física. Particularmente en Reino Unido, existe un creciente rechazo hacia el excesivo consumo de alcohol en *pubs* y clubs. Los vinos se han convertido en cada vez más populares en los mercados del norte de Europa. Sin embargo, el consumo de cerveza per cápita varía ampliamente entre países, siendo cuatro veces mayor en Alemania que en Italia, por ejemplo. Algunos mercados europeos tradicionalmente de bajo consumo han estado mostrando un buen crecimiento.

La ofensiva contra el alcohol en la carretera y contra el consumo excesivo en *pubs* y clubs ha ayudado a trasladar las ventas de cerveza, desde dentro de los establecimientos (cerveza consumida por ejemplo en restaurantes o *pubs)* hacia fuera de los establecimientos (minoristas). En todo el mundo, la venta fuera de los establecimientos de hostelería se incrementó, pasando del 63 por ciento del volumen en 2000 al 66 por ciento en 2005. Estas ventas se encuentran dominadas de manera creciente por grandes cadenas de supermercados como Tesco o Carrefour, que utilizan ofertas de cerveza para atraer a los clientes a sus establecimientos. Más de una quinta parte del volumen de cerveza se vende en la actualidad a través de supermercados. Los minoristas alemanes como Aldi y Lidl han tenido un éxito considerable con sus propias *marcas blancas* (en lugar de marcas de fabricante) de cerveza. Sin embargo, aunque los volúmenes comercializados en establecimientos hosteleros se están reduciendo en Europa, los valores de las ventas se están incrementando, en la medida en que las cerveceras han introducido productos de calidad de alto precio como cervezas frescas y con aromas de frutas. Por otra parte, una porción importante de esta demanda creciente de productos de calidad está siendo satisfecha mediante la importación de cervezas aparentemente exóticas de todos los lugares (véase la Tabla 2).

Los principales costes de compra de los cerveceros son el envase (que supone en torno a la mitad de los costes no laborales), y las materias primas como cebada y energía. La industria europea de envases se encuentra muy concentrada, dominada por compañías internacionales como Crown en latas y Owens-Illinois en botellas de vidrio. Durante 2006, la cervecera holandesa Heineken se quejó de un incremento en los costes de envasado de un once por ciento.

Dentro de la batalla por el control del mercado que ha tenido lugar entre las cerveceras se han producido adquisiciones, licencias y alianzas estratégicas. Existen presiones globales para la consolidación debido a la sobrecapacidad dentro de la industria, la necesidad de contener costes y los beneficios de potenciar fuertes marcas. Por ejemplo, la cervecera belga Interbrew ad-

Tabla 1. Consumo de cerveza en Europa por país y año (miles de hectolitros).

País	1980	2000	2001	2002	2003	2004	2005
Alemania**	89.820	103.105	100.904	100.385	97.107	95.639	94.994
Austria	7.651	8.762	8.627	8.734	8.979	8.881	8.970
Bélgica	12.945	10.064	9.986	9.901	9.935	9.703	N/D
Dinamarca	6.698	5.452	5.282	5.202	5.181	4.862	N/D
España	20.065	29.151	31.126	30.715	33.451	N/D	N/D
Finlandia	2.738	4.024	4.085	4.136	4.179	4.370	N/D
Francia	23.745	21.420	21.331	20.629	21.168	20.200	N/D
Grecia	N/D	4.288	4.181	4.247	3.905	N/D	N/D
Holanda	12.213	13.129	12.922	11.985	12.771	12.687	12.747
Irlanda	4.174	5.594	5.625	5.536	5.315	5.206	N/D
Italia	9.539	16.289	16.694	16.340	17.452	17.194	17.340
Luxemburgo	417	472	445	440	373	N/D	N/D
Noruega*	7.651	2.327	2.290	2.420	2.270	2.490	N/D
Portugal	3.534	6.453	6.276	5.948	6.008	6.266	6.224
Reino Unido	65.490	57.007	58.234	59.384	60.302	59.195	N/D
Suecia	3.935	5.011	4.932	4.998	4.969	4.635	4.566
Suiza	4.433	4.194	4.141	4.127	4.334	4.262	N/D

* Países no de la RU: **1980 excluye RDA. Cifras ajustadas.

Fuente: wwww.brewersofeurope.org.

Tabla 2. Importaciones de cerveza por país.

País	Importaciones en 2002 (% de consumo o producción*)	Importaciones en 2004 (% de consumo o producción)
Alemania	3,1	4
Austria	5,1	6,4
Bélgica	4,74	10,2
Dinamarca	2,6	N/D
España	11,7	N/D
Finlandia	2,3	7,3
Francia	23	31
Grecia	4,1	N/D
Holanda	3,2	14,4
Irlanda	N/D	N/D
Italia	27,15	37
Luxemburgo	N/D	38,4
Noruega	5,4	N/D
Portugal	1,1	N/D
Reino Unido	10,9	12,3
Suecia	N/D	18
Suiza	15,4	15,6

* Las cifras de importación no incluyen cervezas producidas bajo licencia en el país de origen; los paìses varían en la medida del % de producción o consumo.

Fuente: wwww.brewersofeurope.org.

quirió partes de la antigua Bass Empire, Becks y Whitbread en 2001, y en 2004 anunció una fusión con Am Bev, el grupo cervecero brasileño, para crear la mayor cervecera en el mundo, InBev. La segunda mayor cervecera, la americana Anheuser-Busch, ha estado invirtiendo en China, México y Europa, convirtiéndose en SABMiller. Actores más pequeños en los mercados de rápido crecimiento de China y Sudamérica tampoco han escapado de las grandes cerveceras internacionales. La cervecera australiana de mediano tamaño Foster está abandonando la participación directa en muchos mercados internacionales, por ejemplo vendiendo sus derechos de marca europeos a Scottish & Newcastle. La Tabla 3 enumera las diez mayores cerveceras del mundo, que representaban aproximadamente la mitad de la cerveza mundial. Quedan muchas cerveceras especialistas y locales, como la compañía holandesa Grolsch (ver más abajo) o la británica Cobra Beer, originaria del mercado de restaurantes indios.

Cuatro compañías cerveceras

Heineken (Holanda)

Heineken es la mayor cervecera europea y cuenta con los tres cuartos de sus ventas en la región. Las ventas totales en 2006 fueron de 11,8 billones de euros (ocho billones de libras). Aproximadamente el cinco por ciento de las ventas corresponden al área Asia-Pacífico y el diecisiete por ciento de las ventas se producen en América. La principal marca de la compañía es la propia Heineken y Amstel. La compañía sigue siendo de tipo familiar, lo cual según afirma le proporciona estabilidad

Tabla 3. Las 10 mayores cerveceras del mundo por volumen: 2005.

Compañía	Cuota global en volumen (%)	País de origen
InBev	10,8	Brasil-Bélgica
Anheuser-Busch	9,4	Estados Unidos
SABMiller	7,3	Sudáfrica (deslocalizada a Reino Unido)
Heineken	5,7	Holanda
Morelo	2,9	México
Carlsberg	2,9	Dinamarca
Coors	2,6	Estados Unidos
Ting Tao	2,4	China
Baltic Brewery Holdings	2,2	Dinamarca/Reino Unido
Asahi	2,1	Japón

Fuente: Euromonitor International, *The World Brewing Industry.*

e independencia para perseguir un crecimiento internacional sostenido.

La estrategia internacional de Heineken es utilizar compañías adquiridas localmente como medio para introducir la marca Heineken en los nuevos mercados. Trata de fortalecer compañías locales transfiriendo experiencia y tecnología. El resultado es la creación de economías de escala tanto para las cerveceras locales como para Heineken. Las cuatro prioridades de Heineken para la acción son acelerar el crecimiento de los ingresos, mejorar la eficiencia y la reducción de costes, acelerar la implementación de la estrategia y centrarse en aquellos mercados en los que la compañía cree que puede ganar.

Grolsch (Holanda)

Royan Grolsch NV es un grupo cervecero internacional de tamaño intermedio, fundado en 1615. Con unas ventas totales en 2005 de 313 millones de euros, es menos de la vigésima parte del tamaño de Heineken. Sus productos más importantes incluyen la cerveza de calidad superior Grolsch y nuevas cervezas aromatizadas (Grolsch limón y Grolsch rosa pomelo). En Holanda, Grolsch posee los derechos para la venta y distribución de la valorada marca norteamericana Miller. Aproximadamente la mitad de sus ventas son obtenidas en el exterior, mediante exportación y mediante licencias de producción: Reino Unido es su segundo mayor mercado. En 2005, Grolsch centralizó su propia producción en una única y nueva cervecería en Holanda para incrementar la eficiencia y el volumen y abrió una pequeña cervecería adicional de *prueba* para apoyar la innovación.

La innovación y la marca son esenciales para la estrategia de la compañía. La compañía cree que sus cervezas fuertes y distintivas pueden tener éxito en un mercado de cada vez mayor homogeneización. Su marca se vio reforzada por sus llamativas botellas verdes y sus tapones oscilantes únicos.

InBev (Bélgica/Brasil)

InBev fue creada en 2004 a partir de la fusión de la belga InterBrew y la brasileña AmBev. Con una facturación de 13,3 billones de euros en 2006, es la mayor cervecera del mundo, manteniendo el número uno o el número dos en veinte países diferentes. Sus conocidas marcas internacionales incluyen Beck's y Stella Artois. Mediante una serie de adquisiciones, InBev se ha convertido en la segunda mayor cervecera en China.

La compañía es franca con respecto a su estrategia: transformarse a sí misma desde la mayor compañía cervecera del mundo a la mejor. Su meta es hacerlo mediante la construcción de fuertes marcas globales y una creciente eficiencia. Las ganancias en eficiencia provendrán de una mayor coordinación centralizada de compras, incluyendo medios publicitarios y tecnologías de la información, de la optimización de su red de cervecerías heredada y de compartir las mejores prácticas entre diferentes lugares en diferentes países. Aunque las adquisiciones continúan, InBev se encuentra ahora enfatizando el crecimiento orgánico y la mejora de márgenes a partir de sus negocios existentes.

Scottish and Newcastle (Reino Unido)

Scottish and Newcastle es una cervecera centrada en el mercado europeo y radicada en Edimburgo. En 2005, su facturación era de 3,9 billones de libras (5,5 billones de euros). Sus marcas principales incluyen John Smiths, Kronenbourg, Kanterbrau, Baltika y (en Europa) Fosters. Es la cuarta mayor cervecera de Europa en términos de volumen y líder de mercado en Reino Unido, Francia y Rusia. La compañía ha realizado muchas adquisiciones en Reino Unido (incluyendo la sidra Bulmer), Francia, Grecia y Finlandia. La inversión del grupo del cincuenta por ciento en Baltic Beverages le ha expuesto a los mercados de rápido crecimiento de Rusia, Ucrania y países Bálticos. En China, Scottish and Newcastle cuenta con una participación del veinte por ciento en CBC, la quinta mayor cervecera del país.

En la India, la compañía United Breweries es la mayor cervecera del país, con la marca Kingfisher. En Estados Unidos, Scottish and Newcastle es el segundo mayor importador de cervezas extranjeras. La compañía enfatiza el desarrollo de cervezas innovadoras y de calidad y está cerrando las cervecerías más ineficientes.

Preguntas

1. Utilizando los datos del caso (y cualquier otra fuente disponible), lleve a cabo para la industria cervecera europea: (i) un análisis PESTEL y (ii) un análisis de las cinco fuerzas. ¿Cuáles son sus conclusiones?
2. Para las cuatro cerveceras mencionadas (o cerveceras que usted elija) explique:
   - **a)** Cómo las tendencias identificadas en (1) impactan de manera diferente en esas compañías.
   - **b)** Las fortalezas y debilidades relativas de cada compañía.

3

CAPACIDAD ESTRATÉGICA

OBJETIVOS DE APRENDIZAJE

Tras leer este capítulo, usted debería ser capaz de:

- Distinguir los elementos de la capacidad estratégica en las organizaciones: recursos, competencias, competencias esenciales y capacidades dinámicas.
- Reconocer el papel de la mejora continua en eficiencia en costes como una capacidad estratégica.
- Analizar cómo las capacidades estratégicas pueden proporcionar una ventaja competitiva sostenible sobre la base de su valor, rareza, inimitabilidad y no sustituibilidad.
- Diagnosticar la capacidad estratégica por medio del análisis de la cadena de valor, *benchmarking* y análisis DAFO.

3.1 INTRODUCCIÓN

El Capítulo 2 perfiló cómo el entorno externo de una organización puede crear oportunidades y amenazas estratégicas. Sin embargo, Tesco, Sainsbury y Asda compiten en el mismo entorno y Tesco obtiene rendimientos superiores. No es el entorno el que hace distinciones entre ellos, sino sus *capacidades estratégicas* internas. La importancia de la capacidad estratégica constituye el centro de este capítulo. Existen tres ideas clave que constituyen el punto de partida en la discusión. La primera es que las organizaciones no son idénticas, sino que cuentan con capacidades diferentes. La segunda es que puede ser difícil para una organización obtener o copiar las capacidades de otra. Por ejemplo, Sainsbury no puede conseguir de manera fácil el conjunto de ubicaciones de venta de Tesco, su dirección o su experiencia. La tercera surge de las anteriores: si una organización consigue una ventaja competitiva, lo hará sobre la base de capacidades que sus rivales no poseen o tienen dificultas de obtener. A su vez, esto ayuda a explicar cómo algunas organizaciones son capaces de conseguir un resultado superior en comparación con otras. Poseen capacidades que les permiten producir a un coste inferior o generar un producto o servicio superior a un coste estándar en relación con otras organizaciones con capacidades inferiores. Estos conceptos se encuentran detrás de lo que se conoce como el **enfoque basado en los recursos** de la estrategia [1] (aunque podría ser denominado de manera más apropiada como el *enfoque de las capacidades):* la ventaja competitiva y los resultados superiores de una organización se explican por el carácter distintivo de sus capacidades.

El **enfoque basado en los recursos** de la estrategia: la ventaja competitiva y los resultados superiores de una organización se explican por el carácter distintivo de sus capacidades.

El capítulo tiene cuatro apartados:

- El Apartado 3.2 analiza los *fundamentos de la capacidad estratégica* y considera la distinción entre *recursos* y *competencias.*
- El Apartado 3.3 se ocupa de una base de la capacidad estratégica vital para cualquier organización: la habilidad de conseguir y mejorar continuamente la *eficiencia en costes.*
- El Apartado 3.4 considera qué tipo de capacidades permite a las organizaciones *mantener* la ventaja competitiva a lo largo del tiempo (en el contexto del sector público la preocupación equivalente puede ser cómo algunas organizaciones mantienen un rendimiento relativo superior a lo largo del tiempo).
- El Apartado 3.5 sigue adelante para considerar diferentes formas mediante las que puede ser analizada la capacidad estratégica. Estas incluyen los análisis de *la cadena de valor y de la red de valor* y *el "benchmarking".* El apartado termina explicando el uso del análisis DAFO como base para combinar las ideas de los análisis del entorno (explicado en el Capítulo 2) y de la capacidad estratégica de este capítulo.

3.2 FUNDAMENTOS DE LA CAPACIDAD ESTRATÉGICA

La **capacidad estratégica** puede son los recursos y competencias de una organización que son necesarios para sobrevivir y prosperar.

Diferentes autores, directivos y consultores utilizan distintos términos y conceptos para explicar la importancia de la capacidad estratégica. Dadas tales diferencias, es importante comprender cómo son utilizados aquí los términos. En términos generales, la **capacidad estratégica** puede ser definida como los recursos y competencias de una organización que son necesarios para sobrevivir y prosperar. La Figura 3.1 muestra los elementos de la capacidad estratégica que son empleados en el capítulo para explicar el concepto.

Figura 3.1 Capacidades estratégicas y ventaja competitiva

	Recursos	Competencias
Capacidades umbral	**Recursos umbral** • Tangibles • Intangibles	**Competencias umbral**
Capacidades para la ventaja competitiva	**Recursos únicos** • Tangibles • Intangibles	**Competencias esenciales**

3.2.1. Recursos y competencias

Los **recursos tangibles** son los activos físicos de una organización como planta, trabajo y recursos financieros.

Los **recursos intangibles** son activos no físicos como información, reputación y conocimiento.

Quizá el concepto más básico es el de *recursos*. Los **recursos tangibles** son los activos físicos de una organización como planta, personas y recursos financieros. Los **recursos intangibles** son activos no físicos como información, reputación y conocimiento. Normalmente, los recursos de una organización pueden ser considerados bajo las siguientes cuatro grandes categorías:

- *Recursos físicos,* como máquinas, edificios o la capacidad de producción de la organización. La naturaleza de estos recursos, como la edad, condición, localización, capacidad y localización, determinará la utilidad de tales recursos.
- *Recursos financieros,* como capital, dinero en efectivo, deudores y acreedores y proveedores de fondos (accionistas, banqueros, etc.).

- *Recursos humanos,* incluyendo variedad (p. ej., perfil demográfico), habilidades y conocimiento de los empleados y otras personas en las redes de una organización.
- *Capital intelectual* como un recurso intangible que incluye patentes, marcas, sistemas de negocio y bases de datos de clientes. Un indicativo del valor de estos es que cuando los negocios son vendidos, parte del valor constituye el *fondo de comercio.* En una economía basada en el conocimiento, el capital intelectual es probable que sea un activo importante para muchas organizaciones.

Las **competencias** son las destrezas y habilidades mediante las que los recursos son desplegados de manera efectiva a través de las actividades y procesos de una organización.

Tales recursos son ciertamente importantes, pero lo que hace una organización —cómo emplea y despliega sus recursos— importa, al menos tanto como los recursos que posee. No tendría sentido poseer un equipamiento de última generación o un conocimiento valioso o una marca valiosa si no son utilizados de manera efectiva. La eficiencia y efectividad de los recursos físicos o financieros, o las personas en una organización, dependen no solo de su existencia, sino también de cómo son gestionados, la cooperación entre las personas, su adaptabilidad, su capacidad innovadora, las relaciones con los clientes y proveedores, y la experiencia y aprendizaje sobre lo que funciona bien y lo que no. Todas estas son **competencias,** mediante las que los recursos son desplegados de manera efectiva a través de las actividades y procesos de una organización.

Dentro de estas amplias definiciones, son utilizados normalmente otros términos. Puede resultar útil referirse a los dos ejemplos proporcionados en la Figura 3.2, uno relacionando los conceptos con un negocio y el otro con el deporte.

Figura 3.2 Capacidad estratégica: la terminología

Término	Definición	Ejemplo (deportes)
Capacidad estratégica	La habilidad de rendir al nivel requerido para sobrevivir y prosperar. Está basada en los recursos y competencias de la organización.	Equipamiento y habilidad deportiva adecuada para una determinada prueba.
Recursos umbral	Los recursos necesarios para satisfacer los requerimientos mínimos de los clientes y por lo tanto para continuar existiendo.	Un cuerpo sano (para los individuos). Instalaciones médicas y médicos. Instalaciones y equipamiento para entrenar . Complementos alimenticios.
Competencias umbral	Actividades y procesos necesarios para satisfacer los requerimientos mínimos de los clientes y por lo tanto para continuar existiendo.	Programas de entrenamiento individual. Gestión de la fisioterapia/lesiones Planificación de la dieta.
Recursos únicos	Recursos sobre los que se basa la ventaja competitiva y que para los competidores son difíciles de imitar u obtener.	Corazón y pulmones extraordinarios. Altura o peso. Entrenador de categoría mundial.
Competencias esenciales	Actividades sobre las que se basa la ventaja competitiva y que son difíciles para los competidores de imitar u obtener.	Una combinación de dedicación, tenacidad, tiempo de entrenamiento, niveles de competición exigentes y un deseo de ganar.

3.2.2. Capacidades umbral

Las **capacidades umbral** son aquellas capacidades necesarias para que una organización satisfaga los requerimientos necesarios para competir en un determinado mercado.

Es necesario hacer una distinción entre aquellas capacidades (recursos o competencias) que se encuentran a un nivel umbral y aquellas que pueden ayudar a que la organización consiga una ventaja competitiva y un resultado superior. Las **capacidades umbral** son aquellas capacidades necesarias para que una organización satisfaga los requerimientos necesarios para competir en un determinado mercado. Estas podrían ser *recursos umbral* necesarios para satisfacer unos requerimientos mínimos de los clientes, como por ejemplo, los minoristas con cadenas de establecimientos, que en la actualidad demandan que sus proveedores posean una infraestructura de TI bastante sofisticada simplemente para tener una posibilidad de satisfacer los requerimientos del minorista. O podrían ser *competencias umbral* requeridas para desplegar recursos de modo que satisfagan los requerimientos de los clientes y apoye estrategias concretas. Los minoristas no solo esperan que los proveedores posean la infraestructura de TI requerida, sino que también sean capaces de utilizarla efectivamente, de manera que se garantice el nivel de servicio requerido.

Identificar y gestionar las capacidades umbral supone al menos dos desafíos significativos:

- *Los niveles umbral de la capacidad variarán* de la misma forma que lo hacen los factores clave de éxito (véase el Apartado 2.4.4) o mediante las actividades de los competidores y de los nuevos entrantes. Para continuar con el ejemplo, los proveedores de los principales minoristas no necesitan el mismo nivel de TI y apoyo logístico que hace una década. Pero el impulso de los minoristas para reducir costes, mejorar la eficiencia y asegurar la disponibilidad de mercaderías para sus clientes supone que las expectativas sobre sus proveedores se hayan incrementado considerablemente en ese tiempo y continúan haciéndolo. Por lo tanto, existe una necesidad para que tales proveedores continuamente revisen y mejoren sus recursos y base de competencias logísticas, simplemente para mantenerse en el negocio.
- Puede ser necesario llegar a *compromisos* para conseguir la capacidad umbral necesaria para diferentes tipos de clientes. Por ejemplo, los negocios han encontrado difícil competir en segmentos de mercado que requieren grandes cantidades de productos estandarizados, así como segmentos de mercado que requieren productos especializados de valor añadido. Normalmente, los primeros precisan de una planta de alta capacidad y rapidez, sistemas estandarizados altamente eficientes y una fuerza de trabajo de bajo coste, mientras que los segundos necesitan una fuerza de trabajo formada, una planta flexible y una capacidad más innovadora. El peligro es que una organización no consiga las capacidades umbral requeridas para cada segmento.

3.2.3. Recursos únicos y competencias esenciales

Aunque las capacidades umbral son importantes, no generan por sí mismas una ventaja competitiva o las bases para un resultado superior. Esto depende de que una organización posea capacidades únicas o distintivas que los competidores encontrarán difíciles de imitar. Esto podría ser debido a que la organización posee **recursos únicos** que de manera crítica dan sustento a la ventaja competitiva y que otros no pueden fácilmente imitar u obtener —por ejemplo, una marca con una larga tradición—. Sin embargo, es más probable que una organización consiga una ventaja competitiva debido a que posee competencias distintas o esenciales. El concepto de competencias esenciales fue desarrollado por Gary Hamel y C. K. Prahalad. Aunque existen distintas definiciones, aquí el concepto de **competencias esenciales** [2] se refiere a las destrezas y habilidades mediante las que los recursos son desplegados mediante las actividades y procesos de una organización, con el fin de conseguir una ventaja competitiva de formas que otros no pueden imitar u obtener. Por ejemplo, un proveedor que consigue una ventaja competitiva en el mercado de la distribución minorista puede haberlo hecho sobre la base de un recurso único como una marca poderosa o mediante encontrar formas de proporcionar servicio o construir relaciones con los minoristas de formas que sus competidores encuentren difícil de imitar —una competencia esencial—. El Apartado 3.4 analiza con más detalle el papel que juegan los recursos únicos y las competencias esenciales a la hora de conseguir una ventaja competitiva sostenible.

Los **recursos únicos** son aquellos recursos que de manera crítica dan sustento a la ventaja competitiva y que otros no pueden fácilmente imitar u obtener.

Las **competencias esenciales** son las destrezas y habilidades mediante las que los recursos son desplegados mediante las actividades y procesos de una organización, con el fin de conseguir una ventaja competitiva de formas que otros no pueden imitar u obtener.

Combinando estos conceptos, el argumento resumen es el siguiente. Para sobrevivir y prosperar, una organización necesita afrontar los desafíos del entorno al que se enfrenta, tal y como se analizó en el Capítulo 2. En particular, debe ser capaz de obtener resultados en términos de los factores clave de éxito que surgen de las demandas y necesidades de sus clientes, tal y como se analizaba en el Apartado 2.4.4. La capacidad estratégica que lo consigue depende de los recursos y competencias que posee. Estas deben alcanzar un nivel umbral para que la organización sobreviva. El siguiente desafío es conseguir una ventaja competitiva. Esto requiere que posea capacidades estratégicas que sus competidores encuentren difíciles de imitar u obtener. Estos podrían ser recursos únicos, pero es más probable que sean competencias esenciales de las organizaciones. La Ilustración 3.1 muestra cómo los ejecutivos de diferentes organizaciones describen las capacidades estratégicas de sus organizaciones.

3.3 EFICIENCIA EN COSTES

Los directivos a menudo se refieren a la gestión de los costes como una capacidad estratégica. Y lo es. Considerar la gestión de la eficiencia en costes como una capacidad estratégica ilustra algunos de los puntos recogidos en el Apartado 3.2.

Los clientes pueden beneficiarse de las eficiencias en costes en términos de menores costes o más características del producto por el mismo precio. La gestión de la base de costes de una organización podría también ser la base para conseguir una ventaja competitiva (véanse los apartados 6.2.1 y 6.3.1). Sin embargo, para muchas organizaciones la gestión de los costes se está convirtiendo en una capacidad estratégica umbral por dos razones:

Ilustración 3.1

Capacidades estratégicas

Los ejecutivos enfatizan diferentes capacidades estratégicas en diferentes organizaciones.

Freeport-McMoRan Copper and Gold, Inc. es una compañía minera internacional de Norteamérica. Afirma contar con una posición predominante en la industria de la minería sobre la base de "activos grandes, de larga vida, geográficamente diversos y reservas significativas de cobre, oro y molibdeno probadas y probables". De manera más específica, en términos de su actividad en Indonesia, destaca como "principal activo", la "mayor mina del mundo situada en Grasberg y descubierta en 1988", que cuenta con "la mayor reserva de cobre y oro del mundo".

Fuente: informe anual, 2006.

Daniel Bouton, presidente del consejo y director general de **Société Générale**, en respuesta a la pregunta *¿cómo mantiene su ventaja competitiva en los mercados de derivados de renta variable?*

Las barreras de entrada son elevadas, debido a dos costes significativos. El primero son las tecnologías de la información. El sistema que se necesita para obtener unos buenos costes es de al menos doscientos millones de euros al año, y esto no es algo que se pueda adquirir de Dell o SAP. El segundo es el gran número de personas que se necesitan para trabajar en la gestión del riesgo. Antes de lanzar un producto, se necesita contar con un equipo directivo que proponga, calcule y escriba el primer modelo. Entonces se necesita al personal de TI que genere el sistema de TI que sea capaz de calcular riesgos cada diez segundos. Y se necesita un buen equipo de validación para verificar todas las hipótesis. Además de esto, se necesita personal de calidad en la línea intermedia y en tareas administrativas.

Fuente: entrevista con Clive Horwood en *Intermoney,* vol. 27, núm. 447 (julio de 2006), pp. 84-89.

Tony Hall, director ejecutivo de **Royal Opera House:**

"De primera línea mundial" no es algo sin sentido o jactancioso. En el contexto de la Royal Opera House, el término se refiere a la calidad de nuestro personal, los estándares de nuestras producciones y la diversidad de nuestro trabajo e iniciativas. ¿Únicos? Descaradamente cierto. Nos asustamos de etiquetas como *elite,* debido a las obvias connotaciones negativas de exclusividad. Pero quiero que la gente abandone la idea de que somos la elite en el sentido de que somos los mejores cantantes, bailarines, directores, diseñadores, orquesta, coro, equipo de bastidores y administrativos. También nos encontramos entre los mejores en nuestra habilidad de alcanzar a una comunidad lo más amplia y diversa posible.

Fuente: Informe anual, 2005/06, p. 11.

Dave swift, presidente de **Whirlpool** en Norteamérica:

Ejecutar nuestra estrategia requiere de un conjunto de competencias que continuamos construyendo para nuestras personas de manera global. El punto de partida para construir nuevas competencias es el que denominamos *excelencia para el cliente* —nuestra habilidad de comprender y anticipar de manera proactiva las necesidades de los clientes—. La excelencia para el cliente es una colección de herramientas que permiten a nuestro personal valorar y priorizar de manera analítica las necesidades y deseos de los clientes a lo largo de todos los aspectos del ciclo de compra —desde cuando estos puede por primera vez investigar sobre un electrodoméstico en una página web, la experiencia en el establecimiento de un minorista, las características y estética del producto, la instalación y servicio, y finalmente su necesidad de repetir este ciclo—. Con este conocimiento sobre el cliente en nuestras manos, lo convertimos en soluciones para el cliente mediante nuestras herramientas de innovación. Como resultado, nuestra capacidad de innovación ha producido un flujo constante de productos, consiguiendo un valor estimado constante de más de tres billones de dólares... Nuestro conocimiento de los clientes, unido a nuestras soluciones innovadoras para los clientes, está incrementando el atractivo de nuestras marcas y creando un mayor valor para nuestros accionistas.

Fuente: Informe anual 2005, Whirlpool Corporation.

Preguntas

1. ¿ Categorice el rango de capacidades destacadas por los ejecutivos en los términos del Apartado 3.2 y de la Figura 3.2.
2. Con respecto al Apartado 3.4, ¿cuál de las capacidades puede ser especialmente importante en términos de la consecución de una ventaja competitiva y por qué?
3. Para una organización que elija, lleve a cabo el mismo ejercicio de las preguntas 1 y 2.

- *Los clientes no valoran las características del producto a cualquier precio.* Si el precio se incrementa demasiado, sacrificarán valor y optarán por un menor precio. Por lo tanto, el desafío es asegurarse de que se ofrece un nivel adecuado de valor a un precio aceptable. Esto significa que todos están forzados a mantener los costes lo más bajos posible, de manera consisten con el valor proporcionado. No hacerlo invita a los clientes a cambiar de producto o invita a la competencia.
- *La rivalidad competitiva* continuamente requiere reducir los costes porque los competidores tratarán de reducir sus costes hasta lograr precios más bajos que sus rivales mientras que ofrecen un valor similar.

Para que los costes sean gestionados de manera efectiva, debe ponerse atención en los *inductores del coste:*

- Las *economías de escala* pueden ser especialmente importantes en las organizaciones manufactureras, dados los elevados costes en planta que es necesario recuperar a partir de un elevado volumen de output. Tradicionalmente, los sectores manufactureros en los que han sido especialmente importantes han sido vehículos de motor, química y metales. En otras industrias, como alimentación, bebidas y tabaco, las economías de escala son importantes en distribución o *marketing.*
- Los *costes de aprovisionamiento* pueden ser importantes. La localización puede influir sobre los costes de aprovisionamiento, que es por los que, históricamente, la fabricación de acero y vidrio estaba cerca de las materias primas o fuentes de energía. En algunos casos, la propiedad de las materias primas era un recurso único, que proporcionaba una ventaja en costes. Los costes de aprovisionamiento son de particular importancia para las organizaciones que actúan como intermediarios, en las que el valor añadido a través de sus propias actividades es bajo y la necesidad de identificar y gestionar los costes de los inputs es crítica para el éxito. Por ejemplo, los minoristas ponen una gran atención en tratar de conseguir unos costes de aprovisionamiento más bajos que los de sus competidores.
- El *diseño de producto/proceso* también influye sobre los costes. Las ganancias en eficiencia en los procesos de producción han sido conseguidas por muchas organizaciones mediante mejoras en *la utilización de la capacidad, productividad del trabajo, rendimiento* (de los materiales) o utilización del *fondo de maniobra.* Comprender la relativa importancia de cada uno de estos elementos para mantener una posición competitiva es importante. Por ejemplo, en términos de gestión de la utilización de la capacidad, un asiento no ocupado en un avión, tren o teatro no puede ser *almacenado* para una posterior venta. Por lo tanto, las ofertas especiales de *marketing* (a la vez que protegen el negocio esencial) y la posesión de sistemas de TI para analizar y optimizar los ingresos son capacidades importantes. El diseño de producto también influirá sobre los costes en otras partes de la red de valor —por ejemplo, en la distribución o en el servicio postventa—. Es el caso del mercado de fotocopiadoras: Canon eliminó la ventaja de Xerox (que había generado sobre el

servicio y una red de soporte) diseñando una copiadora que necesitaba un menor mantenimiento.

- La *experiencia* [3] puede ser una fuente clave de eficiencia en costes y existe evidencia de que puede proporcionar una ventaja competitiva, en particular en términos de las relaciones entre la experiencia acumulada alcanzada por una organización y sus costes unitarios —descrito como la *curva de experiencia*; véase la Figura 3.3—. La curva de experiencia sugiere que una organización, llevando a cabo cualquier actividad desarrolla competencias en esta actividad a lo largo del tiempo y por lo tanto, lo hace de manera más eficiente. Dado que las compañías con mayor cuota de mercado cuentan con una mayor *experiencia acumulada* —simplemente debido a que una gran cuota les proporciona unos mayores volúmenes de producción o servicio—, resulta importante conseguir y mantener cuota de mercado, tal y como se mostraba en el Capítulo 2. Es importante recordar que es la *cuota de mercado relativa* en mercados definibles la que importa. Existen importantes implicaciones del concepto de curva de experiencia que podrían influir sobre la posición competitiva de una organización:
- *El crecimiento no es opcional* en muchos mercados. Si una organización elige crecer más despacio que la competencia, debería esperar que los competidores consigan una ventaja en costes en el largo plazo —a través de la experiencia—.
- *Los costes unitarios deberían reducirse año tras año* como resultado de la experiencia acumulada. En industrias de alto crecimiento esto se producirá rápidamente, pero incluso en industrias maduras este declive en costes debería producirse. Las organizaciones que no son capaces de conseguir esto es probable que sufran a manos de competidores que lo hagan. La implicación de esto es que *la reducción continua en costes es una necesidad* para las organizaciones

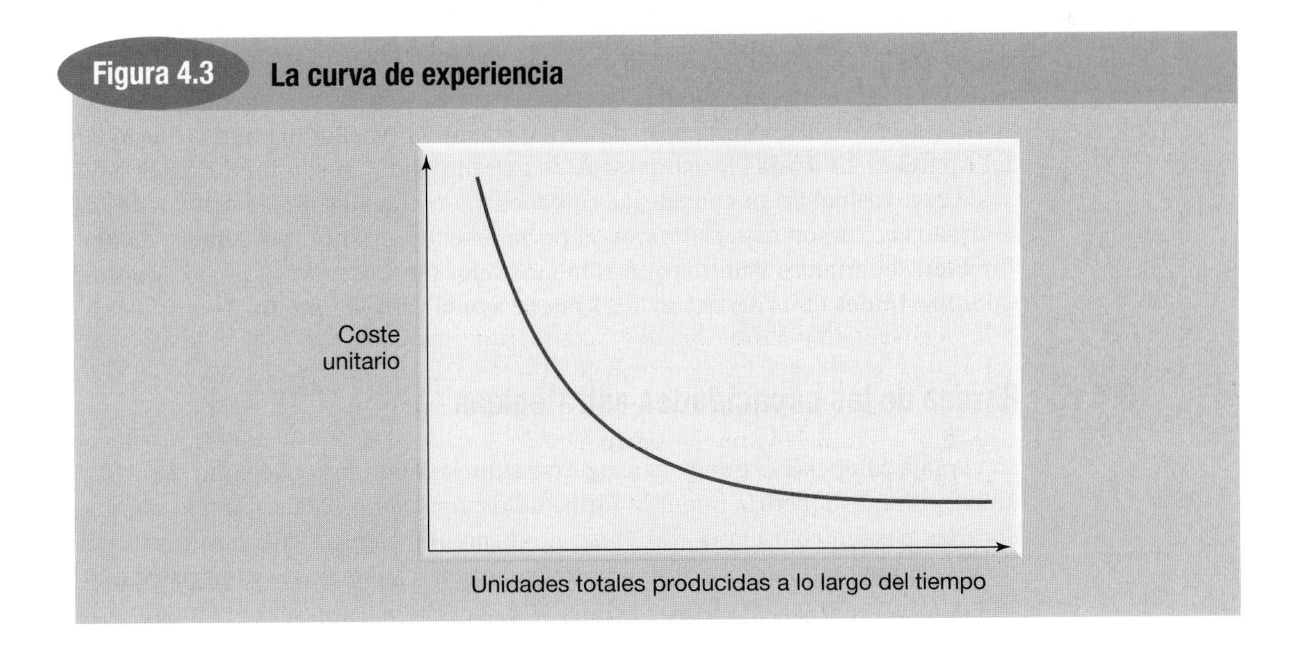

Figura 4.3 La curva de experiencia

en mercados competitivos. Incluso aunque no sea capaz de proporcionar una ventaja competitiva, es una competencia umbral para sobrevivir.

- *La ventaja de mover primero* puede ser importante. La organización que desciende por la curva de experiencia al entrar en un mercado en primer lugar debería ser capaz de reducir su base de costes debido a la experiencia acumulada que consigue sobre sus rivales al ser primera.

3.4 CAPACIDADES PARA CONSEGUIR Y MANTENER UNA VENTAJA COMPETITIVA

Las lecciones que pueden extraerse de los Apartados 3.2 y 3.3 son las siguientes. Si las capacidades de una organización no satisfacen las necesidades de los clientes, al menos a un nivel umbral, la organización no puede sobrevivir. Además, si los directivos no gestionan los costes de manera eficiente y continúan mejorándolos, serán vulnerables a aquellos que lo hagan. Sin embargo, si el objetivo es conseguir una *ventaja competitiva,* entonces la cuestión adicional es: ¿qué capacidades estratégicas pueden proporcionar una ventaja competitiva de forma que pueda ser sostenible a lo largo del tiempo? Si se pretende conseguir esto, entonces son importantes otros criterios [4].

3.4.1. Valor de las capacidades estratégicas

Es importante subrayar que si una organización busca construir una ventaja competitiva debe contar con capacidades que sean de valor para sus clientes. Esto puede parecer una afirmación obvia, pero en la práctica a menudo es ignorado o insuficientemente comprendido. Los directivos pueden argumentar que alguna capacidad distintiva de su organización es de valor, simplemente porque es distintiva. Poseer capacidades que son diferentes de las de otras organizaciones no es, por sí mismo, una base de ventaja competitiva. Por lo tanto la discusión del Apartado 2.4.4 y las lecciones que se extraen también son importantes aquí. Los directivos deberían considerar cuidadosamente cuáles de las actividades de su organización son especialmente importantes de cara a proporcionar tal valor. También deberían considerar qué es menos valorado. Los análisis de la cadena de valor mostrados en el Apartado 3.5.1 puede ayudar en este punto.

3.4.2. Rareza de las capacidades estratégicas

La ventaja competitiva puede conseguirse si un competidor posee una capacidad única o rara. Esto podría tomar la forma de *recursos únicos*. Por ejemplo, algunas librerías poseen colecciones de libros no disponibles en ningún otro lugar; una compañía puede tener una marca potente; los establecimientos minoristas pueden tener excelentes localizaciones. Algunas organizaciones han patentado productos o servicios que les proporcionan ventaja —recursos que pueden necesitar ser defendidos por una disposición a litigar contra imitadores ilegales—. Para las organizaciones de servicios, los recursos únicos pueden ser el capital intelectual —particularmente individuos con talento—.

La ventaja competitiva podría basarse también en competencias raras, como por ejemplo, habilidades únicas desarrolladas a lo largo del tiempo. Sin embargo, existen tres aspectos importantes que hay que tener en mente sobre el grado en el que la rareza de las competencias puede proporcionar una ventaja competitiva sostenible:

- *Transferibilidad.* La rareza puede depender de quién posea la competencia y lo fácilmente que sea transferible. Por ejemplo, la ventaja competitiva de algunas organizaciones de servicios profesionales es construida en torno a la competencia de individuos específicos —como un doctor en medicina *puntera,* gestores de fondos individuales, el presidente de un equipo deportivo de alta competición o el director general de un negocio—. Pero como tales individuos pueden marcharse o ser contratados por competidores, este recurso puede ser una base de ventaja frágil. Una ventaja más duradera *puede* encontrarse en competencias que existen para el reclutamiento, formación, motivación y compensación de tales individuos o encontrarse inmersas en la cultura que les atrae a la organización —por lo tanto asegurando que no desertarán hacia los *competidores*—.
- *Sostenibilidad.* Puede ser peligroso suponer que las competencias que son raras seguirán siéndolo. *La rareza puede ser temporal.* Si una organización tiene éxito sobre la base de un conjunto de competencias único, entonces los competidores buscarán imitar u obtener tales competencias. Por lo tanto, puede ser necesario considerar otras bases de sostenibilidad.
- *Rigideces esenciales.* Otro peligro es el de la redundancia. Las capacidades raras pueden convertirse en lo que Dorothy Leonard-Barton denomina *"rigideces esenciales"*[5], difíciles de cambiar y por lo tanto dañinas para la organización. Los directivos pueden estar tan comprometidos con tales bases de éxito que las perciben como fortalezas de la organización e *inventan* valores del cliente en torno a ellas.

3.4.3. Capacidades estratégicas inimitables

Debería quedar claro hasta el momento que la búsqueda de una capacidad estratégica que proporcione una ventaja competitiva sostenible no es sencillo. Supone identificar capacidades que es probable que sean duraderas y que los competidores encuentren difíciles de imitar u obtener.

Aun a riesgo de generalizar en exceso, resulta inusual para la ventaja competitiva ser explicable por las diferencias en los recursos tangibles de las organizaciones, dado que a lo largo del tiempo normalmente pueden ser imitadas o vendida. La ventaja es más probable que se encuentre determinada por la forma en la que los recursos son desplegados para crear competencias en las actividades de la organización. Por ejemplo, tal y como se sugería antes, un sistema de TI por sí mismo no mejorará la posición competitiva de la empresa, sino que lo que importa es cómo es utilizado. De hecho, lo que probablemente establecerá la mayor diferencia es cómo es utilizado el sistema para cubrir las necesidades de los clientes con las actividades y conocimiento, tanto dentro como fuera de la organización. Por lo tanto, tiene que ver con vincular conjuntos de competencias. Así, extendiendo la anterior definición, las *competencias esenciales* es probable que sean las destrezas y habilidades que *vinculan* actividades o procesos mediante los que los recursos son desplegados, de manera que se consiga una ventaja competitiva. Para conseguir esta ventaja, por tanto las competencias esenciales necesitan cumplir los siguientes criterios:

- Deben relacionarse con una actividad o proceso que se encuentre tras el valor de las características del producto o servicio —como visto a través de los ojos del cliente (u otro grupo de interés poderoso)—. Este el criterio de valor analizado antes.
- Las competencias deben conducir a niveles de rendimiento que sean significativamente mejores que los de los competidores (o en el sector público, similares organizaciones).
- Las competencias deben ser difíciles de imitar por los competidores —o inimitables—.

Con respecto a este tercer requerimiento de inimitabilidad, la Figura 3.4 resume cómo puede conseguirse y la Ilustración 3.2 también proporciona un ejemplo. Las tres principales razones son: complejidad, cultura e historia, e inimitabilidad.

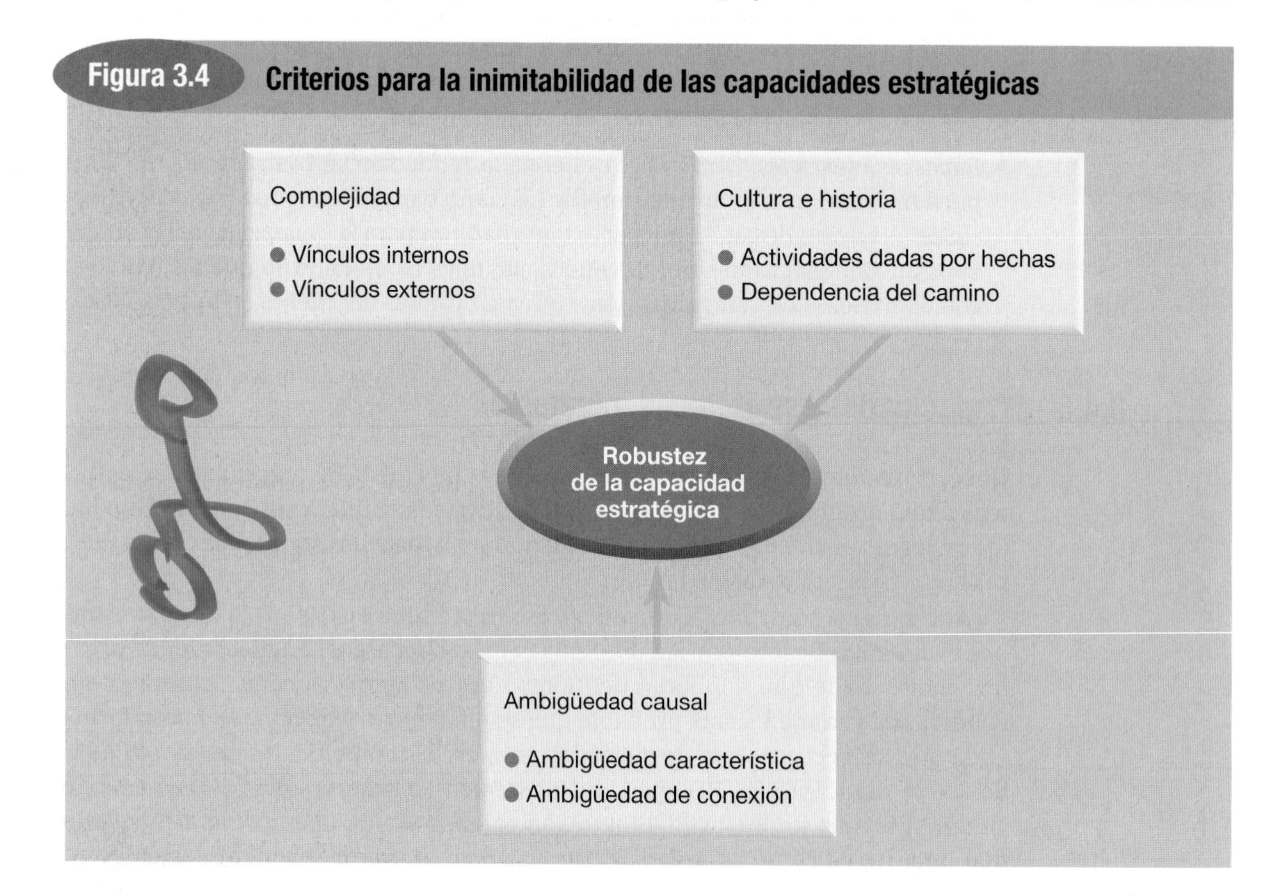

Complejidad

Las competencias esenciales de una organización pueden ser difíciles de imitar debido a que son complejas. Esto puede ser por dos razones principales.

Conexiones internas. Puede ser la habilidad de vincular habilidades y procesos que, juntos, proporcionan valor al cliente. Los directivos de Plasco (véase la Ilustración 3.2) se referían a la *flexibilidad* e *innovación,* aunque la *flexibilidad* o la *innovación* en sí mismas se encuentran compuestas y son dependientes de conjuntos de actividades relacionadas, tal y como muestra la Ilustración 3.2.

Interconexiones externas. Las organizaciones pueden hacer difícil para otras imitar u obtener sus bases de ventaja competitiva al desarrollar actividades junto con el cliente o si el cliente depende de estas. Esto en ocasiones es denominado *coespecialización.* Por ejemplo, un negocio de lubricantes industriales se alejó de la mera venta de sus productos a clientes, llegando a acuerdos con ellos para gestionar las aplicaciones de lubricantes dentro de los locales de los clientes frente a objetivos sobre ahorros de costes. Cuanto más eficiente era el uso de los lubricantes más se beneficiaban ambas partes. De manera similar, los negocios de *software* pueden conseguir una ventaja al desarrollar programas de ordenador que sean beneficiosos de manera distintiva para las necesidades de un cliente específico.

Cultura e historia

Las competencias esenciales pueden encontrarse arraigadas en la cultura de una organización. De hecho, los propios directivos dentro de una organización pueden no comprenderlas de manera *explícita.* Por lo tanto, la coordinación entre distintas actividades se produce *naturalmente* debido a que cada persona conoce su parte en el conjunto más amplio o simplemente *dan por hecho* que las actividades se hacen de determinadas formas. Por ejemplo, en Plasco la experiencia en rápidos cambios en programas de producción y los vínculos cercanos entre personal de ventas, producción y expediciones no se encontraba planeado o formalizado; era la forma en la que la empresa había llegado a operar a lo largo de los años.

Muy relacionado con este *enraizamiento* cultural, por lo tanto, se encuentra la probabilidad de que tales competencias se hayan desarrollado a lo largo del tiempo y de una forma específica a una organización, de manera que pueda ser difícil para otros de imitar. Sin embargo, de nuevo debería notarse que existe un peligro de que las competencias arraigadas en la cultura, desarrolladas a lo largo del tiempo, se conviertan en tan arraigadas que sean difíciles de cambiar y que se conviertan en rigideces esenciales.

Ambigüedad causal [6]

Otra razón por la que las competencias pueden ser difíciles de imitar es que los competidores encuentren difícil discernir las causas y efectos que se encuentran detrás de la ventaja de una organización. Esto es denominado *ambigüedad causal.*

Ilustración 3.2

Capacidad estratégica en Plasco

La capacidad estratégica que sustenta el éxito competitivo puede estar basada en complejos vínculos con raíz en la historia y cultura de una organización.

Plasco, un fabricante de productos plásticos, ha ganado varias cuentas de grandes minoristas a los competidores. Los directivos trataron de comprender las bases de tales éxitos como forma de comprender mejor las capacidades estratégicas. Para hacerlo, llevaron a cabo un análisis del valor para el cliente (tal y como se explicó en el Apartado 2.4.4 en el Capítulo 2). A partir de este, identificaron que los principales minoristas con quienes habían tenido éxito valoraban particularmente una marca potente, una buena gama de productos, innovación, un buen servicio y una entrega fable. En particular, Plasco superó a los competidores en entrega, servicio y gama de productos.

Habían llevado a cabo un detallado análisis de las competencias de Plasco para identificar los procesos y actividades dentro del negocio que proporcionaban este valor a los clientes. Algunos de los que surgieron de este ya los conocían los directivos sénior, aunque no eran conscientes de otras explicaciones para el éxito que había obtenido la empresa.

Cuando analizaron las bases de la entrega fiable, no pudieron encontrar razones por las que obtenían mejores rendimientos que los competidores. La logística de la compañía no era diferente de la de otras compañías. Eran esenciales pero no únicas —recursos y competencias a disposición de cualquier compañía en la industria—.

Sin embargo, cuando examinaron las actividades que habían conducido al buen servicio que proporcionaban encontraron otras explicaciones. Con facilidad fueron capaces de identificar que contaban con un enfoque mucho más flexible que sus competidores, siendo el principal de ellos una gran multinacional estadounidense. Pero las explicaciones para esta flexibilidad eran menos obvias. Por ejemplo, la flexibilidad tomaba forma en la habilidad de corregir los requerimientos de las órdenes de los minoristas en poco tiempo. O cuando los encargados de las compras en los minoristas cometían un error, les *rescataba* retirándoles *stocks* que habían sido entregados. Lo que resultaba mucho menos obvio eran las actividades que se encontraban tras esta flexibilidad. El análisis ponía de manifiesto algunas explicaciones:

- Los directivos medios y el *staff* dentro de la empresa estaban *rompiendo las reglas* para retirar bienes de los principales minoristas cuando, estrictamente hablando, las políticas y sistemas de los negocios no lo permitían.
- La utilización de la planta era relativamente baja y menos automatizada que la de los competidores, por lo que era más fácil cambiar los programas de producción en poco tiempo. Por otra parte, la política de la compañía era mejorar la productividad mediante una mayor utilización y comenzar a automatizar las plantas. Los niveles más bajos en la dirección de la producción no estaban deseosos de hacer esto, sabiendo que si lo hacían, reducirían la flexibilidad y, por lo tanto, la habilidad para proporcionar a los clientes lo que deseaban.

Todo esto fue realizado con el total conocimiento de los directivos intermedios, representantes de ventas y *staff* en la factoría *sobre cómo funciona el sistema* y cómo trabajar juntos para resolver los problemas de los minoristas. Esto no era una cuestión de política de la compañía o programas formales de formación, sino resultado de la costumbre y la práctica que se había desarrollado durante los años. El resultado era una relación entre el personal de ventas y el de compras de los minoristas en los que se fomentaba que los compradores *pidieran lo imposible* a la compañía cuando surgían dificultades.

Una logística sólida y unos productos de buena calidad eran vitales, pero las competencias esenciales en las que basaban su éxito eran el resultado de conjuntos de actividades conectadas construidos a lo largo de los años que era difícil de identificar claramente, no solo por los competidores, sino por las personas de la propia organización.

Preguntas

1. ¿Por qué puede ser difícil para una compañía estadounidense grande y automatizada ocuparse de los minoristas de la misma forma que Plasco?
2. ¿Cómo podría la alta dirección de Plasco responder a las explicaciones de la capacidad estratégica puestas de manifiesto por el análisis?
3. ¿Qué podría erosionar las bases de la ventaja competitiva con las que contaba Plasco?

Esto se podría relacionar con cualquiera de los aspectos de la capacidad estratégica analizados en el apartado anterior de este capítulo. La ambigüedad causal puede existir de dos formas diferentes[7]:

- *Ambigüedad de la característica.* Se produce si la importancia de la propia característica es difícil de discernir o comprender, quizás debido a que se encuentra basada en conocimiento tácito o arraigada en la cultura de la organización. Por ejemplo, es bastante posible que el *saltarse las reglas* en Plasco pudiera haber chocado con la cultura de su rival estadounidense y por lo tanto, no pudiera haber sido fácilmente identificado o considerado como relevante o significativo.
- *Ambigüedad de conexión.* Se produce si los competidores no pueden discernir qué actividades y procesos dependen entre sí para formar vínculos que generen competencias esenciales. Sería difícil para los competidores comprender los vínculos de causa y efecto en Plasco, dado que la propia dirección de Plasco no los comprendía completamente.

3.4.4. No sustituibilidad de las capacidades estratégicas

Proporcionar valor a los clientes y poseer competencias complejas, arraigadas en la cultura y causalmente ambiguas puede significar que es muy difícil para las organizaciones copiarlas. Sin embargo, la organización puede sufrir el riesgo de la sustitución. La sustitución puede tomar dos formas diferentes:

- *Sustitución del producto o servicio.* Como ya se ha analizado en el Capítulo 2 en relación con el modelo de las cinco fuerzas de la competencia, un producto o servicio puede ser víctima de la sustitución. Por ejemplo, el correo electrónico ha ido sustituyendo al correo postal. Sin importar lo complejas y culturalmente arraigadas que estuvieran las competencias del servicio postal, no podrían evitar este tipo de sustitución.
- *Sustitución de competencias.* Sin embargo, la sustitución puede no producirse desde el punto de vista del producto o servicio, sino en cuanto a la competencia. Por ejemplo, las industrias intensivas en mano de obra a menudo han sufrido debido a una dependencia excesiva de las competencias de artesanos cualificados que han sido reemplazados por sistemas expertos y mecanización.

En resumen, y desde un enfoque basado en los recursos, los directivos necesitan considerar si sus organizaciones poseen capacidades estratégicas para conseguir y mantener la ventaja competitiva. Para hacerlo, necesitan considerar cómo y en qué medida poseen capacidades que sean (a) valiosas para los clientes, (b) raras, (c) inimitables y (d) no sustituibles. Si tales capacidades para la ventaja competitiva no existen, los directivos necesitan considerar si pueden desarrollarlas.

3.4.5. Capacidades dinámicas

Lo dicho hasta ahora ha tendido a suponer que las capacidades estratégicas pueden proporcionar una ventaja competitiva sostenible a lo largo del tiempo, es decir, son duraderas. Sin embargo, los directivos a menudo afirman que su entorno competitivo está cambiando cada vez con mayor rapidez y que además la tecnología está incrementando la innovación a una tasa más rápida y por lo tanto promoviendo una mayor capacidad de imitación y sustitución de los productos y servicios existentes. Sin embargo, incluso en tales circunstancias, algunas empresas consiguen una ventaja competitiva sobre las demás. Para explicar esto es necesario poner un mayor énfasis en la capacidad de una organización para cambiar, innovar, ser flexible y aprender cómo adaptarse a un entorno rápidamente cambiante.

Las **capacidades dinámicas** son las habilidades de una organización para renovar y recrear sus capacidades estratégicas para satisfacer las necesidades de los entornos cambiantes.

David Teece argumentaba que las capacidades estratégicas que consiguen una ventaja competitiva en tales condiciones dinámicas son **capacidades dinámicas,** con las que se refería a la habilidad de una organización para *renovar y recrear sus capacidades estratégicas* para satisfacer las necesidades de los entornos cambiantes[8]. Las capacidades dinámicas pueden ser relativamente formales, como pueden ser sistemas para el desarrollo de nuevos productos o procedimientos para acordar el gasto de capital. Pueden tomar la forma de importantes movimientos estratégicos, como adquisiciones o alianzas mediante las que la organización aprende nuevas habilidades. O pueden ser más informales, como la forma en la que las decisiones son tomabas de manera más rápida de lo usual cuando es necesaria una respuesta rápida. Podrían también tomar la forma de *conocimiento organizativo* implícito con respecto a cómo se enfrenta la empresa a determinadas circunstancias o a cómo innovar. De hecho, las capacidades dinámicas es probable que cuenten al mismo tiempo con características asociadas a ellas formales e informales, visibles e invisibles. Por ejemplo, Kathy Eisenhardt[9] ha mostrado que los procesos de adquisición de éxito que proporcionan nuevo conocimiento a la organización dependen de análisis de alta calidad antes y después de la adquisición sobre cómo puede ser integrada la adquisición en la nueva organización y cómo capturar sinergias y bases de aprendizaje de tales adquisiciones. Sin embargo, de la mano de estos procedimientos formales se encontrarán maneras más informales de hacer las cosas en el proceso de adquisición construidas sobre relaciones personales informales y el intercambio de conocimiento de maneras más informales.

En resumen, aunque en condiciones más estables la ventaja competitiva puede conseguirse construyendo capacidades que pueden ser duraderas a lo largo del tiempo, en condiciones más dinámicas la ventaja competitiva requiere de la construcción de la capacidad de cambiar, innovar y aprender —construir capacidades dinámicas—.

3.5 DIAGNÓSTICO DE LAS CAPACIDADES ESTRATÉGICAS

Hasta el momento, este capítulo se ha ocupado de explicar la capacidad estratégica y conceptos asociados. Este apartado ahora proporciona algunas formas mediante las que las capacidades estratégicas pueden ser diagnosticadas.

3.5.1. La cadena de valor y la red de valor

Si las organizaciones van a conseguir una ventaja competitiva ofreciendo valor a los clientes, los directivos necesitan comprender qué actividades de las que llevan a cabo son especialmente importantes en la creación de tal valor y cuáles no. Los conceptos de cadena de valor y red de valor pueden resultar útiles para comprender esto.

La cadena de valor

Una **cadena de valor** describe las categorías de actividades dentro y en torno a una organización que conjuntamente crean un producto o servicio.

Las **actividades primarias** se encuentran directamente involucradas en la creación o entrega de un producto o servicio.

La **cadena de valor** describe las categorías de actividades dentro y en torno a una organización, que conjuntamente crean un producto o servicio. El concepto fue desarrollado en relación con la estrategia competitiva por Michael Porter[10]. La Figura 3.5 es la representación de una cadena de valor. Las **actividades primarias** se encuentran *directamente* involucradas en la creación o entrega de un producto o servicio. Por ejemplo, para un negocio manufacturero:

- *Logística interna,* que son actividades relacionadas con la recepción, almacenamiento y distribución de los inputs para el producto o servicio, incluyendo manipulación de materiales, control de *stocks,* transporte, etcétera.
- *Operaciones,* que transforman tales inputs en el producto o servicio final: mecanización, embalaje, ensamblaje, pruebas, etcétera.

Figura 3.5 La cadena de valor dentro de una organización

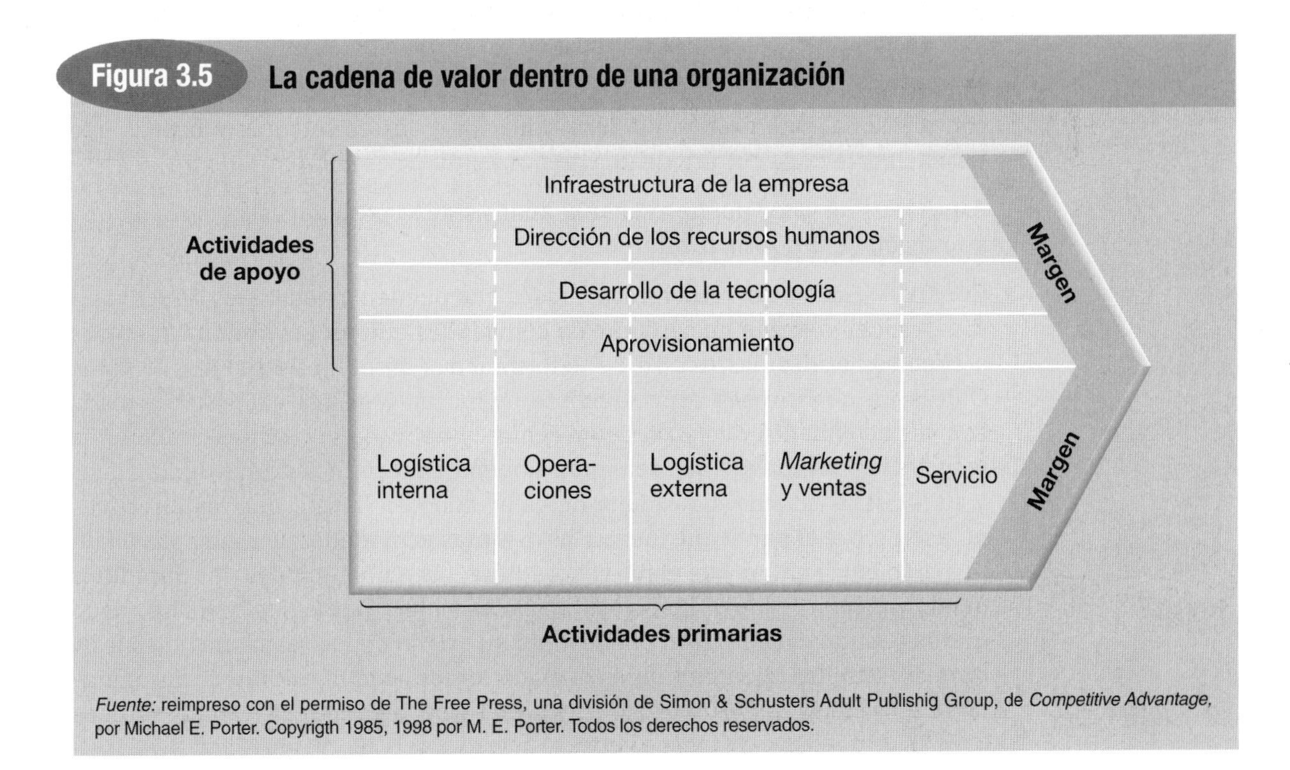

Fuente: reimpreso con el permiso de The Free Press, una división de Simon & Schusters Adult Publishig Group, de *Competitive Advantage,* por Michael E. Porter. Copyrigth 1985, 1998 por M. E. Porter. Todos los derechos reservados.

- *Logística externa,* que se ocupa de recoger, almacenar y distribuir el producto a los clientes, por ejemplo almacenamiento, manipulación de materiales, distribución, etcétera.
- *"Marketing" y ventas,* que proporcionan los medios mediante los cuales los consumidores/usuarios conocen el producto o servicio y pueden adquirirlo. Esto incluye administración de ventas, publicidad y venta.
- *Servicio,* que incluye aquellas actividades que mejoran o mantienen el valor de un producto o servicio, como instalación, reparación, formación y recambios.

Las **actividades de apoyo** ayudan a mejorar la efectividad o eficiencia de las actividades primarias.

Cada uno de estos grupos de actividades primarias se encuentra vinculado con actividades de apoyo. Las **actividades de apoyo** ayudan a mejorar la efectividad o eficiencia de las actividades primarias:

- *Aprovi*sionamiento. Los procesos que tienen lugar en muchas partes de la organización para adquirir los distintos recursos necesarios para las actividades primarias.
- *Desarrollo de la tecnología.* Todas las actividades valiosas tienen una *tecnología,* incluso si no es más que saber-hacer. Las tecnologías pueden referirse directamente a un producto (por ejemplo, I+D, diseño de producto), a un proceso (por ejemplo, desarrollo de procesos) o a un recurso en particular (por ejemplo, mejoras en las materias primas).
- *Dirección de los recursos humanos.* Esta trasciende a todas las actividades primarias. Se refiere a aquellas actividades relacionadas con el reclutamiento, gestión, formación, desarrollo y recompensas de las personas dentro de la organización.
- *Infraestructura.* Se refiere a los sistemas formales de planificación, finanzas, control de calidad, gestión de la información y las estructuras y rutinas que forman parte de la cultura de una organización (véase el Apartado 5.3).

La cadena de valor puede ayudar al análisis de la posición estratégica de una organización de dos formas diferentes:

- Como *descripción genérica de actividades* que pueden ayudar a los directivos a comprender si existe un conjunto de actividades que proporcionan beneficios a clientes, localizadas dentro de determinadas áreas de la cadena de valor. Quizás un negocio sea especialmente bueno en logística externa vinculada con sus actividades de *marketing* y ventas, y apoyada por su desarrollo de la tecnología. Pero puede que sea menos buena en términos de sus operaciones y su logística interna. La cadena de valor también lleva a que los directivos piensen sobre el papel que juegan las distintas actividades. Por ejemplo, en un pequeño bar familiar que elabora bocadillos, ¿la elaboración de los bocadillos puede concebirse mejor como *operaciones* o como *"marketing" y ventas,* dado que su reputación e imagen puede tener su origen en las relaciones sociales y bromas entre los clientes y quienes elaboran los bocadillos? Puede argumentarse esto si sus *operaciones* se hacen mal y su *"marketing" y ventas* se hace bien.

- En términos del *coste y valor de las actividades*[11]. La Ilustración 3.3 muestra esto en relación a la piscicultura. El análisis de la cadena de valor fue utilizado por piscifactorías ugandesas como una forma de identificar dónde se deberían centrar para el desarrollo de un modelo de negocio más rentable.

La red de valor

La **red de valor** es el conjunto de vínculos interorganizativos y relaciones que son necesarios para crear un producto o servicio.

Una única organización raramente lleva a cabo internamente todas las actividades de valor, desde el diseño hasta la entrega del producto o servicio al consumidor final. Normalmente existe una especialización de papeles, de manera que una organización es parte de una *red de valor* más amplia. La **red de valor** es el conjunto de vínculos interorganizativos y relaciones que son necesarias para crear un producto o servicio (véase la Figura 3.6). Por tanto, una organización necesita tener claro qué actividades debería llevar a cabo ella misma y cuáles no, y que quizá debería externalizar. Sin embargo, como gran parte del coste y de la creación de valor se producirá en las cadenas de suministro y distribución, los directivos necesitan comprender todo este proceso completo y cómo pueden gestionar estos vínculos y relaciones para mejorar el valor para el cliente. No es suficiente mirar solo dentro de la organización. Por ejemplo, la calidad de una cocina o una televisión cuando llega al comprador final no solo se encuentra influida por las actividades llevadas a cabo dentro de la propia compañía fabricante, sino también por la calidad de los componentes de los proveedores y el comportamiento de los distribuidores.

Por tanto, es importante que los directivos comprendan las bases de las capacidades estratégicas de sus organizaciones en relación con la red de valor más amplia. Cuatro cuestiones clave son:

- *¿Qué actividades tienen una importancia crucial* para una capacidad estratégica de la organización y cuáles son menos cruciales? Una empresa en un mercado muy competitivo puede tener que reducir costes en áreas clave y decidir que solo puede hacerlo mediante la externalización hacia productores de menor coste. Otra empresa puede decidir que es importante retener el control directo de las capacidades cruciales, especialmente si se relacionan con actividades y procesos que considera que son clave para la consecución de su ventaja competitiva. Por ejemplo, los negocios de tallado de diamantes tradicionalmente se han tenido que suministrar de diamantes en bruto del gigante De Beers. Sin embargo, en una acción revolucionaria, el grupo Lev Leviev decidió invertir en sus propias minas de diamantes, argumentando: "Nada es estable a menos que poseas tu propia mina[12]".

Los **depósitos de beneficios** se refieren a los diferentes niveles de beneficios disponibles en diferentes partes de la red de valor.

- ¿Dónde se encuentran los depósitos de beneficios?[13] Los **depósitos de beneficios** se refieren a los diferentes niveles de beneficios disponibles en diferentes partes de la red de valor. Algunas partes de una red de valor pueden ser de manera inherente más rentables que otras debido a las diferencias en intensidad competitiva. Por ejemplo, en la industria informática los microprocesadores y el *software* históricamente han sido más rentables que la fabricación

Ilustración 3.3

Una cadena de valor para las exportaciones de filetes de pescado congelado ugandesas

Incluso las pequeñas empresas pueden formar parte de una cadena de valor internacional. Analizar esto puede proporcionar beneficios estratégicos

Una factoría de pescado en Uganda apenas genera beneficios. El pescado es capturado utilizando pequeños botes a motor propiedad de pescadores pobres procedentes de pueblos locales. Justo antes de salir recogen hielo y cajas de plástico para pescado de los agentes que adquieren las capturas a su vuelta. Las cajas eran importadas, junto con los aparejos y los recambios del bote. Todos los aprovisionamientos tienen que ser pagados en metálico previamente por los agentes. En ocasiones, el hielo y aprovisionamientos no se encuentran disponibles a tiempo. El pescado desembarcado sin hielo alcanza un precio que es la mitad del precio del pescado con hielo y en ocasiones no puede ser vendido a los agentes. La piscifactoría ha procesado siempre los filetes de la misma forma —tirando los desechos al fondo del lago—. Una vez a la semana, algunos comerciantes extranjeros vendrían y comprarían los mejores filetes; no dicen a quién se los venden y en ocasiones no compran mucho.

Al dibujar la cadena de valor está claro que existen oportunidades para capturar un mayor valor a lo largo de la cadena y reducir pérdidas. Junto con especialistas externos, la factoría de pescado y la comunidad de pescadores desarrollaron una estrategia para mejorar sus capacidades, tal y como se indicó en la figura, hasta convertirse en un negocio internacional floreciente, The Lake Victoria Fish Company, con exportaciones regulares vía aérea a todo el mundo. Puede ver más de sus operaciones actuales en http://www.ufpea.co.ug/, y encontrar más sobre el tipo de proceso analítico aplicado en www.justreturn.ch.

(Los costes y los precios aproximados proporcionados representan la situación antes de que fueran implementadas las mejoras).

Preguntas

1. Trace una cadena de valor para otro negocio en términos de las actividades dentro de sus partes componentes.
2. Estime los costes y/o activos asociados con tales actividades.
3. ¿Cuáles son las implicaciones estratégicas de su análisis?

de *hardware*. La pregunta estratégica se convierte en si es posible centrarse en las áreas con un mayor potencial de beneficios. En este punto hay que tener cuidado. Una cosa es identificar tal potencial y otra tener éxito en ello, dadas las capacidades que posee la organización. Por ejemplo, en los años noventa muchos fabricantes de automóviles reconocieron que el mayor potencial de beneficio se encontraba en servicios como el alquiler de vehículos y la financiación en lugar de en la fabricación, pero estos no poseían las competencias relevantes para tener éxito en tales sectores.

- La decisión de *hacer o comprar* para una determinada actividad o componente es, por lo tanto, crítica. Esta es la decisión de *externalización ("outsourcing")*. Existen negocios que ahora ofrecen los beneficios del *outsourcing*. Por supues-

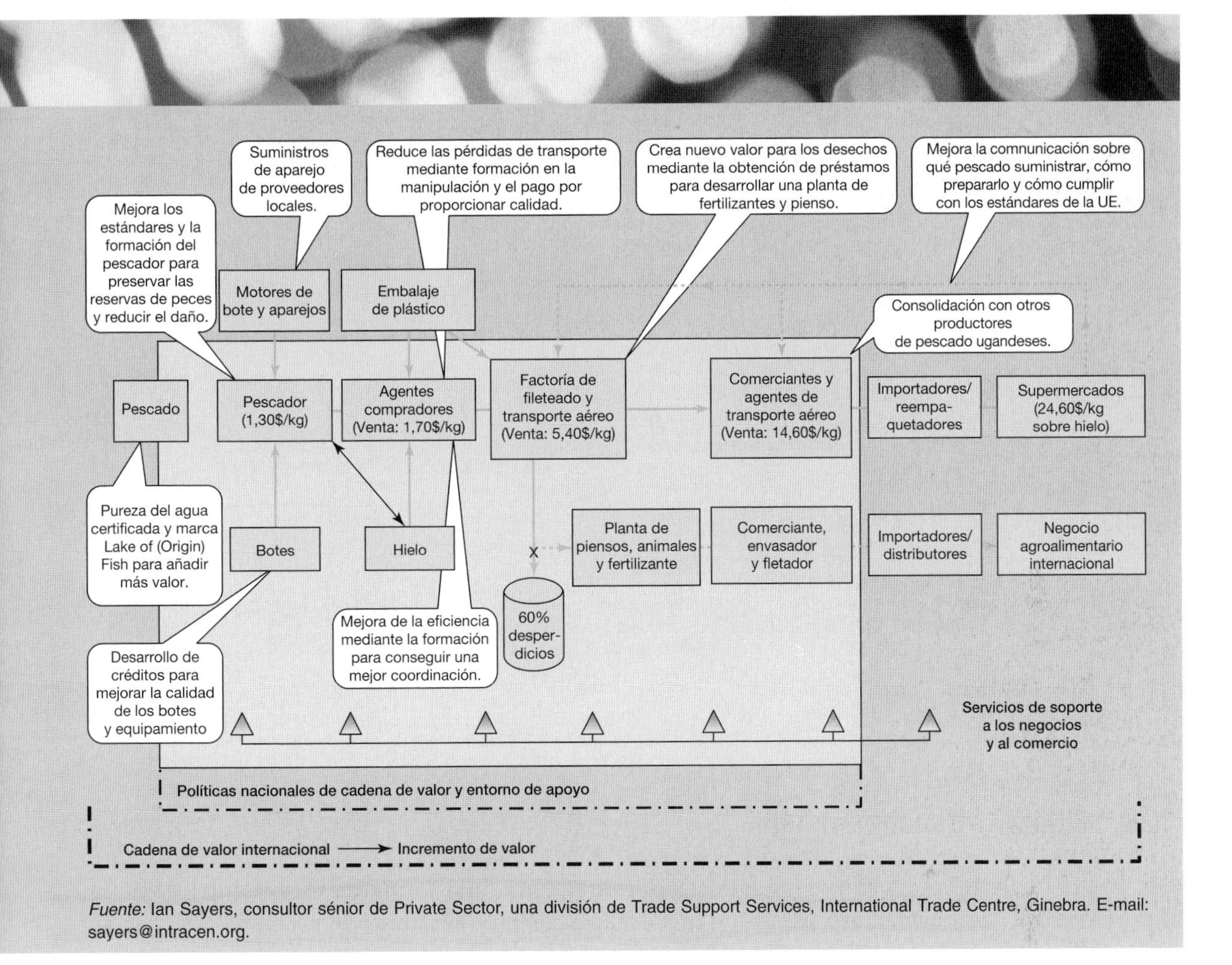

Fuente: Ian Sayers, consultor sénior de Private Sector, una división de Trade Support Services, International Trade Centre, Ginebra. E-mail: sayers@intracen.org.

to, cuanto más externaliza la organización, su habilidad para influir en el rendimiento de otras organizaciones en la red de valor puede convertirse en una competencia crucial en sí misma e incluso en una fuente de ventaja competitiva.

- *Cooperación:* ¿quiénes pueden ser los mejores socios en las partes de la red de valor? Y ¿qué tipo de *relaciones* son importantes para desarrollar con cada socio? Por ejemplo, ¿deberían ser considerados proveedores o deberían ser considerados socios de una alianza (véase Apartado 9.2.3)? Algunos negocios se han beneficiado de relaciones más intensas con los proveedores, de manera que cooperan de manera creciente en áreas como inteligencia de mercado, diseño de producto e investigación y desarrollo.

Figura 3.6 La red de valor

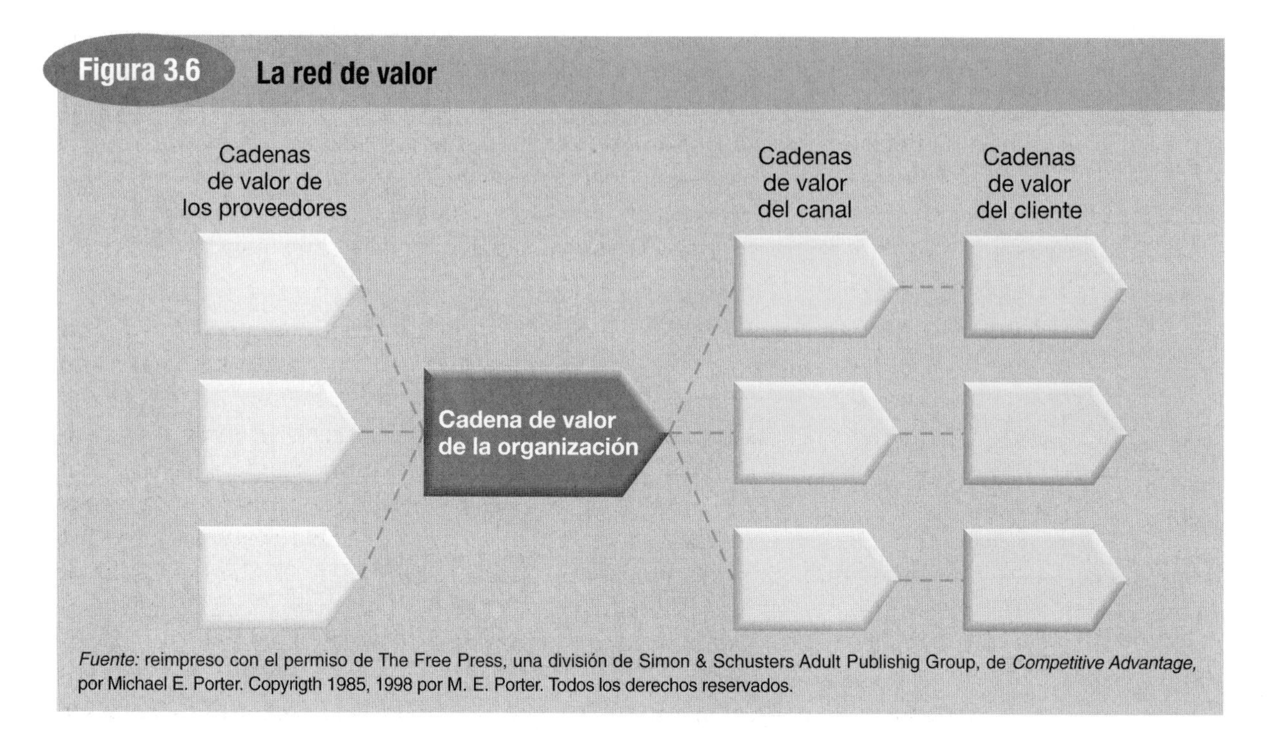

Fuente: reimpreso con el permiso de The Free Press, una división de Simon & Schusters Adult Publishig Group, de *Competitive Advantage*, por Michael E. Porter. Copyrigth 1985, 1998 por M. E. Porter. Todos los derechos reservados.

3.5.2. "Benchmarking"

El *benchmarking* puede ser utilizado como una forma de comprender cómo la capacidad estratégica de una organización, en términos de procesos internos, se compara con las de otras organizaciones.

Existen diferentes enfoques para el *benchmarking*:

- *"Benchmarking" histórico.* Las organizaciones pueden considerar su rendimiento en relación con años anteriores para identificar cualquier cambio significativo. El peligro es que esto puede llevar a la complacencia, dado que la tasa de mejora comparada con la de los competidores es la que realmente importa.
- *"Benchmarking" de la industria/sector.* Pueden deducirse las ideas sobre los estándares de rendimiento examinando el rendimiento comparativo de otras organizaciones en el mismo sector industrial o entre proveedores de servicio similares frente a un conjunto de indicadores de rendimiento. De hecho, algunas organizaciones del sector público han detectado la existencia de grupos estratégicos mediante el *benchmarking* frente a organizaciones similares en lugar de frente a cualquiera. Por ejemplo, los servicios públicos locales y la policía tratan de manera distinta lo *urbano* de lo *rural* en su *benchmarking* y tabla de categorías. Un peligro principal de las comparaciones con la norma de la industria (ya sea en el sector privado o público) es, sin embargo, que la

industria en conjunto puede estar obteniendo un mal rendimiento y perdiendo competitividad hacia otras industrias que puedan satisfacer las necesidades de los clientes de formas diferentes. Otro peligro con el *benchmarking* dentro de una industria es que las fronteras de las industrias se difuminan por la acción competitiva y la convergencia de industrias. Por ejemplo, los supermercados están entrando (de manera creciente) en la banca minorista y su *benchmarking* necesita reflejar esto (tal y como hace el *benchmarking* de la banca minorista tradicional).

- *"Benchmarking" del mejor en su clase*. El *benchmarking* del mejor en su clase compara el rendimiento de una organización frente al rendimiento del *mejor en su clase* —se encuentre donde se encuentre—, y por lo tanto, busca superar las limitaciones de otros enfoques. Puede ayudar también a desafiar el pensamiento de los directivos de que mejoras aceptables en rendimiento resultarán de cambios incrementales en recursos o competencias. Por lo tanto, puede alentar una reconsideración más fundamental sobre cómo mejorar las competencias organizativas. Por ejemplo, British Airways mejoró el mantenimiento de los aviones, el reabastecimiento y el tiempo entre aterrizaje y despegue estudiando los procesos de los *pit stops* en las carreras de Fórmula Uno. Una fuerza policial, tratando de mejorar la forma en la que responden a las llamadas al teléfono de emergencia, estudió el funcionamiento de los centros de atención telefónica en los sectores bancario y de TI.

La importancia del *benchmarking* reside, entonces, no tanto en la *mecánica* detallada de la comparación, sino en el impacto que tales comparaciones pudieran tener en los comportamientos. Puede ser útil considerado como un proceso para tomar impulso en la mejora y el cambio. Pero también tiene peligros:

- *Distorsión de la medida*. El *benchmarking* puede llevar a una situación en la que *se puede alcanzar aquello que se mide* y esto puede no ser lo que se pretendía estratégicamente. Por lo tanto, puede resultar en cambios en comportamientos que no se perseguían o son disfuncionales. Por ejemplo, el sector universitario en Reino Unido ha sido objeto de la inclusión en listados de clasificación en cuanto a resultados de investigación, calidad en la enseñanza y éxito de los estudiantes graduados en términos de empleo y salarios de partida. Esto ha resultado en que los académicos hayan sido *forzados* a orientar su investigación publicada a determinados tipos de revistas académicas que pueden tener poco que ver directamente con la calidad de la educación en las universidades.

- *Comparaciones superficiales*. El *benchmarking* compara *inputs* (recursos), *outputs* o resultados. No identifica las razones para el buen o el mal rendimiento de las organizaciones, dado que el proceso no compara competencias directamente. Por ejemplo, puede demostrar que una organización es más pobre en el servicio al cliente que otra, pero no muestra las razones subyacentes. Sin embargo, podría promover que los directivos busquen tales razones y de ahí comprendan cómo podrían mejorarse las competencias.

3.5.3. DAFO[14]

Un **DAFO** resumen los aspectos clave del entorno de negocio y la capacidad estratégica de una organización que es más probable que afecten al desarrollo de la estrategia.

Los *mensajes estratégicos* clave del entorno de negocio (Capítulo 2) y este capítulo pueden ser resumidos en la forma de un análisis de las debilidades, amenazas, fortalezas y oportunidades (DAFO). El **DAFO** resumen los aspectos clave del entorno de negocio y la capacidad estratégica de una organización que es más probable que afecten al desarrollo de la estrategia. Esto también puede ser útil como una base frente a la que generar opciones estratégicas y valorar cursos de acción futuros.

El objetivo es identificar el grado en el que las fortalezas y las debilidades son relevantes para o capaces de afrontar los cambios que tienen lugar en el entorno de negocio. Sin embargo, en el contexto de este capítulo, si la capacidad estratégica de una organización tiene que ser comprendida, debe recordarse que no es absoluta sino relativa a sus competidores. Por lo tanto, el análisis DAFO realmente solo es útil si es comparativo —si examina debilidades, amenazas, fortalezas y oportunidades en relación a los competidores—. La Ilustración 3.4

Ilustración 3.4

Análisis DAFO de Pharmacare

Un análisis DAFO explora las elaciones entre las influencias del entorno y las capacidades estratégicas de una organización comparadas con sus competidores.

(a) Análisis DAFO para Pharmcare

	Cambio ambiental (oportunidades y amenazas)					
	Racionamiento del cuidado de la salud	**Estructuras de compra complejas y cambiantes**	**Mayor integración del cuidado de la salud**	**Pacientes informados**	**+**	**−**
Fortalezas						
Fuerza de ventas flexible.	+3	+5	+2	+2	12	0
Economías de escala.	0	0	+3	+3	+6	0
Fuerte nombre de marca.	+2	+1	0	−1	3	−1
Departamento de educación para el cuidado de la salud.	+4	+3	+4	+5	+16	0
Debilidades						
Competencias limitadas en biotecnología y genética.	0	0	−4	−3	0	−7
Cada vez menor productividad en I+D.	−3	−2	−1	−2	0	−8
Competencias en TIC débiles.	−2	−2	−5	−5	0	−14
Excesiva dependencia de los productos más importantes.	−1	−1	−3	−1	0	−6
Puntuaciones de impacto ambiental	+9 −6	+9 −5	+9 −14	+10 −12		

Preguntas

1. ¿Qué nos dice el análisis DAFO sobre la posición competitiva de Pharmcare en la industria en su conjunto?
2. ¿Con qué facilidad considera que los ejecutivos de Pharmcare identifican las fortalezas o debilidades de los competidores?
3. Identifique los beneficios y peligros (otros diferentes de los identificados en el texto) de un análisis DAFO como el que se presenta en la ilustración.

toma el ejemplo de una empresa farmacéutica (Pharmcare). Supone que han sido identificados los impactos del entorno clave a partir del análisis explicado en el Capítulo 2 y que las mayores fortalezas y debilidades han sido identificadas utilizando las herramientas analíticas explicadas en este capítulo. Como mecanismo de puntuación (de más 5 a menos 5), es utilizado como medio para que los directivos consigan valorar las interrelaciones entre los impactos del entorno y las fortalezas y las debilidades de la empresa. Un signo positivo (+) denota que la fortaleza de la compañía ayudaría a provecharse de o contrarrestar un problema procedente de un cambio del entorno o que una debilidad sería compensada por tal cambio. Un signo negativo (–) denota que la fortaleza sería reducida o que una debilidad podría evitar que la organización superara los problemas asociados con tal cambio.

El precio de la acción de Pharmcare ha ido reduciéndose debido a que los inversores estaban preocupados de que su fuerte posición de mercado estaba siendo amenazada. Esta no había mejorado por una fusión que estaba siendo

(b) Análisis DAFO de los competidores

	Cambio ambiental (oportunidades y amenazas)				
	Racionamiento del cuidado de la salud	**Estructuras de compra complejas y cambiantes**	**Mayor integración del cuidado de la salud**	**Pacientes informados y apasionados**	**Impacto global**
Pharmcare Gran actor global que sufre de una caída en el precio de las acciones, una baja productividad de la investigación y de burocracia derivada de una gran fusión.	Lucha para probar la efectividad en coste de nuevos medicamentos a los nuevos reguladores del racionamiento del cuidado de la salud.	Marca conocida, una fuerza de ventas flexible en combinación con un departamento de educación para el cuidado de la salud genera una sinergia positiva.	TIC floja y carencia de integración tras las fusiones, lo que supone un pobre rendimiento en ventas, investigación y administración.	Todavía no está en sintonía con el poder de los pacientes alimentado por Internet.	Resultados que se reducen a lo largo del tiempo, situación empeorada tras la fusión.
Compañía W Gran empresa con una respuesta irregular al cambio, perdiendo terreno en nuevas áreas de competencia.	Centrada en la venta promocional a la antigua en lugar de ayudar a los médicos a controlar los costes mediante los medicamentos.	Fuerza de ventas tradicional no ayudada por el *marketing*, lo que puede no ser adecuado para las diferencias nacionales.	Alianzas con fabricantes de equipamiento aunque poco trabajo hecho dentro de la alianza para mostrar la doble función de medicamentos y nuevas técnicas quirúrgicas.	Las nuevas contrataciones en el departamento de TIC han funcionado entre funciones para involucrar a los pacientes como nunca antes.	Necesita modernizarse dentro de toda la compañía.
Organización X Asociación entre una ONG gestionada por personas con una experiencia de capital riesgo y genetistas de un importante hospital.	Potencialmente capaz de ofrecer rápidos avances en enfermedades con base genética.	Capaz posiblemente de puentear esto con medicamentos innovadores y efectivos en coste.	Medicamentos innovadores pueden ayudar a integrar el cuidado de la salud al permitir que los pacientes permanezcan en el hogar.	Los pacientes lucharán por avances en áreas de tratamiento en las que se han conseguido pocos avances recientes.	Podría ser la base de un nuevo modelo de negocio para el descubrimiento de medicamentos —aunque todavía está por probar—.
Compañía Y Solo desarrolla medicamentos para las enfermedades menos comunes.	Los acuerdos con grandes farmacéuticas permiten el desarrollo de medicamentos descubiertos por la gran farmacéutica pero no es económico para ellos su desarrollo.	Centrada en pequeños segmentos de mercado de manera que no sea vulnerable a la estructura de mercado general, aunque un enfoque innovador puede ser arriesgado.	Uso innovador de la web para mostrar por qué merece la pena desarrollar productos incluso para las enfermedades menos comunes.	Centros de atención telefónica de llamada gratuita para los afectados por enfermedades poco comunes La compañía, al igual que los pacientes, es una apasionada de su misión.	Un enfoque novedoso puede ser considerado arriesgado o ganador, ¡o ambos!

Preparado por Jill Shepherd, Segal Graduate School of Business, Simon Fraser University, Vancouver, Canadán.

problemática. El mercado farmacéutico estaba cambiando debido a nuevas formas de hacer negocios, impulsadas por la nueva tecnología, la búsqueda de proporcionar medicinas a menor coste y los políticos buscando formas de afrontar unos costes sanitarios en aumento y un paciente más informado que nunca. ¿Pero Pharmcare estaba siguiendo el ritmo? La revisión estratégica de la posición de la empresa (Ilustración 3.4a) confirmaba sus fortalezas en cuanto a una fuerza de ventas flexible, nombre de marca conocido y un nuevo departamento de salud. Sin embargo, existían importantes debilidades, como el fracaso relativo de los medicamentos de bajo coste, la competencia en tecnologías de la información y comunicación y un fracaso en tomar el pulso a usuarios cada vez más informados. Cuando fue analizado el impacto de las fuerzas del entorno sobre los competidores (Ilustración 3.4b), se mostró que Pharmcare estaba todavía obteniendo un mejor rendimiento que sus competidores tradicionales (Compañía W), aunque era potencialmente vulnerable a los cambios en la estructura general de la industria, cortesía de los actores orientados a nichos (X e Y).

Un análisis DAFO debería ayudar a centrar la discusión sobre las elecciones futuras y el grado en el que una organización es capaz de apoyar tales estrategias. Sin embargo, existen dos peligros principales:

- Un DAFO puede generar *listas muy largas* de aparentes debilidades, amenazas, fortalezas y debilidades. En lugar de ello, lo que importa es tener claro lo que es realmente importante y lo que es menos importante
- Existe un peligro de *sobregeneralización*. Es preciso recordar las lecciones del apartado 3.4.3. Identificar una explicación muy general de la capacidad estratégica no explica las razones subyacentes de tal capacidad. El análisis DAFO no es un sustituto de un análisis más riguroso y profundo, utilizando las técnicas y conceptos explicados en el Capítulo 2 y en este capítulo.

RESUMEN

- La *capacidad estratégica* se refiere a la adecuación e idoneidad de los recursos y competencias requeridos para que una organización sobreviva y prospere. Las capacidades estratégicas comprenden recursos y competencias, que son la forma en la que tales recursos son utilizados y desplegados.
- Si las organizaciones pretenden conseguir una *ventaja competitiva,* necesitan recursos y competencias que sean valiosas para los clientes y difíciles de imitar para los competidores (tales competencias son conocidas como *competencias esenciales).*
- La mejora continua de la *eficiencia en costes* es una capacidad estratégica vital si una organización quiere continuar prosperando.
- La sostenibilidad de la ventaja competitiva es probable que dependa de capacidades estratégicas que sean *valiosas para los clientes, raras, inimitables* o *no sustituibles*.

- En condiciones dinámicas, es poco probable que tales capacidades estratégicas permanezcan estables. En tales circunstancias, las *capacidades dinámicas* son importantes (p.ej., la habilidad de cambiar continuamente las capacidades estratégicas).
- Las formas de *diagnosticar las capacidades organizativas* incluyen:
  - Analizar *la cadena de valor y la red de valor* de una organización como base para comprender cómo se genera valor para un cliente y cómo puede ser desarrollado.
  - El *"benchmarking"* como medio de comprender el rendimiento relativo de las organizaciones y desafiar los supuestos que tienen los directivos sobre el rendimiento de su organización.
  - El *análisis DAFO* como forma de unir y comprender las debilidades, amenazas, fortalezas y debilidades a las que se enfrenta una organización.

Lecturas clave recomendadas

- Para entender el enfoque de la empresa basado en los recursos, un trabajo anterior y mucho más citado es el de Jay Barney: "Firm Resources and Sustained Competitive Advantage", *Journal of Management*, vol. 17 (1991), pp. 99-120.
- El concepto de capacidades dinámicas es revisado en C.L. Wang y P. K. Ahmed, "Dynamic Capabilities: a review and research Agenda", *International Journal of Management Review*, vol. 9, núm. 1 (2007), 31-52.
- Michael Porter explica cómo diagnosticar lo que él denomina "sistemas de actividad" puede ser importante al considerar la estrategia competitiva, en su artículo "What is Strategy?", *Harvard Business Review*, noviembre-diciembre (1996).
- Para un análisis crítico del uso y mal uso del análisis DAFO, véase T. Hill y R. Westbrook, "SWOT Analysis: Its Time for a Product Recall", *Long Range Planning*, vol. 30, núm. 1 (1997), pp. 46-52.

Referencias

1. El concepto de estrategias basada en los recursos fue introducido por B. Wernerfelt, "A resource-based view of the firm", *Strategic Management Journal*, vol. 5, núm. 2 (1984), pp. 171-180. Un trabajo mucho más citado es el de Jay Barney, "Firm resources and sustained competitive advantage", *Journal of Management*, vol. 17, núm. 1 (1991), pp. 99-120.
2. Gary Hamel y C. K. Prahalad fueron los académicos que promovieron la idea de las competencias esenciales. Por ejemplo, G. Hamel y C. K. Prahalad, The core competence of the corporation", *Harvard Business Review*, vol. 68, núm. 3 (1990), pp. 79-91. La idea de conducir la estrategia a partir de los recursos y competencias de una organización es analizado en G. Hamel y C. K. Prahalad, "Strategic

intent", *Harvard Business Review,* vol. 67, núm. 3 (1989), pp. 63-76 y G. Hamel y C. K. Prahalad, "Strategy as stretch and leverage", *Harvard Business Review,* vol. 71, núm. 2 (1993), pp. 75-84. También véase G. Hamel y A. Heene (eds.), *Competence-based Competition,* Wiley, 1994.

3. P. Conley, *Experience Curves as a Planning Tool,* disponible como folleto de Boston Consulting Group. Véase también A. C. Hax y N. S. Majluf, en R. G. Dyson (ed.), *Strategic Planning: Models and analytical techniques,* Wiley, 1990.
4. Los apartados en los que se divide este capítulo son los más comúnmente utilizados por los autores en los artículos académicos dentro del EBR. En ocasiones son denominados como VEIN, lo que significa Valioso, Raro, difícil de Imitar y No sustituibles, y fueron identificados en primer lugar por Jay Barney, "Firm resources and sustained competitive advantage", *Journal of Management,* vol. 17, núm. 1 (1991), pp. 99-120.
5. Para una explicación completa de las *rigideces esenciales,* véase D. Leonard-Barton, "Core capabilities and core rigidities: a paradox in managing new product development", *Strategic Management Journal,* vol. 13 (Summer 1992), pp. 111-125.
6. El trabajo seminal sobre la ambigüedad causal es el de S. Lippman y R. Rumelt, "Uncertain imitability: an analysis of interfirm differences in efficiency under competition", *Bell Journal of Economics,* vol. 13 (1982), pp. 418-438.
7. La distinción e importancia de la ambigüedad causal de la característica y del vínculo se explica en detalle por A. W. King, y C. P. Zeithaml ,en "Competencies and firm performance: examining the causal ambiguity paradox", *Strategic Management Journal,* vol. 22, núm. 1 (2001), pp. 75-99.
8. Para un trabajo de resumen sobre las capacidades dinámicas véase C. L. Wang y P. K. Ahmed, "Dynamic Capabilities: a review and research agenda", *International Journal of Management Reviews,* vol. 9, núm. 1 (2007), pp. 31-52.
9. Véase K. M. Eisenhardt y J. A. Martin, "Dynamic Capabilities; What Are They?", *Strategic Management Journal,* vol. 21 (2000), pp. 1105-1121.
10. Un análisis extenso sobre el concepto de cadena de valor y sus implicaciones puede encontrarse en M. . Porter, *Competitive Advantage,* Free Press, 1985.
11. Para un extenso ejemplo de análisis de la cadena de valor, véase "Understanding and using value chain analysis" by Andrew Shepherd en *Exploring Techniques of Analysis and Evaluation in Strategic Management* edited by Veronique Ambrosini, Prentice Hall, 1998.
12. Esta cita se atribuye a Lev Leviev en *Financial Times,* 14 Diciembre 2006, p. 10.
13. La importancia de los depósitos de beneficios es analizada por O. Gadiesh y J.L. Gilbert, en "Profit pools: a fresh look at strategy", *Harvard Business Review,* vol. 76, núm. 3 (mayo-junio 1998), pp. 139-147.
14. La idea del DAFO como una lista de control de sentido común ha sido utilizada durante muchos años: por ejemplo, S. Tilles, "Making strategy explicit", en I. Ansoff (ed.), *Business Strategy,* Penguin, 1968. Véase también el capítulo de T. Jacobs, J. Shepherd y G. Johnson sobre el análisis DAFO, en V. Ambrosini (ed.), *Exploring Techniques of Strategy Analysis and Evaluation,* Prentice Hall, 1998. Para un análisis critico del mal uso del DAFO, véase T. Hill y R. Westbrook, "SWOT Analysis: Its time for a product recall", *Long Range Planning,* vol. 30, núm. 1 (1997), pp. 46-52.

CASO DE EJEMPLO

Cómo hacer funcionar eBay

Jill Shepherd, Segal Graduate School of Business
Simo Fraser University, Canada

En 2006, había más de 200 millones de *eBayers* en todo el mundo. Para unas 750.000 personas, eBay (http://www.ebay.com) constituía su principal fuente de ingresos. Como superviviente de la burbuja de las *puntocom* de finales de los noventa, eBay representa un nuevo modelo de negocio cortesía de Internet. Sea cual sea la estadística que se elija —desde el ítem más caro vendido hasta el número de subastas en un día cualquiera— los números asombran. "Esta es una forma de hacer negocios completamente nueva", dice Meg Whitman, la directora general y presidenta desde 1998. "Estamos creando algo que antes no existía".

El modelo de negocio de eBay

El valor en eBay es creado proporcionando un mercado virtual global para compradores y vendedores y obteniendo por ello una tarifa sobre las transacciones que se producen. El modelo de negocio de eBay se basa en sus clientes, que constituyen el equipo de desarrollo de producto, fuerza de ventas y *marketing,* departamento de comercialización y departamento de seguridad de la organización. Podría decirse que es la primera compañía web 2.0.

De acuerdo con los directivos de eBay, resulta de importancia clave escuchar a los clientes: estar al tanto de lo que desean vender, comprar y cómo quieren hacerlo. Si los clientes hablan, eBay escucha. La tecnología permite que cada movimiento de cada cliente potencial sea rastreado, proporcionando información rica. Las compañías convencionales pueden gastar mucho dinero en conocer a sus clientes y persuadirles para que les proporcionen información. Sin embargo, para eBay tal información normalmente es gratuita y le es ofrecida sin la necesidad de incentivos. A pesar de ello, algunas de las formas más efectivas de la compañía de obtener información de los usuarios no se basan en la red y no son gratuitas. eBay organiza grupos denominados *Voice of the Customer* que supone traer a sus oficinas nuevos grupos de diez compradores y vendedores procedentes de todo el país cada varios meses para analizar la compañía en profundidad. Se llevan a cabo teleconferencias para desarrollar nuevas características y políticas, aunque supongan un pequeño cambio. Incluso se llevan a cabo talleres para enseñar a la gente cómo sacar el mejor provecho de la página. Los participantes tienden a doblar su actividad de venta en eBay tras participar en las clases. Otros ponen en marcha sus propias páginas ofreciendo su consejo sobre cómo vender en eBay. Existen rumores de que hay compradores que han desarrollado programas informáticos que lanzan pujas en el último momento. Los vendedores que han abandonado la página, incapaces de competir por más tiempo, escriben en *blogs* sobre lo que hicieron mal para ayudar a otros.

La compañía se encuentra gobernada desde el exterior y desde dentro. El sistema de eBay cuenta con una fuente de control automático a partir de la forma en la que los compradores y vendedores se valorar entre sí en cada transacción, creando reglas y normas. Compradores y vendedores construyen reputaciones que son valiosas, lo que fomenta un mejor comportamiento en sí mismos y en los demás. Las ventas de productos ilegales se tratan retirando lo que se encuentra en venta y siempre expulsando al vendedor.

La dirección de eBay

El estilo y el pasado de Meg Whitman han influido de manera decisiva en la dirección de eBay. Cuando se incorporó a la compañía en 1998, eBay era más una colección de empollones, cuidadosamente seleccionados por Pierre Omidyar, que una compañía de primer orden, algo que fue la base para el reclutamiento de Meg. Meg, ex consultora, cubrió muchos de los papeles de alta dirección, incluyendo la dirección de los negocios en Estados Unidos, operaciones internacionales y vicepresidencia de *marketing* de consumo junto a consultores. El resultado fue que eBay se ha convertido en una empresa dirigida por los datos y la métrica. "Si no puedes medirlo, no puedes controlarlo", afirma Meg. Aunque en los primeros días era posible tocar y sentir cómo funcionaba la organización, su tamaño actual suponía que era necesario tomar mediciones. Los directores de categorías, reminiscencia de los días de Meg en Procter & Gamble, se esperaba que emplearan su tiempo en medir y actuar a partir de los datos dentro de su propio feudo.

Sin embargo, a diferencia de sus homólogos en Procter & Gamble, los directores de categorías en eBay solo podían controlar de manera indirecta sus productos. No contaban con existencias sobre las que lanzar nuevas órdenes cuando los niveles de pasta de dientes o enjuague bucal estaban bajos en los lineales de los supermercados. Proporcionaban herramientas para comprar y vender de manera más efectiva:

Lo que podemos hacer es tratar de echar vistazos en sus categorías constantemente —es decir, un leve salto de los listados de chatarra a los nuevos pujadores de libros cómicos—. Para conseguir esto, utilizan herramientas procedentes del *marketing* y el *merchandising,* tales como mejorar la presentación de los productos de sus usuarios y proporcionarles herramientas para comprar y vender mejor.

Más allá de esta inusual existencia, el entorno de trabajo puede considerarse ultracompetitivo, dicen *ex eBayers.* A menudo, los cambios aparecen solo después de que se han intercambiado y refinado diapositivas de PowerPoint en niveles bajos, finalmente presentadas a niveles superiores y después de que el cambio ha sido aprobado mediante un procedimiento de aprobación que incluye a cada departamento.

eBay consiguió mejorar a tiempo su habilidad para asegurar que la tecnología no generara problemas. Hasta finales de los noventa, el sitio estaba plagado de apagones, incluyendo uno en 1999 que apagó el sistema durante veintidós horas debido a problemas en el *software* y la no existencia de sistemas de copia de seguridad. El anterior director de sistemas de información de Gateway Inc., Maynard Webb, que se incorporó como presidente de la unidad tecnológica de eBay, se puso en acción rápidamente para mejorar los sistemas. El uso de tecnología se mejora constantemente. En 2005, Chris Corrado fue nombrado vicepresidente y director del área de tecnología. En una nota de prensa de eBay, Maynard Webb afirmaba:

Chris es uno de los mayores expertos del mundo corporativo en plataformas tecnológicas y estamos encantados de que se una a nosotros. Gracias a la tremenda reputación de la organización tecnológica de eBay hemos podido incorporar a Chris al equipo.

Meg es una líder que contempla la compañía desde diferentes ángulos. Habiendo subastado muebles por valor de 35.000 dólares (28.000 euros; 19.500 libras) de su casa de esquí en Colorado para comprender la experiencia de venta, se convirtió en una *top seller* entre los empleados de la compañía y se aseguró de que su aprendizaje de la experiencia fuera escuchado por sus compañeros altos ejecutivos. Meg también era conocida por escuchar con atención a sus empleados y esperaba que sus directivos hicieran lo mismo. Como el negocio no es más que sus clientes, cualquier movimiento en falso puede causar revueltas dentro de la comunidad de eBay.

Por encima de todo, eBay trata de mantenerse alerta y flexible. Casi todas las nuevas categorías de alto crecimiento surgieron de registrar la actividad de los vendedores en el área y discretamente darles un empujón en el momento adecuado. Por ejemplo, después de registrar unas pocas ventas de coches, eBay creó una página separa denominada eBay Motor en 1999, con características especiales como inspecciones de vehículos y transporte. Cuatro años después, eBay esperaba ganar un billón de dólares de los autos y partes, muchos de los cuales eran vendidos por vendedores profesionales.

El fundamento democrático de eBay, aunque fácilmente aceptado por los clientes, sin embargo, puede requerir tiempo para acostumbrarse. Los nuevos directivos requirieron tiempo para comprender el *ethos.* "Algunos de los términos que aprendes en la escuela de negocios no son aplicables", afirma el anterior ejecutivo de PepsiCo Inc. William C. Cobb, ahora presidente de eBay Norteamérica, con experiencia en restaurantes y PepsiCo: "Nosotros escuchamos, nos adaptamos, facilitamos".

Competencia y cooperación

Como Internet se ha convertido en un ámbito con una mayor competencia, eBay no se ha mantenido inmóvil. En 2005 adquirió Skype, la organización de telefonía en Internet (http://www.skype.com/), envuelta en un gran debate en prensa, como es lógico tras un acuerdo de 2,6 billones de dólares. Con Skype, eBay argumentaba que podía crear un motor de comercio electrónico sin parangón, tal y como indicaba la adquisición del sistema de pago en línea PayPal (http://www.paypal.com/) que estimuló el negocio en ese momento. Los tres se benefician de los denominados efectos de red —cuantos más miembros, más valiosa es la compañía— y eBay tuvo que convertirse en un líder mundial en la gestión de los efectos de red.

En 2006, también anunció un acuerdo con Google. eBay es uno de los mayores clientes de publicidad de Google. Por el contrario, Google se vio atraído hacía eBay por los clientes de Skype debido a los anuncios *click-to-call.* Este acuerdo se produjo después de que eBay firmara un acuerdo publicitario con Yahoo!, lo que le hizo pensar que eBay estaba trabajando con Yahoo! contra el dominio de Google. Pero en el mundo interconectado de Internet, definir la competencia y la cooperación es un juego nuevo. eBay también formó una sociedad entre Baidu Inc., una página web china y eBay EachNet. Baidu promueve Paypal Beibao como el método de pago preferido en Baidu mientras que EachNet utiliza Baidu como su proveedor de búsquedas exclusivo. El desarrollo de una barra de herramientas con dos marcas se estableció para cimentar la sociedad. Por tanto, mientras en el oeste eBay y Yahoo! se encuentran asociados frente a Google, en el este Yahoo! es un rival.

A pesar de que eBay constituye el fenómeno de las subastas en Internet, no lo hace igual de bien en el este que en oeste. Se retiró de Japón, sufrió en Taiwán y se quedó detrás de un rival en China. En Corea, GMarket, propiedad parcial de Yahoo!, tiene un tamaño similar al de las subastas de eBay. GMarket ofrece un menor énfasis en las subastas abiertas que eBay, aunque ahora eBay cuenta con eBay Anuncios, en el que productos de múltiples vendedores pueden ser adquiridos en una transacción respaldada como siempre por el apoyo del cliente incluyendo un chat en vivo. El *marketing* innovador que convierte la experiencia en divertida para los compradores y ayuda a los vendedores a mejorar sus resultados es quizás otra forma en la que GMarket se diferencia de eBay. GMarket cuenta con sus propios imitadores.

¿Una vez que una compañía es web 2.0 siempre va a ser una compañía web 2.0? Aunque las noticias no se hicieron mucho eco cuando se anunció durante una sesión eBay Live! en 2006 la creación de eBay Wiki (http://www.ebaywiki.com/), bajo el servidor de Jotspot, permitió a la gente compartir su conocimiento de eBay con otros, en los blogs de eBay (http://blogs.ebay.com/). Como eBay siempre ha consistido en una comunidad es posible que se haya dado cuenta a tiempo.

Preguntas

1. Analice la capacidad estratégica de eBay utilizando un marco analítico de los que aparecen en el capítulo.
2. ¿Cuáles son las capacidades que han proporcionado a eBay una ventaja competitiva y por qué?
3. Utilizando los conceptos de sostenibilidad y de capacidades dinámicas, ¿cómo podría gestionar esta capacidad (crear nuevos recursos y competencias, invertir/desinvertir en otros, extender mediante otros), dados:
   a) ¿Nuevos entrantes en el mercado?
   b) ¿La naturaleza cambiante de eBay?

4

PROPÓSITO ESTRATÉGICO

OBJETIVOS DE APRENDIZAJE

Tras leer este capítulo, usted debería ser capaz de:

- Identificar los componentes de la cadena de gobierno de una organización.
- Comprender las diferencias en las estructuras de gobierno a lo largo del mundo y las ventajas y desventajas de tales estructuras.
- Identificar diferencias en las diferentes posturas sobre responsabilidad social corporativa adoptadas por las organizaciones y cómo las cuestiones éticas se relacionan con el propósito estratégico.
- Considerar los distintos grupos de interés *(stakeholders)* que pueden influir en una organización y las expectativas que tienen.
- Considerar vías apropiadas de expresar el propósito estratégico de una organización en términos de declaraciones de valores visión, misión u objetivos.

4.1 INTRODUCCIÓN

Los **"stakeholders"** son aquellos individuos o grupos que dependen de una organización para alcanzar sus propios objetivos y de los cuales, por el contrario, depende la organización.

Los dos capítulos anteriores han examinado respectivamente la influencia del entorno y de las capacidades sobre la posición estratégica de una organización. Sin embargo, una decisión fundamental que tiene que tomarse se refiere al *propósito* de la estrategia que tiene que ser seguida. Este es el centro de este capítulo, junto con las influencias sobre tal propósito ejercidas por las expectativas de los *grupos de interés ("stakeholders")* de una organización. Los **"stakeholders"** son aquellos individuos o grupos que dependen de una organización para alcanzar sus propios objetivos y de los cuales, por el contrario, depende la organización. Una cuestión subyacente que plantea este capítulo es si el propósito estratégico de la organización debería ser determinado en respuesta a un stakeholder particular, por ejemplo accionistas en el caso de una empresa o a los intereses más amplios de los stakeholders —en el extremo la sociedad y el bien social—. Este aspecto es considerado en relación con una serie de cuestiones esenciales:

- El Apartado 4.2 considera el *gobierno corporativo* y el *marco regulatorio* dentro del que operan las organizaciones. La cuestión en este punto es cómo la forma en la que los cuerpos formalmente constituidos como inversores o consejos influyen sobre el propósito estratégico mediante los procesos formalizados de supervisión de las decisiones y acciones de los ejecutivos. Por el contrario, esto plantea cuestiones de *responsabilidad*: ¿Ante quién son responsables los estrategas? Existen diferencias significativas en el enfoque del gobierno corporativo internacionalmente, en términos generales relacionadas con orientaciones hacia los accionistas o hacia los *stakeholders* de manera más amplia, las cuales también serán analizadas.
- El Apartado 4.3 se ocupa de cuestiones de *responsabilidad social* y *ética*. A este respecto, la cuestión es qué propósitos debería satisfacer una organización. ¿Cómo deberían responder los directivos a las expectativas de la sociedad sobre sus organizaciones, en términos de *responsabilidad social corporativa?*
- En todo esto, por lo tanto, es importante comprender las *distintas expectativas de los "stakeholders"* y su influencia relativa en el propósito estratégico. Esto requiere una comprensión del *poder* y del *interés* de los distintos grupos de *stakeholders*. Esto es tratado mediante el *"análisis de los stakeholders"*.
- El capítulo concluye considerando diferentes formas mediante las que las organizaciones *expresan el propósito estratégico*. Esto puede incluir las declaraciones de *valores, visión, misión* y *objetivos*.

La Figura 4.1 resume tales diferentes influencias sobre el propósito estratégico analizadas en el capítulo.

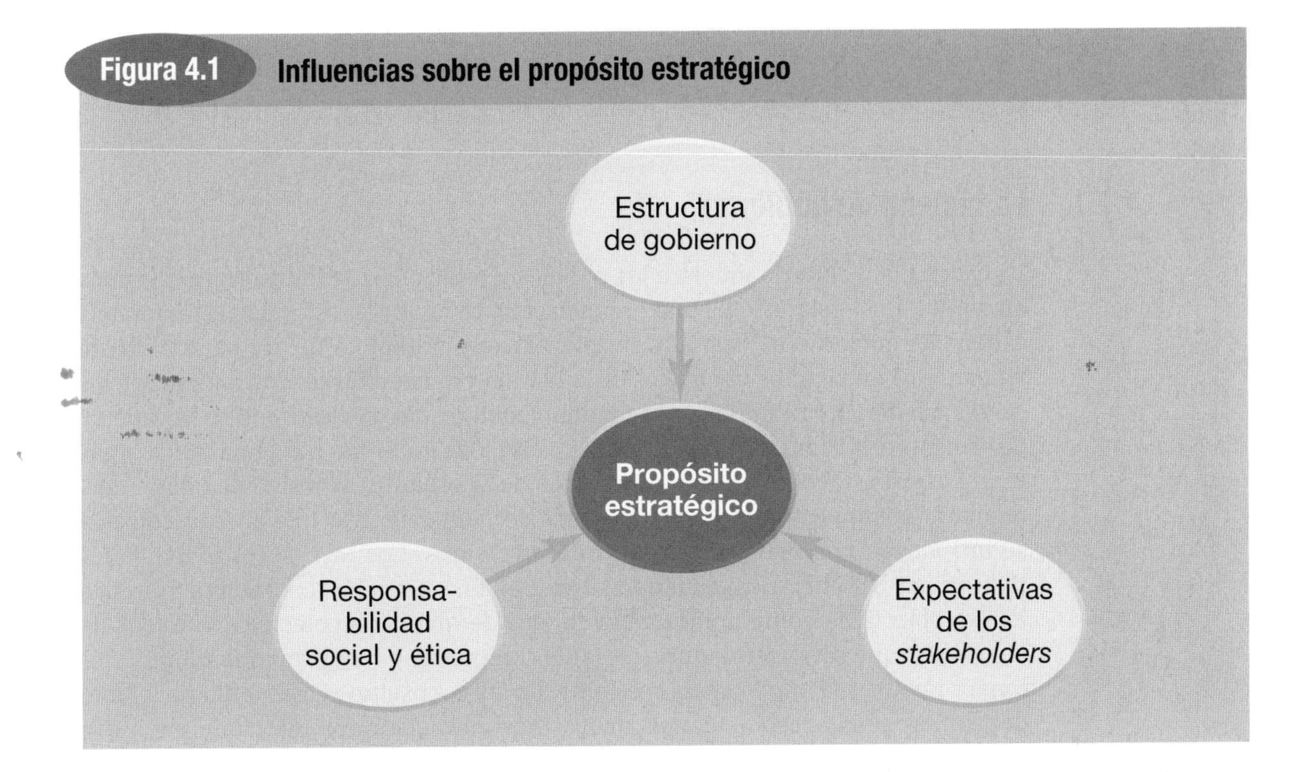

Figura 4.1 Influencias sobre el propósito estratégico

4.2 GOBIERNO CORPORATIVO

El **gobierno corporativo** se refiere a las estructuras y sistemas de control mediante los cuales los directivos se mantienen responsables ante aquellos quienes poseen una participación legítima sobre una organización.

El **gobierno corporativo** se refiere a las estructuras y sistemas de control mediante los cuales los directivos se mantienen responsables ante aquellos quienes poseen una participación legítima sobre una organización.[1] Esta se ha convertido en una cuestión cada vez más importante para las organizaciones por tres razones principales:

La separación entre propiedad y control directivo de las organizaciones (que ahora es la norma excepto en los negocios muy pequeños), que significa que la mayoría de las organizaciones operan dentro de una jerarquía, o cadena, de gobierno. Esta cadena representa a aquellos grupos que influyen en una organización mediante su participación en la propiedad o en la dirección de una organización.

Los escándalos corporativos desde que a finales de los noventa han incrementado el debate público en torno a cómo las diferentes partes en la cadena de gobierno deberían interactuar e influir entre sí. Lo más importante aquí es la relación entre los accionistas y los consejos de las empresas. No obstante, una cuestión equivalente en el sector público es la relación entre el gobierno o cuerpos de financiación pública y las organizaciones del sector público.

Una mayor rendición de cuentas hacia unos intereses más amplios del "stakeholder" también ha sido recomendada de manera creciente, en particular el argumento de que las corporaciones necesitan ser más visiblemente responsables y/o sensibles, no solo frente a los *propietarios* y *directivos* en la cadena de gobierno, sino frente a intereses sociales más amplios.

4.2.1. La cadena de gobierno

La cadena de gobierno muestra los papeles y relaciones de los diferentes grupos envueltos en el gobierno de una organización. En un pequeño negocio familiar, la cadena de gobierno es bastante simple: existe una familia de accionistas, existe un consejo con algunos miembros de la familia y existen directivos, algunos de los cuales pueden ser también de la familia. Existen solo tres estratos en la cadena. Sin embargo, la Figura 4.2 muestra una cadena de gobierno para una típica organización grande, cotizada. Aquí el tamaño de la organización significa que internamente existen estratos adicionales de dirección, mientras que al estar cotizada se introducen también más estratos de inversores. Los inversores individuales (los últimos beneficiarios) a menudo invierten en compañías cotizadas a través de fondos colectivos, como por ejemplo, fondos de inversión colectivos o fondos de pensiones, que invierten en una serie de compañías en su propio nombre. Tales fondos tienen una importancia creciente. En 2006, poseían el cincuenta por ciento del capital de las corporaciones americanas (el diecinueve por ciento en 1970) y más del setenta por ciento en Reino Unido (veinticinco por ciento en 1963). Los fondos normalmente se encuentran controlados por fideicomisarios, con una actividad inversora diaria llevada a cabo por gestores de inversión. Por lo tanto, los últimos beneficiarios pueden incluso no saber en qué compañías poseen participaciones financieras y tener poco poder para influir directamente sobre los consejos de las compañías.

Las relaciones en tales cadenas de gobierno pueden ser entendidas en términos del *modelo del principal y el agente*[2]. Aquí el *principal* paga a *agentes* para actuar en su nombre, de la misma forma que los propietarios de inmuebles emplean a agentes inmobiliarios para vender sus casas. En la Figura 4.2, los beneficiarios son los últimos principales y los fideicomisarios de fondos son sus agentes en términos de conseguir buenos retornos sobre sus inversiones. Descendiendo por la cadena, los consejos de las compañías también son principales, siendo los altos ejecutivos sus agentes en la dirección de la compañía. Existen muchos estratos de agentes entre los principales finales y los directivos en los niveles más bajos, con imperfectos mecanismos de reporte entre cada estrato responsable.

La teoría del principal y el agente supone que los agentes no trabajarán de manera diligente para el principal a menos que los incentivos se encuentren cuidadosa y apropiadamente alineados. Sin embargo, como puede verse en la Figura 4.2, en grandes compañías los miembros del consejo y otros directivos que están desarrollando la estrategia, es probable que se encuentren muy alejados de los beneficiarios últimos del resultado de la compañía. En tales circunstancias, el peligro es doble:

- *Falta de alineamiento de incentivos y control.* Conforme la influencia desciende por la cadena de gobierno, las expectativas de un grupo no son pasadas al si-

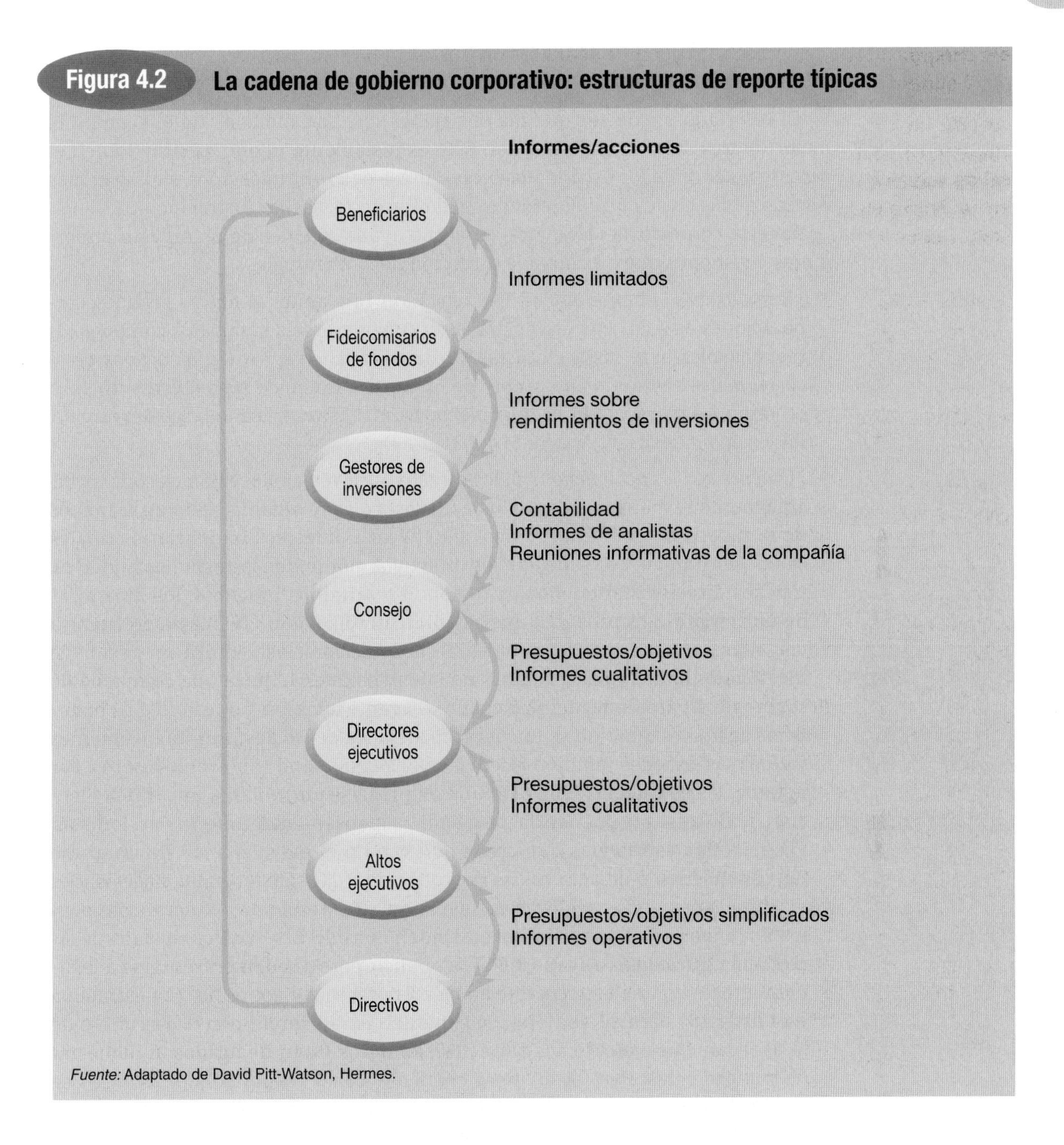

Fuente: Adaptado de David Pitt-Watson, Hermes.

guiente de manera apropiada. Por ejemplo, los beneficiarios últimos pueden estar preocupados principalmente de la seguridad a largo plazo de sus fondos de pensiones, pero los gestores de inversiones y analistas o los consejos con los que interactúan pueden poner un mayor énfasis en el crecimiento a corto plazo.

- *Interés propio.* Cualquier agente en la cadena puede actuar en su propio interés. Los directivos pueden esforzarse por promocionar y/o incrementar sus ingresos, los agentes de inversión buscarán incrementar sus bonos y así sucesivamente.

El resultado puede ser que las decisiones que son tomadas no lo sean en el mejor interés del beneficiario final. Esto es justamente lo que ha ocurrido en el caso de muchos de los escándalos corporativos de los últimos años, siendo el más notorio de los cuales probablemente el de Enron (véase la Ilustración 4.1).

En este contexto, la cadena de gobierno ayuda a poner de manifiesto importantes cuestiones que afectan a la dirección de la estrategia:

- *¿Responsabilidad ante quién?* Una cuestión fundamental en las grandes corporaciones es si los ejecutivos deberían considerarse a sí mismos como *únicos* responsables ante los accionistas, o como *fideicomisarios de los activos de la corporación,* actuando en nombre de un amplio rango de *stakeholders.* Incluso en términos de estructuras de gobierno formal esto varía a lo largo del mundo, tal y como muestra el Apartado 4.2.2.
- *¿Quiénes son los accionistas?* Si los directivos se ven a ellos mismos como principalmente responsables ante los accionistas, ¿qué significa esto en términos de la cadena de gobierno? Como se explicaba antes, los beneficiarios finales se encuentran muy alejados de los directivos, por lo que la responsabilidad de muchos directivos ante ellos es remota. En términos prácticos, los directores de una empresa es probable que establezcan relaciones con mayor frecuencia con representantes institucionales de tales accionistas —quizá un gestor de inversiones o un analista de un fondo de pensiones, o quizá una compañía de seguros—. El problema del principal y el agente también surge aquí. Los beneficiarios finales también se encuentran alejados de los gestores de inversiones y analistas, quienes también pueden estar persiguiendo su propio interés. Por lo tanto, los estrategas dentro de una empresa se enfrentan a una difícil elección, incluso si propugnan la principal responsabilidad ante los accionistas. ¿Desarrollan estrategias que creen que van en el mejor interés de un grupo muy fragmentado de accionistas desconocidos? ¿O satisfacen las necesidades y aspiraciones de los gestores de inversión? Un problema similar existe para los directivos en el sector público. Pueden considerarse a ellos mismos desarrollando estrategias en aras del bien público, pero pueden enfrentarse al examen directo de una agencia que actúa en nombre del gobierno. ¿La estrategia está diseñada para el bien público general o para cumplir con el escrutinio de la agencia? Por ejemplo, los servicios sanitarios están dedicados al bienestar de sus pacientes. Pero de manera creciente, cómo gestionan sus servicios se encuentra gobernado por los objetivos establecidos sobre ellos por un departamento del gobierno, el cual presumiblemente cree también que está actuando en favor del bien público.
- *El papel de los inversores institucionales.* El papel de los inversores institucionales con respecto a la estrategia de las empresas difiere de acuerdo a las estructuras de gobierno a lo largo del mundo (véase el Apartado 4.2.2). Sin embargo, una cuestión común es el grado en el que buscan o deberían buscar influir sobre la estrategia. Históricamente, en economías como las de Reino Unido o Estados Unidos los inversores han ejercido su influencia sobre las

Ilustración 4.1

El escándalo de Enron

Las decisiones ejecutivas pueden no ir siempre en aras del interés de los accionistas, en ocasiones de manera desastrosa.

Enron fue una de las principales compañías del mundo del sector eléctrico, gas, pulpa de papel y comunicación, radicada en Houston, Texas. Empleaba a unas 21.000 personas con unos ingresos declarados de 101 billones de dólares (ochenta billones de euros) en 2000. Sin embargo, a finales de 2001 se reveló que la situación financiera reportada estaba sostenida principalmente por un fraude contable sistemático. Cuando Enron solicitó el amparo del Capítulo 11 en Estados Unidos a finales de 2001, constituyó la mayor quiebra en la historia estadounidense y supuso una pérdida de 4.000 empleos. El escándalo también produjo la disolución de Arthur Andersen, una de las cinco grandes empresas de auditoría.

Muchos de los activos y beneficios registrados de Enron estaban inflados, eran fraudulentos o no existentes. Enron había asignado pérdidas y deudas a compañías situadas en paraísos fiscales no incluidas en los estados financieros de la compañía y utilizada transacciones financieras sofisticadas con compañías relacionadas, conocidas como *entidades para propósitos especiales* (EPE) para sacar fuera de los libros de la compañía las transacciones no rentables. Posteriores investigaciones revelaron que algunos ejecutivos de Enron sabían de las cuentas en paraísos fiscales que estaban ocultando pérdidas de la compañía. El director financiero Andrew Fastow encabezaba el equipo que creó compañías fuera de libros y manipuló los acuerdos para proporcionarse a sí mismo, a su familia y a sus amigos cientos de millones de dólares en ingresos garantizados, a expensas de los accionistas. Cuando el escándalo se descubrió, las acciones de Enron se desplomaron de noventa a 0,30 dólares.

Las vistas en el Congreso de los Estados Unidos revelaron que un grupo de empleados de Enron había expresado su preocupación ya en 1998. La creciente aprensión llevó a una reunión de todos los empleados a mediados de 2001, en la que se trataron otros temas relacionados. Tras el encuentro, el vicepresidente Sherron Watkings, se reunió con el entonces director general, Ken Lay, dándole un memorando con sus preocupaciones. Subrayó especialmente los papeles jugados por Vinson & Elkins, un bufete estadounidense grande y respetado, y Arthur Andersen como cómplices de dudosos acuerdos. La alta dirección pidió a Vinson & Elkins que investigara tales cuestiones. Sin embargo, el bufete informó que aparte de alguna "mala cosmética" y una "contabilidad agresiva y creativa", no encontraba problemas con las EPE. De hecho, Arthur Andersen confirmó que estaba de acuerdo con la contabilidad.

Más tarde, en octubre de 2002, la SEC abrió una investigación formal en Enron, hecho junto al cual comenzaron una serie de eventos devastadores en Arthur Andersen. Al tiempo que Andersen recibía la noticia de la SEC a mediados de noviembre, un gran número de documentos de auditoría relacionados con Enron fueron destruidos. Esto, en consecuencia, llevó a la acusación de Andersen en junio de 2002. El proceso contra Arthur Andersen también sacó a la luz su fraude contable en WorldCom, desencadenando una ola de escándalos contables.

J. P. Morgan Chase, Citigroup, Merrill Lynch, Credit Suisse, First Boston, Canadian Imperial Bank of Commerce (CIBC), Bank America, Barclays Bank, Deutsche Bank y Lehman Brothers se encontraban también dentro de la serie de transacciones fraudulentas que finalmente costaron a los accionistas más de veinticinco billones de dólares. Dos bufetes fueron identificados por su involucración en el fraude: Vinson & Elkins y Kirkland & Ellis, que Enron utilizó para representar una serie de EPEs.

A mediados de 2006, dieciséis de los altos ejecutivos de Enron, incluyendo a Ken Lay, Jeff Skilling (director general), David Delainey (responsable de la unidad de comercialización de energía), Richard Causey (director de contabilidad), Andrew Fastow (director financiero) y Mark Koenig (responsable de relaciones con el inversor), fueron declarados culpables o fueron encarcelados en el proceso.

Preparado por Rajshree Prakash, Escuela de Negocios de la Universidad de Lancaster.

Preguntas

1. ¿Qué mecanismos en la cadena de gobierno deberían (o podrían) haber evitado lo que ocurrió en Enron?
2. ¿Qué cambios en el gobierno corporativo son necesarios para evitar sucesos similares?

empresas simplemente mediante la compra y venta de acciones en lugar de mediante un compromiso a fondo con la compañía con respecto a cuestiones estratégicas. El mercado de capitales se convierte en el juez de sus acciones mediante movimientos en el precio de la acción. Sin embargo, existen signos de que los inversores, de manera creciente, están participando de manera activa en las estrategias de las empresas en las que invierten[3]. Tal participación varía mucho pero ha crecido y existe evidencia de que los inversores institucionales han buscado trabajar de manera proactiva con los consejos para desarrollar una estrategia que favorezca a los beneficiarios.

- *Escrutinio y control.* Debido a que han ido creciendo las preocupaciones sobre el gobierno corporativo en la última década, se han producido cada vez más intentos de construir medidas de escrutinio y control de las actividades de los *agentes* en la cadena para salvaguardar los intereses de los beneficiarios finales. La Figura 4.2 indica la información normalmente disponible para cada *actor* en la cadena para juzgar el rendimiento de los otros en tal cadena. Existen unos requerimientos estatutarios cada vez mayores, así como códigos voluntarios impuestos sobre los consejos para revelar información públicamente y regular sus actividades. Sin embargo, los directivos cuentan todavía con una notable discreción con respecto a qué información proporcionar a quién y qué información requerir a aquellos que les reportan. Por ejemplo, ¿qué información debería presentarse a los analistas de inversión quienes influirán en el precio de las acciones de una empresa? ¿Cómo debería ser de específico el director general en la explicación de la estrategia futura a los accionistas en las declaraciones públicas tales como los informes anuales? Existen también aspectos de reporte interno que tienen que ser resueltos. ¿Cuáles son los principales objetivos y medidas para incentivar y controlar a la dirección dentro de una empresa? ¿Debería esta preocuparse de la generación de valor para los accionistas? ¿O es más apropiado el enfoque del cuadro de mando integral para satisfacer las necesidades de los distintos *stakeholders* (véase el Apartado 10.3.4)? ¿Son los métodos contables habituales (como el retorno sobre el capital empleado) las medidas más apropiadas o deberían diseñarse medidas específicas para ajustarse a las necesidades de estrategias particulares o expectativas de determinados *stakeholders*/accionistas? No existen respuestas categóricas a tales cuestiones. Cómo respondan los directivos a estas dependerá de cuál hayan decidido que es el propósito estratégico de la organización, el cual se encontrará influido por su visión de ante quién se ven ellos mismos responsables.

4.2.2. Diferentes estructuras de gobierno

El órgano de gobierno de una organización normalmente es un consejo de administración. La principal responsabilidad estatutaria de un consejo es asegurar que una organización satisfaga los deseos y propósitos de los principales stakeholders. Sin embargo, quiénes son esos *stakeholders* varía. En el sector privado, en algunas partes del mundo son sus accionistas, aunque en otras partes del mundo es una base de stakeholders más amplia. En el sector público, el cuerpo de gobierno es responsable ante el brazo político del gobierno —posiblemente mediante alguna *agencia* intermedia como un organismo financiador—. Tales diferencias llevan a diferencias en la forma en la que operan las empresas, en cómo es determinado el propósito de una organización y en cómo son desarrolladas las estrategias, así como en el papel y composición de los consejos.

Al nivel más general existen dos estructuras de gobierno: el *modelo basado en los accionistas* y el *modelo basado en los "stakeholders"*. Cada uno de ellos es más o menos común en diferentes partes del mundo.

Un modelo de gobierno basado en los accionistas

En este modelo, los accionistas tienen primacía legítima en relación con la riqueza generada por las corporaciones, aunque sus proponentes argumentan que la maximización del valor para los accionistas beneficia también a otros *stakeholders*. Existe un accionariado disperso, aunque una gran proporción de las acciones es propiedad de instituciones financieras. Al menos en principio, el intercambio de acciones proporciona un mecanismo regulador para la maximización de valor de los accionistas, dado que accionistas insatisfechos pueden vender sus acciones, lo que resulta en una caída del precio de las acciones y la amenaza de absorciones hostiles para aquellas empresas con malos resultados. El modelo basado en los accionistas se encuentra representado por economías como Estados Unidos y Reino Unido.

Existen argumentos a favor y en contra del modelo basado en los accionistas. Las *ventajas* que se argumentan son:

- *Beneficios para los inversores.* En comparación con el modelo basado en los stakeholders, el inversor consigue una mayor tasa de rentabilidad. Los accionistas también pueden reducir el riesgo mediante la diversificación de sus participaciones en un mercado de capital en el que las acciones son fácilmente intercambiadas.
- *Beneficios para la economía.* Dado que el sistema facilita la asunción de mayor riesgo por los inversores, existe una mayor probabilidad de que se fomente el crecimiento económico y la actividad emprendedora. También se argumenta que una razón por la que Reino Unido consigue más de la *parte que le corresponde* de la inversión hacia el interior de la UE es debido a que las estructuras de propiedad son más abiertas hacia los nuevos inversores que en otros lugares.
- *Beneficios para la dirección.* Podría decirse que la separación entre propiedad y dirección hace las decisiones estratégicas más objetivamente relacionadas con las demandas y restricciones potencialmente diferentes de los mercados financieros, de trabajo y clientes. Un accionariado diversificado también supone que ningún accionista es probable que controle las decisiones de control de la dirección, lo que hace que la empresa funcione bien.

Las desventajas que se argumentan son:

- *Desventajas para los inversores.* Accionistas dispersos evitan un control cercano de la dirección. Esto puede resultar en que los directivos sacrifiquen valor de los accionistas para perseguir sus propios asuntos. Por ejemplo, los directores generales pueden alimentar sus propios egos a expensas de los accionistas con fusiones que no añaden valor.
- *Desventajas para la economía: el riesgo del cortoplacismo.* La carencia de control de la dirección puede llevarle a tomar decisiones a los directivos que beneficien sus propias carreras (por ejemplo, para conseguir promocionar). Esto, en combinación con la amenaza de adquisiciones hostiles, puede alentar a los directivos a centrarse en las ganancias a corto plazo a expensas de proyectos a largo plazo.
- *Reputación corporativa y codicia de la alta dirección.* La falta de control sobre la dirección permite enormes compensaciones a los directivos con las que se recompensan a sí mismos en la forma de salario, bonos y opciones sobre acciones. En Estados Unidos, los directores generales tienen una compensación 531 veces mayor que sus empleados en comparación con Japón, en la que un puesto comparable está cerca de un múltiplo de diez.

El modelo de gobierno basado en los *"stakeholders"*

Un modelo alternativo de gobierno que toma varias formas, es el modelo *stakeholder.* Se encuentra fundamentado en el principio de que la riqueza es creada, capturada y distribuida por una variedad de *stakeholders.* Esto puede incluir a los accionistas, pero podría incluir a otros inversores, como bancos, así como a empleados o a sus representantes sindicales. Por lo tanto, la dirección necesita ser sensible a múltiples *stakeholders,* quienes pueden estar formalmente representados en los consejos.

Sin embargo, el modelo *stakeholder* en ocasiones también es conocido como el *sistema de gobierno de los accionistas de bloque,* en el que uno o dos grandes grupos de inversores dominan la propiedad. Por ejemplo, en Alemania menos de la cuarta parte de todas las empresas alemanas cotizadas cuentan con un propietario mayoritario. Además, en países como Alemania o Suecia los bancos juegan un papel dominante y los bancos japoneses tienden a tener participaciones accionariales en las organizaciones, en lugar de simplemente proporcionar capital ajeno. También es probable que exista una compleja red de participaciones cruzadas entre compañías.

Alemania y Japón a menudo son citados como ejemplos del modelo *stakeholder.* En Alemania existe un sistema de consejo de dos niveles: el consejo supervisor *(aufsichtsrat),* obligatorio para compañías con más de 500 empleados y el consejo ejecutivo *(vorstand).* El consejo supervisor es un foro en el que los intereses de distintos grupos se encuentran representados, incluyendo accionistas y empleados, y también normalmente banqueros, abogados y expertos del mercado de capitales. La planificación estratégica y el control operativo se encuentran asignados al consejo ejecutivo, aunque las decisiones importantes como las fusiones y adquisiciones requieren la aprobación del consejo supervisor. En otros países europeos, particularmente Holanda y Francia, también existen consejos de dos niveles.

En Japón, la maximización del beneficio o valor para los accionistas no es visto como el objetivo último de las empresas, sino el crecimiento a largo plazo y la seguridad de la compañía. Existe una propiedad concentrada de las empresas, con un pequeño grupo de accionistas que poseen un gran porcentaje de la compañía y un sistema de participaciones cruzadas, en el que las grandes compañías poseen acciones de otras compañías y los bancos financian el mismo subgrupo. Las empresas japonesas cuentan con un sistema de consejo de un nivel.

Existen algunas *ventajas* del modelo de gobierno stakeholder:

- *Ventajas para los "stakeholders".* Además del argumento de que los intereses más amplios de los *stakeholders* son tenidos en cuenta, también se argumenta que la influencia de los empleados en particular es un elemento disuasorio para decisiones e inversiones de alto riesgo.
- *Ventajas para los inversores.* Quizá irónicamente se argumenta que son las inversiones de bloque las que proporcionan beneficios de distintas formas. Existe un nivel de supervisión y control más cercano sobre la dirección, con inversores que tienen un mayor acceso a la información de dentro de la empresa. Dado que el poder puede residir en relativamente pocos inversores de bloque, las intervenciones pueden ser más fáciles en caso de fracaso de la dirección.
- *Horizontes a largo plazo.* Se argumenta que es probable que los principales inversores —bancos u otras compañías, por ejemplo— consideren sus inversiones como de largo plazo, por tanto reduciendo la presión para resultados a corto plazo en lugar de rendimiento a más largo plazo.

También se argumentan *desventajas* del modelo de gobierno *stakeholder:*

- *Desventajas para la dirección.* Una supervisión y control estrecha podría generar interferencias, ralentizando los procesos de decisión y la pérdida de objetividad por parte de los directivos cuando tienen que tomarse decisiones críticas.
- *Desventajas para los inversores.* Debido a la ausencia de presión por parte de los accionistas, las inversiones a largo plazo son realizadas sobre proyectos en los que los retornos pueden estar por debajo de las expectativas del mercado.
- *Desventaja para la economía.* Existen menos alternativas para conseguir financiación, lo que limita las posibilidades de crecimiento y de actividad emprendedora.

También es preciso mencionar que existen implicaciones con respecto a la financiación de los negocios. En el modelo basado en los accionistas, el capital es la forma dominante de financiación a largo plazo y los bancos comerciales proporcionan capital ajeno, por lo que las relaciones con los banqueros son esencialmente contractuales. Existen significativas implicaciones derivadas de esto. Los directivos necesitan limitar el apalancamiento financiero a un nivel prudente, por lo que es necesario más capital para los desarrollos estratégicos más importantes. También significa que la propia compañía tiene un mayor grado de influencia sobre las decisiones estratégicas, dado que los bancos no están buscando una implicación en la estrategia de la empresa. Sin embargo, si las estrategias comienzan a fallar, la organización puede convertirse de manera creciente en dependiente del banco como accionista clave. Esto ocurre a menudo en pequeños negocios de naturaleza familiar. En el extremo los bancos pueden ejercer su poder mediante la *salida* (retirando fondos), incluso si esto supone la liquidación de la compañía. Por el contrario, en algunos sistemas basados en los *stakeholder* (destacando Japón y, en menor medida, Alemania), los bancos a menudo poseen participaciones significativas en el capital o son parte de la misma compañía matriz. Es menos probable que estos adopten una relación alejada y es más probable que busquen la participación activa en la estrategia.

Estructuras de gobierno en transición

Existen presiones para el cambio en los modelos de gobierno tradicionales. Algunas de estas ya han sido analizadas en relación a la cadena de gobierno en el Apartado 4.2.1. Sin embargo, existen algunos indicios de que se está produciendo una convergencia en todo el mundo sobre al modelo de gobierno basado en los accionistas. Esto es debido a las muchas ventajas explicadas antes, en particular la consideración de que existen ventajas mutuas para los accionistas y para los *stakeholders* desde un punto de vista general. También es debido al creciente papel de los accionistas institucionales, que actúan en nombre de una creciente masa de una clase de accionistas y a la creciente globalización y fusiones y adquisiciones entre países.

Por ejemplo, en Japón los inversores institucionales y extranjeros están ganando influencia y la desregulación y liberalización están incrementando la presión para cambiar las estructuras de gobierno. También en Alemania se argumenta que para que las compañías se mantengan competitivas globalmente, la representación de los empleados en los consejos necesita ser revisada para reducir costes y acelerar la toma de decisiones. En Suecia, históricamente las empresas eran de propiedad privada o estaban en manos de familias, compañías *holding* y compañías de inversión. Sin embargo, la entrada de Suecia en la UE ha reducido las restricciones sobre las entradas de capital y cada vez más compañías han pasado a ser de propiedad extranjera, aunque la mayoría de las compañías todavía cuentan con un accionista principal que les proporciona una posición de control similar al modelo *stakeholder*.

En La India ha existido un elevado nivel de proteccionismo del estado hasta los años ochenta, con las principales industrias como las aerolíneas y los bancos nacionalizados y restricciones sobre las inversiones extranjeras. Sin embrago, desde 1991 se ha producido un cambio radical. La licencia para la importación ha sido abolida y los aranceles reducidos. Las restricciones sobre el capital extranjero se han relajado en determinadas industrias, algunas empresas del sector público han sido privatizadas y se les permite a las empresas registrarse en mercados de capitales extranjeros. La India todavía se encuentra caracterizada por estar compuesta principalmente por empresas familiares, pero con una mayor separación de la propiedad y la dirección. Los códigos de gobierno que se están desarrollando indican un movimiento hacia el modelo *stakeholder* de gobierno con un único consejo y entre el treinta y el cincuenta por ciento de consejeros no ejecutivos.

En China, los principales accionistas en las empresas son el estado o instituciones semiestatales y los altos directivos normalmente han comenzado sus carreras en posiciones gubernamentales. China tiene un modelo de consejo de dos niveles. El consejo supervisor tiene un mínimo de un tercio de los empleados como miembros, aunque con una influencia limitada sobre las actividades organizativas, que son responsabilidad de los consejos ejecutivos. Sin embargo, se exige que los consejos tengan consejeros no ejecutivos a los que recientemente se les ha requerido que sean independientes.

4.3 RESPONSABILIDAD SOCIAL CORPORATIVA

La **responsabilidad social corporativa** se refiere a las formas en las que una organización supera sus obligaciones mínimas hacia los *stakeholders* especificadas en la regulación.

El entorno regulatorio y los acuerdos de gobierno corporativo para una organización determinan sus obligaciones mínimas hacia sus *stakeholders*. La **responsabilidad social corporativa** (RSC) se refiere a las formas en las que una organización supera sus obligaciones mínimas hacia los *stakeholders* especificadas en la regulación. Sin embargo, los marcos legales y regulatorios ponen una atención desigual a los derechos de los diferentes *stakeholders*. Por ejemplo, los *"stakeholders" contractuales* —como clientes, proveedores o empleados— tienen una relación legal con una organización, y los *"stakeholders" de la comunidad* —como comunidades locales, consumidores (en general) y grupos de presión— no cuentan con la protección de la ley. Las políticas de RSC de las compañías serán particularmente importantes para estos *stakeholders* de la comunidad.

Diferentes organizaciones mantienen posturas muy diferentes sobre responsabilidad social. La discusión que sigue también explica tales posturas que normalmente se reflejan en las formas en las que actúan las compañías[4].

4.3.1. *"Laissez-faire"*

El enfoque de *laissez-faire* (literalmente *dejar hacer* en francés) representa una postura extrema en la que las organizaciones toman el enfoque de que solo la responsabilidad de los negocios se refiere a los intereses a corto plazo de los accionistas y en *generar beneficio, pagar impuestos y proporcionar trabajo*[5]. Son las administraciones públicas las que prescriben, mediante la legislación y regulación, las restricciones que la sociedad elige imponer sobre los negocios en su búsqueda de la eficiencia económica. La organización cumplirá tales obligaciones mínimas, pero no más. Esperar que las compañías ejerzan obligaciones sociales más allá puede, en casos extremos, minar la autoridad del gobierno.

Esta postura puede ser tomada por los ejecutivos que están convencidos de ella ideológicamente o por negocios más pequeños que no cuentan con los recursos para hacer otra cosa que no sea cumplir mínimamente con las regulaciones. En la medida en que es perseguido el bien social, esto se encuentra justificado en términos de mejorar la rentabilidad. Esto puede ocurrir, por ejemplo, si las obligaciones sociales son impuestas como requisito para conseguir contratos (por ejemplo, si fueran requeridas prácticas de empleo de igualdad de oportunidades a los proveedores del sector público) o para defender su reputación.

4.3.2. Interés propio ilustrado

El *interés propio ilustrado* se encuentra suavizado por el reconocimiento del *beneficio financiero a largo plazo del accionista* derivado de relaciones bien gestionadas con otros *stakeholders*. La justificación para la acción social es que tiene sentido para el negocio. La *reputación* [6] de una organización es importante para su éxito financiero a largo plazo y una postura más proactiva en cuestiones sociales puede servir para reclutar y mantener personal, por ejemplo. Por lo tanto, la filantropía corporativa [7] o provisión de bienestar puede ser considerada como un gasto razonable como cualquier otra forma de inversión o gasto en promoción. La esponsorización de los principales eventos deportivos o artísticos por las compañías es un ejemplo. La elusión de prácticas de *marketing oscuras* es también necesaria para evitar la necesidad de más legislación en tal área. Los directivos deberían tomar a este respecto la visión de que las organizaciones no sólo tienen la responsabilidad de sus accionistas sino también la responsabilidad de *las relaciones con* otros *stakeholders* (al contrario de las *responsabilidades frente a* otros *stakeholders)* y la comunicación con los grupos de *stakeholders* es probable que sea más interactiva que para las organizaciones del tipo *laissez-faire*. También pueden establecer sistemas y políticas para asegurar la conformidad con las mejores prácticas (por ejemplo, la certificación ISO 14000 o la protección de los derechos humanos en las operaciones en el exterior) y comenzar a controlar su rendimiento en cuanto a responsabilidad social. La alta dirección también puede jugar más de un papel, al menos en la medida en que apoye que la empresa tome un papel social más proactivo.

4.3.3. Un foro para la interacción de los *"stakeholders"*

Un *foro para la interacción de los "stakeholders"* [8] incorpora de manera explícita intereses y expectativas de múltiples *stakeholders* en lugar de solo de los accionistas sobre los propósitos y estrategias organizativas. El argumento para ello es que el resultado de una organización debería ser medido de una forma más plural que solo mediante el resultado financiero final. Compañías dentro de esta categoría pueden mantener unidades no económicas para preservar empleos, evitar fabricar o vender productos *antisociales*, y estar preparada para soportar reducciones en rentabilidad para el bien social. Algunas organizaciones de servicios financieros también han elegido ofrecer inversiones socialmente responsables a los inversores. Estas incluyen solo participaciones en organizaciones que cumplen elevados estándares de responsabilidad social en sus actividades.

Sin embargo, existen aspectos difíciles en cuanto al equilibrio entre los intereses de diferentes *stakeholders*. Por ejemplo, muchas organizaciones del sector público se encuentran, justamente, dentro de este grupo en la medida en que son objeto de una amplia diversidad de expectativas y las medidas unitarias de rendimiento a menudo son inadecuadas para reflejar esta diversidad. Existen también muchas pequeñas empresas familiares que se encuentran en esta categoría por la forma en la que operan. Pueden equilibrar sus propios intereses con el de sus empleados y comunidades locales incluso cuando esto puede restringir las elecciones estratégicas que toman (por ejemplo, producción en el extranjero frente a producción local). Las organizaciones en esta categoría inevitablemente requieren de más tiempo en el desarrollo de sus estrategias, ya que están comprometidas con una amplia consulta con los *stakeholders* y con la gestión de los compromisos políticos difíciles entre las expectativas conflictivas de los distintos *stakeholders,* tal y como se analizaba en el Apartado 4.3.

BP afirma haber adoptar la lógica del *capitalismo multi stakeholder,* creyendo que su supervivencia a largo plazo no solo depende de su resultado económico sino de su resultado social y ambiental. Organizaciones como BP pueden elevar la RSC a las reuniones del consejo y establecer estructuras para controlar el resultado social a lo largo de sus operaciones globales. Las metas, a menudo a través del cuadro de mando integral, pueden convertirse en aspectos operativos de los negocios y cuestiones de responsabilidad social gestionadas de manera proactiva y de una forma coordinada. Lo que se espera es que tal postura corporativa se vea reflejada en el comportamiento ético de los individuos dentro de la empresa. Por supuesto, las organizaciones que adoptan esta posición sufren si se comprueba que no están cumpliendo los estándares de rendimiento que propugnan. De hecho, BP se encontró en esta situación en 2006 cuando sufrió en los tribunales de Estados Unidos y en la prensa mundial por sus deficiencias en los procedimientos de salud y seguridad, que llevaron a una explosión fatal en su refinería en Texas (véase la Ilustración 4.2).

4.3.4. Transformadores sociales

Los *transformadores sociales* consideran las cuestiones financieras como de importancia secundaria o una restricción. Wstos son activistas, que buscan cambiar la sociedad y las normas sociales. La empresa puede haber sido fundada con este propósito, como es el caso de Body Shop. El papel social es entonces la *raison d'être* del negocio. Pueden ver su propósito estratégico como *cambiar las reglas del juego* mediante las que pueden beneficiarse pero mediante las que quieren asegurarse de que la sociedad se beneficia. En este papel es poco probable que estén operando por sí mismos, más bien es probable que estén acompañados por otras organizaciones, comerciales y de otro tipo para conseguir sus propósitos.

Ilustración 4.2

"Mas allá del petróleo" y el desastre de Texas

Las compañías han sido cada vez más explícitas sobre su postura con respecto a la responsabilidad social. Pero al hacerlo pueden incrementar su vulnerabilidad cuando las cosas van mal.

La compañía energética global BP, bajo el liderazgo de John Browne, ha sido aplaudida por el desarrollo de un código de responsabilidad social explícito enfatizando la energía eficiente y sostenible, diversidad energética, preocupación por el cambio climático, desarrollo local allí donde opera y elevados niveles de seguridad. Esta postura fue publicitada en una campaña publicitaria promoviendo el lema "Más allá del petróleo". Tal y como John Browne afirmó (*Business Strategy Review*, vol. 17, núm. 3 (2006), pp. 53-56), "nuestro compromiso con la responsabilidad no sólo tiene que ser expresado en palabras, sino en las acciones del negocio, día tras día, en cada porción de actividad y cada aspecto del comportamiento".

Sin embargo, se produjo un gran desastre, no solo para la comunidad local y sus familias, sino también para BP cuando, en 2005, una explosión en la refinería de BP en Texas mató a quince trabajadores. En septiembre de 2005, BP pagó una multa de dieciséis millones de euros al Ministerio de Trabajo de Estados Unidos por trescientas violaciones de seguridad en la planta de Texas.

La prensa fue incesante en su crítica. El desastre había ocurrido en el mismo año en el que los beneficios de BP se dispararon y al propio Brown se le había asignado una remuneración en metálico y acciones en 2005 de unos nueve millones de euros. La alta dirección de BP era consciente de "significativos problemas de seguridad", no solo en la refinería de Texas, sino también en otras 34 localizaciones en todo el mundo. Dieron más importancia a la reducción de costes que a la seguridad. No habían escuchado a la gente de más abajo en la organización, que había reportado una encuesta en la que se consideraba que la mayor prioridad era "hacer dinero" y las "personas", la última. Además, muchos trabajos habían sido externalizados a contratistas más baratos, y así ocurrió.

En enero de 2007, John Browne anunció que quería abandonar BP dieciocho meses antes de que fuera sucedido por Tony Haywood que había estado encargado de la división de exploración y producción. En 2005, BP pidió a James Baker, anterior secretario de Estado de Estados Unidos, para llevar a cabo una investigación independiente. En enero de 2007, Baker informó de lo siguiente:

> "BP no ha proporcionado procesos efectivos de seguridad y no han sido establecidos de manera adecuada procesos de seguridad como valores esenciales en sus cinco refinerías de Estados Unidos (...) BP tendía a tener un enfoque a corto plazo y su sistema de dirección descentralizada y cultura emprendedora han delegado una sustancial discreción a los directores, sin unas expectativas o responsabilidades con respecto a los procesos de seguridad claramente definidos (...) La compañía no siempre se aseguraba de que los recursos adecuados estaban efectivamente asignados para apoyar o sostener un alto nivel de rendimiento de los procesos de seguridad".

La compañía se basaba excesivamente en el control de las tasas de lesiones que "significativamente dificultaban su percepción del riesgo de los procesos". Los incidentes y errores eran probablemente reportados por debajo de la realidad y, cuando se descubrían, las causas a menudo no eran identificadas correctamente.

BP respondió a esto que planeó realizar "un importante reclutamiento externo (...) para incrementar la capacidad subyacente en las operaciones e ingeniería" y que se instalarían modernos procesos de sistemas de control en sus refinerías. No obstante, la postura de la compañía con respecto a la responsabilidad social había sido cuestionada.

Preguntas

1. ¿Por qué piensa que tomó BP esta postura tan publicitada sobre responsabilidad social?
2. ¿Pueden los altos directivos gestionar de manera efectiva la responsabilidad social en el ámbito local? ¿Cómo?
3. ¿Afectará la publicidad negativa sobre el desastre de Texas a la estrategia de BP?

El grado en el que esto es una postura ética viable depende de cuestiones relacionadas con la regulación, gobierno corporativo y rendición de cuentas. Es más fácil para una organización de propiedad privada (no cotizada) operar de esta forma, dado que no es responsable ante accionistas externos. Hay quien podría argumentar que los grandes logros históricos de los servicios públicos en la transformación de la calidad de vida de millones de personas estaban producidos en gran medida debido a que estaban *orientados por la misión* de esta forma, apoyados por un marco político en el que operaban. Sin embargo, en muchos países se habían producido desafíos a la legitimidad de esta postura dirigida por la misión de los servicios públicos y demandas por los ciudadanos (como pagadores de impuestos) que esperan los mejores resultados demostrables de estos. Las organizaciones caritativas se enfrentan a dilemas similares. Es fundamental para su existencia que muestren entusiasmo por mejorar los intereses de determinados grupos en la sociedad, pero también necesitan mantenerse financieramente viables, lo que puede llevarles a ser vistas como excesivamente comerciales y que gastan demasiado en administración o en actividades promocionales.

A primera vista, los transformadores sociales representan el otro extremo del espectro que representan las empresas *laissez-faire*. Sin embargo, es preciso notar que algunas grandes empresas que muestran un enfoque *laissez-faire*, como NewsCorp o Haliburton (presumiblemente), se encuentran involucradas de manera activa en tratar de ser transformadores sociales, aunque sea hacia su visión del papel social de los negocios.

De manera creciente existe una visión por parte de los directivos de que la posición del *laissez-faire* no es aceptable [9] y que los negocios necesitan tomar una posición socialmente responsable. Esto no es solo por razones éticas sin porque existe una creencia de que para los negocios existen ventajas de hacerlo y peligros de no hacerlo. Ser socialmente responsable reduce el riesgo de reacciones negativas de los *stakeholders* (no solo de los clientes) y puede ayudar a mantener empleados leales y motivados. Por lo tanto, la responsabilidad social se encuentra justificada en términos del "triple balance" *(triple "bottom line")* —beneficios sociales y mediambientales junto con mayores beneficios—. De hecho, se argumenta que deberían ser seguidas estrategias socialmente responsables porque pueden proporcionar una base para conseguir una ventaja competitiva. Es necesario buscar situaciones del tipo *ganar-ganar* para optimizar el retorno económico sobre las inversiones ambientales: "La prueba fundamental (...) no es si una causa es loable sino si representa una oportunidad para crear valor compartido —este constituye un beneficio significativo para la sociedad que también es valioso para los negocios [10]—". La lucha contra la pandemia del sida en África no es solo cuestión de *buenas acciones* para una compañía farmacéutica o una empresa de minería, sino que es esencial para sus propios intereses.

La *auditoría social* [11] es una forma de asegurar que las cuestiones de RSC son revisadas sistemáticamente y que han sido apoyadas por una serie de organizaciones progresistas. Esto toma diversas formas, que van desde las auditorías sociales llevadas a cabo por cuerpos externos independientes, pasando por aspectos de la agenda social que son obligatorios en los informes de las compañías (por ejemplo, algunas cuestiones ambientales), hasta la contabilidad social voluntaria realizada por las propias organizaciones.

4.4 EXPECTATIVAS DE LOS *"STAKEHOLDERS"*

Debe quedar claro a partir de los apartados precedentes que las decisiones que tienen que tomar los directivos sobre el propósito y la estrategia de sus organizaciones se encuentran influidas por las expectativas de los *stakeholders*. Esto supone un desafío, puesto que es probable que los *stakeholders* sean muchos, especialmente en grandes organizaciones (véase la Figura 4.3), con expectativas diferentes y quizás que entren en conflicto. Esto significa que los directivos necesitan tener en cuenta: (a) qué *stakeholders* tendrán la mayor influencia, (b) en qué expectativas necesitan poner la mayor atención y (c) en qué medida las expectativas e influencias de los *stakeholders* varían.

Puede ser útil dividir a los *stakeholders* externos en tres tipos, en términos de la naturaleza de sus relaciones con la organización y, por lo tanto, de cómo pueden afectar al éxito o fracaso de una estrategia [12]:

Figura 4.3 Grupos de interés de una gran organización

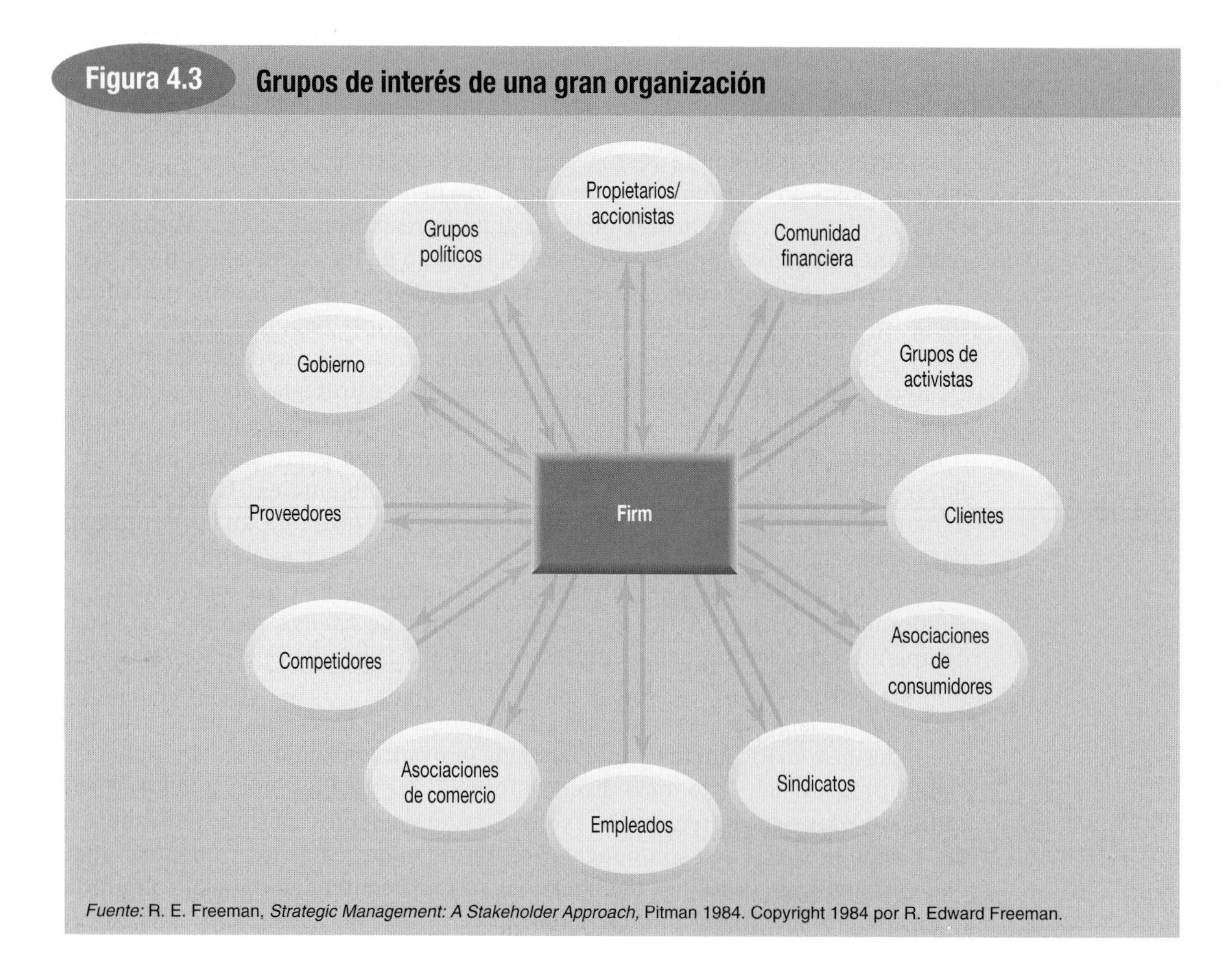

Fuente: R. E. Freeman, *Strategic Management: A Stakeholder Approach*, Pitman 1984. Copyright 1984 por R. Edward Freeman.

- *"Stakeholders" económicos*, que incluyen proveedores, competidores, distribuidores (cuya influencia puede ser identificada utilizando el modelo de las cinco fuerzas del Capítulo 2 (Figura 2.2) y accionistas (cuya influencia puede ser considerada en términos de la cadena de gobierno analizada en el Apartado 4.2.1).
- *"Stakeholders" sociopolíticos*, como políticos, reguladores y organismos políticos que influirán en la *legitimidad social* de la estrategia.
- *"Stakeholders" tecnológicos*, como adoptantes tempranos, agencias de normalización y propietarios de tecnologías competitivas que influirán en la difusión de las nuevas tecnologías y la adopción de los estándares de la industria.

La influencia de estos diferentes tipos de *stakeholders* es probable que varíe en diferentes situaciones. Por ejemplo, el *grupo tecnológico* será crucial para las estrategias de introducción de nuevos productos, mientras que el grupo *social/político* es normalmente particularmente influyente en el contexto del sector público.

Existen también grupos de *stakeholders* internos a una organización, que pueden ser los departamentos, localizaciones geográficas o diferentes niveles en la jerarquía. Los individuos pueden pertenecer a más de un grupo de *stakeholders*, y tales grupos pueden *alinearse* de manera diferente dependiendo del tema o estrategia de la que se trate. Por supuesto, los *stakeholders* externos pueden buscar influir en la estrategia de una organización a través de sus vínculos con *stakeholders* internos. Por ejemplo, los clientes pueden ejercer presión sobre los directivos de ventas que representan sus intereses dentro de la compañía.

Dado que las expectativas de los grupos de *stakeholders* diferirán, es normal que exista un conflicto con respecto a la importancia o atractivo de muchos aspectos de la estrategia. En la mayoría de las situaciones, será necesario alcanzar un compromiso. La Figura 4.4 muestra algunas de las expectativas típicas de los *stakeholders* y cómo pueden entrar en conflicto. Las organizaciones globales pueden tener complicaciones añadidas en la medida en que están operando en múltiples arenas. Por ejemplo, una división internacional es parte de la compañía matriz, con todo lo que implica en términos de expectativas sobre el comportamiento y los resultados, pero también es parte de una comunidad local, que cuenta con expectativas diferentes. Estos dos *mundos* pueden no situarse juntos de manera confortable.

Por tales razones, el concepto de *stakeholder* es valioso cuando se trata de comprender el contexto político dentro del cual pueden tener lugar los desarrollos estratégicos. De hecho, tener en cuenta las expectativas e influencia de los *stakeholders* es un aspecto importante de la elección estratégica, tal y como se verá en el Capítulo 9.

4.4.1. Mapa de *"stakeholders"*[13]

Existen diferentes formas mediante las que puede ser utilizado el mapa de *stakeholders* para mejorar la comprensión de la influencia de los *stakeholders*. El

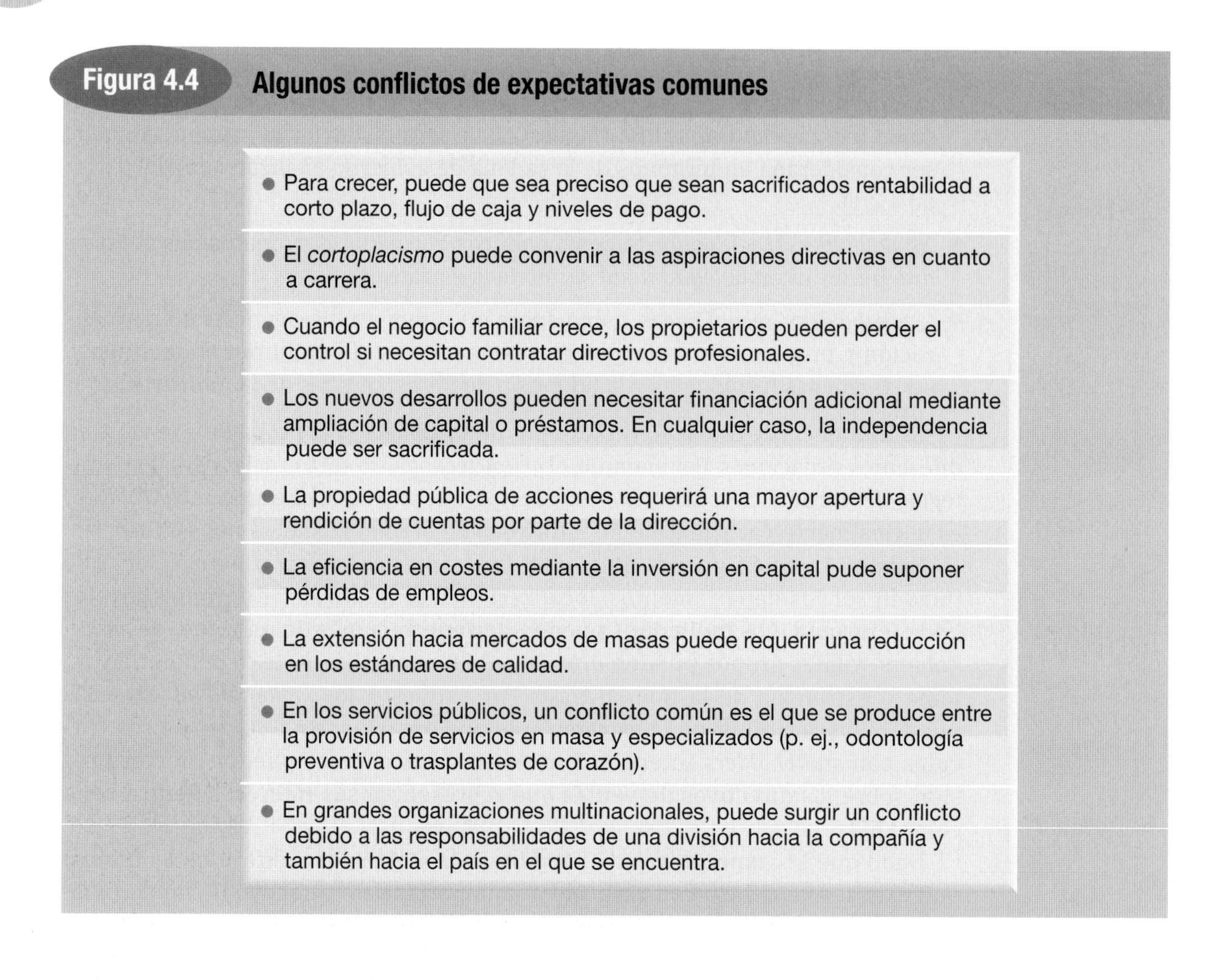
Figura 4.4 Algunos conflictos de expectativas comunes

- Para crecer, puede que sea preciso que sean sacrificados rentabilidad a corto plazo, flujo de caja y niveles de pago.
- El *cortoplacismo* puede convenir a las aspiraciones directivas en cuanto a carrera.
- Cuando el negocio familiar crece, los propietarios pueden perder el control si necesitan contratar directivos profesionales.
- Los nuevos desarrollos pueden necesitar financiación adicional mediante ampliación de capital o préstamos. En cualquier caso, la independencia puede ser sacrificada.
- La propiedad pública de acciones requerirá una mayor apertura y rendición de cuentas por parte de la dirección.
- La eficiencia en costes mediante la inversión en capital pude suponer pérdidas de empleos.
- La extensión hacia mercados de masas puede requerir una reducción en los estándares de calidad.
- En los servicios públicos, un conflicto común es el que se produce entre la provisión de servicios en masa y especializados (p. ej., odontología preventiva o trasplantes de corazón).
- En grandes organizaciones multinacionales, puede surgir un conflicto debido a las responsabilidades de una división hacia la compañía y también hacia el país en el que se encuentra.

El **mapa de "stakeholders"** identifica las expectativas y poder de los *stakeholders* y ayuda a entender las prioridades políticas.

modelo del **mapa de "stakeholders"** identifica las expectativas y poder de los *stakeholders,* y ayuda a entender las prioridades políticas. Pone de manifiesto la importancia de dos cuestiones:

- En qué medida está *interesado* cada grupo de *stakeholders* en imprimir sus expectativas en los propósitos y elecciones de las estrategias de la organización.
- Si los *stakeholders* tienen el *poder* para hacerlo.

Matriz poder/interés

La matriz poder/interés puede verse en la Figura 4.5. Describe el contexto dentro del que pueden clasificarse los *stakeholders* en relación con el poder que poseen y el grado en el que es probable que muestren interés en apoyar u oponerse a una estrategia en particular. La matriz ayuda a pensar sobre las influencias de los *stakeholders* sobre el desarrollo de la estrategia. Sin embargo, debe resaltarse que cómo manejen los directivos las relaciones dependerá de las estructuras de gobierno en las que operan (véase el Apartado 4.2) y la postura adoptada sobre

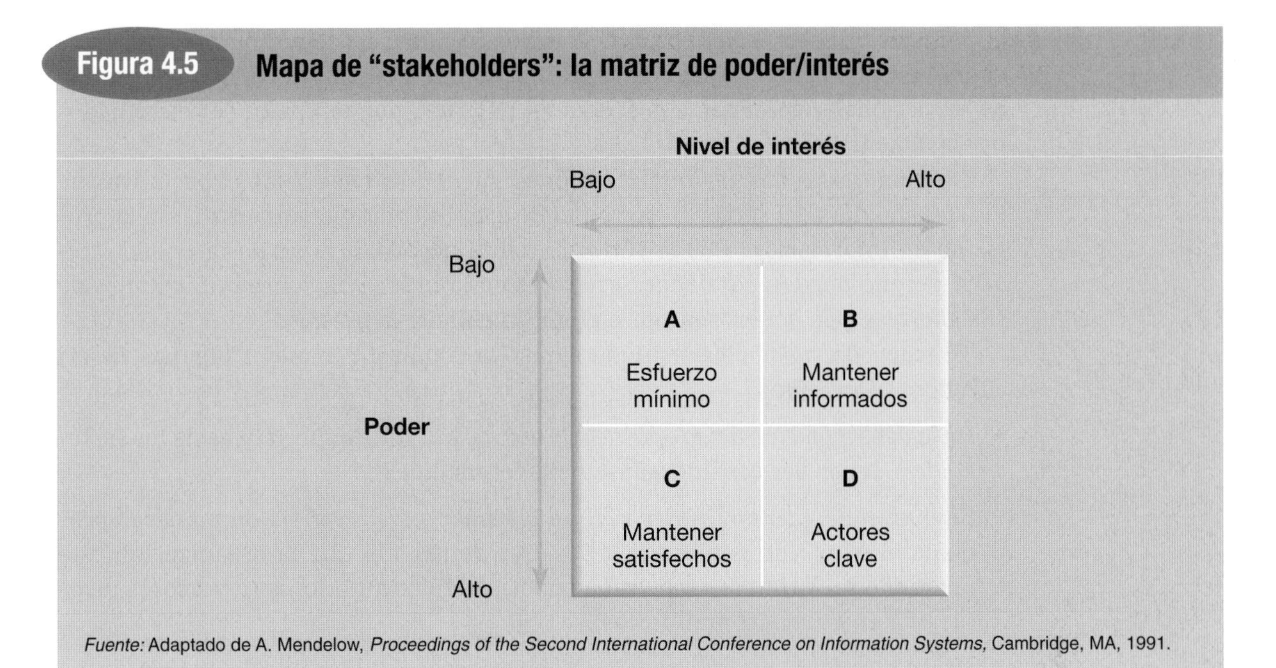

Figura 4.5 Mapa de "stakeholders": la matriz de poder/interés

Fuente: Adaptado de A. Mendelow, *Proceedings of the Second International Conference on Information Systems*, Cambridge, MA, 1991.

responsabilidad social (Apartado 4.3). Por ejemplo, en algunos países los sindicatos pueden ser muy débiles, pero en otros pueden estar representados en los consejos supervisores; los bancos en algunos países pueden adoptar una relación que no suponga implicarse en la estrategia, pero formar parte de las estructuras de gobierno en otros. Un negocio del tipo *laissez-faire* puede adoptar un enfoque que solo ponga atención a los *stakeholders* con la mayor influencia económica (por ejemplo, inversores), mientras que los transformadores sociales pueden ir más allá en su forma de relacionarse e influir sobre las expectativas y participación de *stakeholders* que normalmente no se verían como influyentes.

Para mostrar la forma en la que puede utilizarse la matriz, tomamos la perspectiva de un negocio en el que los directivos se ven a sí mismos como formulando una estrategia que trate de asegurar la conformidad de los stakeholders hacia sus propias valoraciones de los imperativos estratégicos. En este contexto, la matriz indica el tipo de relaciones que una organización normalmente puede establecer con los grupos de stakeholders en los diferentes cuadrantes. Por supuesto, la aceptabilidad de las estrategias para los *actores clave* (sector D) es de primordial importancia. Podría resultar que estos sean inversores importantes, pero podrían ser individuos particulares o agencias con mucho poder —por ejemplo, un accionista importante en una empresa familiar o una agencia financiadora ocupada de la financiación en una organización del sector público—. A menudo, las cuestiones más difíciles se relacionan con los *stakeholders* en el sector C. Aunque estos pueden, en general, ser relativamente pasivos, una situación desastrosa puede surgir cuando su nivel de interés se encuentra subestimado y de pronto se *reposicionan* en el sector D y frustran la adopción de una nueva estrategia. Los accionistas institucionales como fondos de pensiones o aseguradoras pueden incluirse en esta categoría. Pueden mostrar poco interés, a menos que los precios de las acciones comiencen a descender y entonces pueden pedir ser escuchados por la alta dirección.

De manera similar, las organizaciones pueden satisfacer las expectativas de los stakeholders del sector B, por ejemplo grupos comunitarios, mediante la provisión de información. Puede ser importante no distanciarse de tales *stakeholders,* porque pueden ser *aliados* cruciales en la influencia sobre las actitudes de *stakeholders* más poderosos, por ejemplo, mediante la *presión.*

El mapa de *stakeholders* puede ayudar a comprender mejor algunas de las cuestiones siguientes:

- En *la determinación del propósito y la estrategia,* ¿qué expectativas de los *stakeholders* deben ser consideradas en mayor medida?
- Si el *nivel de interés y poder real* de los *stakeholders* refleja de manera apropiada el marco de gobierno corporativo dentro del que la organización está operando, tal y como se mostraba en los ejemplos anteriores (inversores institucionales, grupos comunitarios).
- Quiénes es probable que sean los *bloqueadores* y *facilitadores* de una estrategia y cómo se podría responder a esto —por ejemplo, en términos de educación o persuasión—.
- Si el *reposicionamiento* de determinados *stakeholders* es deseable y/o posible. Esto podría reducir la influencia de un actor clave o, en determinadas situaciones, asegurar que existan más actores clave que defenderán la estrategia (esto a menudo es crítico en el contexto del sector público).
- El *mantenimiento* del nivel de interés o poder de algunos stakeholders clave puede ser esencial. Por ejemplo, el *refrendo* público por parte de proveedores o clientes poderosos puede ser crítico para el éxito de una estrategia. De la misma forma, puede ser necesario disuadir a algunos stakeholders de que se reposicionen. Esto es lo que se quiere decir con *mantener satisfechos* en relación con los *stakeholders* en el sector C y en menor medida *mantener informados* para los del sector B. El uso de *compensaciones* a los *stakeholders* como medio de asegurar la aceptación de nuevas estrategias puede ser esencial para mantener la actividad. Por ejemplo, puede hacerse un *trato* con otro departamento para apoyarles en una de *sus* estrategias si ellos acuerdan no oponerse a *esta* estrategia.

Estas cuestiones pueden plantear dilemas éticos difíciles para los directivos al decidir el papel que deberían jugar en la actividad política que envuelve la gestión de los stakeholders. Esto nos lleva a las consideraciones sobre el gobierno y ética que se analizaban antes en el capítulo. Por ejemplo, ¿los directivos son realmente los agentes honestos que valoran las expectativas en conflicto de los grupos de *stakeholders?* ¿O deberían rendir cuentas a un *stakeholder* —como pueden ser los accionistas— y por lo tanto su papel es asegurar la aceptabilidad de sus estrategias a otros *stakeholders?* ¿O estos tienen, como muchos autores sugieren, el poder real, construyendo estrategias que convengan a sus propios propósitos y gestionando las expectativas de los stakeholders para asegurar la aceptación de tales estrategias?

La Ilustración 4.3 muestra algunas de las cuestiones prácticas de utilizar los mapas de stakeholders para comprender el contexto político que envuelve a una nueva estrategia y establecer prioridades políticas. El ejemplo relata cómo un banco alemán con sede en Frankfurt (Alemania) y que proporciona servicios bancarios corporativos desde la matriz y una oficina regional en Toulouse (Francia). Se está considerando el cierre de su sucursal en Toulouse y proporcionar todos los servicios bancarios desde Frankfurt.

Este ejemplo ilustra dos cuestiones adicionales:

- Los grupos de *stakeholders normalmente no son "homogéneos"*, sino que contienen una variedad de subgrupos con diferentes expectativas y poder. En la ilustración, los *clientes* se muestran divididos entre los que mayoritariamente apoyan la estrategia (cliente X), aquellos que son activamente hostiles (cliente Y) y aquellos que son indiferentes (cliente Z). Por lo tanto, cuando se utilizan mapas de *stakeholders*, debe conseguirse un claro equilibrio entre la descripción de los propios *stakeholders* de manera excesivamente genérica —escondiendo importantes cuestiones de diversidad— y una excesiva subdivisión, que hace la situación confusa y difícil de interpretar.
- Es necesario distinguir entre el *papel* y *el individuo* que actualmente está desempeñando ese papel. Resulta útil conocer si un nuevo individuo en tal papel desearía cambiar el posicionamiento. Pueden cometerse serios errores si no se pone cuidado en este aspecto. En el ejemplo, se ha concluido que el ministro alemán (segmento C) es en gran parte indiferente al nuevo desarrollo —se encuentran en un punto bajo dentro de sus prioridades—. Sin embargo, un cambio de ministro podría cambiar esta situación. Aunque será imposible para el banco eliminar tales incertidumbres de manera completa, existen implicaciones para las prioridades políticas. Por ejemplo, aquellos funcionarios permanentes que están asesorando al ministro necesitan mantenerse satisfechos, dado que sobrevivirán a los ministros individuales y proporcionan una continuidad que puede reducir la incertidumbre. Por supuesto, también es posible que el nivel de interés del ministro alemán se incremente debido a la presión por parte de la contraparte francesa. Esto podría tener implicaciones sobre cómo la compañía maneja la situación en Francia.

4.5 VALORES, MISIÓN Y OBJETIVOS

Los apartados anteriores han examinado factores que influyen en el propósito global de una organización. Sin embargo, son los directivos los que necesitarán formar una visión de este propósito y encontrar una forma de expresarla. Puede ser que una declaración explícita de tal propósito por parte de la organización sea un requerimiento formal de gobierno corporativo o sea esperado por uno o más

Ilustración 4.3

Mapa estratégico de Tallman GmbH

Los mapas estratégicos pueden ser una herramienta útil para determinar las prioridades políticas para desarrollos estratégicos o cambios específicos

Tallman GmbH era un banco alemán que proporcionaba servicios bancarios minoristas y corporativos en Alemania, Benelux y Francia. Existían preocupaciones sobre sus pérdidas en cuota de mercado en el sector corporativo que recibía servicio desde dos centros —Frankfurt (para Alemania y Benelux) y Toulouse (para Francia)—. Se estaba considerando cerrar las operaciones en Toulouse y darles servicio desde Frankfurt. Esto resultaría en importantes pérdidas de empleos en Toulouse, algunas de las cuales serían reemplazadas en Frankfurt junto con sistemas de TI enormemente mejorados.

Dos mapas de poder/interés fueron compuestos por los directivos de la compañía para establecer reacciones probables de los stakeholders al cierre propuesto de las operaciones en Toulouse. El Mapa A representa la situación probable y el Mapa B la situación preferida —en la que el apoyo para la propuesta sería suficiente para proceder—.

Con respecto al Mapa A, puede observarse que, con la excepción del cliente X y el proveedor de TI, los *stakeholders* del recuadro B se oponen en la actualidad al cierre de la sucursal en Toulouse. Si Tallman tenía alguna posibilidad de convencer a tales *stakeholders* para cambiar su postura

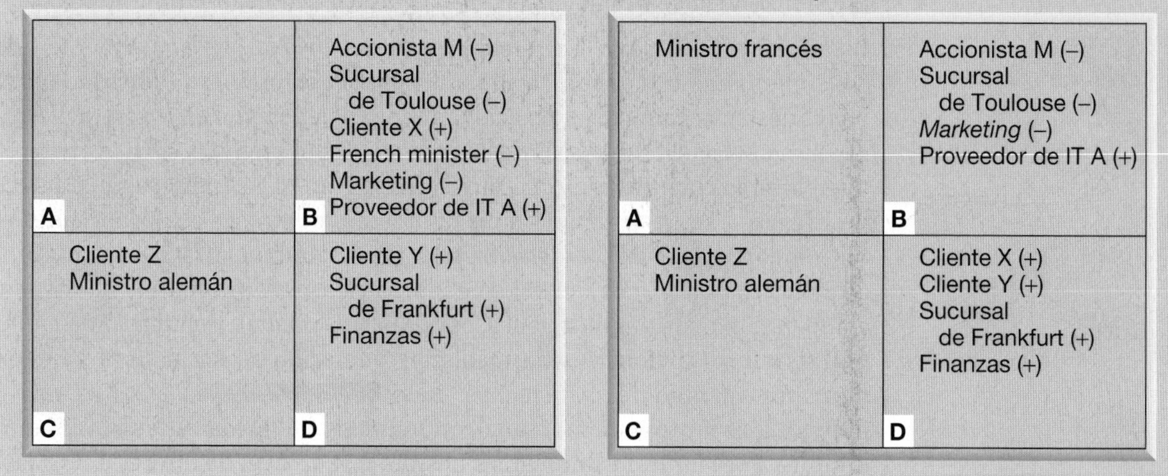

stakeholders. Este apartado examinará las diferentes formas mediante las que tal propósito puede ser expresado a través de declaraciones de *valores corporativos, visión, misión* y *objetivos*.

4.5.1. Valores corporativos

Los **valores esenciales** son aquellos principios subyacentes que guían la estrategia de una organización.

Las organizaciones han venido mostrado un interés creciente en desarrollar y comunicar un conjunto de valores corporativos que definan la forma en la que la organización opera[14]. De particular importancia son los **valores esenciales** de una organización —aquellos *principios* subyacentes que guían la estrategia de una organización—. Por ejemplo, los servicios de emergencia como ambulancias hacia una de más apoyo, la compañía debería responder a sus preguntas y, si fuera posible, aliviar sus temores. Si tales temores fueran superados, estas personas podrían convertirse en importantes aliados para influir a los *stakeholders* más poderosos situados en los recuadros C y D. La actitud de apoyo del cliente X podría ser útil en esta búsqueda. El cliente X era una multinacional con operaciones en Europa y había mostrado insatisfacción con el tratamiento inconsistente que recibía de Frankfurt y Toulouse.

Las relaciones que Tallman tenía con los *stakeholders* en el recuadro C eran las más difíciles de gestionar, ya que, aunque se consideraba que eran relativamente pasivos, en gran parte debido a su indiferencia ante la estrategia propuesta, situación que podría surgir si su nivel de interés fuera infravalorado. Por ejemplo, si el ministro alemán fuera reemplazado, su sucesor podría oponerse a la estrategia y buscar de manera activa detener los cambios. En este caso, se moverían al recuadro D.

La aceptabilidad de la estrategia propuesta a los actores actuales en el recuadro D era una consideración clave. De particular importancia era el cliente Y (un importante fabricante francés que operaba solo en Francia y que suponía el 20 por ciento de los ingresos de banca corporativa de Toulouse). El cliente Y se oponía al cierre de las operaciones en Toulouse y podría tener el poder de evitar que ocurriera, por ejemplo retirando su negocio. La compañía claramente necesitaba abrir conversaciones con este stakeholder.

Comparando la posición de los *stakeholders* en el Mapa A y B, e identificando cualquier cambio y desajuste, Tallman podría haber establecido una serie de tácticas para cambiar la postura de determinados stakeholders hacia una más positiva e incrementar el poder de otros *stakeholders*. Por ejemplo, el cliente X podría ser animado a defender la estrategia propuesta, incluso convenciendo al cliente Y de que el cambio podría ser beneficioso.

Tallman podría también buscar disuadir o evitar que *stakeholders* poderosos cambiaran su postura hacia una negativa. Por ejemplo, a menos que fuera adoptada la acción directa, la presión de Francia podría incrementar el nivel de interés del ministro alemán. Esto tenía implicaciones sobre cómo manejaría la compañía la situación en Francia. Podría dedicarse tiempo a hablar de la estrategia al ministro francés y al cliente Y para tratar de moverlos de la oposición al menos a la neutralidad, si no apoyo.

Preguntas

Para asegurar que tiene claro cómo llevar a cabo un mapa de *stakeholders*, confeccione su propio análisis completo para Tallman GmbH frente a diferentes estrategias, como pudiera ser *proporcionar servicio a todos los clientes corporativos desde Toulouse*. Asegúrese que lo hace siguiendo los siguientes pasos:

1. Plantee la situación más probable (Mapa A) –recuerde ser cuidadoso para *volver a valorar* los intereses y poder de cada stakeholder en relación con su *nueva* estrategia.
2. Elabore el mapa para la situación preferida (Mapa B).
3. Identifique los desajustes —y de ahí las prioridades políticas—. Recuerde incluir la necesidad de *mantener* un stakeholder en su posición *inicial* (si fuera relevante).
4. Remate enumerando las actividades que propondría llevar a cabo y proporcione una visión final del grado de riesgo político que supone perseguir esta nueva estrategia.

y bomberos tienen un compromiso primordial con salvar vidas, con el que los empleados se encuentran comprometidos hasta el punto en que renuncian al derecho de huelga o arriesgan sus vidas para atender emergencias cuando la vida está en peligro. Jim Collins y Jerry Porras han argumentado que el éxito a largo plazo de muchas corporaciones de Estados Unidos —como Disney, General Electric o 3M— puede ser atribuido (al menos en parte) a sólidos valores esenciales [15]. Sin embargo, de nuevo existen potenciales inconvenientes a las declaraciones públicas de valores corporativos si una organización fracasa de manera manifiesta a la hora de ponerlos en práctica (véase la Ilustración 4.2). También es importante distinguir entre *valores esenciales* que expresan la forma en la que la organización *es* de aquellos a los que la organización *aspira*. A menos que esta distinción esté clara, existe cabida para un considerable malentendido y cinismo sobre las declaraciones de los valores corporativos.

4.5.2. Declaración de la misión y la visión

Una **declaración de misión** trata de proporcionar a los empleados y *stakeholders* claridad sobre el propósito global y raison *d'être* de la organización.

Una **declaración de visión** se refiere a lo que la organización aspira a ser.

Si los valores corporativos pueden ser el telón de fondo y establecen las fronteras dentro de las que son desarrolladas las estrategias, una **declaración de misión** y una **declaración de visión** son normalmente más explícitas con respecto al propósito de una organización en términos de su orientación estratégica. En la práctica, la distinción entre las declaraciones de misión y visión puede ser vaga pero intentan ser diferentes de la siguiente forma:

- Una **declaración de misión** trata de proporcionar a los empleados y stakeholders claridad sobre el propósito global y *raison d'être* de la organización. Tiene que ver, por lo tanto, con generar comprensión y confianza sobre cómo la estrategia de una organización se relaciona con tal propósito.
- Una **declaración de visión** se refiere a lo que la organización aspira a ser. Su propósito es establecer una visión del futuro de manera que entusiasme, consiga el compromiso y fuerce la generación de resultados.

Aunque las declaraciones de misión y visión fueron ampliamente adoptadas a comienzos de los 2000, existen muchas críticas en torno a ambas, calificándolas como blandas y muy amplias. Sin embargo, podría decirse que si existe un desacuerdo sustancial dentro de la organización o con los stakeholders sobre su misión (o visión), pueden surgir problemas reales para determinar la orientación estratégica de la organización. Por lo tanto, dada la naturaleza política de la dirección estratégica, pueden ser medios útiles para centrar el debate sobre los fundamentos de la organización.

4.5.3. Objetivos

Los **objetivos** son declaraciones de resultados específicos que tienen que ser alcanzados.

Los **objetivos** son declaraciones de resultados específicos que tienen que ser alcanzados. Los objetivos —desde el punto de vista corporativo y el de unidad de negocio— a menudo son expresados en términos financieros. Podrían ser la expresión de ventas, niveles de beneficio, tasas de crecimiento, niveles de dividendo o valoraciones de las acciones deseadas. Sin embargo, las organizaciones pueden tener objetivos basados en el mercado, muchos de los cuales se encuentran cuantificados en metas —como cuota de mercado, servicio al cliente, repetir negocios, etcétera—.

Existen dos cuestiones relacionadas que los directivos necesitan considerar con respecto al establecimiento de objetivos:

- *Objetivos y medida.* Los objetivos normalmente se encuentran cuantificados. De hecho, hay quien argumenta que los objetivos no son útiles a menos que su consecución pueda ser medida. Sin embargo, esto hace surgir la cuestión de cuántos objetivos expresados de tal manera son útiles. Es cierto que hay veces en las que son necesarios objetivos determinados de manera específica, por ejemplo cuando es

Ilustración 4.4

Declaraciones de misión, visión y valores

¿Pueden las declaraciones de misión, visión y valores bien redactadas ser un medio importante para motivar a los "stakeholders" *de una organización?*

Tata Steel

Misión 2007

De manera consistente con la visión y valores del fundador Jamsetji Tata, Tata Steel se esfuerza en reforzar la base industrial de La India mediante la utilización efectiva del personal y de los materiales. Los medios previstos para conseguir esto son una alta tecnología y la productividad, de manera consistente con las prácticas de dirección modernas.

Tata Steel reconoce que mientras que la honestidad e integridad son los ingredientes esenciales de una empresa fuerte y estable, la rentabilidad proporciona la principal chispa para la actividad económica.

En global, la compañía busca escalar las cimas de la excelencia en todo lo que hace, dentro de una atmósfera libre de miedo. De ese modo reafirma su fe en los valores democráticos.

Visión 2007

Aprovechar las oportunidades del mañana y crear un futuro que nos convierta en una compañía que genere valor.

Continuar mejorando la calidad de vida de nuestros empleados y de las comunidades que servimos.

Revitalizar el negocio esencial para un futuro sostenible.

Entrar en nuevos negocios que nos proporcionen una porción de nuestro futuro.

Conservar el espíritu y valores de Tata hacia la construcción de una nación.

Policía metropolitana de Londres

Misión y valores

Nuestra misión: trabajar juntos por un Londres más seguro.

Nuestros valores: trabajar juntos con todos nuestros ciudadanos, todos nuestros socios y todos nuestros colegas: "estaremos orgullosos de ofrecer calidad en nuestras políticas. No existe una prioridad mayor a esta".

Construiremos confianza escuchando y respondiendo.

Nos respetaremos y apoyaremos entre nosotros y trabajaremos como un equipo.

Aprenderemos de la experiencia y encontraremos formas de ser incluso mejores.

Somos un equipo —todos nosotros tenemos una deber que cumplir de nuestra parte para hacer a Londres más seguro—.

Villeroy & Boch

Visión de la compañía

Ser la marca europea de estilo de vida más importante con una elevada competencia y un estilo que marque tendencia en el diseño y vida de lujo.

Cinco valores, una filosofía

I. *Clientes.* Nuestro éxito se mide por el entusiasmo que muestran nuestros consumidores por nuestros productos y servicios. Un desafío constante es satisfacer las altas expectativas que arquitectos, minoristas, comercio y consumidores finales tienen en la marca Villeroy & Boch. Les convencemos con competencia y experiencia.

II. *Empleados.* En el largo plazo, una fuerte posición de mercado sólo puede ser conseguida contando con empleados innovadores y comprometidos. Nuestra tarea primordial es motivarlos y cultivar su espíritu de equipo, animándoles a conseguir metas personales y conjuntas.

III. *Innovación.* Si proclamamos una posición de liderazgo en los mercados internacionales no es suficiente seguir las tendencias. Aquellos que quieren asegurar su ventaja competitiva en todo el mundo deben reconocer y determinar las tendencias en primer lugar.

IV. *Poder de generación de ingresos.* Una preocupación importante para nosotros es mantener la independencia de la compañía y conseguir el éxito a largo plazo. Los fundamentos para esto son una cartera equilibrada, un crecimiento orientado a la generación de ingresos, tasas de rentabilidad elevadas y constantes y dividendos apropiados.

V. *Responsabilidad.* No muchas compañías han hecho historia económica regional, así como historia cultural y social europea. Villeroy & Boch es una de ellas y por lo tanto, soporta muchas responsabilidades. Nos sentimos obligados, no solo hacia nuestros empleados, accionistas y clientes, sino también con el medioambiente y sociedad.

Preguntas

1. ¿Cuál de estas declaraciones considera que es probable que motive a qué stakeholders? ¿Por qué?
2. ¿Alguna de ellas podría haber sido mejorada? ¿Cómo?
3. Identifique otras declaraciones de misión, visión, propósito o valores que piense que están especialmente bien redactadas y explique por qué.

necesaria una acción urgente y se convierte en esencial para la dirección centrar la atención en un número limitado de requerimientos de prioridad. Si esta elección se refiere a salir del negocio o sobrevivir, no existe cabida para la laxitud mediante requerimientos establecidos de manera vaga. Sin embargo, puede ser que en otras circunstancias —por ejemplo, al tratar de alcanzar las aspiraciones de las personas en la organización— es necesario poner más atención en las declaraciones cualitativas de propósito, tales como declaraciones de misión o visión.

- *Objetivos y control.* Un problema recurrente con los objetivos es que los directivos y empleados *más abajo* en la jerarquía no tienen claro el grado en el que el trabajo del día a día contribuye a la consecución de mayores niveles en los objetivos. En principio, esto podría ser abordado como una *cascada* de objetivos —definición de un conjunto de objetivos detallados en cada nivel de la jerarquía—. Muchas organizaciones tratan de hacer esto en alguna medida. En este punto, es necesario considerar un posible compromiso entre cómo conseguir los niveles requeridos de claridad sobre la estrategia sin ser demasiado restrictivo en términos de la laxitud permitida a los individuos. Existe evidencia, por ejemplo, de que la innovación es bloqueada por el establecimiento de metas y medidas excesivamente restrictivas [16].

Un tema subyacente en este capítulo ha sido que las estrategias tienen que considerar el propósito estratégico global de la organización. Sin embargo, una cuestión central que surge es qué expectativas de los *stakeholders* deberían ser respondidas al hacerlo.

RESUMEN

- El propósito de una organización estará influido por las expectativas de sus *stakeholders.*
- La influencia de algunos *stakeholders* clave estará representada formalmente dentro de la *estructura de gobierno* de una organización. Esto puede ser representado en términos de la *cadena de gobierno*, que muestra los vínculos entre los beneficiarios últimos y los directivos de una organización.
- Existen dos sistemas de estructura de gobierno genéricos: el *modelo basado en los accionistas y el modelo basado en los "stakeholders"*. Existen variaciones de estos internacionalmente, aunque hay algunos signos de que existe una convergencia hacia el modelo basado en los accionistas.
- Existen también dimensiones éticas dentro del propósito de una organización. Desde el punto de vista de la organización, esto toma forma en la postura adoptada con respecto a la *responsabilidad social corporativa.*
- Diferentes *stakeholders* ejercen distinta influencia sobre el propósito y la estrategia organizativa, dependiendo del nivel de su poder e interés.
- Una importante tarea directiva es decidir cómo debería una organización expresar su propósito estratégico mediante sus declaraciones de *valores, visión, misión* u objetivos.

Lecturas clave recomendadas

- Algunos libros que proporcionan una explicación más completa del concepto de gobierno corporativo: R. Monks y N. Minow (eds), *Corporate Governance,* tercera edición, Blackkwell, 2003; y J. Solomon, *Corporate Governance and Accountability,* segunda edición, Wiley, 2007. Para una crítica provocativa y propuestas para el futuro del gobierno corporativo en relación con aspectos de responsabilidad social, véase S. Davies, J. Lukomnik y D. Pitt-Watson, *The New Capitalists,* Harvard Business School Press, 2006.
- Para una revisión de diferentes posturas sobre la responsabilidad social corporativa, véase P. Mirvis y B. Googins, "Stages of corporate citizenship". *California Management Review,* vol. 48, núm. 2 (2006), pp. 104-126.
- El asunto de la importancia de la claridad de los valores y vision estratégicos es especialmente puesto de manifiesto por J. Collins y J. Porras, *Built to Last: Successful habits of visionary companies,* Harper Business, 2002 (en particular véase el capítulo 11).

Referencias

1. Esta definición se basa, aunque se ha adaptado, en S. Jacoby, "Corporate governance and society". *Challenge,* vol. 48, núm. 4 (2005), pp. 69-87.
2. El modelo del principal y el agente es parte de la teoría de la agencia que se desarrolla dentro de la economía de las organizaciones, aunque en la actualidad es ampliamente utilizada en el campo del management, tal y como se muestra aquí. Dos referencias útiles son: K. Eisenhardt, "Agency theory: an assessment and review", *Academy of Management Review,* vol. 14, núm. 1 (1989), pp. 57-74; J.-J; Laffont y D. Martimort, *The Theory of Incentives: The Principal-Agent Model,* Princeton University Press, 2002.
3. Para un fuerte apoyo de esta posición, véase S. Davies, J. Lukomnik y D. Pitt-Watson, *The New Capitalists,* Harvard Business School Press, 2006.
4. Basado en la investigación realizada en el Center for Corporate Citizenship del Boston College, recogida en P. Mirvis y B. Googins, "Stages of corporate citizenship", *California Management Review,* vol. 48, núm. 2 (2006), pp. 104-126.
5. A menudo citado como un resumen del argument de Milton Friedman recogido en: Milton Friedman: "The social responsibility of business is to increase its profits", *The New York Times Magazine,* 13 de septiembre 1970.
6. Véase S. Macleod, "Why worry about CSR?", *Strategic Communication Management,* agosto/septiembre (2001), pp. 8-9.
7. Véase M. Porter y M. Kramer, The competitive advantage of corporate philanthropy", *Harvard Business Review,* vol. 80, núm. 12 (2002), pp. 56-68.
8. H. Hummels, "Organizing ethics: a stakeholder debate", *Journal of Business Ethics,* vol. 17, núm. 13 (1998), pp. 1403-1419.
9. D. Vogel, "Is there a market for virtue? The business case for corporate social responsibility", *California Management Review,* vol. 47, núm. 4 (2005), pp. 19-45.
10. Esta cita es de Porter y Kramer, (nota 7, p. 80).
11. Para un análisis sobre el rango de medidas de resultado utilizadas en relación con la RSC y su efectividad, véase A. Chatterji y D. Levine, "Breaking down the wall of codes: evaluating non-financial performance measures", *California Management Review,* vol. 48, núm. 2 (2006), pp. 29-51.

12. Cómo estos tres grupos interactúan con la organización en detalle puede encontrarse en: J. Cummings y J. Doh, "Identifying who matters: mapping key players in multiple environments", *California Management Review,* vol. 42, núm. 2 (2000), pp. 83-104.

13. Este enfoque del mapa de stakeholders ha sido adaptado de A. Mendelow, *Proceedings of the 2nd International Conference on Information Systems,* Cambridge, MA, 1991. Véase también el capítulo de K. Scholes, "Stakeholder analysis", en V. Ambrosini, G. Johnson y K. Scholes (eds), *Exploring Techniques of Analysis and Evaluation in Strategic Management,* Prentice Hall, 1998. Para una explicación de lo que ocurre en el sector público, véase K. Scholes, "Stakeholder mapping: a practical tool for public sector managers", en G. Johnson y K. Scholes (eds.), *Exploring Public Sector Strategy,* Financial Times/Prentice Hall, 2001, capítulo 9.

14. P. Lencioni, "Make your values mean something", *Harvard Business Review,* vol. 80, núm. 7 (2002), pp. 113-117.

15. Véase J. Collins y J. Porras, *Built to Last: Successful habits of visionary companies,* Harper Business, 2002.

16. Véase A. Neely, "Measuring performance in innovative firms", capítulo 6, en *The Exceptional Manager,* por R. Delbridge, L. Grattan y G. Johnson, Oxford University Press, 2006.

CASO DE EJEMPLO (PRODUCT) RED y Gap

(RED) fue creada por Bono y Bobby Shriver, director general de DATA, para conseguir dinero y conciencia para The Global Fund al asociarse con las marcas más icónicas del mundo para producir productos con la marca PRODUCT (RED). Un porcentaje de cada producto (PRODUCT) RED vendido es cedido a The Global Fund. El dinero ayuda a las mujeres y niños con VIH/SIDA en África [1].

La iniciativa (RED) comenzó en 2006 y fue Ruanda el primer país seleccionado para beneficiarse de las ventas de los productos (RED). Los primeros productos lanzados en Reino Unido fueron la tarjeta American Express (PRODUCT) RED y una camiseta (PRODUCT) RED de Gap lanzada en marzo de 2006. Las compañías que se unieron a la iniciativa incluían a Motorola, Converse, Apple (que introdujo un iPod (PRODUCT) RED) y Emporio Armani. Se lanzó también una edición especial del *Independent*, editada por Bono.

EL MANIFIESTO (RED)

TODAS LAS COSAS ESTÁN IGUAL, ELLOS NO.

COMO PRIMER MUNDO DE CONSUMIDORES. TENEMOS UN TREMENDO PODER. AQUELLO QUE COLECTIVAMENTE ELEGIMOS COMPRAR O NO COMPRAR PUEDE CAMBIAR EL CURSO DE LA VIDA E HISTORIA DE ESTE PLANETA.

(RED) ES SOLO UNA IDEA. Y ES PODEROSA. AHORA. TIENES UNA ELECCIÓN. EXISTEN TARJETAS DE CRÉDITO (RED), TELÉFONOS (RED), ZAPATOS (RED), MASRCAS DE MODA (RED). Y NO. ESTO NO SIGNIFICA QUE TODOS SEAN DE COLOR ROJO. AUNQUE ALGUNOS LO SON.

SI COMPRAS UN PRODUCTO (RED) O UN SERVICIO (RED), SIN COSTE PARA TI, UNA COMPAÑÍA (RED) CEDERÁ PARTE DE SUS BENEFICIOS PARA COMPRAR Y DISTRIBUIR MEDICAMENTOS RETROVIRALES A NUESTROS HERMANOS Y HERMANAS QUE ESTÁN MURIENDO DE SIDA EN ÁFRICA.

CREEMOS QUE CUANDO A LOS CONSUMIDORES SE LES OFRECE ESTA ELECCIÓN Y LOS PRODUCTOS CUMPLEN SUS NECESIDADES, ELEGIRÁN (RED) Y CUANDO ELIJAN (RED) SOBRE LOS NO (RED), ENTONCES MÁS MARCAS ELEGIRÁN CONVERTIRSE EN (RED) PORQUE ES BUENO PARA SU NEGOCIO HACERLO. Y SE SALVARÁN MÁS VIDAS.

(RED) NO ES CARIDAD. ES SIMPLEMENTE UN MODELO DE NEGOCIO. COMPRAS COSAS (RED). TOMAMOS EL DINERO, COMPRAMOS LAS PÍLDORAS Y LAS DISTRIBUIMOS. ELLOS TOMAN LAS PÍLDORAS, CONTINÚAN VIVOS Y CONTINÚAN CUIDADANDO SUS FAMILIAS, Y CONTRIBUYEN SOCIAL Y ECONÓMICAMENTE EN SUS COMUNIDADES.

SI NO TOMAN LAS PÍLDORAS, MUEREN. NO QUEREMOS QUE MUERAN. QUEREMOS DARLES LAS PÍLDORAS. Y PODEMOS. Y PUEDES. Y ES FÁCIL.

TODO LO QUE TIENES QUE HACER ES MEJORAR TU ELECCIÓN.

Fuente: http://www.joinred.com/manifesto.asp.

Las campañas de apoyo para el (RED) provinieron de Bill Gates, entrevistado en *Advertising Age:* "Red se refiere a salvar vidas (...) si no existe suficiente dinero para comprar medicinas, la gente muere, y por eso podemos decir "Dejemos que ocurra", o podemos tomar todas las vías disponibles para nosotros". Reconoció que esto incluía que los gobiernos fueran más generosos, pero también creía que los consumidores podrían "asociarse con la salvación de vidas" y que Gap o Armani lo estaban haciendo mediante (PRODUCT) RED al proporcionar esta oportunidad.

Otros comentaristas no eran tan positivos. Otro artículo en *Advertising Age* [2] afirmaba que la campaña había recaudado solo dieciocho millones de dólares (quince millones de euros) en un año, a pesar de un desembolso en *marketing* por las compañías involucradas en el proyecto (incluyendo a Gap) de cien millones de dólares. Gap era la que más había gastado, con un presupuesto publicitario de 7,8 millones de dólares. Una portavoz de (RED) afirmaba que la cifra de cien millones era solamente un "número fantasma sacado de la nada".

Un artículo en *Independent* hizo sus propios números, concluyendo que la cifra alcanzada era de veinticinco millones de dólares en seis meses y que, "sobre una inversión en publicidad de cuarenta millones de dólares, era una tasa de retorno extraordinariamente buena".

Continuaron argumentando [3]:

"Lo que la iniciativa RED se había propuesto hacer —y con cierto éxito si veinticinco millones de dólares en seis meses es la mitad de los beneficios que tendrían los productos RED— es crear una corriente de ingresos para la lucha contra el sida en África que superaba en mucho los pagos de los presupuestos de filantropía corporativa. Se propone crear una importante fuente de dinero para el fondo común y una fuente que es sostenible. Es un modelo completamente nuevo para la obtención de beneficios".

"¿Pero no sería mejor si la gente simplemente diera el dinero que gasta en los productos directamente a caridad? "Si solo fuera esta la elección. Pero la mayoría de personas no darían el coste de un nuevo iPod al nuevo fondo global".

Continuaban diciendo:

"El dinero que RED había conseguido significa que unos 160.000 africanos obtendrán retrovirales en los meses siguientes, huérfanos alimentados y escolarizados en Swazilandia y un programa nacional de tratamiento y prevención del VIH en Ruanda".

(RED) Gap

En su página web, el vicepresidente de responsabilidad social de Gap, Dan Henkle, explicaba el compromiso de Gap en relación con su trabajo en Lesoto. Lesoto tenía una población de 1,8 millones de personas, con casi la tercera parte con anticuerpos del VIH. Gap había invertido de manera significativa en la fabricación de camisetas en tal país, así como en una serie de iniciativas, por ejemplo, en la realización de pruebas y tratamiento del VIH para los trabajadores en la fabricación de ropa. También había promovido el trabajo en la industria de fabricación de ropa en ese país.

El grupo de presión en Inglaterra Labour Behind the Label, que hace campaña para mejorar las condiciones de vida de los trabajadores en la fabricación de ropa en todo el mundo, expresó su apoyo por el esfuerzo realizado por Gap para avanzar hacia una fabricación de productos más responsable. Al decidir fabricar las camisetas (PRODUCT) RED en Lesoto, Gap había ayudado a salvaguardar el sustento en un momento en el que otras compañías estaban fabricando ropa de manera creciente en China o La India:

Mientras Gap, como todas las compañías de ropa, tiene un largo camino para poder resolver la cuestión de los derechos de los trabajadores en su cadena de suministro, ha ido mucho más allá que otras empresas. Aunque nos gustaría ver iniciativas como RED, que fueran más extensas en su actitud hacia la combinación de caridad y cambio político, hasta el momento los indicadores sugieren que la forma en la que la camiseta RED las ha unido podría ser un paso positivo para que la industria de fabricación de ropa africana y también para la lucha contra el sida [4].

Otros mostraban un menor apoyo. Una página web de parodias, imitando la publicidad de Gap, fue establecida por manifestantes en San Francisco. Animaban a la gente a apoyar causas directamente, en lugar mediante la compra. Su mensaje: "Comprar no es la solución. Compra (menos). Da más. Únete a nosotros para rechazar la pesada noción de que comprar es una respuesta razonable al sufrimiento humano".

Y en octubre de 2006 en *The Times* aparecía una larga crítica [5]:

"Gap, un vendedor de ropa moderna para el mercado de masas, está ganando aplausos por su nueva campaña (...) diseñada para generar conciencia y dinero para aliviar el sufrimiento en África (...). Se compromete a ceder la mitad de los beneficios de sus icónicas camisetas y chaquetas de cuero RED al alivio del sida/VIH. La campaña fue lanzada la semana pasada, con el siempre crucial apoyo de Hollywood. Cuenta con la actuación de estrellas como Steven Spielberg y Penélope Cruz en las camisetas RED, con mensajes de una palabra que dicen, con una modestia que no se ajusta bastante a la de la ropa, INSPI(RED) y ADMI(RED). El mensaje es que, comprando estos productos, los mortales normales como tú y yo (sí, tú), pueden parecerse a las estrellas de Hollywood y además salvar vidas en África. Casi puedes probar cómo rezuma pena y caridad de los prominentes labios de la señorita Cruz y un torrente de amor de los ingenuos ojos del señor Spielberg".

"Perdón por ser cascarrabias. Pero esta última concesión a las fuerzas galopantes de la responsabilidad social corporativa, lejos de ayudar a los ignorantes del mundo, realmente está haciendo las cosas peor. Estoy asqueado y aburrido de compañías que tratan de demostrarme lo seriamente que se toman su supuesta obligación de traer alegría y eliminar el dolor del mundo. Pueden coger su tarjeta de crédito (camisetas y teléfonos móviles y preguntarse A ELLOS MISMOS) si este es realmente el tipo de cosas que deberían hacer con el dinero de sus accionistas".

"No quiero aquí menospreciar el espíritu caritativo o el trabajo de buenas personas como Bono o Bob Geldof, ni la decente motivación de millones en el mundo rico, quienes genuinamente quieren ayudar a mejorar las desdichadas vidas de aquellos que son menos afortunados que ellos. Que no se me entienda mal; la caridad es una de las mejores virtudes y debería, en casi todos los casos, ser potenciada".

"Tampoco quiero destacar el nauseabundo fomento del consumo representado por la campaña RED ("Mira", dice, "¿no solo me veo bien. SOY bueno!"). Ni siquiera voy a insistir en el hecho, aunque podría hacerlo, de que a pesar de la ayuda que ha recibido

África durante los últimos cincuenta años, el continente sigue siendo más pobre que nunca y ciertamente más pobre que aquellas partes del mundo que han recibido poco en forma de caridad en ese periodo".

"Mi problema con esto es que esto se hace por la mera idea del capitalismo, por compañías que persiguen su completamente sana responsabilidad de generar dinero. El capitalismo de libre mercado, sin límites gracias a la gente de marketing en alianza con grupos de interés específicos en una misión de salvar el mundo, ha hecho más por aliviar la pobreza que cualquier bien intencionada campaña contra la pobreza en la historia del globo".

"Al concentrarse en la venta de bienes de calidad y de bajo precio, algunos de ellos hechos con fuerza de trabajo que de otra forma estaría ociosa (y muriendo) en el mundo en desarrollo, Gap salva vidas. Al ayudar a mantener los precios bajos y generar beneficios, Gap devuelve dinero a gente en Estados Unidos, Reino Unido y otros lugares. Esto genera demanda de productos importados de los países en desarrollo. Esto evita que los pobres de estos países sufran aún más de lo que lo hacen ahora".

"En un mundo complejo, todos operamos bajo la división del trabajo. Las compañías generan beneficios. Es para lo que están diseñadas. Es lo que hacen mejor. Cuando se apartan de tal misión, llevan a sus empleados y accionistas hacia un largo y lento camino hacia la perdición".

"¿Piensas que es exagerado? Lo más preocupante sobre campañas como la de Product Red es que suponen estar de acuerdo con grupos que piensan que el negocio del capitalismo es fundamentalmente malo. Al aplacar a gente que considera la globalización como un proceso de explotación, las compañías como Gap están haciendo el mundo mucho peor para todos nosotros. Están reconociendo de manera implícita que su principal negocio —vender cosas que la gente quiere a cambio de un beneficio— es intrínsecamente inmoral y necesita ser expiado mediante una muestra ocasional de verdadera bondad".

"En lugar de resistirse a esto, están alimentando un sentimiento anti negocio que nos empobrecerá a todos. Es más, esta invasión por parte de las compañías es fundamentalmente no democrática. Las compañías no deberían coludir con los grupos de interés y organizaciones no gubernamentales para decidir sobre las prioridades públicas. Esto lo tiene que hacer gente libre, mediante sus gobiernos electos".

"Nada de esto significa que las compañías —o las personas que las hacen funcionar- no deberían comportarse moralmente—. Deberían observar no sólo la ley, sino los estándares éticos más elevados, lo que significa honestidad, relaciones justas y apertura. En ocasiones, puede incluso ir a favor de su interés corporativo (p.ej., rentabilidad a largo plazo) el hecho de contribuir a causas políticas o caritativas —en tales causas los accionistas pueden y deberían votar sobre lo apropiado de los fondos para tales propósitos—."

"Pero los accionistas —todos nosotros— deberíamos preocuparnos cuando la dirección decide, por cualquier razón, hacer causa común con aquellos que se oponen a los principios básicos sobre los que se llevan a cabo sus negocios. Esto representa un caso de búsqueda de objetivos corporativos equivocados".

Notas

1. *Fuente:* página web de (PRODUCT) RED http://joinred.blogspot.com/.
2. M. Frazier, "Costly Red Campaign reaps meager $18m", *Advertising Age,* vol. 78, no. 10 (5 de marzo 2007).
3. P. Vallely, "The Big Question: Does the RED campaign help big Western brands more than Africa", *Independent,* p. 50, 9 de marzo (2007). Copyright The Independent, 9.3.07.
4. *Fuente:* http://www.labourbehindthelabel.org/content/view/67/51/.
5. Gerard Baker, "Mind the Gap - with this attack on globalisation", *The Times,* 24 de octubre (2006). © Gerard Baker/N.I. Syndication Limited, 24.10.06.

Preguntas

1. ¿Cuál es la lógica de:
   a) Los fundadores de (PRODUCT) RED?
   b) Dan Henkle y Gap?
   c) El autor del artículo de *The Times*?
2. ¿Qué opiniones pueden tener los accionistas de Gap sobre su participación en (PRODUCT) RED?
3. En su opinión, ¿(PRODUCT) RED es una actividad corporativa apropiada?
4. Si fuera un accionista de una compañía y quisiera persuadir a la alta dirección de unirse a la iniciativa (PRODUCT) RED, ¿cómo lo haría? (Utilice el análisis de los stakeholders como medio para considerar esto).

5

CULTURA Y ESTRATEGIA

OBJETIVOS DE APRENDIZAJE

Tras leer este capítulo, usted debería ser capaz de:

- Identificar empresas que hayan experimentado deriva estratégica y reconocer los síntomas de deriva estratégica.
- Analizar la influencia de la cultura de una organización sobre su estrategia utilizando la red cultural.
- Reconocer la importancia de las preguntas que los estrategas hacen sobre los aspectos de una cultura que se dan por hechos.

5.1 INTRODUCCIÓN

Los Capítulo 2, 3 y 4 han considerado la importante influencia del entorno, capacidades organizativas y expectativas de los *stakeholders* sobre el desarrollo de la estrategia.

Una perspectiva cultural también puede ayudar a comprender las oportunidades y restricciones a las que se enfrentan las organizaciones, muchas de las cuales también son analizadas en otros capítulos del libro. En particular, las capacidades de una organización (Capítulo 4), especialmente aquellas que una ventaja competitiva, pueden construirse a lo largo del tiempo. Al hacerlo, tales capacidades pueden formar parte de la cultura de una organización —la forma de hacer las cosas que se da por supuesta—, por lo que es difícil para otras organizaciones copiarlo. Por lo tanto, comprender las bases culturales de tales capacidades también pone de manifiesto los desafíos que supone el cambio estratégico (véase el Capítulo 10). El poder e influencia de los diferentes *stakeholders* también es probable que tenga orígenes históricos que es importante comprender. El tema central de este capítulo es, por tanto, que la posición estratégica de una organización posee

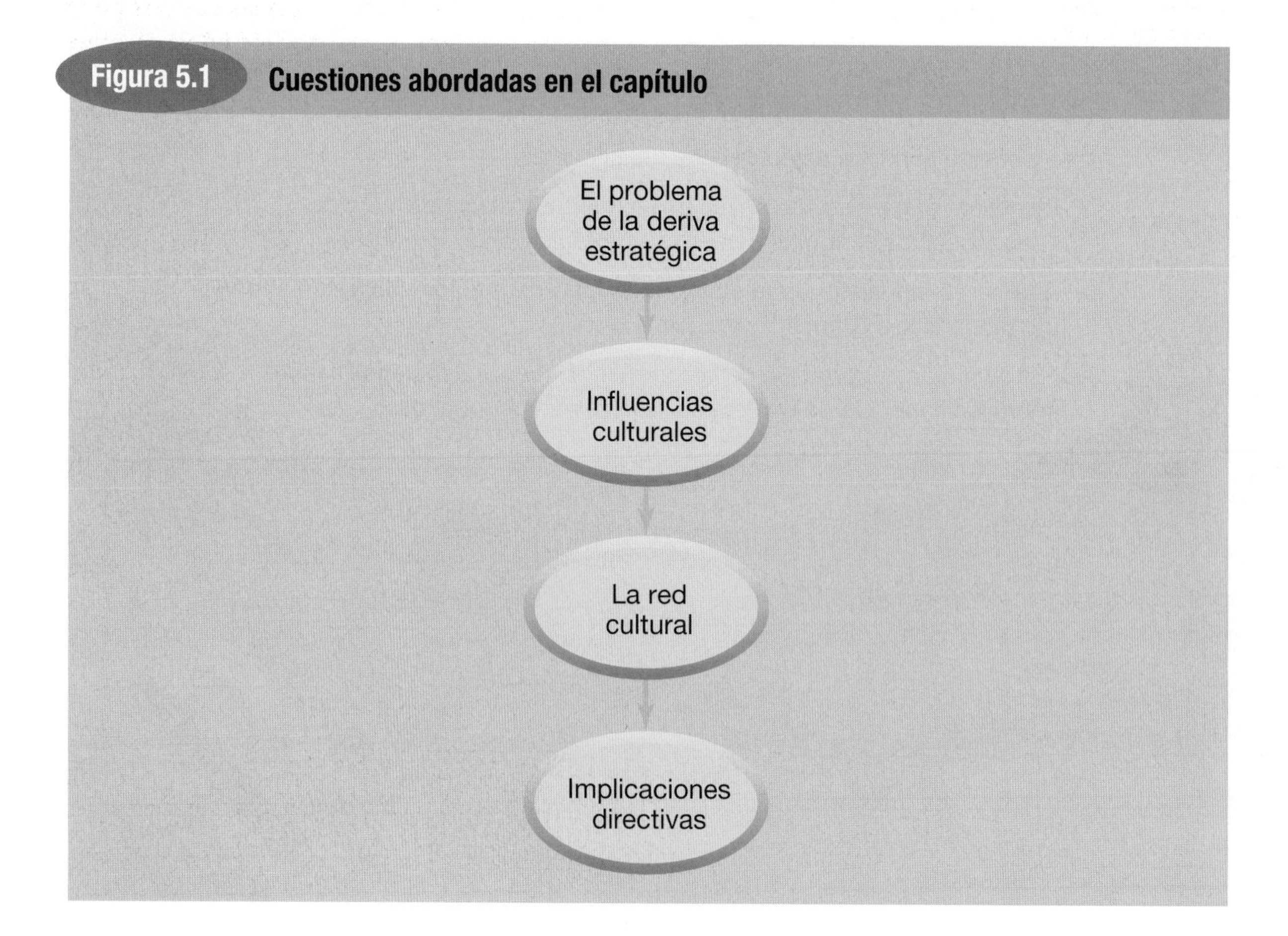

raíces culturales y que comprender cuáles son esas raíces ayuda a los directivos a desarrollar la estrategia futura de sus organizaciones.

El capítulo comienza explicando el fenómeno de la deriva estratégica, que pone de manifiesto la importancia de la cultura en relación con el desarrollo de la estrategia e identifica los importantes desafíos a los que se enfrentan los directivos en la gestión de tal desarrollo. El Apartado 5.3 explica lo que se entiende por cultura y cómo las influencias culturales en los ámbitos nacional, institucional y organizativo influyen en la estrategia actual y futura. Entonces se sugiere cómo puede ser analizada una cultura y cómo su influencia sobre la estrategia puede ser entendida. La Figura 5.1 resume las cuestiones abordadas en el capítulo.

5.2 DERIVA ESTRATÉGICA

La **deriva estratégica** es la tendencia de las estrategias a desarrollarse de manera incremental, sobre la base de influencias históricas y culturales, pero hace que no sean capaces de mantener el ritmo de un entorno cambiante.

Los estudios históricos sobre organizaciones han mostrado un patrón que es representado en la Figura 5.2. La **deriva estratégica**[1] es la tendencia de las estrategias a desarrollarse de manera incremental, sobre la base de influencias históricas y culturales, pero hace que no sean capaces de mantener el ritmo de un entorno cambiante. Un ejemplo de deriva estratégica es proporcionado por la Ilustración 5.1. Es importante comprender las razones y consecuencias de la deriva estratégica, no solo debido a que son comunes, sino también debido a que ayuda a explicar por qué las organizaciones a menudo *pierden impulso*. También pone de manifiesto algunos desafíos significativos para los directivos que, además, indican algunas importantes lecciones.

Figura 5.2 Deriva estratégica

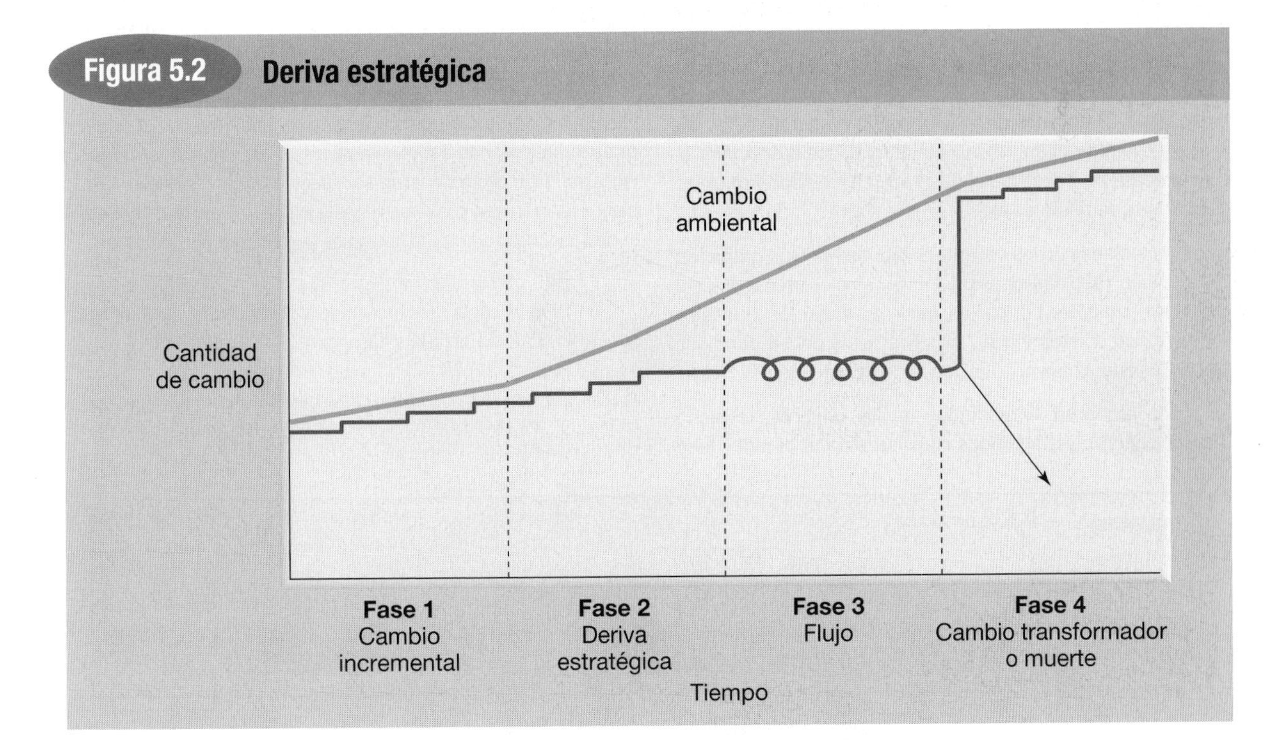

Ilustración 5.1

Motorola: una historia analógica que se enfrenta a una revolución digital

Las bases del éxito de una empresa pueden ser una causa de deriva estratégica.

En 1994, Motorola tenía el sesenta por ciento del mercado de telefonía en Estados Unidos. Fundada en 1928, era conocida por su innovación tecnológica. Introdujo el dispositivo de radio de dos vías llamado walkie-talkie, comúnmente utilizado en la Segunda Guerra Mundial. Además comercializó la primera televisión vendida por debajo de los doscientos dólares en 1948. En los años cincuenta, había desarrollado capacidades en circuitos impresos, tecnología de sustrato cerámico y diseño de sistemas electrónicos. En los años setenta, era un importante productor de microprocesadores y era considerado un líder mundial en tecnología.

Sin embargo, incluso en los primeros días era evidente que el énfasis se ponía en la tecnología, en lugar de en el mercado. Los críticos sugerían que la empresa ponía la tecnología antes que los consumidores.

Los teléfonos móviles habían sido desarrollados por Bell Labs en los años setenta. A mediados de los ochenta, Motorola eral el principal productor de teléfonos móviles utilizando tecnología analógica, como un desarrollo de sus sistemas de *walkie-talkies* utilizando la tecnología que había desarrollado después de la guerra. Sin embargo, estos dispositivos eran voluminosos y caros, dirigidos a directivos de empresas que necesitaban desplazarse y no podrían utilizar las líneas de telefonía fija.

A mediados de los noventa, Motorola tenía un gran éxito. De 1992 a 1995, los ingresos por ventas crecieron a una media del veintisiete por ciento, hasta alcanzar los veintisiete billones de dólares y unos ingresos netos del 58 por ciento al año hasta alcanzar 1,8 billones de dólares.

Sin embargo, a mediados de los noventa, la tecnología digital para teléfonos móviles estaba siendo desarrollada mediante lo que era conocido como Personal Communication System (PCS). Esta tecnología superaba algunas de las limitaciones de la tecnología analógica: reducía las interferencias y permitía que los códigos de seguridad fueran encriptados y que se gestionaran más abonados que con la analógica. Era una tecnología que permitía el desarrollo del mercado de masas. La demanda de teléfonos digitales creció de manera rápida, no solamente entre las personas de negocios, sino en un mercado de consumidores más amplio. Estos consumidores estaban mucho menos preocupados de la funcionalidad y mucho más preocupados por la facilidad de uso y la estética.

De acuerdo con un director ejecutivo de Motorola, Robert Galvin, la compañía "estaba en la vanguardia del desarrollo de la tecnología digital". Sin embargo, eligió mantenerse con la tecnología analógica por muchos años y licenciar su tecnología digital a Nokia y Ericsson, lo que le proporcionaba *royalties* crecientes. De hecho, Motorola lanzó un nuevo teléfono analógico, Star-TAC, y se embarcó en una campaña de *marketing* agresiva para promocionarlo.

No solo estaba claro por los *royalties* crecientes que los teléfonos móviles empezaban a tener éxito, sino que los clientes estaban presionando a Motorola para que desarrollara teléfonos digitales: "Nos dijeron que no sabíamos de qué estábamos hablando... No fueron conversaciones amigables. Pero Motorola no lo hizo. En lugar de ello, lo lanzamos con Ericsson, después con Nokia".

En 1998, la cuota de mercado de Motorola había caído al 34 por ciento, y se vio forzada a despedir a 20.000 personas.

Fuente: adaptado de S. Finkelstein, "Why smart executives fail: four case histories of how people learn the wrong lessons from history", *Business History*, vol. 48, núm. 2 (2006), pp. 153-170.

Preguntas

1. ¿Identifique en una línea del tiempo entre 1928 y 1998 los principales identificados aquí. ¿Qué le dice este análisis sobre las razones para la resistencia de Motorola a la nueva tecnología?
2. Dado que Motorola tenía la tecnología y sabía que el mercado digital se estaba desarrollando, proporcione razones de por qué persistió con la tecnología analógica.

5.2.1. Las estrategias cambian de manera incremental

Las estrategias de las organizaciones tienden a cambiar de manera gradual, desarrollándose sobre la base de lo que la organización ha hecho en el pasado —especialmente si ha tenido éxito—. Por ejemplo, Sainsbury fue uno de los minoristas de más éxito del mundo durante décadas hasta principios de los noventa, mediante su fórmula de vender alimentos de una calidad superior a la de los competidores a precios razonables. Siempre bajo la guía patriarcal de un director ejecutivo de la familia Sainsbury, extendió de manera gradual su línea de productos, ampliando sus tiendas y su cobertura geográfica, sin desviarse de sus probadas formas de hacer negocios. Esto se recoge en la fase 1 de la Figura 5.2. En la mayoría de los negocios de éxito, normalmente existen largos periodos de relativa *continuidad*, durante los que la estrategia establecida se mantiene sin cambios durante mucho tiempo o cambia de manera muy *incremental*. Existen tres razones principales para ello:

- *Alineamiento con el cambio del entorno.* Bien podría ser que el entorno, particularmente el mercado, esté cambiando gradualmente y la organización se esté manteniendo en línea con tales cambios mediante tal cambio incremental. No tendría sentido para la estrategia cambiar de manera radical cuando el mercado no lo está haciendo.
- *El éxito del pasado.* Puede existir una natural falta de voluntad de los directivos para cambiar una estrategia de manera significativa si ha tenido éxito en el pasado, especialmente si ha sido construida sobre capacidades que han mostrado ser la base de ventaja competitiva (véanse los Capítulos 3 y 6) o de innovación.
- *Experimentación en torno a un tema.* Los directivos pueden haber aprendido cómo construir variaciones en torno a su fórmula de éxito, experimentando sin moverse demasiado lejos de su base de capacidades.

Estas consideraciones suponen desafíos para los directivos. ¿Durante cuánto tiempo y en qué medida pueden confiar en que el cambio incremental construido sobre el pasado es suficiente? ¿Cuándo deberían llevar a cabo cambios estratégicos más fundamentales? ¿Cómo van a detectar cuándo esto es necesario?

5.2.2. La tendencia hacia la deriva estratégica

Aunque la estrategia de una organización puede continuar cambiando de manera incremental, puede no cambiar en línea con el entorno. Esto no significa necesariamente que tengan que ser cambios radicales del entorno. La fase 2 de la Figura 5.2 muestra un cambio ambiental que se acelera, pero no es radical. Para Sainsbury lo constituía la creciente cuota de su rival, Tesco, acompañada por el crecimiento de tiendas de mayor tamaño, con gamas de productos más amplias (por ejemplo, productos que no eran de alimentación) y cambios en la logística de distribución de los competidores. Sin embargo, estos cambios habían tenido lugar durante muchos años. El problema que llevó a que se produjera la deriva estratégica es que, como muchas organizaciones, la estrategia de Sainsbury no estaba siguiendo el ritmo de estos cambios. Existen al menos cinco razones para esto:

- *El problema de la retrospectiva.* El Capítulo 2 ha proporcionado formas de analizar el entorno y tales análisis pueden proporcionar algunas ideas. Pero, ¿cómo pueden estar seguros los directivos de la dirección e importancia de tales cambios? O los cambios pueden ser considerados temporales. Los directivos pueden ser comprensiblemente cautos con respecto al cambio de lo que es probable que consideren una estrategia ganadora sobre la base de lo que puede ser solo un cambio pasajero en el mercado o un descenso temporal de la demanda. Puede ser fácil ver grandes cambios con retrospectiva, pero puede no ser tan fácil ver su importancia cuando se están produciendo.

- *Construcción sobre lo familiar.* Los directivos pueden ver cambios en el entorno con respecto a los que no están seguros o que no comprenden completamente. En tales circunstancias, pueden tratar de minimizar el grado en el que se enfrentan con tal incertidumbre buscando respuestas que le resultan familiares, que entienden y que les han servido bien en el pasado. Esto llevará a una desviación hacia el cambio estratégico incremental continuado. Por ejemplo, los directivos de Sainbury se aferraban a la creencia de que tenían clientes leales que valoraban la calidad superior de los productos Sainsbury. Tesco había sido un minorista más barato que consideraban ofrecía bienes de inferior calidad. Seguramente, la calidad superior de Sainsbury continuaría siendo reconocida.

- *Rigideces esenciales.* Tal y como explica el Capítulo 3, el éxito en el pasado puede haberse basado en capacidades que son únicas de una organización y difíciles de copiar para otras. Sin embargo, las capacidades que han sido base de ventaja pueden convertirse en difíciles de cambiar; se convierten en *rigideces esenciales*. Existen dos razones para ello. La primera es que con el paso del tiempo, las formas de hacer cosas que han proporciona éxito en el pasado pueden darse por sentadas. Esto puede haber sido en el pasado una ventaja porque era difícil para los competidores imitarla. Sin embargo, las competencias esenciales que son dadas por hechas o implícitas raramente son cuestionadas y por lo tanto, tienden a persistir más allá de su utilidad. En segundo lugar, las formas de hacer las cosas se desarrollan a lo largo del tiempo y se convierten en más y más incrustadas rutinas organizativas que están relacionadas y que se refuerzan entre sí y que son difíciles de desenmarañar.

- *Las relaciones se convierten en esposas*[2]. Probablemente el éxito haya sido construido sobre la base de excelentes relaciones con clientes, proveedores y empleados. Mantenerlas puede considerarse, probablemente, fundamental para la riqueza futura de la organización. Incluso estas organizaciones pueden hacer difícil realizar cambios fundamentales en la estrategia que puedan suponer cambiar rutas hacia el mercado o la base de clientes, desarrollar productos que requieran diferentes proveedores o cambiar la base de habilidades de la organización con el riesgo de relaciones disruptivas con la fuerza de trabajo.

- *Efectos retardados sobre el resultado.* Los efectos de tal deriva pueden no ser fáciles de ver en términos del resultado de la organización. El resultado financiero puede continuar alto en las primeras etapas de deriva estratégica. Los clientes pueden ser leales, y la organización, al ser cada vez más eficiente, reduciendo costes o simplemente haciendo más difícil la prueba, puede continuar manteniendo elevados sus resultados. Por lo tanto, puede no haber señales internas de la necesidad de cambio, o presiones de los directivos o de los observadores externos para emprender cambios importantes.

Sin embargo, a lo largo del tiempo, si la deriva estratégica continúa, se producirán síntomas que se convertirán en evidentes: un descenso en el resultado financiero; quizá una pérdida de cuota de mercado hacia los competidores; o un descenso en el precio de las acciones. Tal caída puede ocurrir con bastante rapidez, una vez que los observadores externos, no solo competidores y analistas financieros, han identificado que la deriva se ha producido. Incluso las compañías de más éxito pueden ir a la deriva de esta forma. Se ven capturadas por la fórmula que les ha llevado al éxito.

5.2.3. Un periodo de flujo

La siguiente fase (fase 3), puede ser un periodo de *flujo* provocado por la caída de los resultados. Las estrategias pueden cambiar, pero no en una dirección clara. Pueden producirse también cambios en la dirección, incluso en lo más alto, conforme la organización se encuentre bajo presión para hacer cambios por parte de sus *stakeholders,* no solo de los accionistas de una compañía cotizada. Puede existir rivalidad interna sobre qué estrategia seguir, con bastante probabilidad basada en diferencias de opinión con respecto a si la estrategia futura debería basarse en capacidades históricas o si tales capacidades se han convertido en redundantes. De hecho, cuando esto ha ocurrido, se han producido disputas en la sala del consejo con gran repercusión mediática. Todo esto puede resultar en un deterioro aún mayor de la confianza en la organización: quizá en una caída aún mayor en el resultado o en el precio de las acciones, en dificultad para reclutar a directivos de alta calidad o en una mayor pérdida de lealtad de los clientes.

5.2.4. Cambio transformador o muerte

Conforme las cosas empeoren es probable que el resultado (fase 4) sea una de estas tres posibilidades: (i) la organización puede morir (en el caso de una organización comercial puede declararse en suspensión de pagos, por ejemplo) (ii) puede ser adquirida por otra organización o (iii) puede emprender un periodo de *cambio transformador.* Tal cambio podría tomar forma en múltiples cambios relacionados con la estrategia de la organización. Por ejemplo, un cambio en productos, mercados u orientación de mercado, cambios en capacidades sobre las que se basa la estrategia, cambios en la alta dirección de la organización y quizá en la forma en la que la organización se encuentra estructurada.

El cambio transformador no tiene lugar de manera frecuente en las organizaciones y normalmente es resultado de una importante caída de los resultados. A menudo son cambios transformadores anunciados como historias de éxito de altos ejecutivos; esto es en lo que ellos marcan la diferencia de manera más visible. El problema es que, desde el punto de vista de la posición de mercado, riqueza para los accionistas y trabajadores, puede ser bastante tarde. La posición competitiva puede haberse perdido, posiblemente ya ha sido destruido valor de los accionistas y, con mucha probabilidad, muchos puesto de trabajo también se habrán perdido. El tiempo en el que *marcar la diferencia* importa en mayor medida es la etapa 2 de la Figura 5.1, cuando la organización está empezando a ir a la deriva. El problema es que, con mucha probabilidad, tal deriva no es fácil de ver antes de que se resientan los resultados. Por lo tanto, en la comprensión de la posición estratégica de una organización de manera que se eviten los efectos perjudiciales de la deriva estratégica, resulta vital tomarse seriamente el grado en el que las tendencias históricas en el desarrollo de la estrategia tienden a persistir en la estructura cultural de las organizaciones. El resto del capítulo se centra en esto.

5.3 ¿QUÉ ES LA CULTURA Y POR QUÉ ES IMPORTANTE?

La **cultura corporativa** está compuesta por "los *supuestos y creencias* básicos que son compartidos por los miembros de una organización, que operan de manera inconsciente y definen de una forma que se da por supuesta la visión de una organización sobre sí misma y sobre su entorno".

Edgar Schein define **cultura corporativa** como "los *supuestos y creencias* básicos que son compartidos por los miembros de una organización, que operan de manera inconsciente y definen de una forma que se da por supuesta la visión de una organización sobre sí misma y sobre su entorno [3]". Relacionadas con este concepto se encuentran las formas dadas por supuestas (o implícitas) de hacer las cosas y las rutinas, que se acumulan a lo largo del tiempo. En otras palabras, la cultura se refiere a lo que se da por supuesto pero que sin embargo contribuye a cómo los grupos de personas responden y se comportan en relación a las cuestiones con las que se enfrentan. Por lo tanto, tiene efectos importantes sobre el desarrollo y el cambio de la estrategia organizativa.

De hecho, los efectos culturales existen en diferentes niveles, tal y como muestra la Figura 5.3. Los apartados siguientes identificarán los importantes factores y cuestiones, en términos de diferentes marcos de referencia, y después mostrará cómo la cultura organizativa puede ser analizada y caracterizada como un medio para comprender la influencia de la cultura en los propósitos y estrategias organizativas actuales y futuros.

5.3.1. Culturas nacionales y regionales

Muchos autores (quizá el más conocido sea Geer Hofstede [4]) han mostrado cómo las actitudes hacia el trabajo, la autoridad, la igualdad y otros importantes factores difieren de un país a otro. Tales diferencias han sido forjadas mediante poderosas fuerzas culturales relacionadas con la historia, la religión e incluso el clima durante muchos siglos. Las organizaciones que operan internacionalmente

Figura 5.3 Marcos culturales de referencia

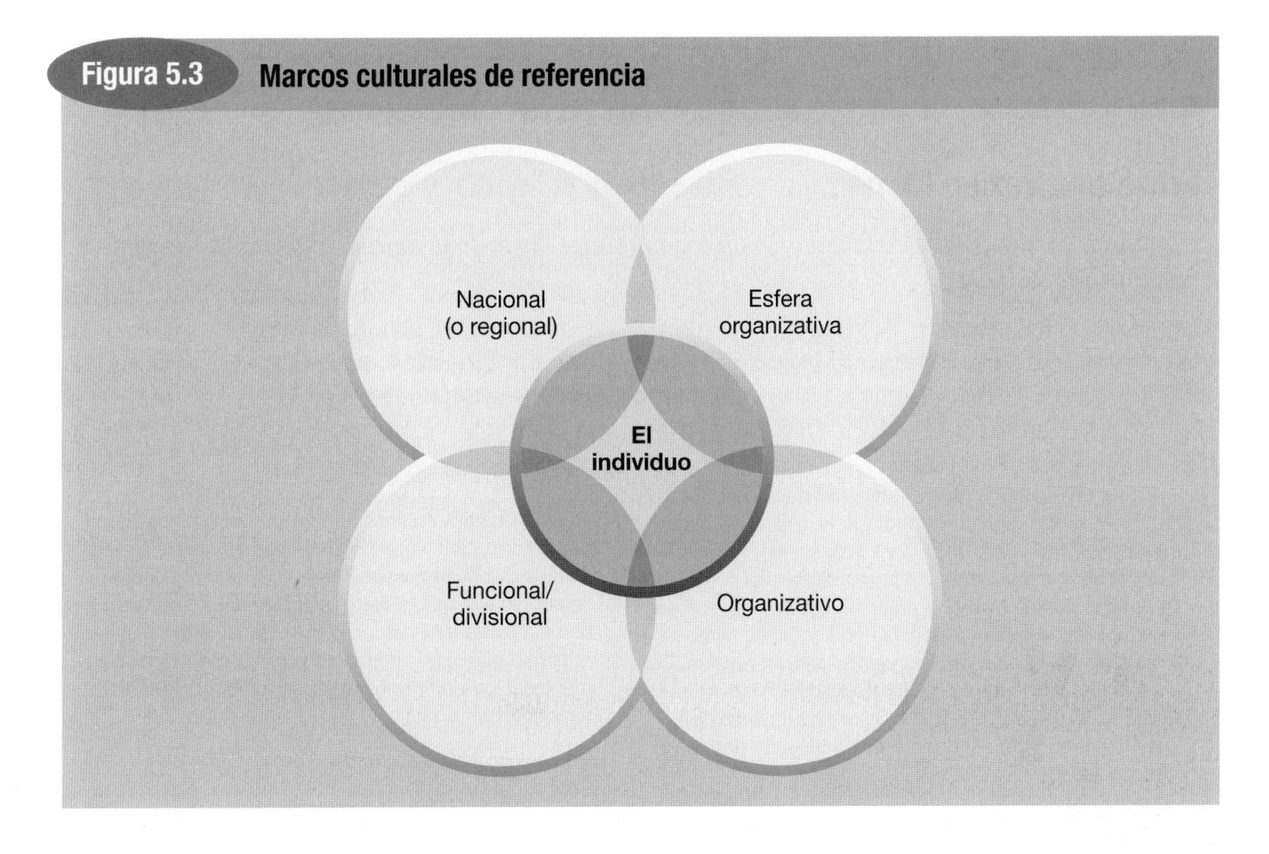

necesitan comprender y enfrentarse a tales diferencias, que pueden manifestarse en términos de diferentes normas, valores y expectativas en los distintos países en los que operan[5]. Por ejemplo, el intento europeo de Disney de replicar el éxito de los parques temáticos de Disney en los Estados Unidos fue denominado "imperialismo cultural" en los medios franceses y ha experimentado dificultades. Se produjo una reducción en los visitantes del 0,3 por ciento cada año entre 1999 y 2005. La Ilustración 5.2 también muestra cómo las diferencias culturales pueden suponer desafíos para los directivos que buscan desarrollar mercados en China.

Aunque no se muestran por separado en la Figura 5.3 (por razones de simplificación), puede ser también importante comprender las culturas *subnacionales* (normalmente regionales). Por ejemplo, las actitudes hacia algunos aspectos del empleo y las relaciones con los proveedores pueden diferir a escala regional, incluso en un país relativamente pequeño y cohesionado como Reino Unido y de manera bastante marcada en Europa (por ejemplo, entre el norte y el sur de Italia). También existen diferencias entre localizaciones urbanas y rurales.

5.3.2. Cultura organizativa

La cultura de una organización a menudo es concebida como compuesta de cuatro estratos (véase la Figura 5.4):

Ilustración 5.2

Érase una vez en China...

Conforme Occidente se instala en China, comprender las formas de hacer las cosas en China se convierte en crucial.

David Hans ha trabajado en Beijing para la empresa inmobiliaria Jones Lang Lasalle (JLL), en la que tenía que desarrollar el negocio en China. *Management Today* recogía una entrevista con él:

> "Existe un número enorme de oportunidades en China, pero es crucial separar el trigo de la paja y necesitas trabajar sobre la eficiencia para conseguirlo. Por ejemplo, teníamos problemas con la gestión del tiempo en las primeras etapas. Imagine tratar de cerrar una reunión cuando todos salen a distintas horas y donde nadie ha pensado en establecer una agenda para la reunión. O habrá tres reuniones a distintas horas con un cliente que apenas no da ningún negocio. Se estaba tratando de hacer comprender a la gente la importancia de desglosar costes y beneficios".

Se necesitó tiempo para conseguir que los chinos valoraran el consejo que JLL podría proporcionar, debido a que, aunque estaban acostumbrados a pagar a cambio de bienes, pagar por servicios resultó ser un choque cultural:

> "Hay que aprender a ir paso a paso y poco a poco. No puedes presentarte en el despacho de alguien y decir: 'Págame una gran suma de dinero por adelantado'. Y debes mostrarles realmente dónde puedes añadir valor a sus operaciones".

También existen algunos problemas para comprender la jerarquía:

> "Puedes pensar que estás tratando con la persona más alta y está pidiendo un descuento. Se lo concedes. Pero entonces te reúnes con otros cinco directivos en orden gradualmente ascendente y todos te piden descuentos. ¡Así que ten cuidado!".

Tampoco los símbolos de jerarquía son los mismos. A diferencia de los países occidentales, en los que los símbolos de estatus como coche o ropa de marca puede significar estatus, en China los altos directivos es probable que vistan *de manera más aburrida:*

> "La ropa barata es importante en una cultura plagada por la corrupción: vestir con ropa barata desvía la atención de cualquier ganancia de origen turbio, aunque el jefazo todavía quiere ejercer su autoridad y una forma de hacerlo es teniendo un séquito de lacayos... Aprendí pronto que si no quería reciprocidad acudiendo a las reuniones con uno o más ayudantes, la gente debería tomarme menos en serio".

Para los occidentales puede haber algo que parece ser una falta de cortesía: "Básicamente piensan que te poseen, de la misma forma que poseen un coche o un reloj de lujo después de haber pagado por ellos".

Otro entrevistado tenía experiencia con la burocracia china:

> "Cuando estás negociando con el gobierno necesitas encontrar a alguien que perciba que puedes ayudarle personalmente proporcionándole beneficios derivados del trato. Una vez que vuestros intereses están alineados, entonces puede guiarte a través del laberinto... No importa coger la tarjeta de identificación de alguien y salir a tomar algo. En China tienes que conseguir la gratitud y confianza de tal persona y esto lo consigues haciéndole favores. Cuanto mayor es el favor, más te ayudará profesionalmente y en lo privado".

Fuente: D. Slater, "When in China...", *Management Today,* mayo (2006), Reproducido con permiso de la revista *Management Today* con el permiso del propietario del copyrigth, Haymarket Business Publication Limited.

Preguntas

1. ¿A partir de la evidencia de estas entrevistas, identifique cómo las normas culturales de los directivos chinos que se dan por supuestas difieren de las de los directivos occidentales.
2. Si está buscando operar en un país con una cultura muy diferente, además de hablar con personas experimentadas en tal mercado, ¿de qué otra forma trataría de entender la cultura y sus supuestos subyacentes?

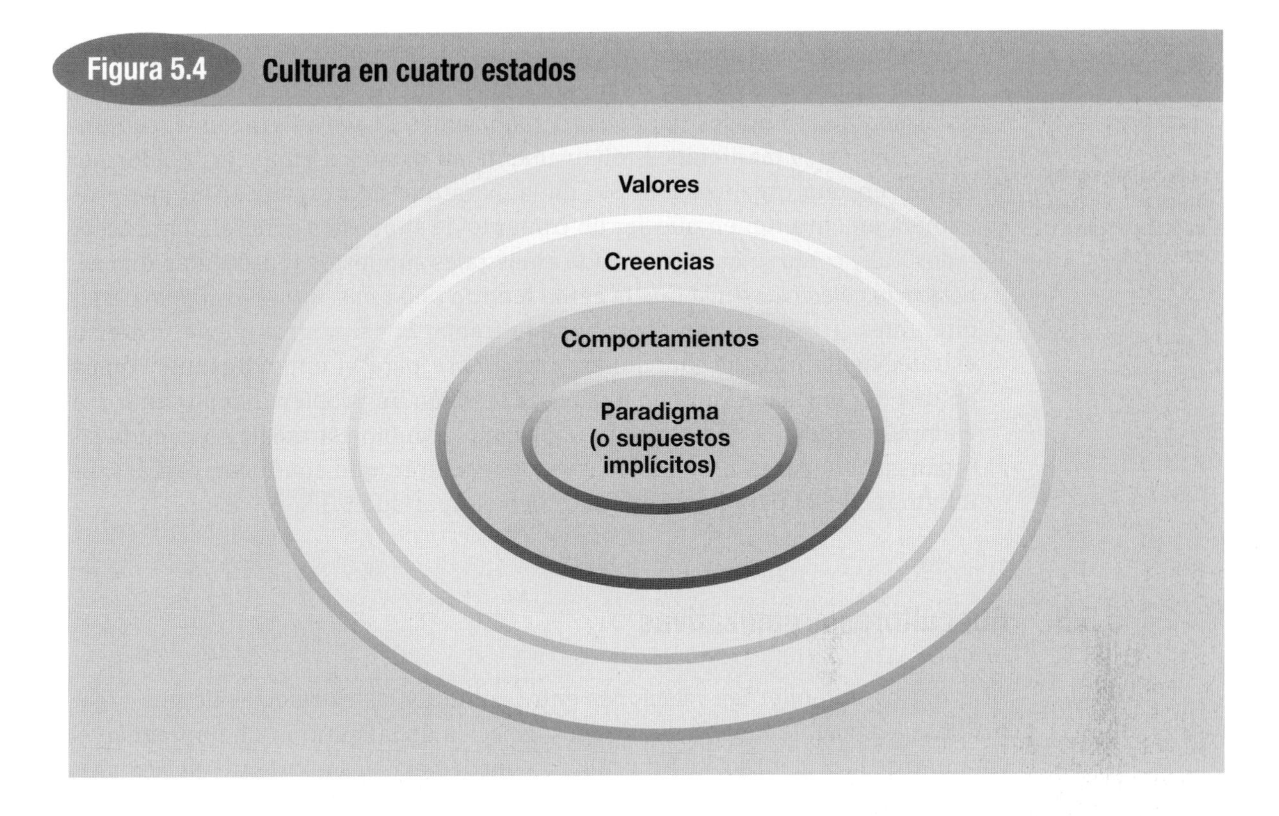

- Los *valores* pueden ser fáciles de identificar en una organización y a menudo están puestos por escrito como declaraciones sobre la misión, objetivos o estrategias (véase el Apartado 4.5). Sin embargo, pueden ser vagas, como "prestar servicio a la comunidad" o "proporcionar las mismas oportunidades de empleo".
- Las *creencias* son más específicas, pero pueden no estar puestas por escrito, sino ser percibidas en la forma en que las personas hablan sobre cuestiones a las que se enfrenta la organización; por ejemplo, la creencia de que la compañía no debería comerciar con determinados países o de que los profesionales no deberían ser evaluados por los directivos.

Pero con respecto a los valores y las creencias es importante recordar que en relación con la cultura, la preocupación se refiere a los valores y creencias colectivos en lugar de a las individuales. De hecho, puede ser que los individuos en las organizaciones posean valores y creencias que en ocasiones vayan en contra de sus organizaciones, lo que puede producir un incremento de las tensiones y problemas éticos.

- Los *comportamientos* constituyen el día a día en el que una organización opera y pueden ser vistos por la gente de fuera y de dentro de la organización. Incluyen las rutinas de trabajo, cómo se encuentra estructurada y controlada la organización, y cuestiones más *blandas* en torno a comportamientos simbólicos.

Un **paradigma** es el conjunto de supuestos mantenidos relativamente en común e implícitos en una organización.

- Los *supuestos implícitos* son la esencia de una organización. Son los aspectos de vida organizativa que la gente encuentra difíciles de identificar y explicar. Estos son denominados *paradigma organizativo*. El **paradigma** es el conjunto de supuestos mantenidos relativamente en común e implícitos (dados por hecho) en una organización. Sin duda, para que una organización opere de manera efectiva tienen que ser un conjunto de supuestos generalmente aceptados. Tal y como se ha mencionado antes, tales supuestos representan una *experiencia colectiva,* sin la que la gente tendría que *reinventar el mundo* para las diferentes circunstancias a las que se enfrenta. El paradigma puede sustentar estrategias de éxito proporcionando una base para el entendimiento común en una organización, aunque puede ser también un problema importante, por ejemplo cuando es necesario un importante cambio estratégico o cuando las organizaciones tratan de fusionarse y encuentran que son incompatibles. La importancia del paradigma se analiza en el Apartado 5.3.5.

5.3.3. Subculturas organizativas

Al tratar de entender las relaciones entre cultura y las estrategias de una organización, es posible identificar algunos aspectos de la cultura que impregnan el conjunto de la organización. Sin embargo, pueden existir importantes *subculturas* dentro de las organizaciones. Estas pueden relacionarse directamente con la estructura de la organización; por ejemplo, las diferencias entre divisiones geográficas en una empresa multinacional o entre grupos funcionales como finanzas, *marketing* y operaciones. Las diferencias entre las divisiones pueden ser particularmente evidentes en organizaciones que han crecido mediante adquisiciones. También diferentes divisiones pueden estar persiguiendo diferentes tipos de estrategia, y estos posicionamientos de mercado diferentes requieren o fomentan culturas diferentes. De hecho, alinear posicionamiento estratégico y cultura organizativa es una característica crítica de las organizaciones de éxito. Las diferencias entre las distintas funciones dentro de los negocios también pueden relacionarse con la diferente naturaleza del trabajo en diferentes funciones. Por ejemplo, en una compañía como Shell o BP es probable que existan diferencias entre aquellas funciones relacionadas con la exploración, en la que los horizontes temporales pueden ser de décadas, y aquellos relacionados con la venta minoristas, con horizontes temporales mucho más cortos que dependen del mercado. Es posible que esta sea una de las razones por las que Shell y BP ponen tanta atención en tratar de forjar una cultura corporativa que cruce las distintas funciones.

5.3.4. Influencia de la cultura sobre la estrategia

La naturaleza implícita de la cultura es la que la hace de suma importancia en relación con la estrategia y la dirección de la estrategia. Existen dos razones primordiales para esto:

- *Gestionar la cultura.* Como es difícil de observar, identificar y controlar lo que es implícito, es difícil de gestionar. Esto es por lo que tener una forma de analizar la cultura de manera que se convierta en más evidente resulta importante —el objeto del apartado siguiente—.
- *La cultura es un inductor de la estrategia.* Las organizaciones pueden ser *capturadas* por su cultura y encontrar muy difícil cambiar su estrategia fuera de las fronteras de tal cultura. Los directivos, enfrentados a un entorno de negocios cambiante, es más probable que intenten ocuparse de la situación buscando lo que pueden entender y hacerlo en términos de la cultura existente. El resultado es probable que sea un cambio estratégico incremental con el riesgo de una eventual deriva estratégica, analizada en el Apartado 5.2. La cultura es, en efecto, un inductor de la estrategia no intencionado.

El efecto de la cultura sobre la estrategia se muestra en la Figura 5.5[6]. Frente a un estímulo para la acción, como la reducción de los resultados, los directivos primero tratan de mejorar la implementación de la estrategia existente. Esto puede ser por medio de tratar de reducir costes, mejorar la eficiencia, establecer controles más estrictos o mejorar la forma aceptada de hacer las cosas.

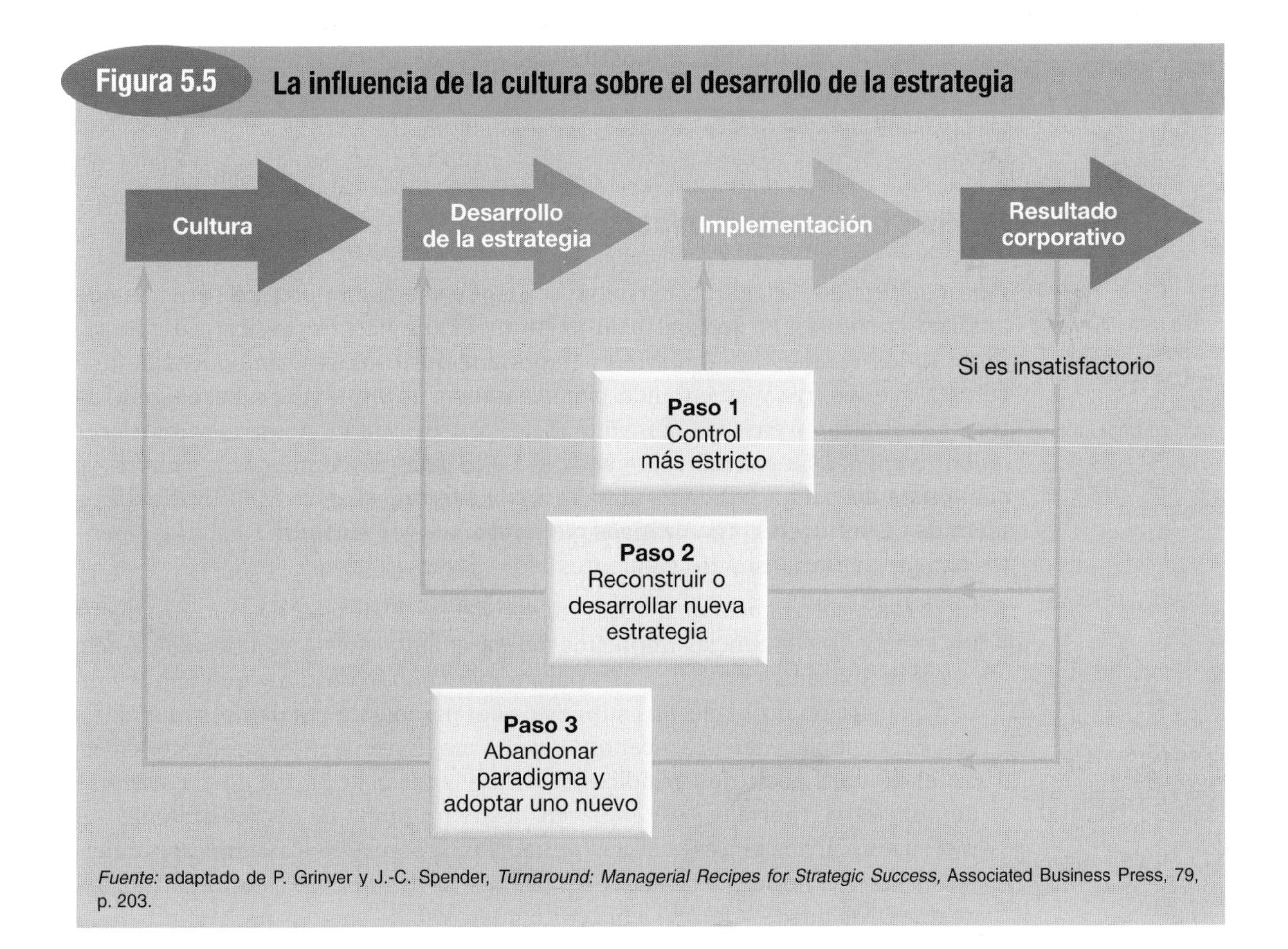

Figura 5.5 La influencia de la cultura sobre el desarrollo de la estrategia

Fuente: adaptado de P. Grinyer y J.-C. Spender, *Turnaround: Managerial Recipes for Strategic Success*, Associated Business Press, 79, p. 203.

Si esto no es efectivo, puede producirse un cambio en la estrategia, pero en línea con la cultura existente. Por ejemplo, los directivos pueden buscar extender el mercado para su negocio, pero asumiendo que será similar a los mercados existentes y, por lo tanto, empezar dirigiendo el nuevo negocio en gran medida de la misma forma a la que estaban acostumbrados. De manera alternativa, incluso cuando los directivos saben intelectualmente que necesitan cambiar, incluso sabiendo cómo hacerlo tecnológicamente, se encuentran limitados por las rutinas organizativas implícitas o procesos políticos, tal y como probablemente ocurría en la Ilustración 5.1. Esto ocurre a menudo, por ejemplo, cuando se producen intentos de cambiar organizaciones altamente burocratizadas para que se orienten al cliente. Incluso las personas que aceptan intelectualmente la necesidad de cambiar el énfasis de una cultura con respecto a la importancia de ajustarse a las reglas establecidas, rutinas y relaciones jerárquicas, no lo van a hacer fácilmente. La noción de que un argumento razonado necesariamente cambia supuestos profundamente enraizados en la experiencia colectiva construidos a lo largo de largos periodos, es errónea. Los lectores necesitan pensar solo en su propia experiencia a la hora de tratar de persuadir a otros para que reconsideren sus creencias religiosas, afición a equipos deportivos, para darse cuenta de esto. Lo que ocurre es la aplicación predominante de lo familiar y el intento de evitar o reducir la incertidumbre o la ambigüedad. Esto es probable que continúe hasta que se produzca, quizá, una dramática evidencia de la redundancia de la cultura, con bastante probabilidad como el resultado de que la organización está entrando en las fases 3 o 4 de deriva estratégica (véase la Figura 5.2).

5.3.5. Análisis de la cultura: la red cultural

La **red cultural** muestra las manifestaciones en el comportamiento, físicas y simbólicas de una cultura que imbuye y es imbuida por los supuestos implícitos, o paradigma.

Para comprender la cultura existente y sus efectos es importante ser capaz de analizar la cultura. La **red cultural** es un medio de hacer esto[7]. La red cultural muestra las manifestaciones en el comportamiento, físicas y simbólicas de una cultura que imbuye y es imbuida por los supuestos implícitos, o paradigma, de una organización (véase la Figura 5.6). Estos constituyen los dos óvalos interiores de la Figura 5.4. La red cultural puede ser utilizada para entender la cultura en cualquiera de los marcos de referencia analizados antes, pero es utilizada más a menudo en los niveles organizativos y/o funcionales de la Figura 5.3. Los elementos de la red cultural son los siguientes:

- El *paradigma* se encuentra en el núcleo de las Figuras 5.4 y 5.6. En efecto, los supuestos y creencias implícitos del paradigma constituyen la *experiencia colectiva* aplicada a una situación para tomar sentido de ella y que imbuye un curso de acción probable. Los supuestos del paradigma pueden ser muy básicos. Por ejemplo, puede parecer que resulta manifiesto que los supuestos esenciales de un negocio de periódicos se refieren a la centralidad de la cobertura de noticias y reportajes. Sin embargo, desde un punto de vista estratégico, el incremento de los ingresos de los periódicos depende de los ingresos publicitarios y la estrategia puede ser necesario que se dirija sobre esto. El paradigma de una ONG puede referirse a hacer un buen trabajo para los necesitados, pero

Figura 5.6 La red cultural de una organización

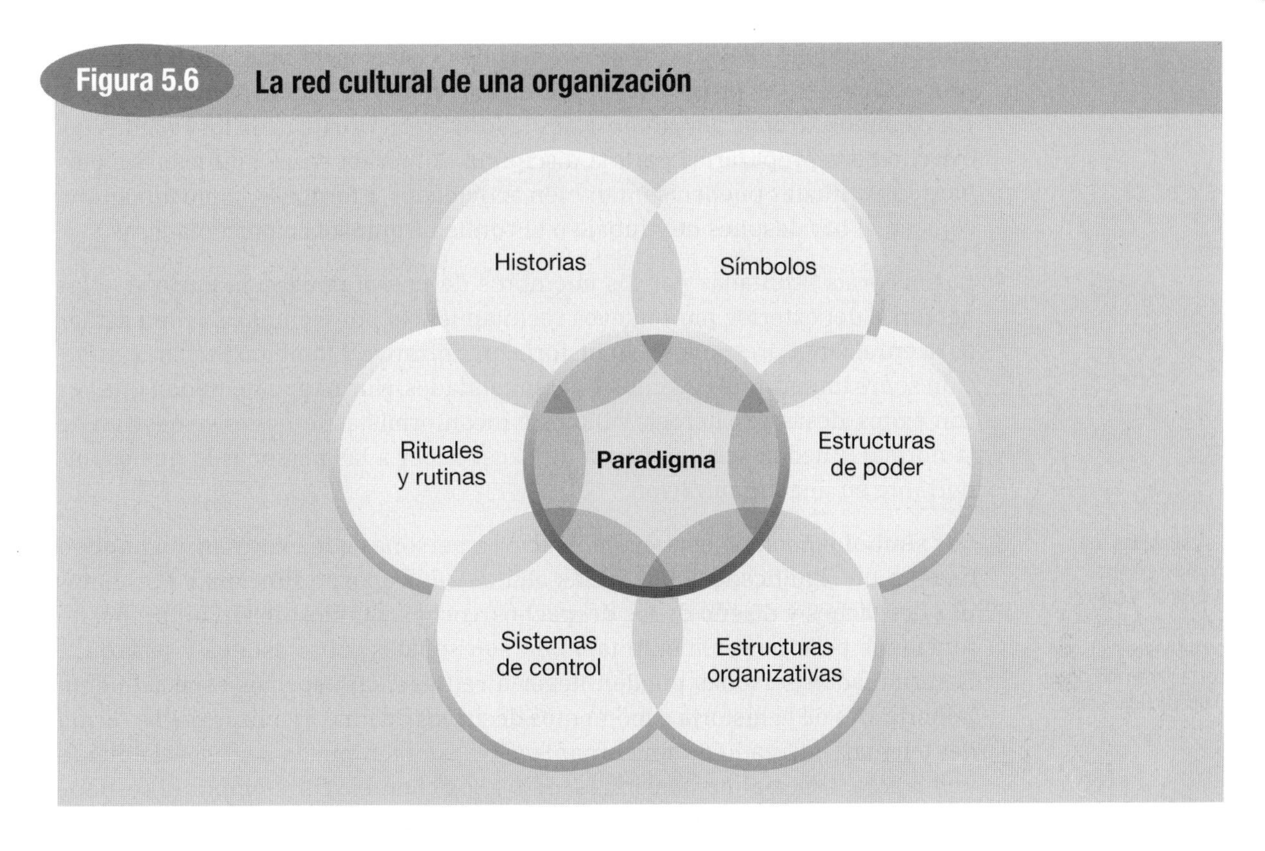

esto no puede ser conseguido si no se organiza de manera efectiva para conseguir dinero. Por lo tanto, entender lo que es el paradigma y cómo influye sobre el debate de la estrategia es importante. El problema es que, dado que es improbable que se hable sobre ella, tratar de identificarla puede ser difícil, especialmente si usted forma parte de tal organización. Los observadores externos pueden encontrar relativamente fácil identificarla, simplemente escuchando lo que la gente dice y mirando lo que hacen y enfatizan, pero esto puede no ser tan fácil para los internos que forman parte de la cultura. Una forma de que los *internos* lleguen a ver los supuestos que toman como algo dado es centrarse inicialmente en otros aspectos de la red cultural, porque estos van a ser manifestaciones más visibles de la cultura. Además, estos otros aspectos es probable que actúen reforzando los supuestos dentro de tal paradigma.

Las **rutinas** *son la forma en la que hacemos las cosas por aquí* en el día a día.

Los **rituales** son actividades o eventos que enfatizan, destacan o refuerzan lo que es especialmente importante en la cultura.

- Las **rutinas** son *la forma en la que hacemos las cosas por aquí* en el día a día. Estas pueden tener una larga historia y pueden ser bastante comunes entre las organizaciones. Como aspecto positivo, lubrican el trabajo de la organización y pueden proporcionar una competencia organizativa distintiva. Sin embargo, también pueden representar una concepción dada por hecha (o implícita) sobre cómo deberían ocurrir las cosas que, de nuevo, puede ser difícil de cambiar.
- Los **rituales** de la vida organizativa son las actividades o eventos que enfatizan, destacan o refuerzan lo que es especialmente importante en la cultura. Cons-

tituyen ejemplos incluyen los programas de formación, paneles de entrevistas, procedimientos de promoción y valoración, conferencias de ventas, etcétera. Un ejemplo extremo, por supuesto, es la formación ritualista de los reclutas del ejército para prepararlos para la disciplina requerida en el conflicto. Sin embargo, los rituales pueden ser también actividades informales, como tomar una copa en el bar después del trabajo o el cotilleo frente a las fotocopiadoras.

- Las *historias* [8] contadas por los miembros de una organización entre sí, a las personas del exterior, para nuevos reclutamientos por ejemplo, pueden actuar para enraizar el presente en su historia organizativa y también llamar la atención sobre importantes eventos y personalidades. Normalmente tienen que ver con éxitos, desastres, héroes, villanos e inconformistas (quienes se desvían de la norma). Pueden ser una forma de hacer saber a las personas lo que es importante en una organización.

Los **símbolos** son objetos, eventos, actos o personas que expresan, mantienen o crean un significado sobre y más allá de su propósito funcional.

- Los **símbolos** [9] son objetos, eventos, actos o personas que expresan, mantienen o crean un significado sobre y más allá de su propósito funcional. Por ejemplo, despachos y diseño de los despachos, coches y títulos tienen un propósito funcional, pero normalmente también son señales sobre estatus y jerarquía. Determinadas personas pueden llegar a representar aspectos especialmente importantes de la historia o momentos decisivos de una organización. La forma del lenguaje utilizado en una organización también puede ser especialmente reveladora, especialmente con respecto a los clientes. Por ejemplo, el responsable de una agencia de protección de los consumidores en Australia describía a sus clientes como "quejosos". En un importante hospital universitario de Reino Unido, los especialistas describían a los pacientes como "material clínico". Aunque tales ejemplos pueden ser curiosos, revelan los supuestos subyacentes sobre los clientes (o pacientes) que pueden jugar un papel significativo a la hora de influir sobre la estrategia de una organización. Aunque los símbolos son mostrados de manera separada en la red cultural, debería recordarse que muchos elementos de la red son simbólicos. Por lo tanto, rutinas, control y sistemas de recompensas y estructuras no son solo funcionales, sino también simbólicos.

- *Estructuras de poder.* Los grupos más poderosos dentro de una organización es probable que se encuentren íntimamente asociados con los supuestos y creencias esenciales. Por ejemplo, en las empresas que experimentan de deriva estratégica, no es inusual encontrar ejecutivos poderosos que tienen una larga asociación con formas de hacer las cosas establecidas desde hace mucho tiempo. En el análisis del poder, la guía proporcionada en el Apartado 4.4.1 resulta útil.

- La *estructura organizativa* es probable que refleje el poder y muestre importantes papeles y relaciones. Las estructuras formales jerárquicas, mecánicas pueden poner de manifiesto que la estrategia es competencia de los altos directivos y cualquier otro está *siguiendo órdenes.* Por ejemplo, estructuras altamente desarrolladas pueden significar que la colaboración es menos importante que la competencia.

- Los *sistemas de control,* medidas y sistemas de recompensas ponen de manifiesto qué es importante controlar en la organización. Por ejemplo, las organizaciones públicas a menudo son acusadas de estar preocupadas más por la administración de los fondos que por la calidad del servicio. Esto se refleja en sus procedimientos, que se ocupan más de controlar las cuentas de gastos que de la calidad del servicio. Los esquemas de bonos establecidos de manera individual relacionados con el volumen es probable que sean señal de una cultura de individualidad, competencia interna y un énfasis en el volumen de ventas en lugar del trabajo en grupo y el énfasis en la calidad.

La Ilustración 5.3 muestra una red cultural elaborada por directivos y personal en la Forestry Commission de Reino Unido como parte de una estrategia de desarrollo, junto con un comentario sobre la importancia de sus elementos. La cuestión clave que surgió fue que en un momento en el que este organismo público estaba a cargo de cambiar la estrategia hacia la apertura de bosques al público, sus miembros se denominaban expertos técnicos y consideraban el público como una molestia. A menudo pueden detectarse problemas similares mediante tal análisis. Un análisis de la web cultural para una empresa dedicada a la contabilidad que muestra cercanía a sus clientes como aspecto central de su estrategia revelaba una cultura *de cuidado del socio y centralidad,* en lugar de centrada en los clientes. Políticos y directivos del Partido Laborista británico llevaron a cabo un análisis de la red cultural a mediados de los noventa antes de su victoria en las urnas de 1997. Este análisis reveló un partido culturalmente "construido para la oposición", tal y como había hecho con cada gobierno en el poder a lo largo de su historia —incluyendo a los gobiernos laboristas—. De manera nada sorprendente, Tony Blair, quien se convirtió en primer ministro, afirmó que el cambio cultural del partido era una necesidad primordial.

5.3.6. Análisis cultural

Si ha de realizarse un análisis de la cultura de una organización, existe una serie de cuestiones importantes que tienen que tenerse en cuenta:

- *Las preguntas que hay que realizar.* La Figura 5.7 muestra algunas de las cuestiones que podrían ayudar a comprender la cultura utilizando la red cultural.
- *Declaraciones de valores culturales.* Conforme las organizaciones se hacen más visibles, a menudo consideran con cuidado realizar declaraciones públicas de sus valores, creencias y propósitos —por ejemplo, en los informes anuales y planes de negocio— y existe un peligro de que estas sean consideradas como descripciones útiles y exactas de la cultura organizativa. Pero es probable que esto sea en el mejor de los casos solo parcialmente verdad y en el peor erróneo. Esto no sugiere que exista ninguna decepción. Simplemente significa que las declaraciones de valores y creencias a menudo son declaraciones de las aspiraciones de un *stakeholder* en particular (como el director general), en lugar de una descripción exacta de la cultura real. Por ejemplo, un observador externo de un cuerpo de policía puede concluir de sus declaraciones públicas

Ilustración 5.3

La red cultural de la Forestry Commission de Reino Unido

La red cultural puede ser utilizada para identificar los comportamientos y supuestos implícitos de una organización

Esta es una versión adaptada de una red cultural desarrollada por directivos y personal de la Forestry Commission de Reino Unido. La Forestry Commission (FC) era una organización pública encargada de gestionar los bosques de Reino Unido.

"Admiramos a los individuos fuertes que hacen las cosas y aún así estamos atados de pies y manos por la burocracia."

Historias
- De conformidad
- Resistencia al sistema —pioneros/ innovadores/subversivos—
- No inventado aquí
- Queja y culpa
- Lealtad, bienestar, solidaridad y compromiso
- Poner de manifiesto la superioridad de la FC
- Los buenos viejos tiempos
- Dirección fuerte (¿o intimidatoria?)

"Somos administradores de los bosques de Gran Bretaña y queremos tener el mando. Hemos producido bosques a nuestra imagen... productores de madera eficientes y homogéneos. Respetamos la autoridad, la tradición y tendemos a seguir órdenes."

Símbolos
- Logo de los dos árboles
- Etiqueta o uniforme
- Diseños funcionales de edificios (gente en cubículos/estatus del *último piso*)
- Coches y furgonetas simbolizan rango
- Títulos, rango o categoría como símbolo de status
- Comportamiento hombre dominado/ macho)
- Bosques como hileras de píceas de *sitka*

"No desafiamos o cuestionamos a quienes se encuentran en posiciones sénior, pero si estás en el club de los guardabosques, sabes cómo trabajar dentro del sistema para hacer las cosas."

Rituales y rutinas
- Trabajar durante largas horas
- Decir SÍ a todo
- Los chismes
- Deferencia a la gente con más experiencia
- Miles de reuniones
- Interés en el proceso en lugar de en el resultado
- Rapidez en la crítica, lentitud en el reconocimiento
- No se celebra el éxito
- Comités de promoción
- Sobrecarga de iniciativas —compaginar prioridades/ volúmenes de trabajo—

Paradigma
- **Expertos en bosques**
- **Administrador del sector público**
- **Orientado a la tarea en lugar de a las personas**
- **Conservador/averso al riesgo**
- **FC es la que más sabe**

Estructuras de poder
- Gran distancia al poder
- Basadas en rango/status en la jerarquía
- Gobierno como maestro políticos
- Información/conocimiento como poder
- Grupos profesionales
- Como individuos interconectados
- Sabiendo y trabajando el sistema burocrático

"Somos emprendedores y trabajamos duro para hacer el trabajo dentro de un sistema formal".

Sistemas de control
- Legislación y estatutos
- Presupuestos, fechas límite, objetivos
- League tables
- Manuales operativos, instrucciones, libros de texto
- Sistema de gestión del rendimiento
- Auditorías
- Estilo de mando y de control formal militarista

Estructuras organizativas
- Estructuras jerárquicas complejas —tres organizaciones/tres países—
- Estructura rígida mecánica
- Departamentos estancos
- Categorías y bandas salariales
- Fuertes subculturas
- Consejos de dirección formales/ grupos de trabajo/comités
- La gente cuidadosamente en sus cubículos

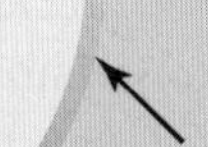

"Somos individuos capaces que quieren tener el control. Respetamos la autoridad y respondemos a las órdenes de arriba".

"Somos eficientes y conseguimos resultados (a pesar de la burocracia)".

Fuente: adaptado del caso de estudio sobre The Forestry Commission, Anne McCann.

Preguntas

1. ¿Cómo caracterizaría la cultura dominante?
2. ¿Cuáles son las implicaciones estratégicas?

Figura 5.7 La red cultural: algunas cuestiones útiles

Historias
- ¿Qué creencias fundamentales reflejan las historias?
- ¿En qué grado se encuentran presentes tales creencias (a través de los distitnos niveles)?
- ¿Las historias se relacionan con:
  - Fortalezas o debilidades?
  - Éxitos o fracasos?
  - Conformismo o inconformismo?
- ¿Quiénes son los héroes o villanos?
- ¿De qué normas se desvían los inconformistas?

Símbolos
- ¿Existen símbolos específicos que identifiquen a la organización?
- ¿Qué símbolos de estatus existen?
- ¿Qué significa el lenguaje y la jerga?
- ¿Qué aspectos de la estrategia son destacados en la publicidad?

Estructuras de poder
- ¿Cómo se encuentra distribuido el poder en la organización?
- ¿Cuáles son los supuestos y creencias esenciales del liderazgo?
- ¿Con qué intensidad se encuentran asumidas estas creencias (idealista o pragmático?
- ¿Cuáles son los principales bloqueos para el cambio?

Rutinas y rituales
- ¿Qué rutinas son enfatizadas?
- ¿Qué se encuentra inmerso en la historia?
- ¿Qué comportamiento potencian las rutinas?
- ¿Cuáles son los rituales clave?
- ¿Qué reflejan las creencias esenciales?
- ¿Qué enfatizan los programas de formación?
- ¿En qué grado son los rituales/rutinas fáciles de cambiar?

Sistemas de control
- ¿Qué es lo que más intensamente se supervisa/controla?
- ¿Se enfatiza la recompensa o el castigo?
- ¿Los controles se relacionan con la historia o con las estrategias actuales?
- ¿Existen muchos o pocos controles?

Estructuras organizativas
- ¿En qué medida las estructuras son mecánicas/orgánicas?
- ¿En qué grado las estructuras son planas/jerárquicas?
- ¿En qué medida las estructuras son formales/informales?
- ¿Las estructuras potencian la colaboración o la competencia?
- ¿Las estructuras potencian la colaboración?

En conjunto
- ¿Cuáles de los (cuatro) supuestos básicos que se encuentran tras el paradigma sugieren las respuestas a estas preguntas?
- ¿Cómo caracterizaría la cultura dominante?
- ¿En qué grado es fácil de cambiar esto?

de propósito y prioridades que tienen un enfoque equilibrado sobre los distintos aspectos del trabajo policial —atrapar a criminales, prevención del crimen, relaciones con la comunidad—. Sin embrago, una investigación más profunda puede revelar rápidamente que (en términos culturales) existe un trabajo policial *real* (atrapar criminales) y un trabajo *menor* (prevención del crimen, relaciones con la comunidad).

- *Unir todo.* El *mapa* detallado que constituye la red cultural es una rica fuente de información sobre la cultura organizativa, pero es útil ser capaz de caracterizar la cultura que la información comunica. En ocasiones esto es posible por medio de una descripción gráfica. Por ejemplo, los directivos que llevaron a cabo un análisis cultural en el Servicio Nacional de Salud de Reino Unido, resumieron su cultura como "el Servicio Nacional de la Enfermedad". Aunque este enfoque es bastante crudo y poco científico, puede ser poderoso en términos de los miembros organizativos que ven la organización como realmente es —lo que no puede ser inmediatamente aparente a partir de todos los puntos detallados de la red cultural—. También puede ayudar a las personas a entender que la cultura induce las estrategias. Por ejemplo, un *servicio nacional de la enfermedad* claramente priorizaría estrategias que se refieran a desarrollos espectaculares en la curación de la gente enferma con respecto a estrategias de promoción de la salud y prevención. Por lo tanto, aquellos que favorezcan las estrategias de promoción de la salud necesitan comprender que se enfrentan a la necesidad de cambiar una cultura y que al hacerlo pueden no ser capaces de asumir que los procesos racionales como la planificación y asignación de recursos sean suficientes.

El análisis cultural sugerido en este capítulo también resulta valioso porque se relaciona con otras partes de este libro y de la dirección de la estrategia:

- *Capacidades estratégicas.* Tal y como deja claro el Capítulo 3, la capacidades desarrolladas a lo largo del tiempo son, probablemente, parte de la cultura de la organización. El análisis cultural de la organización, por lo tanto, proporciona una base de análisis complementaria para un examen de las capacidades estratégicas (véase el Capítulo 3). En efecto, tal análisis de las capacidades debería terminar profundizando en la cultura de la organización, especialmente en términos de sus rutinas, sistemas de control y la forma en la que la organización funciona en el día a día, probablemente sobre una base *dada por supuesta* o implícita.
- *Desarrollo de la estrategia.* Comprender la cultura corporativa sensibiliza a los directivos sobre la forma mediante la que las influencias históricas y culturales es probable que afecten a la estrategia futura para bien o para mal.
- *Gestión del cambio estratégico.* Un análisis de la cultura también proporciona una base para la gestión del cambio estratégico, dado que proporciona una visión de la cultura existente que puede ser enfrentada a la estrategia deseada, de manera que proporcione un entendimiento sobre aquello que puede limitar el desarrollo de tal estrategia o lo que es necesario cambiar para conseguirlo (véase el Apartado 10.4).

RESUMEN

- La *cultura* de una organización puede contribuir a sus capacidades estratégicas, pero también conduce a la *deriva estratégica* en la medida en que la estrategia se desarrolla de manera incremental sobre la base de tales influencias y no es capaz de mantener el ritmo de un entorno cambiante.
- *Las influencias culturales* informan y restringen el desarrollo estratégico de las organizaciones. Por lo tanto, es importante comprender la cultura organizativa como parte de la dirección estratégica.
- Comprender la cultura de una organización y sus relaciones con la estrategia organizativa puede conseguirse utilizando la *red cultural.*

Lecturas clave recomendadas

- Para una explicación más completa del fenómeno de deriva estratégica, véase Gerry Johnson, "Re-Thinking Incrementalism", *Strategic Management Journal,* vol. 9 (1988), pp. 75-91; y "Managing Strategic Change - Strategy, Culture and Action", *Long Range Planning,* vol. 25, núm. 1 (1992), pp. 28-36. (Estos trabajos también explican la red cultural). También véase Donald S. Sull, "Why Good Companies Go Bad", *Harvard Business Review,* julio/agosto (1999), pp. 42-52.
- Para una explicación completa y crítica del concepto de cultura organizativa, véase Mats Alvesson, *Understanding Organizational Culture,* Sage, 2002.

Referencias

1. Para una explicación del fenómeno de deriva estratégica, véase G. Johnson, "Re-Thinking Incrementalism", *Strategic Management Journal,* vol. 9 (1988), pp. 75-91; y "Managing Strategic Change - Strategy, Culture and Action", *Long Range Planning,* vol. 25, núm. 1 (1992), pp. 28-36. También, véase E. Romanelli y M. L. Tushman, "Organizational Transformation as Punctuated Equilibrium: an Empirical Test", *Academy of Management Journal,* vol. 7, núm. 5 (1994), pp. 1141-1166. Estos explican la tendencia de las estrategias a desarrollarse de manera muy incremental con cambios transformadores periódicos.
2. Este es un término utilizado por Donald S. Sull referido al declive de empresas con elevados resultados (véase "Why Good Companies Go Bad", *Harvard Business Review,* julio/agosto (1999), pp. 42-52).
3. Esta definición de cultura está tomada de E. Schein, *Organisational Culture and Leadership,* segunda edición, Jossey-Bass, 1997, p. 6.
4. Véase G. Hofstede, *Culture's Consequences,* segunda edición, Sage, 2001. Para una crítica para el trabajo de Hofstede véase B. McSweeney, "Hofstede's model of national cultural differences and their consequences: A triumph of faith - a failure of analysis", *Human Relations,* vol. 55, núm. 1 (2002), pp. 89-118.

5. Sobre la gestión cros-cultural, también véase R. Lewis, *When Cultures Collide: Managing successfully cross cultures,* segunda edición, Brealey, 2000, una guía práctica para directivos. Ofrece una idea sobre diferentes culturas nacionales, convenciones en los negocios y estilos de liderazgo. También S. Schneider y J.-L. Barsoux, *Managing Across Cultures,* segunda edición, Financial Times/Prentice Hall, 2003.
6. La Figura 5.3 está adaptada del original que aparece en P. Grinyer y J. C. Spender, *Turnaround: Managerial Recipes for Strategic Success,* Associated British Press, 1979, p. 203.
7. Una explicación más completa de la red cultural puede encontrarse en G. Johnson, *Strategic Change and the Management Process,* 1987; y G. Johnson, "Managing strategic change: Strategy, culture and Action", *Long Range Planning,* vol. 25, núm. 1 (1992), pp. 28-36.
8. Véase A. L. Wilkins, "Organisational Stories as Symbols which Control the Organisation", en L.R. Pondy, P. J. Frost, G. Morgan y T. C. Dandridge (eds), *Organisational Symbolism,* JAI Press, 983.
9. La importancia del simbolismo organizativo se explica en G. Johnson, "Managing strategic change: the role of symbolic action", *British Journal of Management,* vol. 1, núm. 4 (1990), p. 183-200.

CASO DE EJEMPLO

Marks & Spencer (A)

Nardine Collier

La fórmula de éxito de M&S

Michael Marks comenzó sus *penny bazaars* a finales de los años ochenta. Pronto decidió que necesitaba un socio que le ayudara a hacer crecer la empresa y Tom Spencer, un cajero de un proveedor de Mark, le fue recomendado. A partir de esta asociación, Mark & Spencer (M&A) creció de manera sostenida. Simon Marks tomó la dirección de M&S de su padre, convirtiendo los *penny bazaars* en tiendas, estableciendo una política de precios simple e introduciendo el logo *St Michael* como signo de calidad. Existía un sentimiento de camaradería y una atmósfera de familia unida dentro de las tiendas, en el que el personal empleado por los directivos creía que se *integraría bien* y se convertiría en parte de tal familia. El personal también era tratado mejor y era mejor pagado que en otras compañías. La naturaleza familiar de esta empresa también dominaba en la alta dirección, ya que hasta finales de los setenta el consejo estaba compuesto solo por miembros de la familia.

Marks fue célebre por su estilo de dirección personal, descendente, autocrático y su atención al detalle. Esto también manifestaba en la forma en la que trataba con los proveedores. Siempre utilizaba los mismos proveedores británicos y se aseguraba meticulosamente de que los bienes se ajustaban exactamente a las especificaciones, una relación diseñada para generar confianza en los proveedores y asegurar una calidad elevada y consistente.

Hasta finales de los noventa, M&S tuvo un enorme éxito en términos de beneficios y cuota de mercado, realizando sus operaciones de acuerdo con un conjunto de principios fundamentales:

- Ofrecer a los clientes mercancía de alta calidad, bien diseñada y atractiva, a precios razonables bajo la marca St Michael.
- Animar a los proveedores a utilizar las técnicas de producción más modernas y eficientes.
- Trabajar con los proveedores para asegurar los más elevados estándares de control de la calidad.
- Proporcionar servicio cordial y útil, y una mayor comodidad en la compra y conveniencia a los clientes.
- Mejorar la eficiencia del negocio, simplificando los procedimientos operativos.
- Promover buenas relaciones humanas con los clientes, proveedores y personal, así como en las comunidades en las que opera M&S.

Sus compradores especializados operaban desde una oficina central de compra en la que los bienes eran asignados a las tiendas. Los directores de tienda seguían directrices centrales sobre *merchandising,* distribución, diseño de la tienda y formación. Cada tienda M&S era idéntica en los procedimientos que seguía, conduciendo a una consistencia de imagen y garantía de los estándares de M&D. Sin embargo, también suponía que los directores de tienda estaban severamente limitados sobre cómo podrían responder a las necesidades locales de los clientes.

Durante el crecimiento de M&S se produjeron pocos cambios en sus métodos de operación o estrategias. Su reputación de ropa de buena calidad se construyó sobre básicos, los esenciales que cada cliente necesitaba y que sobrevivirían a la moda actual y tendencias que se encontraban en otros importantes minoristas. Como no tuvo probadores hasta los años noventa, todos los asistentes tomaban medidas a los clientes y M&S devolvería el dinero "sin discusión" a cualquier cliente que no estuviera satisfecho con el producto que había comprado. Como sus productos permanecían en las tiendas todo el año, durante la mayor parte de su historia nunca tenía rebajas.

El éxito de M&S continuó en los años noventa. Richard Greenbury, director general a partir de 1991, lo explicaba así:

Esta es una versión abreviada del caso completo *A* (que puede encontrarse en la colección de casos). El caso *B* puede encontrarse en la versión de *Textos y Casos* de la octava edición de *Exploring Corporate Strategy.*

Este caso ha sido preparado por Nardine Collier, Cranfield School of Management. Está orientado como una base para la discusión en clase y como una ilustración de buenas o malas prácticas de gestión. No ser reproducido o citado sin permiso.

> "Seguíamos absolutamente y totalmente los principios del negocio de los que yo me había imbuido... Dirigí el negocio con la ayuda de mis colegas de acuerdo con las formas de dirigirlo establecidas desde hacía mucho tiempo y que estaban probadas". (Radio 4, agosto de 2000).

Los sucesivos directores generales fueron célebres por su atención al detalle en términos de control de los proveedores, mercaderías y distribución, y esto parecía funcionar. El éxito de M&S bajo el mandato de Marks a menudo era atribuido a su comprensión de las preferencias de los clientes y de las tendencias. Sin embargo, debido a esto, también podría significar que los compradores tendían a seleccionar mercancía que sabían que los directores generales aprobarían. Por ejemplo, desde que se supo que Greenbury no quería que M&S estuviera a la última en moda, el departamento de compras se centró en los tipos de producto que sabían que le gustarían —"moda clásica, ponible"—.

Había otros problemas derivados de la autoridad centralizada. En una ocasión, Greenbury había decidido que para controlar costes debía haber menos asistentes a tiempo completo. Aunque esto llevó a una incapacidad en las tiendas de cumplir con los niveles de servicio requeridos por M&S, cuando Greenbury las visitaba, todos los empleados disponibles eran llevados a las tienda, de manera que parecía que las tiendas estaban ofreciendo niveles de servicio que, en otros momentos, no estaban proporcionando. Esto también significaba que existían pocos desacuerdos con los altos directivos, de manera que las políticas y decisiones permanecían incuestionadas incluso cuando los ejecutivos o directores de tienda tenían objeciones sobre sus efectos negativos. Las encuestas de satisfacción de los clientes que mostraban una cada vez menor satisfacción, durante finales de los noventa fueron ocultadas a Greenbury por parte de la alta dirección, que consideraban que podría enfadarse por los resultados.

Un problema en la fórmula

Los problemas de M&S comenzaron a aparecer en primera plana en octubre de 1998, cuando detuvo su programa de expansión en Europa y América y en noviembre anunciaba una reducción en los beneficios del primer semestre del veintitrés por ciento, lo que produjo una fuerte caída del precio de las acciones. Greenbury le echó la culpa al entorno competitivo turbulento, diciendo que M&S había perdido ventas y cuota de mercado frente a sus competidores en el nivel alto y bajo del mercado minorista. Los competidores en el nivel alto, como Gap, Oasis y Next, ofrecían productos de precio similar, pero con diseños más actuales. En el nivel bajo, Matalan y las marcas de los supermercados como *George* en Asda ofrecían ropa básica a precios significativamente más bajos. Además, Tesco y Sainsbury estaban ofreciendo alimentos de valor añadido en los que había sido pionero M&S.

Los comentaristas sugerían que M&S ya no entendía o reaccionaba ante las necesidades de sus clientes. Interpretaba mal su mercado objetivo, y no podía entender que los clientes que adquirían alimentos o ropa interior podrían no desear productos de su gama de mobiliario para el hogar. Había mantenido durante demasiado tiempo su fórmula tradicional e ignoraba los cambios que se producían en el mercado. Greenbury estaba demasiado centrado en las operaciones del día a día de la empresa en lugar de en la estrategia a largo plazo. M&S estaba amarrada a una visión del mercado excesivamente generalista, en lugar de tratar de entender y adaptar la oferta a los distintos segmentos de mercado. No contaba con tarjeta de fidelización en un momento en el que casi todos los demás minoristas la poseían. Aunque una gran proporción de los clientes de M&S eran mujeres y mucha de la mercancía era ropa femenina, la alta dirección se encontraba dominada por hombres. Casi todos los directivos y ejecutivos eran promocionados internamente, comenzando en la base de la organización y viéndose inmersos en sus rutinas y tradiciones. Existía una cultura encerrada en sí misma reforzada por Greenbury y su enfoque autocrático.

En noviembre de 1998, Greenbury anunció que quería renunciar. Esta decisión fue seguida por una serie de discusiones muy publicitadas entre Keith Oates, segunda de Greenbury y Peter Salsbury, otro director, el cual los medios sugerían era el sucesor que prefería Greenbury. Finalmente fue Salsbury quien llegó a ser director general. Oates optó por una jubilación anticipada. Los analistas comentaban que, como Salsbury solo había trabajado en el área de ropa de mujer, una de las unidades con peores resultados de M&S, habría sido más acertado incorporar a una persona del exterior.

Durante este periodo de luchas dentro del consejo, los problemas de M&S se agravaban por su compra de 192 millones de libras (270 millones de euros) de diecinueve tiendas de Littlewoods. Estas requerían de una renovación con un coste de cien millones de libras, al mismo tiempo que estaban siendo renovadas las tiendas existentes de M&S. El trastorno tuvo un efecto mucho peor sobre los clientes de lo que había esperado M&S, los que llevó a Greenbury a describir la sección de ropa como una *masacre*. En enero de 1999, M&S anunció su segundo aviso sobre los beneficios. Había tenido una mala campaña de Navidad agravado por la sobreestimación de ventas hecha por M&S y la consiguiente compra de 250 millones de libras de *stock* que después tuvo que ser fuertemente descontado.

Nuevas tácticas... pero más problemas

En un intento de recuperar la confianza, Salsbury implementó una estrategia de reestructuración, dividiendo la compañía en tres: negocio minorista en Reino Unido, negocios internacionales y servicios financieros. También estableció un departamento general de marketing para romper el poder de tradicionales fiefdoms de compra establecidos en torno a líneas de producto. El departamento de *marketing* adoptaría un enfoque centrado en el cliente, en lugar de permitir a los de compras dictar lo que deberían almacenar las tiendas. Se introdujeron nuevas líneas de ropa y de alimentos, apoyadas por una campaña promocional a gran escala, tratando de restaurar su imagen de minorista innovador que ofrece productos de calidad únicos. Explicando que buscaba desplazarse de una cultura burocrática, creando un entorno que favoreciera la toma de decisiones que no estuviera restringida por la jerarquía, Salsbury eliminó estratos de jerarquía y estableció una división de propiedad, de manera que se cargaba un alquiler a las tiendas para hacer a los directores de tienda más responsables del rendimiento de la sucursal.

En junio, Greenbury se retiró un año antes, una decisión que se produjo justo antes de que el consejo entrara en una reunión de tres días para discutir "unas cuantas páginas de su nueva estrategia". Salsbury comentaba:

> "Lo que estamos haciendo se está alejando de su metodología y procesos de pensamiento [de Greenbury] (...) en el que las decisiones eran tomadas sin que él fuera capaz de proporcionar un *input*". (*Financial Times*, 23 de junio de 1999).

En septiembre, M&D declaró que estaba en el proceso de deslocalizar proveedores, mientras que eliminaban los vínculos con algunos proveedores de Reino Unido, y racionalizaba las operaciones internacionales, diversificando en hogar y compra por Internet, y creaba un departamento dedicado a identificar nuevas oportunidades de negocio. Sin embargo, los clientes continuaban mostrando sus reticencias con respecto a la línea de ropa:

> "Existen tantos ítems que encontrar aquí y no tienden a mantenerlos separados, por lo que hay algo que me puede gustar al lado de algo que le podría gustar a mi abuelita". (*Financial Times*, 28 de septiembre de 1999).

En noviembre, M&S tenía más malas noticias para sus accionistas cuando reveló que sus acciones habían caído hasta su precio más bajo desde 1991. A esto le siguieron informes de Tesco, fondos de pensiones americanos y Philip Green, el emprendedor minorista, en los que se mostraba el interés en adquirir M&S. Para contrarrestar tales rumores, M&S implementó otra reestructuración de la dirección para convertirse en más centrada en el cliente, estableciendo siete unidades de negocio: lencería, ropa de hombre, ropa de mujer, ropa de niño, alimentación, hogar y belleza. Los ejecutivos eran designados justo por debajo del nivel del consejo para dirigir las unidades, reportando directamente a Salsbury, que creía que una estructura más plana permitiría a M&S ser más sensible a los cambios en el mercado y las necesidades de los clientes.

Un nuevo horizonte

En enero de 2000, Luc Vandevelde fue nombrado presidente. Nacido en Bélgica, Vandevelde había dejado su puesto de director ejecutivo en Promodés, el minorista de la alimentación francés, donde había conseguido incrementar en seis el valor de las acciones. Era la primera vez que alguien del exterior de M&S había sido nombrado presidente.

En los dos años siguientes se produjeron más cambios. Lanzaron una colección de ropa exclusiva de alta costura. Las compras de la línea de ropa llegaron hasta casi el cien por cien en fuentes asiáticas. M&S dejó de utilizar sus famosas bolsas de compra verdes y relegaron el logo de St Michael al interior de la ropa. Las tiendas fueron agrupadas sobre la base de características demográficas y patrones de estilo de vida, en lugar de operar con el viejo sistema que asignaba la mercancía dependiendo del espacio. Pero todavía el valor de la empresa se redujo. En mayo de 2000, M&S anunció una reducción de su beneficio de 71,2 millones de libras.

Se produjo otra reestructuración en cinco divisiones operativas: venta al pormenor en Reino Unido, venta al pormenor internacional, servicios financieros, inmuebles y nuevos negocios. Dentro de la división de minoristas de Reino Unido se establecieron siete unidades de negocio de clientes y para asegurar un enfoque centrado en el cliente, cada unidad contaría con equipos exclusivos de compra y venta. Se produjo una mayor modernización de las tiendas, más asesores de clientes en la tienda y la apertura de tres tiendas prototipo en las que todas las nuevas iniciativas y conceptos serían probados. M&S desveló planes de ofrecer prendas con descuento en outlets. A principios de 2001, anunciaba sus planes de cerrar sus tiendas en Europa y Brooks Brothers en Estados Unidos y franquicias en Hong Kong. En medio de esto, en septiembre de 2000, Salsbury se jubilaba.

Analizando los resultados de final de año todavía decepcionantes, Vandevelde reducía las promesas que había hecho a su llegada de cara a la recuperación en dos años. Sin embargo, confiaba en que tenía la receta adecuada para la recuperación; era solo cuestión de tiempo.

A esto le siguió la decisión de trasladar su sede central en Baker Street, Londres, a un nuevo edificio en Paddington. Para aquellos que habían trabajado en la sede de Baker Street, el imponente edificio gris simbolizaba mucho de lo que se había hecho mal en el minorista. Sus corredores interminables eran descritos como parecidos al Kremlin y los pequeños despachos individuales reflejaban el estatus de sus ocupantes por el grosor de la moqueta. Los anteriores directivos describían el edificio como "opresivo", con instalaciones que no eran propicias para las prácticas laborales modernas, pocas salas de reuniones informales y una jerarquía muy estructurada para los 4.000 empleados que trabajaban en ellas. Los comentaristas estaban encantados con el cambio; sentían que mostraba que M&S estaba abordando la esencia del problema, no solo cambiando mercancías y el diseño de los locales.

No fue hasta el final de noviembre de 2001 que se produjeron signos de mejora en el resultado del negocio. A esto siguió la llegada de Yasmin Yousef, un nuevo diseñador creativo y la muy anunciada colaboración con George Davies, fundador de Next y el creador de la línea de ropa *George* en Asda. Davies introdujo la línea para mujer Per Una, dirigida a clientas de 25-35 años que buscan moda, para competir con marcas como Mango o Kookai. Davies había se asegurado un acuerdo mediante el que era el dueño de Per Una y mantenía los beneficios de proveer a M&S. Para operar de manera tan autónoma había invertido veintiún millones de libras de su propio dinero. Por lo tanto, estaba diseñando, fabricando y distribuyendo las prendas de manera independiente a M&S.

En 2001, Vandevelde reclutó a Roger Holmes para ser el responsable de la división de venta minorista en Reino Unido. Holmes comenzó su carrera como consultor para McKinsey, pasando a ser director financiero de B&Q, director ejecutivo de Woolworths y finalmente presidente de electricidad del grupo Kingfisher. ¿Estaba comenzando una nueva era para M&S?

Fuentes:

BBC2, "Sparks at Marks", *The Money Programme,* 1 de noviembre (2000).

BBC2, "Marks and Spencer", *Trouble at the Top,* 6 de diciembre (2001).

G. Beaver, "Competitive advantage and corporate governance: shop soiled and needing attention, the case of Marks and Spencer pie", *Strategic Change,* vol. 8 (1999), pp. 325-334.

J. Bevan, *The rise and fall of Marks and Spencer,* Profile Books, (2001).

Channel 4, "Inside Marks and Spencer", 25 de febrero (2001).

Radio 4, Entrevista con Sir Richard Greenbury, 22 de agosto (2000).

G. Rees, *St Michael: A history of Marks and Spencer,* Weidenfeld y Nicolson, (1969).

K. Tse, *Marks and Spencer: Anatomy of Britain's most efficiently managed company,* Pergamon, (1985).

Preguntas

1. ¿Analice la cultura organizativa de M&S en los años noventa.
2. ¿Por qué tuvo tanto éxito M&S durante tanto tiempo?
3. ¿Por qué sufrió los problemas en los años noventa?
4. ¿Por qué los cambios introducidos desde 1998 hasta 2001 no sirvieron para superar los problemas?

6

ESTRATEGIA A NIVEL DE NEGOCIO

OBJETIVOS DE APRENDIZAJE

Tras leer este capítulo, usted debería ser capaz de:

- Explicar las bases de la consecución de una ventaja competitiva en términos de *rutas* sobre el reloj estratégico.
- Valorar el grado en el que es probable que estas proporcionen una ventaja competitiva sostenible.
- Explicar la relación entre competencia y colaboración.

6.1 INTRODUCCIÓN

Este capítulo se centra en una elección estratégica fundamental: qué estrategia competitiva adoptar para conseguir una ventaja competitiva en un mercado a nivel de unidad de negocio. Por ejemplo, ante una competencia creciente proveniente de las aerolíneas de bajo coste, ¿British Airways debería tratar de competir en precios o mantener y mejorar su estrategia de diferenciación? La Figura 6.1 muestra las principales cuestiones que proporcionan la estructura para el resto del capítulo:

- En primer lugar, son consideradas las *bases de la estrategia competitiva.* Estas incluyen estrategias basadas en el precio, estrategias de diferenciación, híbridas y estrategias de enfoque.
- El Apartado 6.3 muestra las *formas de mantener la ventaja competitiva* a lo largo del tiempo.
- El último apartado (6.4) considera la cuestión de cuándo las *estrategias colaborativas* pueden ser ventajosas en lugar de la competencia directa.

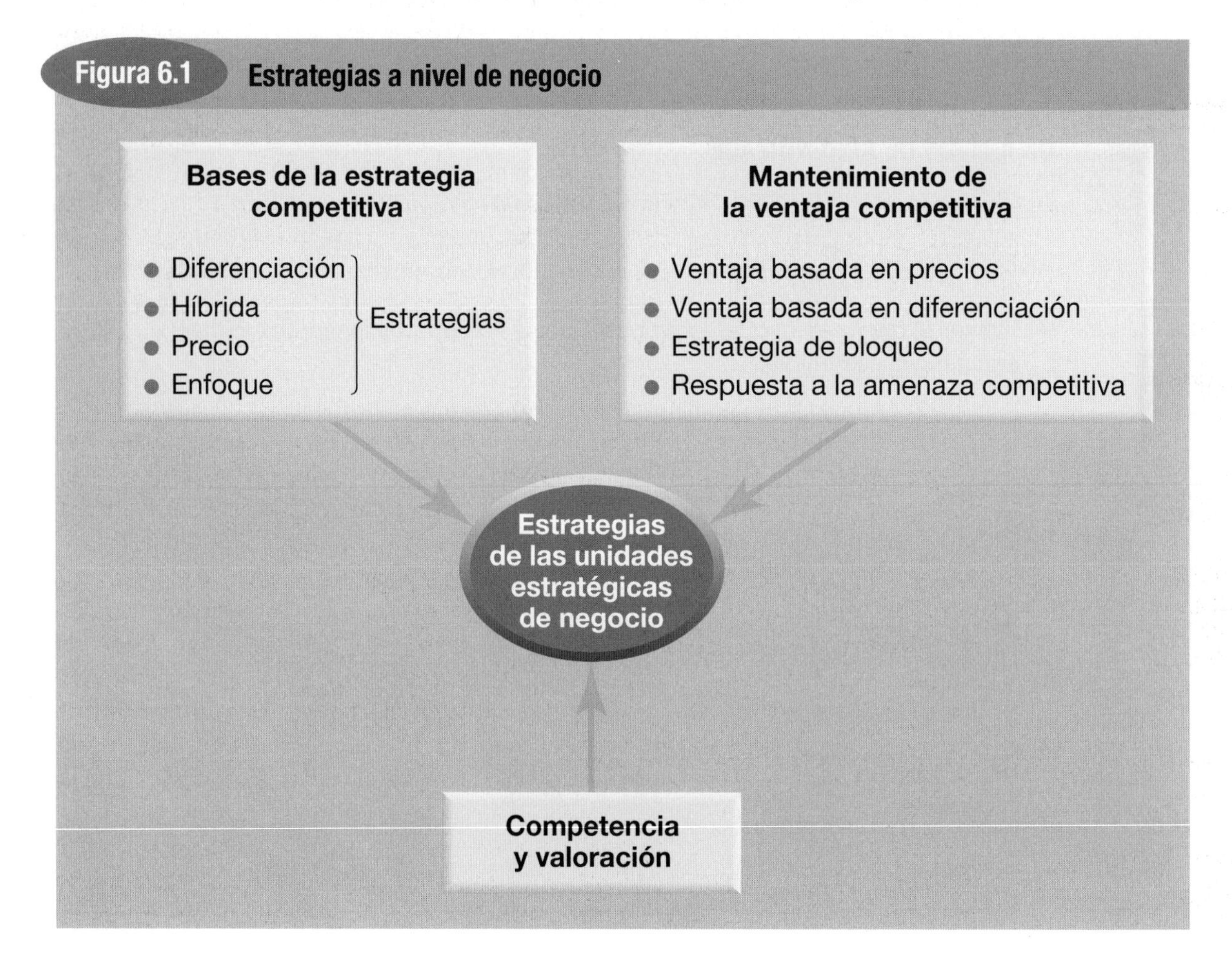

6.2 BASES DE LA VENTAJA COMPETITIVA: EL "RELOJ ESTRATÉGICO"

La **estrategia competitiva** se refiere a las bases sobre las que una unidad de negocio puede conseguir una ventaja competitiva en su mercado.

Este apartado revisa diferentes formas de reflexionar sobre la **estrategia competitiva,** las bases sobre las que una unidad de negocio puede conseguir una ventaja competitiva en su mercado. Para las organizaciones del sector público, el equivalente es constituido por las bases sobre las que la organización elige conseguir una calidad de los servicios superior en competencia con otras por la financiación, por ejemplo en referencia a cómo proporciona el *mejor valor.*

Este libro emplea estrategias genéricas con una *orientación de mercado* similares a las utilizadas por Bowman y D'Aveni [1]. Estas se basan en el principio de que la ventaja competitiva se alcanza proporcionando a los clientes lo que desean o necesitan mejor o de manera más eficiente que los competidores. A partir de esta propuesta, las categorías de diferenciación y costes de Michael Porter [2] pueden ser representadas en el reloj estratégico (véase la Figura 6.2), tal y como se muestra en los apartados siguientes.

En una situación competitiva, los clientes realizan elecciones sobre la base de su percepción de la relación calidad-precio, la combinación de precio y valor percibido del producto/servicio. El *reloj estratégico* representa diferentes posiciones en un mercado en el que los clientes (o clientes potenciales) tienen diferentes requerimientos en términos de la relación calidad-precio. Estas posiciones también representan un conjunto de estrategias genéricas para conseguir una ventaja competitiva. La Ilustración 6.1 muestra ejemplos de diferentes estrategias competitivas seguidas por las empresas en términos de las distintas posiciones en el reloj estratégico. El análisis de cada una de estas estrategias siguientes también reconoce la importancia de los costes de una organización —particularmente en relación con sus competidores—. Pero se mostrará que el coste es una consideración estratégica para todas las estrategias en el reloj —no solo aquellas cuya orientación es la de precio bajo—.

Dado que estas estrategias están *orientadas al mercado,* resulta importante entender cuáles son los factores clave de éxito para cada posición en el reloj. Los clientes en las posiciones 1 y 2 principalmente se preocupan del precio, pero solo si el valor ofrecido por el producto/servicio cumple sus requerimientos mínimos. Esto normalmente significa que los clientes dan más importancia a la funcionalidad que al servicio o a aspectos como el diseño o el empaquetado. Por el contrario, los clientes situados en la posición 5 requieren un producto o servicio adaptado por el que están dispuestos a pagar una prima en precio. El volumen de demanda en un mercado es poco probable que se encuentre uniformemente distribuido en las distintas posiciones del reloj. En mercados similares a los de materias primas, la demanda se encuentra concentrada en gran medida en las posiciones 1 y 2. Muchos servicios públicos también son de este tipo. Otros mercados tienen una demanda significativa en las posiciones 4 y 5. Tradicionalmente, los servicios profesionales son de este tipo. Sin embargo, los mercados cambian a lo largo del tiempo. Los mercados similares a los de materias primas desarrollan nichos de valor añadido que crecen conforme los ingresos disponibles se incrementan.

Figura 6.2 El reloj estratégico: opciones de estrategia competitiva

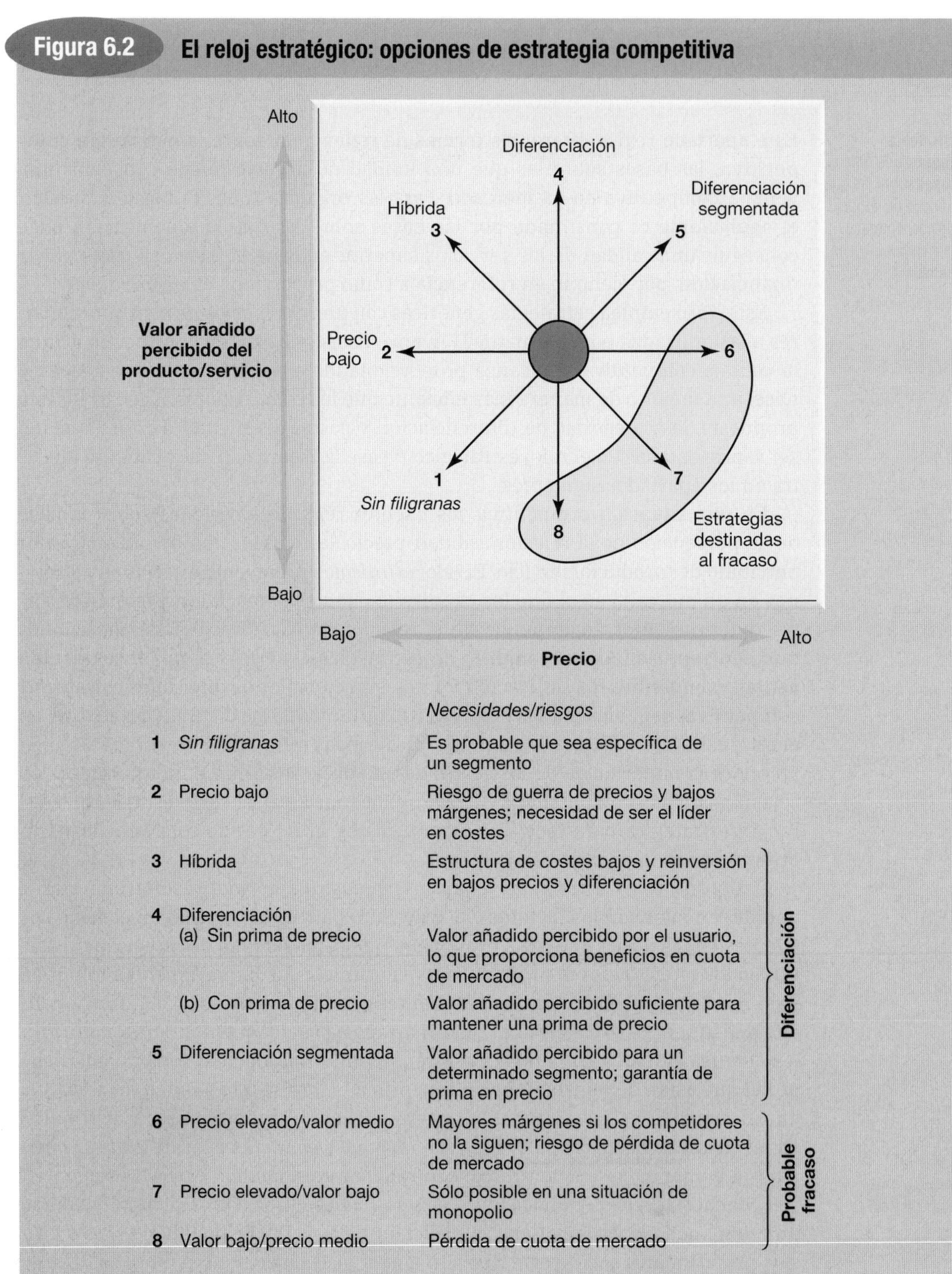

		Necesidades/riesgos	
1	*Sin filigranas*	Es probable que sea específica de un segmento	
2	Precio bajo	Riesgo de guerra de precios y bajos márgenes; necesidad de ser el líder en costes	
3	Híbrida	Estructura de costes bajos y reinversión en bajos precios y diferenciación	Diferenciación
4	Diferenciación		Diferenciación
	(a) Sin prima de precio	Valor añadido percibido por el usuario, lo que proporciona beneficios en cuota de mercado	Diferenciación
	(b) Con prima de precio	Valor añadido percibido suficiente para mantener una prima de precio	Diferenciación
5	Diferenciación segmentada	Valor añadido percibido para un determinado segmento; garantía de prima en precio	Diferenciación
6	Precio elevado/valor medio	Mayores márgenes si los competidores no la siguen; riesgo de pérdida de cuota de mercado	Probable fracaso
7	Precio elevado/valor bajo	Sólo posible en una situación de monopolio	Probable fracaso
8	Valor bajo/precio medio	Pérdida de cuota de mercado	Probable fracaso

Nota: el reloj estratégico está adaptado del trabajo de Cliff Bowman (véase D. Faulkner y C. Bowman, *The Essence of Competitive Strategy*, Prentice Hall, 1995). Sin embargo, Bowman utiliza la dimensión *valor de uso percibido*.

Ilustración 6.1

Estrategias competitivas sobre el reloj estratégico

Las estrategias competitivas de los minoristas de la alimentación han cambiado en las tres últimas décadas.

La evolución de los supermercados en Reino Unido empezó a finales de los sesenta y los setenta, cuando Sainsbury comenzó a abrir supermercados. Dado que la forma dominante del minorista en ese momento eran las tiendas de ultramarinos, los supermercados de Sainsbury's constituían, en efecto, una estrategia híbrida: muy claramente diferenciada en términos de distribución física y tamaño de las tiendas, así como en la calidad de la mercancía, aunque también con precios más bajos que muchas de las tiendas de ultramarinos competidoras.

Cuantos más y más minoristas abrieron supermercados, surgió un patrón. Sainsbury's era el minorista dominante en el segmento de supermercados diferenciados. Tesco creció como un operador sin filigranas bajo el lema "apílalo alto, véndelo barato". Competía con precios más bajos, aunque también con menor calidad que Sainsbury's, junto a una serie de otras cadenas minoristas de supermercados.

A mediados de los noventa se produjo un importante cambio. Bajo el liderazgo de Ian Maclaurin, Tesco realizó un cambio dramático en su estrategia. Incrementó de manera significativa el tamaño y el número sus tiendas, abandonó la postura de "apílalo alto, véndelo barato" y comenzó a ofrecer una gama de productos mucho más amplia. Todavía no era percibido como igual a Sainsbury's en calidad, y sin embargo incrementó su cuota de mercado a expensas de los otros minoristas y comenzó a desafiar el dominio de Sainsbury's. Sin embargo, el gran avance para Tesco vino cuando comenzó a ofrecer mercancía de mayor calidad, aunque todavía con precios percibidos inferiores a los de Sainsbury's. En efecto, estaba adoptando una estrategia híbrida. Al hacerlo, consiguió una cuota de mercado masiva. A comienzos de 2007, llegó a más del treinta por ciento del mercado minorista de alimentación en Reino Unido. Por el contrario, Sainsbury había visto erosionada su cuota hasta el dieciséis por ciento, de manera que buscó una forma de resucitar su imagen diferenciada de calidad frente a esta competencia.

Mientras tanto, se habían consolidado otras posiciones competitivas. La estrategia de precio bajo está siendo seguida por Asda (Wal-Mart), que también poseía una cuota de mercado del dieciséis por ciento y Morrison's (con el once por ciento). En el segmento *sin filigranas* estaba Netto, Lidl y Aldi, todos ellos formatos minoristas que llegaron en los noventa de los vecinos europeos y con una cuota conjunta del seis por ciento aproximadamente.

La estrategia de diferenciación realmente ya no existía en una forma pura. La más cercana era la de Waitrose (casi el cuatro por ciento de cuota), poniendo el énfasis en una imagen de alta calidad, pero dirigiéndose a un mercado más selecto, de clase medio-alta en determinadas localidades. La postura de diferenciación segmentada mantuvo el dominio de los especialistas: *delicatessen* y, por supuesto en un contexto londinense, Harrods Food Hall.

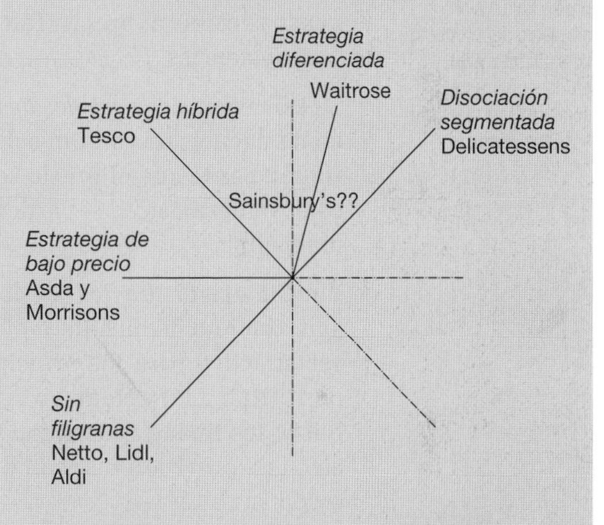

Preguntas

1. ¿Quién se encuentra *atrapado a la mitad* aquí? ¿Por qué?
2. ¿Es defendible una estrategia diferenciada o una estrategia de bajo precio si existe una estrategia híbrida de éxito similar a la que está siendo seguida por Tesco?
3. ¿Qué puede evitar que otros competidores sigan a Tesco y compitan con éxito con ella? (Si es así, ¿Tesco cuenta con capacidades estratégicas que proporcionen una ventaja competitiva sostenible?).
4. Para otro mercado que elija, establezca las posiciones estratégicas de los competidores en tal mercado en términos del reloj estratégico.

(Tesco es el caso de ejemplo en el Capítulo 9).

Por ejemplo, esto se ha producido en el mercado de bebidas con las cervezas de calidad y especiales. Y los mercados donde la demanda es heterogénea pueden convertirse en más homogéneos (similares a los de materias primas), particularmente si las TI pueden estandarizar y rutinizar el contenido profesional del producto —como ocurre en los servicios financieros—.

Por lo tanto, el reloj estratégico puede ayudar a los directivos a entender los requerimientos cambiantes de sus mercados y las elecciones que pueden realizar con respecto a posicionamiento y ventaja competitiva. A continuación se analiza cada posición del reloj.

6.2.1. Estrategias basadas en el precio (trayectorias 1 y 2)

Una estrategia **"sin filigranas"** combina precio bajo, valor percibido del producto/servicio bajo y un enfoque sobre un segmento de mercado sensible al precio.

La trayectoria 1 es la **estrategia "sin filigranas"**, que combina un precio bajo, un valor percibido del producto/servicio bajo y un enfoque sobre un segmento de mercado sensible al precio. Tales segmentos pueden existir debido a las siguientes circunstancias:

- La existencia de *mercados de materias primas (commodity)*. Estos son mercados en los clientes no valoran o distinguen diferencias en la oferta de distintos oferentes, por lo que el precio se convierte en una cuestión estratégica clave. Los comestibles básicos —particularmente en países en desarrollo— constituyen un ejemplo.
- Pueden existir *clientes sensibles al precio,* que no pueden permitirse, o no eligen, comprar bienes de mejor calidad. Este segmento de mercado puede no ser atractivo para los principales oferentes, pero ofrecen una oportunidad a otros (Aldi, Lidl y Netto en la Ilustración 6.1, por ejemplo). En los servicios públicos, los financiadores con presupuestos ajustados pueden decidir financiar solo una provisión de nivel básico (por ejemplo, espectáculos subvencionados o dentista).
- Los compradores cuentan con un *elevado poder y/o unos bajos costes de cambio,* por lo que existe poca elección —por ejemplo en situaciones de concursos por contratos públicos—.
- Ofrece una oportunidad para *eludir a los principales competidores.* Si los principales oferentes compiten sobre otras bases, un segmento de bajo precio puede ser una oportunidad para actores más pequeños o para que un nuevo entrante ocupe un nicho o utilice la trayectoria 1 como avanzada para conseguir volumen antes de desplazarse hacia otras estrategias.

Una **estrategia de precios bajos** persigue conseguir un precio inferior al de los competidores, mientras que tratan de mantener un valor percibido de sus productos o servicios similares al ofrecido por los competidores.

La trayectoria 2, la **estrategia de precios bajos,** persigue conseguir un precio inferior al de los competidores, mientras que tratan de mantener valor percibido de sus productos o servicios similar a los ofrecidos por los competidores. De manera creciente, esta ha sido la estrategia competitiva elegida por Asda (propiedad de Wal-mart) y Morrison en el sector de supermercados en Reino Unido (véase la Ilustración 6.1). En el sector público, dado que el *precio* de un servicio para el financiador (normalmente el gobierno) es el coste unitario de la organización que recibe el presupuesto, el equivalente son los incrementos en eficiencia alcanzados sin una pérdida de valor percibido.

La ventaja competitiva mediante una estrategia de precios bajos puede ser alcanzada centrándose en un segmento de mercado que no es atractivo a los competidores y por lo tanto, evitando las presiones competitivas que erosionen los precios. Sin embargo, una situación más común y difícil es aquella en la que existe competencia en precios, como por ejemplo, en el sector público y en los mercados similares a los de materias primas. Existen dos riesgos cuando se compite en precios:

- *Reducciones de márgenes para todos.* Aunque puede conseguirse una ventaja táctica al reducir precios, es probable que sea seguida por los competidores, mermando los márgenes de beneficio para todos.
- *Incapacidad para reinvertir.* Los márgenes bajos reducen los recursos disponibles para desarrollar productos o servicios, y resultan en una pérdida de valor percibido del producto.

Por tanto, en el largo plazo, las estrategias *sin filigranas* y de bajo precio no pueden perseguirse sin una *base de costes bajos.* Sin embargo, el coste bajo en sí mismo no constituye una base para la ventaja. Los directivos a menudo persiguen costes bajos que no les proporcionan una ventaja competitiva. El desafío se encuentra en cómo pueden reducirse los costes de formas que otros no puedan igualar, de manera que una estrategia de precios bajos pueda proporcionar una ventaja competitiva. Esto es difícil, pero son analizadas posibles vías en el Apartado 6.3.1. La Ilustración 6.2 también muestra cómo easyJet ha conseguido reducir costes para perseguir su estrategia *sin filigranas.*

6.2.2. Estrategias de diferenciación (amplia) (trayectoria 4)

Una **estrategia de diferenciación** persigue proporcionar beneficios para sus productos o servicios de formas diferentes a las de los competidores y que sean valorados por los compradores de manera extensiva.

La siguiente opción es una **estrategia de diferenciación** amplia que proporciona productos o servicios que aporten beneficios diferentes de los competidores y que sean valorados por los compradores de manera extensiva[3]. Se trata de conseguir una ventaja competitiva ofreciendo mejores productos o servicios al mismo precio o mejorar los márgenes mediante precios ligeramente superiores. En los servicios públicos, el equivalente es la consecución de un estatus de *centro de excelencia,* atrayendo fondos del gobierno (por ejemplo, las universidades tratan de mostrar que son mejores en investigación o enseñanza que otras universidades).

El éxito de un enfoque de diferenciación es probable que dependa de dos factores clave:

- *La identificación y la comprensión del cliente estratégico.* El concepto de cliente estratégico es útil porque se centra en la consideración de a quién se dirige la estrategia. Sin embargo, esto no siempre es inmediato, tal y como se muestra en el Apartado 2.4.3. Por ejemplo, para un periódico, ¿el cliente es el lector del periódico, el anunciante o ambos? Es probable que tengan distintas necesidades y estén buscando diferentes beneficios. Para un fabricante de alimentos con marca, ¿el cliente es el consumidor final o el minorista? Puede ser importante

Ilustración 6.2

La estrategia "sin filigranas" de easyJet

Múltiples bases para mantener los costes bajos pueden proporcionar una base para una estrategia "sin filigranas".

Fundada en 1995, easyJet fue considerada la joven advenediza descarada de la industria aérea europea, y se esperaba que fracasase. Pero a mediados de la primera década del siglo XXI, esta aerolínea con base en Luton había hecho algo más que sobrevivir. Desde un punto de partida de seis aviones operando una ruta, en 2006 contaba con 122 aviones volando en 262 rutas en 72 aeropuertos y transportando a más de 33 millones de pasajeros por año y unos resultados financieros impresionantes: un beneficio de 129 millones de libras sobre unos ingresos de 1.619 millones (unos 187 millones de euros sobre 2.348 millones).

Los principios de su estrategia y su modelo de negocio eran establecidos en los informes anuales año tras año. Por ejemplo, en 2006:

- "Internet es utilizada para reducir los costes de los distribuidores (...). Ahora más del 95% de todos los asientos son vendidos en línea, convirtiendo a easyJet uno de los mayores minoristas de Internet de Europa".
- "Maximización de la utilización de muchos activos. Hacemos volar a nuestras aeronaves de manera intensiva, con un tiempo de inmovilización en el suelo mínimo. Esto nos proporciona unos costes unitarios muy bajos".
- "Viaje sin billete. Los pasajeros reciben los detalles de la reserva mediante un mensaje de correo electrónico en lugar de en papel. Esto ayuda a reducir de manera significativa los costes de emisión, distribución, procesamiento y conciliación de millones de transacciones a lo largo del año".
- "Sin *comida gratis.* Eliminamos los servicios innecesarios que son complejos de gestionar, como la comida gratis, asientos preasignados, conexiones entre líneas y servicios de carga. Esto nos permite mantener los costes totales de producción bajos".
- "Uso eficiente de los aeropuertos. easyJet vuela a muchos destinos a lo largo de toda Europa, pero consigue eficiencia en comparación con las líneas aéreas tradicionales con tiempos de inmovilización en tierra de los aviones mínimos y progresivos acuerdos sobre tarifas de los aeropuertos. [Se puede añadir que dado que no opera en un sistema de hubs, los pasajeros tienen que facturar y descargar su equipaje en cada trayecto. Esto significa que el avión no tiene que ser retenido porque el equipaje es transferido entre vuelos]".

También se puede añadir que otros factores contribuyeron a los bajos costes:

- Centrarse en el avión Airbus A319 y retirar la *antigua generación* de aviones Boeing 737, lo que significaba "una joven flota de modernos aviones garantizados a tasas muy competitivas" beneficiándose de los costes de mantenimiento. Y, dado que una creciente proporción de estos era propiedad de easyJet, los costes de financiación estaban siendo reducidos.
- Un enfoque persistente en la reducción de costes en tierra.
- Frente al incremento de los costes del combustible, cubrirlo con la compra de combustible de cara al futuro.

Además de todos los factores anteriores, el informe de 2006 afirmaba que la propuesta de easyJet a los clientes estaba definida por:

> "Bajos costes con cuidado y comodidad (...). Volamos a los principales destinos europeos desde aeropuertos locales cercanos y proporcionamos servicio a bordo agradable. La gente es el punto clave que marca la diferencia en easyJet y forma parte de nuestro éxito. Esto nos permite atraer el rango más amplio de clientes para utilizar nuestros servicios —tanto de negocios como de placer".

Fuente: Informe Anual de easyJet 2006.

Preguntas

1. Lea los Apartados 6.2.1 y 6.3.1 e identifique las bases de la estrategia *sin filigranas* de easyJet.
2. ¿Sería fácil para aerolíneas más grandes, como British Airways, imitar la estrategia?
3. ¿Sobre qué bases podrían competir otras aerolíneas de bajo coste con easyJet?

que las organizaciones del sector público ofrezcan beneficios percibidos, ¿pero para quién? ¿Es el usuario del servicio o el financiador? Sin embargo, *lo que es valorado* por el cliente estratégico puede ser peligrosamente dado por hecho por los directivos, lo que sirve de recordatorio de la importancia de identificar los factores clave de éxito (Apartado 2.4.4).

- *La identificación de los competidores clave.* ¿Contra quién compite la organización? Por ejemplo, en la industria de la cerveza en la actualidad existen unos pocos grandes competidores globales, pero también existen muchas cerveceras locales o regionales. Los actores en cada grupo estratégico (véase el Apartado 2.4.1) necesitan decidir a quién consideran competidores y, a partir de ello, qué bases de diferenciación pueden ser consideradas. Heineken parece estar convencida de que son los otros competidores globales —Carlsberg y Anheuser Busch, por ejemplo—. SABMiller desarrolla su actividad global sobre la base de la adquisición y desarrollo de marcas nacionales, y la competencia sobre la base de gustos y tradiciones locales, aunque más recientemente también ha adquirido Miller para competir globalmente.

El análisis de los competidores mostrado en el Apartado 2.4.4 (y en la Figura 2.7) puede ayudar en los siguientes dos aspectos:

- La *dificultad de la imitación.* El éxito de una estrategia de diferenciación debe depender de lo fácilmente que pueda ser imitada por los competidores. Esto muestra la importancia de las capacidades estratégicas no imitables analizadas en el Apartado 3.4.3.
- El grado de *vulnerabilidad ante la competencia basada en precios.* En algunos mercados los clientes son más sensibles al precio que en otros. Por lo tanto, puede que las bases para la diferenciación no sean suficientes frente a los precios más bajos. Por ejemplo, a menudo los directivos se quejan de que los clientes no parecen valorar los niveles superiores de servicio que ofrecen. O, tomando el ejemplo del comercio minorista de alimentación en Reino Unido (véase la Ilustración 6.1), Sainsbury podría afirmar ser el mayor diferenciador amplio sobre la base de la calidad, mientras que los clientes ahora perciben que Tesco es comparable y consideran que ofrece precios inferiores.

6.2.3. La estrategia híbrida (trayectoria 3)

Una **estrategia híbrida** persigue de manera simultánea conseguir diferenciación y un precio inferior que el de los competidores.

Una **estrategia híbrida** persigue de manera simultánea conseguir diferenciación y un precio bajo en relación a los competidores. El éxito de esta estrategia depende de la habilidad para ofrecer beneficios mejorados a los clientes junto con precios bajos mientras se consiguen márgenes suficientes para reinvertirlos de manera que se mantengan y desarrollen bases para la diferenciación. Esta es, en efecto, la estrategia que Tesco está tratando de seguir. Podría argumentarse que, si pudiera ser conseguida la diferenciación, no existiría necesidad de tener un precio inferior, dado que sería posible obtener precios al menos iguales que los de la competencia, si no superiores. De hecho, existe un gran debate sobre si una estrategia híbrida puede ser una estrategia competitiva de éxito en lugar de ser un compromiso subóptimo entre precio bajo y diferenciación. Si es lo último, muy probablemente no será efectiva. Sin embargo, la estrategia híbrida podría resultar ventajosa cuando:

- Pueden conseguirse *volúmenes muy superiores* a los de los competidores, por lo que los márgenes pueden ser mejores debido a una estructura de costes bajos, tal y como Tesco está consiguiendo dada su cuota de mercado en Reino Unido.
- *Se encuentran disponibles reducciones de coste fuera de sus actividades diferenciadas.* Por ejemplo, IKEA se concentra en construir diferenciación sobre la base de su *marketing*, línea de productos, logística y operaciones en el punto de venta, aunque las bajas expectativas de los clientes sobre niveles de servicio permiten reducciones de coste debido a que los clientes están dispuestos a transportar y construir sus productos.
- Es utilizada como *estrategia de entrada* en un mercado con competidores establecidos. Por ejemplo, en el desarrollo de una estrategia global, un negocio puede orientarse a obtener unos pobres beneficios dentro de una cartera de negocios en un área geográfica del mundo de una empresa y entrar en tal mercado con un producto superior a un precio inferior para afianzarse y poder desarrollarse en el futuro.

6.2.4. Diferenciación segmentada (trayectoria 5)

Una estrategia de **diferenciación segmentada** persigue proporcionar un producto/servicio con un alto beneficio percibido, lo que justifica una prima sustancial en el precio, normalmente hacia un segmento de mercado seleccionado (nicho).

Una estrategia de **diferenciación segmentada** persigue proporcionar un producto/servicio con un alto beneficio percibido, lo que justifica una prima sustancial en el precio, normalmente hacia un segmento de mercado seleccionado (o nicho). Estos podrían ser productos de calidad y con una fuerte marca, por ejemplo. Los fabricantes de cervezas de calidad, *whiskies* de malta única y vinos de determinados *chateaux* tratan de convencer de que su producto se encuentra lo suficientemente diferenciado de los competidores para justificar precios significativamente superiores. En los servicios públicos, los centros de excelencia (como puede ser un museo especializado) consiguen cifras de fondos significativamente superiores que las de otros oferentes más generalistas. Sin embargo, la diferenciación segmentada plantea algunas cuestiones importantes:

- Tiene que realizarse una *elección* entre una estrategia segmentada (trayectoria 5) y una diferenciación amplia (trayectoria 4). Una empresa que sigue una estrategia de crecimiento internacional puede tener que elegir entre construir una ventaja competitiva sobre la base de un producto y marca común global (trayectoria 4) o adaptar su oferta a mercados específicos (trayectoria 5).
- *Tensiones entre una estrategia segmentada y otras estrategias.* Por ejemplo, los fabricantes generalistas de automóviles, como Ford, adquirieron prestigiosas marcas como Jaguar o Aston Martin, pero aprendieron que tratar de gestionarlas de la misma forma que un fabricante de coches en masa no era posible. En 2007, Ford había vendido Aston Martin y estaba tratando de hacer lo mismo con otras. Tales tensiones limitan el grado de diversidad del posicionamiento

estratégico que una organización puede mantener, una cuestión importante para la estrategia a nivel corporativo, tal y como se analiza en el Capítulo 7.

- *Posible conflicto con las expectativas de los "stakeholders"*. Por ejemplo, un servicio de biblioteca pública puede ser más eficiente en costes si concentra sus esfuerzos en el desarrollo de servicios de información en línea basados en las TIC. Sin embargo, esto probablemente estaría en conflicto con su propósito de inclusión social, ya que podría excluir a personas que no tuvieran conocimientos de informática.
- *Crecimiento en los nuevos negocios*. A menudo los nuevos negocios comienzan en un segmento específico —ofreciendo productos o servicios innovadores para satisfacer necesidades particulares—. Sin embargo, puede ser difícil encontrar formas de crecer en tales nuevos negocios. Trasladarse de la trayectoria 5 a la 4 significa reducir precios y por lo tanto costes, mientras que se mantienen las características diferenciadoras.
- *Los cambios en el mercado pueden erosionar las diferencias entre segmentos,* dejando a la organización abierta a una competencia mucho más amplia. Los clientes pueden volverse no dispuestos a pagar una prima sobre el precio conforme las características de las ofertas *regulares* mejoran. O el mercado puede segmentarse aún más mediante ofertas incluso más diferenciadas de los competidores. Por ejemplo, los restaurantes de alto nivel han tenido éxito incrementando los estándares en todos los lugares y mediante el advenimiento de restaurantes de *nicho* que se especializan en determinados tipos de comida.

6.3 SOSTENIBILIDAD DE LA VENTAJA COMPETITIVA

Las organizaciones que tratan de conseguir una ventaja competitiva esperan preservarla a lo largo del tiempo y gran parte de lo que se ha escrito sobre estrategia competitiva considera la necesidad de la sostenibilidad como una expectativa central. Este apartado se basa en el análisis del Apartado 3.2 en relación con la capacidad estratégica para considerar cómo puede ser posible la sostenibilidad.

6.3.1. Sostenibilidad de una ventaja basada en el precio

Una organización que persigue una ventaja competitiva mediante precios bajos puede ser capaz de sostenerla a través una serie de vías:

- *Operar con menores márgenes* puede ser posible para una empresa debido a que tiene un volumen de ventas muy superior al de los competidores o puede subsidiar una unidad de negocio desde otro lugar de su cartera (véase el Apartado 7.5 para un análisis más profundo sobre las estrategias de cartera).
- *Una estructura de costes de carácter único*. Algunas empresas pueden poseer acceso único a canales de distribución de bajo coste, ser capaces de obtener

materias primas a menores precios que los competidores o estar localizadas en un área en la que los costes laborales son bajos.

- Pueden existir *capacidades específicas* para una empresa, de manera que sea capaz de reducir costes a lo largo de su cadena de valor. Así, Porter define liderazgo en costes como "el productor con unos menores costes en su industria (...) [es quien] debe encontrar y explotar todas las fuentes de ventaja en costes [4]". (Véase el Apartado 3.3 y la Figura 3.3).

Por supuesto, si alguno de estos dos últimos enfoques va a ser seguido, es importante que las áreas operativas de bajo coste realmente generen ventajas en costes para apoyar ventajas en precios sobre los competidores reales. También resulta importante que los competidores encuentren tales ventajas difíciles de imitar, tal y como se mostraba en el Capítulo 3. Esto requiere una perspectiva en la que la innovación en la reducción de costes sea considerada esencial para sobrevivir. Un ejemplo de esto es RyanAir en el sector de aerolíneas de bajo precio *sin filigranas* que, en 2006, declaró que su ambición era ser capaz de finalmente ofrecer a los pasajeros vuelos gratis.

- *Centrarse en segmentos de mercado* en los que los precios bajos sean particularmente valorados por los clientes, aunque otras características no lo sean. Un ejemplo es el éxito de los productores que fabrican en exclusiva productos de marca de distribuidor de alimentación para los supermercados. Pueden mantener los precios bajos porque evitan los gastos generales y de *marketing* de los principales fabricantes con marca. Sin embargo, solo pueden hacerlo al centrarse en tal segmento de producto y mercado.

Pero existen peligros al tratar de perseguir estrategias de bajo precio:

- *Los competidores pueden ser capaces de hacer lo mismo.* No tiene sentido tratar de conseguir ventaja mediante bajo precio sobre la base de reducción de costes si los competidores puede hacerlo también.
- Los clientes comienzan a *asociar bajo precio con bajos beneficios del producto/servicio* y tratar de desarrollar una estrategia hacia la trayectoria 2 se desliza hacia la trayectoria 1 por defecto.
- Las reducciones de coste pueden resultar en una *incapacidad de perseguir una estrategia de diferenciación.* Por ejemplo, externalizar los sistemas de TIC por razones de eficiencia en costes puede significar que no se tenga una visión estratégica de cómo puede conseguirse una ventaja competitiva mediante las TIC.

6.3.2. Sostenibilidad de una ventaja basada en la diferenciación

No tiene sentido esforzarse en ser diferente si los competidores pueden imitarlo fácilmente, por lo que existe una necesidad de sostenibilidad sobre la base de la ventaja. Por ejemplo, muchas empresas que tratan de conseguir una ventaja mediante el lanzamiento de nuevos productos o servicios encuentran que son copiados rápidamente por los competidores. La Ilustración 6.3 muestra cómo los productores de vino en Francia y Australia han estado buscando bases de diferenciación entre sí a lo largo de los años

Ilustración 6.3

La batalla estratégica en la industria del vino: Australia "vs." Francia

Los beneficios de la diferenciación de éxito pueden ser difíciles de mantener.

Durante siglos los vinos franceses han sido considerados superiores. A partir del sistema de Appellation d'Origine Contrôlée (AOC), con sus requerimientos de etiquetado y controles para casi 450 regiones de crianza de vino, el énfasis se ponía en las distintas regiones de los vinos y en las marcas basadas en el chateau. En el sistema AOC, el viticultor individual es un custodio del *terroir* y de sus tradiciones. La calidad de los vinos y las distintas diferencias locales son debidas a las diferencias en sol y clima, así como a las habilidades de los viticultores, a menudo sobre la base de décadas de experiencia local.

Sin embargo, en 2001 el dominio tradicional de los vinos franceses en Reino Unido parecía que había terminado, con las ventas de los vinos australianos superando a las de los franceses por primera vez. Esto ocurrió a la vez que un enorme incremento en el consumo de vino, en la medida en que se encontraba ampliamente disponible en los supermercados, donde el vino australiano era especialmente exitoso. El éxito de los vinos australianos con los minoristas se produjo debido a varias razones. La calidad era consistente, en comparación con los vinos franceses, que diferían por año y localización. Mientras que los galos siempre habían destacado la importancia del área local de origen del vino, Australia era la marca del país como región vinícola concentrada en torno a una variedad de uva —Chiraz o Chardonnay, por ejemplo—. Esto evitaba los confusos detalles de la localización de los viñedos y los nombres de los *chateaux* con los que muchos clientes encontraban dificultades con respecto a los vinos franceses. El enfoque del Nuevo Mundo hacia la producción de vino, en términos de estilo, calidad y sabor también estaba basado en las demandas de los consumidores, no en las condiciones de producción locales. Las uvas eran compradas de donde fuera necesario para crear un producto fiable. Los vinos franceses podían ser impredecibles —lo que es magnífico para el *connoisseur,* pero exasperante para el anfitrión de una cena, que espera obtener aquello por lo que ha pagado—.

Entre 1994 y 2003, Francia perdió 84.000 viticultores. No existía mucha preocupación hasta que en 2001 el gobierno francés nombró a una comisión para estudiar el problema. Las propuestas de la comisión fueron que Francia debía mejorar la calidad de su vino de *appellation* y también crear una nueva gama de calidad completamente nueva, vinos genéricos, denominada *vins de cepage* (vinos de acuerdo con una variedad de uva). Una empresa denominada OVS planeaba comercializar la marca Chamarré —francesa, "repleta de colores"— para su venta por entre 7,25 y 10,15 euros, el rango de precios en el que los vinos del Nuevo Mundo habían realizado las incursiones más importantes. El presidente de OVS, Pascal Renaudat, que estaba en el negocio del vino desde hacía veinte años, explicaba:

> "Tenemos que simplificar nuestro producto y rechazar un enfoque arrogante que quizá era natural en nosotros. Es importante producir vino que se corresponda con lo que la gente quiere beber y a un buen precio (...). Este no es vino para *connoisseurs.* Es para el placer".
>
> "Es el momento de abandonar la presuntuosidad que envuelve al vino francés", afirma Renaud Rosari, maestro viticultor de Chamarré. "Chamarré trata de dotar a nuestros vinos de vida para los consumidores. La marca es alegre, sin complicaciones y accesible y consistente con los vinos de calidad, con el estilo fácil de beber que los clientes están buscando".

Había un optimismo justificado: Jamie Goode, de wineanorak.com, afirmaba que es una valiente decisión. Sin embargo, "el problema es que todo el mundo lo está haciendo... El acceso al mercado es clave. Necesitas introducirte en los supermercados, pero también tener una marca fuerte con la que negociar o de lo contrario serán salvajes contigo en precios".

Fuentes: adaptado de *Financial Times,* 11 de febrero y 3/4 de marzo; *Independent,* 4 de agosto (2003); *Sunday Times,* 5 de febrero (2006); *Guardian Unlimited,* 7 de febrero (2006).

Preguntas

1. Explique la elevada y distintiva reputación de los vinos franceses en el pasado, en términos de las bases de la diferenciación sostenible planteadas en los Apartados 3.4 y 6.3.2.
2. ¿Cuáles son las razones para el éxito de los vinos australianos? ¿Son sostenibles?
3. ¿Cuál es la estrategia competitiva que Chamarré está adoptando para responder al desafío de los vinos australianos (y otros procedentes del Nuevo Mundo)?

Las formas de tratar de sostenes la ventaja a través de la diferenciación incluyen las siguientes:

- *Crear dificultades para la imitación.* El Apartado 3.4.3 analiza los factores que pueden hacer las estrategias difíciles de imitar.
- *Movilidad imperfecta,* de manera que las capacidades que sustentan la diferenciación sostenible no puedan ser *intercambiada en el mercado.* Por ejemplo, una empresa farmacéutica puede conseguir grandes beneficios por poseer científicos de alto nivel, o un club de fútbol por sus jugadores estrella, pero pueden ser robados por los competidores: se pueden intercambiar en el mercado. Por otra parte, algunas bases de la ventaja son muy difíciles de intercambiar en el mercado. Por ejemplo:
  - Los *recursos intangibles,* como marca, imagen o reputación, que son intangibles o competencias arraigadas en la cultura de una organización, son difíciles imitar u obtener por parte de un competidor. De hecho, incluso si el competidor adquiere la compañía para conseguirlas, puede no transferirlas con facilidad hacia la nueva propiedad.
  - Pueden existir *costes de cambio.* El coste real o percibido para un comprador de cambiar la fuente de oferta de un producto o servicio puede ser elevado. O el comprador puede ser dependiente del proveedor para determinados componentes, servicios o habilidades. O los beneficios de cambiar pueden simplemente no ser compensados por el coste o riesgo.
  - *Coespecialización.* Se refiere a si los recursos o competencias de una organización se encuentran íntimamente vinculados con las operaciones de los compradores. Por ejemplo, un elemento completo de la cadena de valor para una organización, quizá distribución o fabricación, puede ser llevado a cabo por otra organización.
- Una *posición en costes más favorable* que la de los competidores puede permitir a una organización mantener mejores márgenes que puedan ser reinvertidos para conseguir y mantener la diferenciación. Por ejemplo, Kellogg's o Mars bien pueden tener los menores costes en sus mercados, pero reinvierten sus beneficios en desarrollo de marca y diferenciación de producto y servicio, de manera que no bajen los precios.

6.3.3. Bloqueo estratégico

El **bloqueo estratégico** se produce cuando una organización consigue una posición de exclusividad en su industria y se convierte en un estándar en la industria.

Otro enfoque para la sostenibilidad, ya sea para estrategias basadas en precio o para estrategias basadas en diferenciación, es la creación de un **bloqueo estratégico**[5]. Este se produce cuando una organización consigue una posición de exclusividad en su industria y se convierte en un estándar en la industria. Por ejemplo, Microsoft se convirtió en un estándar en la industria. Muchos argumentan que técnicamente Apple Macintosh posee un mejor sistema operativo, pero Microsoft Windows se convirtió en el estándar de la industria al conseguir que su arquitectura estuviera construida en torno a este. Otros negocios han tenido que ajustarse o relacionarse con tal estándar para poder prosperar.

La consecución del bloqueo es probable que dependa de:

- *El tamaño o dominio del mercado.* Es improbable que otros pretendan ajustarse a tales estándares a menos que perciban a la organización que lo promueve como dominante en su mercado.
- *El dominio derivado de mover primero.* Tales estándares es probable que se establezcan *temprano en los ciclos de vida de los mercados.* En la volatilidad inherente a los mercados en crecimiento es más probable que la persecución decidida del bloqueo por parte de los *primeros en mover* tenga éxito que cuando el mercado está maduro. Por ejemplo, Sky, con el apoyo financiero de News Corporation, fue capaz de vender con un precio por debajo de los competidores e invertir fuertemente en tecnología y crecimiento rápido de la cuota de mercado, manteniendo pérdidas sustanciales durante muchos años, con el fin de conseguir el dominio.
- *El compromiso que se realimenta.* Cuando una o más empresas apoyan el estándar, se incorporan más; entonces otras se ven obligado a ello y así sucesivamente.
- *La insistencia en la preservación* de la posición de bloqueo. La insistencia o conformidad con el estándar es estricta, por lo que los rivales serán expulsados de manera feroz. Esto, por supuesto produce problemas, tal y como encontró Microsoft en los tribunales de Estados Unidos cuando fue juzgado por estar actuando contra los intereses del mercado.

6.3.4. Respuesta a una amenaza competitiva[6]

La preservación de la ventaja competitiva frente a los competidores que atacan dirigiéndose a los clientes sobre la base de una estrategia competitiva diferente puede ser una seria amenaza. Una de las más comunes son los competidores de bajo precio que entran en mercados dominados por empresas que han construido una fuerte posición mediante la diferenciación. Por ejemplo, las aerolíneas de bajo coste han obtenido una cuota importante procedente de las aerolíneas más importantes de todo el mundo. Una situación equivalente en el sector público surge de la insistencia de proveedores de fondos a partir de las *mejoras de eficiencia* año tras año. Constituye una oportunidad para que los nuevos entrantes rebajen los precios de los proveedores de servicio existentes, o incluso puede que tales proveedores se vean ellos mismos forzados a rebajar los precios.

La Figura 6.3 sugiere el conjunto de cuestiones que pueden plantearse y las respuestas apropiadas y proporciona algunas pautas generales. En primer lugar, *si una estrategia de diferenciación es mantenida* sobre la base de la represalia (o en el sector público si la decisión es mantener un estatus de *centro de excelencia),* se debería:

- *Construir múltiples bases para la diferenciación.* Existe una mayor probabilidad de poner de manifiesto los beneficios relativos si son múltiples. Por ejemplo, el diseño de Bang and Olufsen de sistemas de alta fidelidad se encuentra vinculado a la innovación en producto y sus relaciones con minoristas para asegurar que presentan sus productos de manera distintiva en las tiendas.

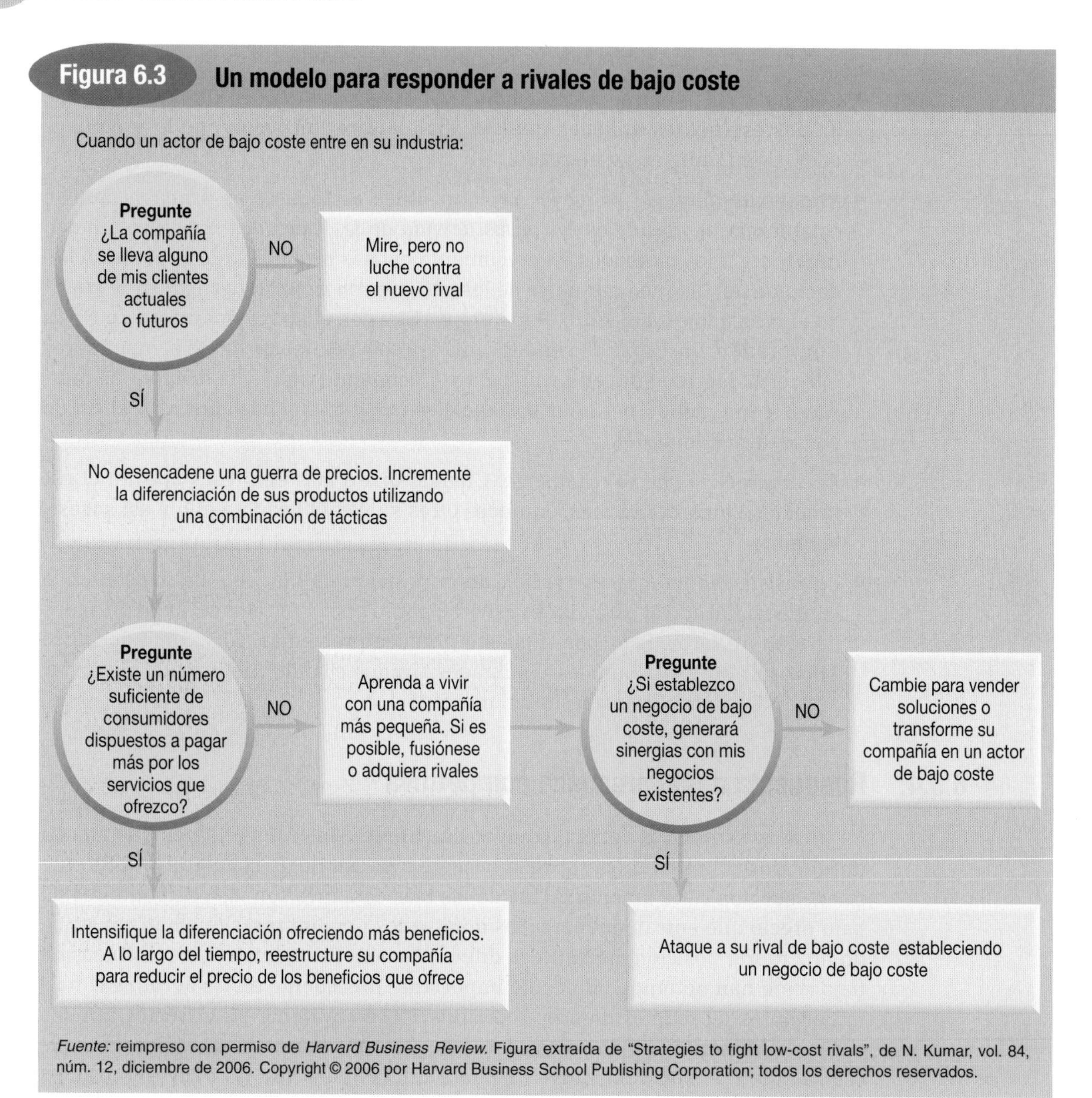

Fuente: reimpreso con permiso de *Harvard Business Review.* Figura extraída de "Strategies to fight low-cost rivals", de N. Kumar, vol. 84, núm. 12, diciembre de 2006. Copyright © 2006 por Harvard Business School Publishing Corporation; todos los derechos reservados.

- *Asegurar una base de diferenciación significativa.* Los clientes necesitan ser capaces de discernir un beneficio significativo. Por ejemplo, Gillette ha encontrado que es difícil persuadir a los clientes del beneficio de la larga vida de las pilas Duracell, no solo debido a que los competidores de bajo precio ofrecen *packs* de pilas baratas para competir, sino también debido a que la demanda de pilas ha disminuido.
- *Minimizar las diferencias de precios* para productos o servicios superiores. Esta es una razón por la que una estrategia híbrida puede ser tan efectiva.

- *Centrarse en segmentos de mercado menos sensibles al precio*. Por ejemplo, British Airways ha cambiado su enfoque estratégico hacia los vuelos de larga distancia con un particular énfasis en los viajeros de negocios.

En segundo lugar, si los diferenciadores deciden *establecer un negocio de bajo precio*, se debería:

- Establecer una *marca separada* para el negocio de bajo precio para evitar la confusión del cliente.
- *Operar el negocio por separado* y *asegurarse de que dispone de recursos suficientes*. El peligro es que la alternativa de bajo precio es considerada como de *segunda clase* o se encuentra muy limitada por los procedimientos y cultura del negocio tradicional.
- *Asegurar los beneficios de la oferta diferenciada* respecto de la alternativa de bajo precio. Por ejemplo, algunos bancos ofrecen comisiones bajas a través de las subsidiarias de banca por Internet. Estas alternativas de bajo precio consiguen clientes que la banca tradicional podría no conseguir y obtienen fondos que de otra forma no conseguirían.
- *Permitir que los negocios compitan*. Lanzar el negocio de bajo precio de manera puramente defensiva es improbable que resulte efectivo. Se le tiene que permitir que compita como unidad estratégica de negocio viable separada. Como tal, es bastante probable que se produzca la sustitución de una oferta con otra. Los directivos necesitan desarrollar esto en sus planes estratégicos y proyecciones financieras.

Una tercera posibilidad es que los negocios diferenciados puedan *cambiar su propio modelo de negocio*. Por ejemplo:

- *Convertirse en proveedores de soluciones*. Los entrantes de bajo precio es probable que se centren en productos o servicios básicos, por lo que es posible reconstruir el modelo de negocio para centrarse en servicios de mayor valor. Por ejemplo, muchas empresas de ingeniería se han dado cuenta de potencial de mayor valor de los servicios de diseño y consultoría con respecto a las operaciones de ingeniería basadas en el trabajo que es fácil que sean recortadas en precio.
- *Convertirse en un proveedor de bajo precio*. La respuesta más radical sería abandonar la dependencia de la diferenciación y aprender a competir directamente con el competidor en precio[7]. No existe demasiada evidencia del éxito de tal respuesta, debido a que significaría competir sobre la base de competencias mejor comprendidas por el incumbente.

6.4 COMPETENCIA Y COLABORACIÓN[8]

Hasta el momento, se ha puesto énfasis en la competencia y la ventaja competitiva. Sin embargo, la ventaja no siempre puede ser conseguida mediante la competencia. La colaboración entre organizaciones puede ser una forma de conseguir una ventaja o evitar la competencia. La colaboración entre competidores potenciales o entre compradores y vendedores es probable que sea ventajosa cuando los costes combinados de las transacciones de compra (como negociación y contratación) son menores mediante la colaboración que el coste de operar de manera individual. La colaboración también ayuda a generar costes de cambio. Esto puede mostrarse retornando al modelo de las cinco fuerzas del Apartado 2.3.1 (véase también la Figura 6.4):

- *Colaboración para incrementar el poder de venta.* En la industria de fabricación de componentes aeroespaciales se puede buscar construir vínculos íntimos con los clientes. Conseguir el estatus de proveedor acreditado puede ser difícil, pero puede incrementar de manera significativa el poder del vendedor una vez conseguido. Puede ayudar también en las actividades de investigación y desarrollo, en la reducción de existencias y en la planificación conjunta para diseñar nuevos productos.
- *Colaboración para incrementa el poder de compra.* Históricamente, el poder y rentabilidad de las compañías farmacéuticas ha sido propiciado por la naturaleza fragmentada de sus compradores —médicos y hospitales individuales—. Pero muchos gobiernos han promovido o exigido la colaboración entre compradores de medicamentos y las agencias gubernamentales de medicamentos centralizadas, lo que ha resultado en un poder de compra más coordinado.

Figura 6.4 Competencia y colaboración

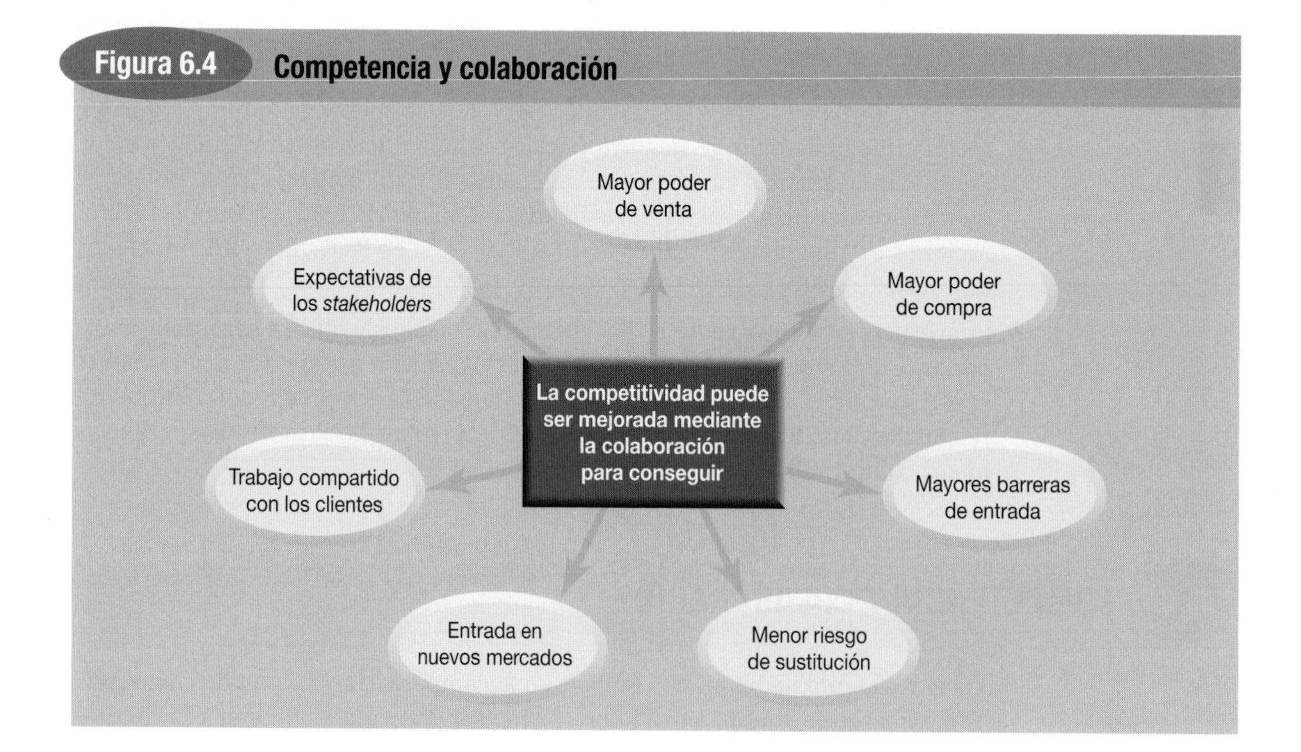

- *Colaboración para construir barreras a la entrada o evitar la sustitución.* Enfrentadas a la amenaza de entrada o a los productos sustitutivos, las empresas de una industria pueden colaborar para invertir en I+D o *marketing.* Las asociaciones de comercio pueden promover unas características genéricas de una industria como pueden ser estándares de seguridad o especificaciones técnicas para acelerar la innovación y evitar la posibilidad de sustitución.
- *Colaboración para conseguir la entrada y poder competitivo.* Las organizaciones que buscan desarrollarse más allá de sus fronteras tradicionales (por ejemplo, expansión geográfica) pueden colaborar con otras para conseguir entrar en nuevas áreas. Conseguir conocimiento del mercado local puede requerir también de colaboración con operadores locales. De hecho, en algunas partes del mundo, los gobiernos exigen a los entrantes colaborar de tal forma. La colaboración también ayudar en el desarrollo de la infraestructura requerida, como canales de distribución, sistemas de información o actividades de I+D. También puede ser necesaria debido a que los compradores pueden preferir hacer negocios con directivos locales en lugar de expatriados. Especialmente en situaciones de alta tecnología e hipercompetitivas, se produce la desintegración (o *escisión)* de cadenas de valor, debido a que existe competencia innovadora en cada etapa de tal cadena. En tales circunstancias también es probable que exista una necesidad creciente de estrategias cooperativas entre tales competidores para ofrecer soluciones coherentes a los clientes[9].
- *Colaboración para compartir tareas con los clientes.* Una importante tendencia en los servicios públicos es la *coproducción* con los clientes, como por ejemplo, la autodeterminación de la base imponible de impuestos. Los motivos incluyen eficiencia en costes, mejora de la calidad/fiabilidad o mayor *propiedad/responsabilidad* por parte de los clientes. Las páginas web también facilitan el autoservicio de los clientes (la cesta de la compra virtual es un ejemplo), y les permite diseñar o adaptar un producto o servicio a sus propias especificaciones (por ejemplo, cuando encargan un nuevo ordenador).
- En el sector público *conseguir un mayor aprovechamiento de las inversiones públicas* puede requerir de colaboración para establecer los estándares globales del sector o abordar cuestiones sociales que puedan implicar distintos campos profesionales, como la lucha contra la droga o seguridad ciudadana. Una diferencia con el sector privado es que compartir y diseminar conocimiento sobre las mejores prácticas es considerado un deber o un requerimiento.

Sin embargo, la colaboración con los competidores no es tan fácil como parece. La Ilustración 6.4 es un ejemplo de colaboración entre sector privado y público en una industria.

Ilustración 6.4

Colaboración universidad-empresa en las industrias creativa y cultural

La colaboración entre el sector público/privado puede proporcionar beneficios a ambas partes.

En 2003, el gobierno de Reino Unido puso en marcha un comité (el comité Lambert) para analizar la colaboración universidad-empresa en Reino Unido y proponer cómo podría ser mejorada. La primera etapa era buscar ideas a partir de un amplio rango de *stakeholders.* Lo siguiente es un extracto del Arts and Humanities Research Council (AHRC), cuyo trabajo fue fundamental para una serie de industrias culturales y creativas:

Nos encontramos en las primeras etapas de la exploración de una serie de asociaciones y posibles intervenciones estratégicas (véase más abajo). En colaboración con el Departamento de Cultura, Medios y Deportes, y otros, se ha establecido un foro, el Creative Industries/Higher Education Forum. Este grupo persigue unir el lado de la oferta y la demanda de esta relación para fomentar vínculos más fuertes y nuevas actividades.

Industrias creativas y culturales: el papel de los clusters creativos

Muchas universidades han desarrollado vínculos con empresas en las industrias creativas y culturales... Sin embargo, muchas de las compañías en las industrias creativas son pequeñas (PYMES)... Un desarrollo orgánico en los últimos años ha sido la creación de una serie de *"clusters" creativos,* uniendo instituciones de educación superior con empresas para la generación de nuevas ideas, productos y procesos. Existen ejemplos en todo el país, incluyendo Escocia, Sheffield, Londres, Bristol o Nottingham. Tales *clusters* creativos apoyados por empresas y servicios de apoyo podrían proporcionar las bases para apoyar el emprendimiento individual a pequeña escala.

Trabajo con agencias de desarrollo regional

Los consejos de investigación y las agencias de desarrollo regional son canales para sus respectivas comunidades, y el trabajo ya ha comenzado sobre las formas de identificar mediante las que conjuntamente pueden ser un catalizador para nuevas ideas y un facilitador para la transferencia de conocimiento. Tales actividades pueden cubrir proyectos individuales, esquemas de patrocinio conjunto y la facilitación de clusters sectoriales, como pueden ser los clusters regionales.

Implicar a los profesionales en las instituciones de educación superior

Muchos modelos tradicionales de la relación entre las instituciones de educación superior y las empresas describen un proceso lineal en el que el conocimiento es transferido a la industria. Sin embargo, puede argumentarse que, de manera creciente, la transferencia de conocimiento no es un proceso, sino una interacción basada en el acceso a personas, información, datos e infraestructura. En la creación y representación artística, el concepto de cartera de carreras no es infrecuente. Los individuos pueden ocupar puestos a tiempo parcial de investigación o docencia junto con otras formas de empleo o autoempleo, incluyendo la creación artística. Además, no es infrecuente para las empresas y otras organizaciones no privadas proporcionar ofertas de profesorado o para impartir conferencias.

Ampliar la definición de transferencia de conocimiento en una economía del conocimiento

De manera creciente, un gran número de personas están vendiendo su conocimiento, experiencia y habilidad mediante formas de empleo no convencionales. Sin embargo, en la búsqueda de evidencia de transferencia de conocimiento de la academia a las empresas, el foco tiende a ponerse en el número de patentes, empresas semilla y nuevas empresas creadas. Estas indudablemente son importantes indicadores de rendimiento industrial, pero una base de evidencia examinando los patrones de empleo y autoempleo proporcionaría una perspectiva más amplia.

Perfilar este nuevo escenario

Es el papel de entidades como la AHRC facilitar un entorno que facilite que las ideas y creatividad de la comunidad académica sean desbloqueadas y desarrolladas. Trabajando con cuerpos análogos en otros sectores, como las agencias de desarrollo regional, la aspiración es encontrar formas de mejorar los vínculos entre la academia y la sociedad y la economía.

Fuente: respuesta de la AHRC a la Lambert Review of Business-University Collaboration, http://www.ahrc.ac.uk.

Preguntas

1. Examine el Apartado 6.4 e identifique los beneficios potenciales de la colaboración universidad-empresa para una serie de *stakeholders.*
2. ¿Cuáles son los riesgos de colaborar con cada uno de tales stakeholders (frente a *hacerlo solo)?*

RESUMEN

- La estrategia competitiva se refiere a la búsqueda de una ventaja competitiva en mercados a nivel de negocio o en los servicios públicos, proporcionando servicios con el mejor valor.
- Las diferentes bases de la ventaja competitiva incluyen:
  - Una estrategia *sin filigranas,* que combina bajo precio y bajo valor añadido percibido.
  - Una estrategia de *bajo precio* que proporciona menor precio que los competidores con un valor añadido del producto o servicio similar al de los competidores.
  - Una estrategia de *diferenciación,* que persigue proporcionar productos o servicios que son únicos o diferentes a los de los competidores.
  - Una estrategia *híbrida,* que busca simultáneamente conseguir diferenciación y precios inferiores a los de los competidores.
  - Una estrategia de *diferenciación segmentada,* que persigue proporcionar un alto valor percibido justificando una prima en el precio sustancial.
- Los directivos necesitan considerar las bases sobre las que las estrategias de precio o diferenciación pueden ser mantenidas a partir de capacidades estratégicas, el desarrollo de relaciones duraderas con clientes o la habilidad de conseguir una posición de *bloqueo,* de manera que se convierta en el *estándar de la industria* reconocido por proveedores y compradores.
- Las estrategias de colaboración pueden ofrecer alternativas a las estrategias competitivas o pueden operar en paralelo.

Lecturas clave recomendadas

- Los fundamentos del análisis de las estrategias competitivas genéricas se pueden encontrar en los trabajos de Michael Porter, que incluyen *Competitive Strategy* (1980) y *Competitive Advantage* (1985). Ambos son recomendables para los lectores que deseen comprender las bases del análisis de los Apartados 6.3 y 6.4 de este capítulo sobre la estrategia competitiva y la ventaja competitiva.
- Existe un vivo debate sobre si es posible una ventaja competitiva sostenible. Dos trabajos que ofrecen diferente evidencia sobre esto son R. W. Wiggins y T. W. Ruefli, "Schumpeter's Ghost: Is Hypercompetition Making the Best of Times Shorter?", *Strategic Management Journal,* vol. 26 (2005), 887-911, que argumenta que no existe evidencia para la ventaja competitiva sostenible; y G. McNamara, P. M. Vaaler y C. Devers, "Same as it Ever Was: the Search for Evidence of Increasing Hypercompetition", *Strategic Management Journal,* vol. 24 (2003), 261-278, que argumenta que sí existe.

Referencias

1. Véase D. Faulkner y C. Bowman, *The Essence of Competitive Strategy,* Prentice Hall, 1995. Un modelo similar es el utilizado por Richard D'Aveni, *Hypercompetitive Rivalries: Competing in highly dynamic environments,* Free Press, 1995.
2. M. Porter, *Competitive Advantage,* Free Press, 1985.
3. B. Sharp y J. Dawes, "What is differentiation and how does it work?", *Journal of Marketing Management,* vol. 17, núm. 7/8 (2001), pp. 739-759, revisa la relación entre diferenciación y rentabilidad.
4. Estas notas referidas a las tres estrategias competitivas son tomadas de su libro *Competitive Advantage,* Free Press, 1985, pp. 12-15.
5. El Modelo Delta se explica e ilustra con mayor profundidad en A.C. Hax y D.L. Wilde II, "The Delta Model", *Sloan Management Review,* vol. 40, núm. 2 (1999), pp. 11-28.
6. Este apartado se basa en la investigación de N. Kumar, "Strategies to Fight Low Cost Rivals", *Harvard Business Review,* vol. 84, núm. 12 (2006), 104-113.
7. Para una discusión sobre cómo competir en tales circunstancias, véase A. Rao, M. Bergen y S. Davis, "How to fight a price war", *Harvard Business Review,* vol. 78, núm. 2 (2000), pp. 107-115.
8. Algunos libros útiles sobre las estrategias colaborativas son: Y. Doz y G. Hamel, *Alliance Advantage: The art of creating value through partnering,* Harvard Business School Press, 1998; *Creating Collaborative Advantage,* ed. Chris Huxham, Sage Publications, 1996 y D. Faulkner, *Strategic Alliances: Co-operating to compete,* McGraw-Hill, 1995.
9. Este caso de cooperación en industrias de alta tecnología, es apoyado e ilustrado por V. Kapur, J. Peters y S. Berman, "High Tech 2005: the Horizontal, Hypercompetitive Future", *Strategy and Leadership,* vol. 31, núm. 2 (2003).

CASO DE EJEMPLO

Madonna: ¿todavía es la reina del pop?

Phyl Johnson, Strategy Explorers

La industria de la música ha sido siempre el telón de fondo para artistas con un solo éxito y carreras breves. Las estrellas del pop que han permanecido en lo más alto durante décadas son muy pocas. Madonna es una de ellas. La cuestión es, tras veinticinco años en lo más alto, ¿durante cuánto tiempo más puede durar?

Descrita por *Billboard Magazine* como la más inteligente mujer de negocios en el negocio del espectáculo, Madonna, Louise Ciccone, comenzó su carrera musical en 1983 con el single *Holiday* y en 2005-2006 de nuevo disfrutó de un éxito en las listas con su álbum *Confessions on a Dance Floor.* Entre ambos ha tenido un éxito constante con sus sencillos y álbumes, giras mundiales, papeles protagonistas en seis películas, dieciocho premios musicales, como modelo para una serie de productos que van desde Pepsi y Max Factor, hasta Gap y H&M y se ha convertido en una autora de éxito mundial de cuentos para niños.

El fundamento del éxito de Madonna en los negocios ha sido su habilidad para mantener su reinado como reina del pop desde 1983. Junto con otros muchos, Phil Quattro, el presidente de Warner Brothers, ha argumentado que "ella siempre se encuentra en la cúspide de lo que llamamos música contemporánea. Cada artista establecido se enfrenta al dilema de mantener su importancia y relevancia, Madonna nunca deja de ser relevante". La habilidad camaleónica de Madonna de cambiar su persona, su género musical con él y seguir consiguiendo importantes records de ventas ha sido el sello de su éxito.

El primer estilo *poppy* de Madonna estaba dirigido a chicas jóvenes de clase media baja. La imagen que representaba a través de éxitos como *Holiday* y *Lucky Star* en 1983 estaba recogida por Macy's, la cadena de tiendas estadounidense. Ofrecía una gama de prendas *Madonna lookalike* que las madres estaban dispuestas a comprar a sus hijas. Un año después, en 1984, Madonna llevó a cabo su primer cambio de imagen y, al hacerlo, ofreció su primera insinuación en los medios de chica lista tras su imagen. En el video para su éxito *Material Girl,* reflejaba de manera deliberada su imagen glamurosa, sexual de Marilyn Monroe, a la vez que se burlaba del creciente materialismo de los ochenta y de los hombres que iban tras ella adulándola. Los analistas de medios Sam y Diana Kirschner comentaban que con este tipo de presentación, Madonna permitía a las compañías discográficas mantener una *imagen de Marilyn* vendible para una nueva cohorte de fans, pero también permitía a su base de fans original de ahora chicas que están creciendo adoptar su mensaje más crítico proveniente de la música. El tema de buscar la controversia aunque manteniéndose lo suficientemente vendible, ha sido una cuestión recurrente a lo largo de su carrera, aunque se ha atenuado ligeramente durante los últimos años.

Los siguientes cambios de imagen de Madonna fueron más radicales. En primer lugar, se enfrentó a la Iglesia Católica en su video de 1989 *Like a Prayer,* en el que una pecadora arrepentida besaba a un santo negro fácilmente identificable como la figura de Jesús. Su imagen se había convertido en cada vez más sexual mientras que el mismo tiempo mantenía una postura de crítica social; por ejemplo, criticaba la imaginería exclusivamente de raza blanca en la Iglesia Católica. En este punto de su carrera, Madonna tomó el control absoluto de su imagen mediante un acuerdo de sesenta millones de dólares (48 millones de euros) con Time-Warner con el que creó su propia compañía discográfica Maverick. En 1991, publicaba su libro erótico llamado *Sex,* en el que mostraba imágenes exclusivas de ella misma en posturas eróticas. Su imagen y música también reflejaba este tema erótico. En su gira *Girlie,* sus sencillos *Erotica* y *Justify Love,* y en su película voyeur *In bed with Madonna* protagonizaba escenas de fantasías sadomasoquistas y lésbicas. Aunque supuestamente es un periodo de su carrera que de alguna forma le gustaría olvidar, Madonna ha hecho más que sobrevivir a él. De hecho, ha ganado toda una nueva generación de fans que no solo respetan su coraje artístico, pero tampoco dejaba de lado el hecho de que Madonna era consistente con su mensaje: su sexualidad era suya y no necesita la atención de un hombre. Utilizaba el idilio de los medios con ella y el estatus de *cause célèbre* obtenido al contar con una prohibición de la MTV de su vídeo *Justify my Love,* para promover su mensaje que la sexualidad de la mujer y la libertad es tan importante y aceptable como la del hombre.

Cambiando de orientación en 1996, Madonna finalmente se colocó en el centro del escenario con su papel

Estrenos	Año	Imagen	Audiencia objetivo
Lucky Star	1982	*Trashy-pop*	Chicas jóvenes de clase media baja, abandonando el estilo disco en decadencia hacia el surgimiento de la *escena club* .
Like a Virgin *Like a Prayer*	1984	Originalmente una imagen de glamur a lo Marylin que se convirtió en una imagen de santa y pecadora.	Base de *fans* de más edad rebeldes, audiencia femenina más crítica y fieles hombres.
Vogue *Erotica* *Bedtime Stories*	1990 1992 1994	Estrella erótica, sadomasoquista, control sexual, más Minelli en *Cabaret* que Monroe.	Peculiar mezcla de audiencias: ámbito gay club, mujeres de los noventa que toman el control de sus vidas, también pura excitación masculina.
Something to Remember *Evita*	1995	Imagen más suave, baladas que preparan la imagen glamurosa del papel de la película *Evita.*	Audiencia objetivo más amplia, consiguiendo audiencias potenciales para la película, así como base de fans regular. Imagen más convencional. Más tarde, Max Factor utilizó esta combinación de Marylin Monroe y Eva Perón para vender su imagen de glamur.
Ray of Light	1998	Madre tierra, misticismo oriental, fusión de música de baile.	Generación club de los noventa, nueva cohorte de fans más los fans originales de los ahora treintañeros que desesperadamente se mantienen a la última.
Music	2000	*Acid rock,* imagen irónica de chica vaquero americana, cool Brittania.	Gestiona el cambio en la escena club y los treintañeros británicos.
American Life	2003	Imagen militar Che Guevara Anticonsumismo del Sueño Americano	Audiencia no clara que depende de la base existente.
Confessions on a Dance Floor	2005	Imagen retro de los ochenta, sonido *dance-pop* de alto movimiento.	Fuerte audiencia icono gay, audiencia pop-disco, audiencia relacionada con el baile.

protagonista en la película *Evita* que había perseguido durante cinco años. Venció a otras rivales de peso como Meryl Streep y Elaine Page, ambas con pasados más aceptables que Madonna. Aún así, consiguió la transición de imagen de erótica a la persona con una aureola de santidad como Eva Perón y ganó el aplauso de la crítica. Otro voto de confianza del *sistema* provino de Max Factor, que en 1999 firmó con ella para su campaña de relanzamiento que había articulado en torno al tema del glamur. Procter and Gamble (los propietarios de la línea de maquillaje Max Factor) argumentaban que veían a Madonna como "lo más cercano a los noventa que tenía un estilo de clásica estrella de Hollywood (...). Ella es una mujer real".

Con muchas filtraciones antes del lanzamiento, el muy esperado nuevo álbum de Madonna *Ray of Light* fue lanzado en 1998. Las emisoras de radio de todo el mundo estaban desesperadas por conseguir el álbum que estaba destinado a ser su viaje musical más exitoso hasta el momento. En un movimiento inteligente, Madonna se había unido al pionero de tecno William Orbit para escribir y producir el álbum. Fue un enorme éxito, llevando a Madonna en la esfera ultramoderna del tecno, más allá del entorno natural de una estrella del pop de principios de los 80. Madonna adoptó una imagen *madre tierra/espiritual* y marcó una tendencia oriental en moda y música. Esta fase puede haber generado más que solo una imagen, dado que en ese momento de la vida de

Madonna se sitúa el comienzo de su fe en la tradición oriental de la Cábala.

En 2001, se desveló su nueva imagen con el lanzamiento de su álbum *Music,* en el que su imagen se había transformado de nuevo hacia el *acid rock.* Con su matrimonio con el director de cine británico Guy Ritchie, la última *American Pie* se había convertido en una bella británica madura, adquiriendo el entrañable apodo de *Madge* en la prensa británica.

En 2003, algunos comentaristas estaban sugiriendo que un interesante giro de eventos estaba sugiriendo que quizá la Madonna *de vanguardia, intrépida,* estaba comenzando a pensar en *ser parte* en lugar de *desafiar* al sistema cuando lanzó su nueva imagen inspirada en el Che Guevara. En lugar de maximizar el potencial de su imagen en términos de su simbolismo político y social durante la Segunda Guerra del Golfo, en abril de 2003 renunció a su imagen militar y video para el álbum *American Life.* Tal acción coincidió con la publicación de su libro infantil *The English Roses,* basado en los temas de compasión y amistad, lo que suscitó preguntas en la prensa en torno a la cuestión "¿Madonna se ha vuelto blanda?".

A finales de 2003 borró su imagen militar de la memoria colectiva occidental con una ostentosa campaña publicitaria para Gap, el minorista de ropa, en el que baila acompañada del rapero Missy Elliot en un remix de su canción *Get into the Groove.* Aquí Madonna estaba manteniendo a los treintañeros, quienes recordaban la canción de nuevo por primera vez. Podrían comprar vaqueros para ellos y para sus hijos adolescentes a la vez que compraban el cedé reestrenado (de venta en las tiendas) para compartirlo y una copia de *The English Roses* (también promovido en las tiendas de Gap) quizás para los miembros más jóvenes de la familia.

El final de 2005 vio el lanzamiento del álbum *Confessions on a Dance Floor,* que fue comercializado como su vuelta tras sus bajas ventas de *American Life.* Este y la gira asociada consiguieron una de las cimas de ventas de su carrera. El álbum batió un record de solistas femeninas cuando debutó como número uno en 41 países. En febrero de 2007, había vendido ocho millones de copias. Aquí Madonna se centró en el principio de altas ventas del *remix*, eligiendo *samples* de los iconos gay discotequeros de Abba y Giorgo Moroder para que fueran el corazón de su propia reinvención simbólica de artista a *dj.* Al comercializar la imagen de su álbum junto con Dolce & Gabbana en sus espectáculos de moda masculina, Madonna recuperó su corona de reina del *dance-pop.* ¿Su último álbum aguantará la prueba musical del tiempo? Quién sabe. Pero por ahora parece que ha conseguido algo más que vivir el momento.

Fuentes: "Bennett takes the reins at Maverick", *Billboard Magazine,* 7 de agosto (1999); "Warner Bros expects Madonna to light up international markets", *Billboard Magazine,* 21 de febrero (1998); "Maverick builds on early success", *Billboard Magazine,* 12 de noviembre (1994); A. Jardine "Max Factor strikes gold with Madonna", *Marketing,* vol. 29 (1999), pp. 14-15; S. Kirschner y D. Kirschner, "MTV, adolescence and Madonna: a discourse analysis", en *Perspectives on Psychology & the Media,* American Psychological Association, Washington, DC, 1997; "Warner to buy out Maverick cofounder", *Los Angeles Times,* 2 de marzo (1999); "Why Madonna is back in Vogue", *New Statesman,* 18 de septiembre (2000); "Madonna & Microsoft", *Financial Times,* 28 de noviembre (2000).

Preguntas

1. Describa y explique la estrategia seguida por Madonna en términos de la explicación de la estrategia competitiva proporcionada en el Capítulo 6.
2. ¿Por qué ha experimentado un éxito sostenido durante las pasadas dos décadas?
3. ¿Qué puede amenazar la sostenibilidad de su éxito?

7

DIRECCIONES DEL DESARROLLO Y ESTRATEGIA A NIVEL CORPORATIVO

OBJETIVOS DE APRENDIZAJE

Tras leer este capítulo, usted debería ser capaz de:

- Identificar las distintas direcciones para el desarrollo de la estrategia, incluyendo penetración de mercado o consolidación, desarrollo de producto, desarrollo de mercado y diversificación.
- Reconocer cuándo la diversificación es una estrategia efectiva para el crecimiento.
- Distinguir entre diferentes estrategias de diversificación (relacionada y no relacionada) e identificar condiciones bajo las que funcionan mejor.
- Analizar las formas en las que una matriz corporativa puede añadir o destruir valor para su cartera o unidades de negocio.
- Analizar las carteras de unidades de negocio y juzgar en cuál invertir y en cuál desinvertir.

7.1 INTRODUCCIÓN

El Capítulo 6 se ocupaba de las elecciones a nivel de negocio o de las unidades organizativas, por ejemplo, mediante estrategias de precios o diferenciación. Este capítulo se refiere a las elecciones que tiene que realizar una organización en cuanto a *productos y mercados* en los que entrar o salir. ¿Debería estar la organización muy enfocada en unos pocos productos y mercados? ¿O debería estar mucho más abierta en alcance, quizás muy diversificada en términos de productos (o servicios) y mercados? Muchas organizaciones eligen entrar en muchas nuevas áreas de producto y mercado. Por ejemplo, Virgin Group comenzó en el negocio de la música, pero ahora es muy diversa, operando en los mercados de vacaciones, cine, venta minorista, aerolíneas y ferrocarril. Sony comenzó fabricando pequeñas radios, pero ahora produce juegos, música y películas, así como un gran número de productos electrónicos. Conforme las organizaciones añaden nuevas unidades, sus estrategias ya no se refieren solo a elecciones a nivel de negocio, sino también a elecciones a nivel corporativo derivadas de poseer varios negocios o estar presente en mercados diferentes.

El capítulo comienza introduciendo la matriz de Ansoff, que genera un conjunto inicial de direcciones del desarrollo alternativas. Las cuatro direcciones básicas son: una *mayor penetración* en los mercados existentes; el *desarrollo de mercado,* que incluye construir nuevos mercados, quizá en el extranjero o en nuevos segmentos de clientes; el *desarrollo de productos,* referido a mejoras en producto e innovación, y la *diversificación,* que supone una ampliación significativa del alcance de una organización en términos de mercados y productos. Este capítulo proporciona un examen detallado de la opción de diversificación, proponiendo buenas razones para hacerlo, y advierte de razones menos buenas: la diversificación no siempre es rentable. El Capítulo 8 considera la internacionalización como una forma de desarrollo de mercado.

La **matriz corporativa** incluye los niveles de dirección por encima de las unidades de negocio y, por lo tanto, sin interacción directa con compradores y competidores.

La diversificación ocupa las demás cuestiones abordadas en el capítulo. La primera es el papel de los ejecutivos del *nivel corporativo* que se ocupan de las funciones de **matriz corporativa** con respecto a las unidades de negocio individuales que constituyen las carteras de las organizaciones diversificadas. Dada su distancia del mercado real, ¿cómo pueden las actividades, decisiones y recursos a nivel corporativo añadir valor a los negocios? La segunda cuestión es cómo conseguir una buena combinación de negocios dentro de la cartera corporativa. ¿En qué negocios debería invertir la matriz y en cuáles debería desinvertir? Aquí, las *matrices de cartera* ayudan a estructurar las elecciones a nivel corporativo.

El capítulo no solo se refiere a grandes negocios comerciales. Incluso los pequeños negocios pueden estar compuestos de una serie de unidades de negocio. Por ejemplo, un constructor local puede estar llevando a cabo trabajo subcontratado para el gobierno local, para clientes industriales y para hogares locales. Estos no solo son diferentes segmentos de mercado, sino que el modo de operar y las capacidades requeridas para el éxito competitivo también es probable que sean diferentes. Además, el propietario del negocio tiene que tomar decisiones sobre el alcance de las inversiones y actividad en cada segmento. Las organiza-

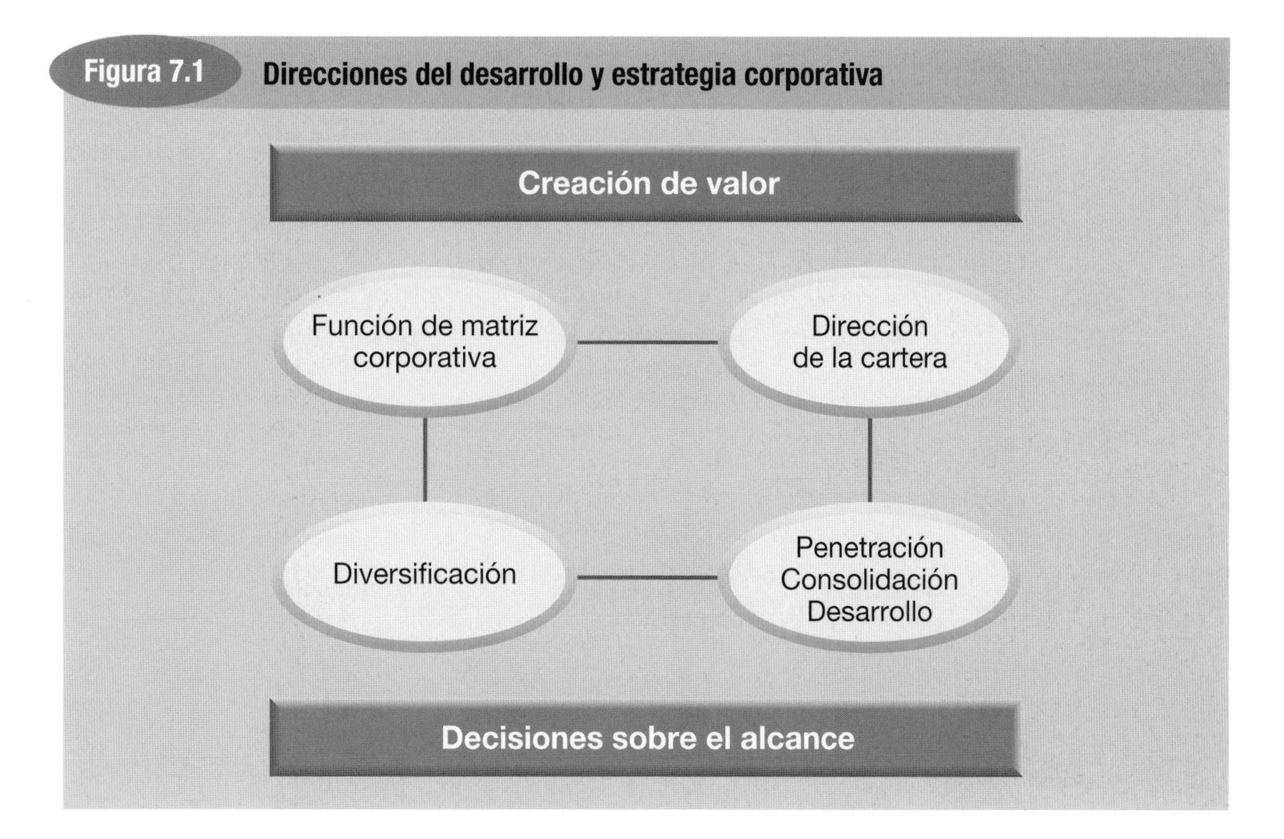

Figura 7.1 Direcciones del desarrollo y estrategia corporativa

ciones del sector público como gobierno local o servicios de salud también proporcionan diferentes servicios, que se corresponden a unidades de negocio en las organizaciones comerciales. La estrategia a nivel corporativo es muy relevante para definir de manera apropiada las fronteras organizativas en el sector público, y las decisiones de privatización y externalización pueden ser consideradas como respuestas ante el fracaso de las organizaciones del sector público de añadir valor suficiente por parte de su matriz.

La Figura 7.1 resume las cuestiones clave que aborda este capítulo. Tras revisar las direcciones del desarrollo de Ansoff, el capítulo se centra específicamente en la diversificación. La diversificación de hecho plantea las dos cuestiones relacionadas del papel de la matriz corporativa y el uso de las matrices de cartera de negocios.

7.2 DIRECCIONES DEL DESARROLLO

La matriz de crecimiento producto/mercado de Ansoff [1] proporciona una forma simple de generar cuatro direcciones alternativas para el desarrollo estratégico: véase la Figura 7.2. Normalmente, una organización comienza en el recuadro A, en la parte superior izquierda, con sus mercados y productos existentes.

Figura 7.2 Direcciones del desarrollo (matriz Ansoff)

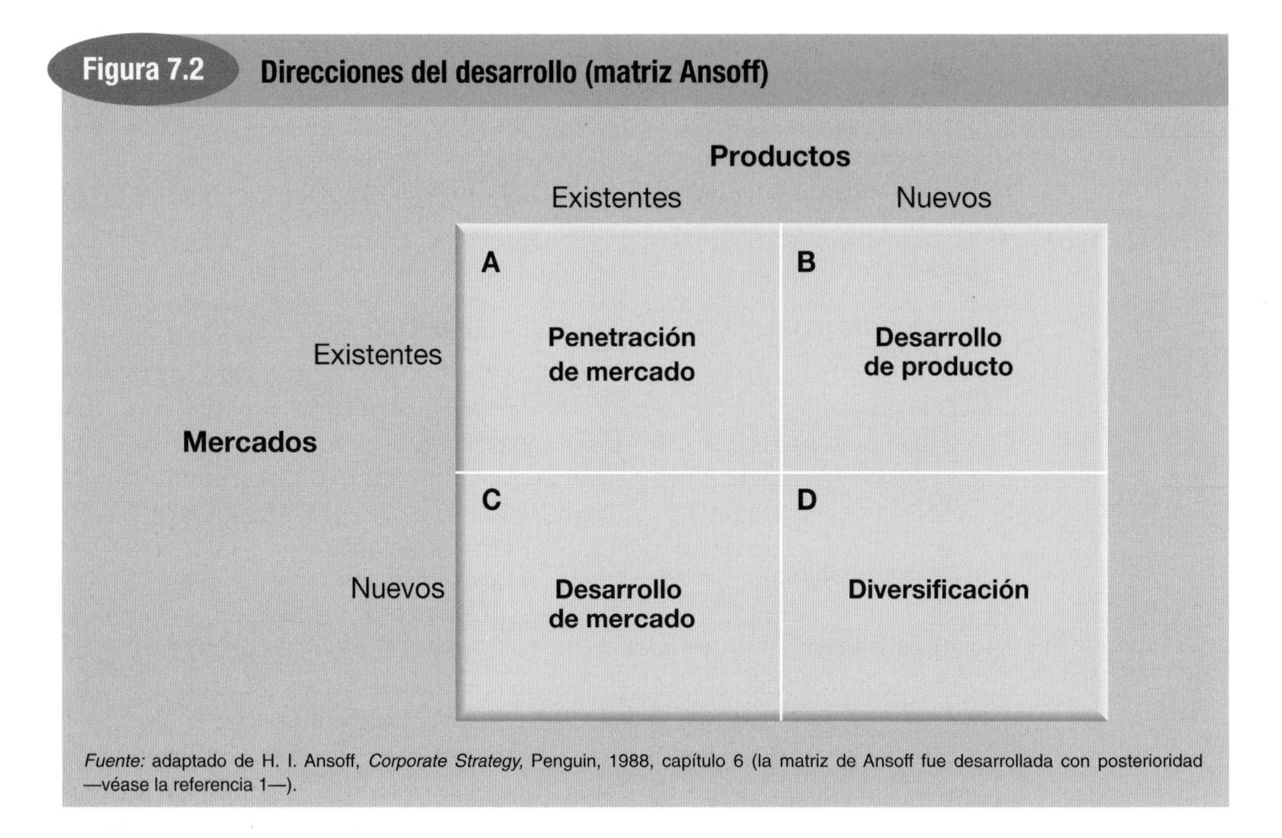

Fuente: adaptado de H. I. Ansoff, *Corporate Strategy*, Penguin, 1988, capítulo 6 (la matriz de Ansoff fue desarrollada con posterioridad —véase la referencia 1—).

De acuerdo con la matriz, la organización básicamente tiene una elección entre *penetrar* aún más dentro de su esfera existente (permanecer en el recuadro A), moverse a la derecha *desarrollando nuevos productos* para sus mercados existentes (recuadro B), desplazarse hacia abajo ofreciendo sus *productos existentes a nuevos mercados* (recuadro C) o dar el paso más radical de *diversificación* con nuevos mercados y nuevos productos juntos (recuadro D).

La matriz de Ansoff considera de manera explícita opciones de crecimiento. El crecimiento raramente es un buen fin en sí mismo. Las organizaciones del sector público a menudo son acusadas de crecer fuera de control generando burocracias. De manera similar, algunos directivos del sector público son acusados de construir imperios a expensas de los accionistas. Por lo tanto, este capítulo añade la *consolidación* como una quinta opción. La consolidación supone proteger los productos y mercados existentes y, por lo tanto, pertenece al recuadro A. El resto de este apartado considera las cinco direcciones del desarrollo en mayor detalle.

7.2.1. Penetración de mercado

La **penetración de mercado** supone que una organización incremente su cuota de mercado.

La **penetración de mercado,** mediante la que la organización incrementa la cuota en sus mercados existentes con su gama de productos existente, a primera vista es la dirección de desarrollo más obvia. Se construye sobre capacidades estratégicas existentes y no requiere que la organización se aventure en un territorio inexplorado. El alcance de la organización es exactamente el mismo. Además, una mayor cuota de mercado implica un mayor poder frente a compradores y proveedores (en términos de las cinco fuerzas), mayores economías de escala y beneficios de la curva de experiencia.

Sin embargo, la organización que persigue una mayor penetración de mercado puede enfrentarse a dos restricciones:

- *Represalias de los competidores.* En términos de las cinco fuerzas (Apartado 2.3), una mayor penetración de mercado es probable que exacerbe la rivalidad en la industria en la medida en que otros competidores en el mercado defiendan su cuota. Una mayor rivalidad puede suponer guerras de precios o caras batallas de *marketing,* que pueden costar más que lo que pueda aportar cualquier ganancia en cuota de mercado. Los peligros de provocar una fuerte represalia son mayores en mercados de bajo crecimiento, en los que las ganancias en el volumen se producirán en mayor medida a expensas de otros actores. Donde la represalia sea un peligro, las organizaciones que busquen penetración en el mercado necesitarán capacidades estratégicas que les proporcionen una clara ventaja competitiva. En mercados de bajo crecimiento o en declive, puede ser más efectivo simplemente adquirir competidores. Algunas compañías han crecido rápidamente de esta forma. Por ejemplo, en la industria del acero, la compañía india LNM (Mittal) se movió con rapidez para convertirse en el mayor productor de acero del mundo al adquirir compañías de acero con problemas en todo el mundo. Las adquisiciones pueden reducir la rivalidad de manera efectiva, adquiriendo actores independientes y consolidándolos bajo un mismo paraguas; véase también la estrategia de consolidación en el Apartado 7.2.2.
- *Restricciones legales.* Una mayor penetración de mercado puede hacer surgir preocupación por parte de las instituciones de defensa de la competencia con respecto a un excesivo poder de mercado. La mayoría de los países cuenta con reguladores con poderes para contener a compañías poderosas o evitar fusiones y adquisiciones que generarían tal poder excesivo. En Reino Unido, la Comisión de la Competencia puede investigar cualquier fusión o adquisición que supusiera más de un veinticinco por ciento del mercado nacional y detener el acuerdo o proponer medidas que redujeran el poder de mercado. La Comisión Europea tiene una visión global del mercado europeo y puede intervenir de manera similar. Por ejemplo, cuando Gaz de France y Suez, dos compañías de servicio público con posiciones dominantes en Francia y Bélgica, decidieron fusionarse en 2006, la Comisión Europea insistió en que las compañías redujeran su poder desinvirtiendo algunas de sus subsidiarias y abriendo sus redes a la competencia[2].

7.2.2. Consolidación

La **consolidación** se produce cuando las organizaciones se focalizan de manera defensiva en sus mercados actuales con sus productos actuales.

La **consolidación** se produce cuando las organizaciones se focalizan de manera defensiva en sus mercados actuales con sus productos actuales. Formalmente, esta estrategia ocupa en la matriz de Ansoff el mismo recuadro que la penetración de mercados, pero no está orientada a crecer. La consolidación puede tomar dos formas:

- *Defensa de la cuota de mercado.* Cuando se enfrentan a competidores agresivos empeñados en incrementar su cuota de mercado, las organizaciones tienen que trabajar intensamente y a menudo de manera creativa para proteger lo que ya tienen. Aunque la cuota de mercado raramente debería ser un fin en sí misma, es importante asegurar que sea suficiente para mantener el negocio en el largo plazo. Por ejemplo, la facturación tiene que ser lo suficientemente alta para repartir costes fijos esenciales como la I+D. En la defensa de la cuota de mercado, a menudo son efectivas las estrategias de diferenciación con el fin de generar lealtad del cliente y costes de cambio.
- *Reducir el tamaño o desinvertir.* Especialmente cuando el tamaño del mercado en su conjunto se está reduciendo, la reducción del tamaño del negocio mediante la eliminación de capacidad a menudo es inevitable. Una alternativa es desinvertir (vender) algunas actividades a otros negocios. En ocasiones, reducir el tamaño puede ser dictado por las necesidades de los accionistas, por ejemplo un emprendedor que desea simplificar su negocio conforme se acerca su jubilación. La desinversión o cierre de negocios periféricos puede también hacer más fácil vender el negocio central a un adquirente potencial.

El término consolidación en ocasiones también es utilizado para describir estrategias de *adquisición de rivales* en una industria fragmentada, particularmente si está en declive. Al adquirir competidores más débiles y reducir capacidad, la compañía en consolidación puede ganar poder de mercado e incrementar su eficiencia global. Como esta forma de consolidación incrementa la cuota de mercado, podría ser vista como una forma de penetración de mercados, pero en este caso la motivación es esencialmente defensiva.

Aunque las estrategias de consolidación y penetración de mercado no son de ningún modo estáticas, sus limitaciones a menudo llevan a los directivos a considerar direcciones de desarrollo alternativas.

7.2.3. Desarrollo de producto

El **desarrollo de producto** se produce cuando las organizaciones ofrecen productos modificados o nuevos a los mercados existentes.

El **desarrollo de producto** se produce cuando las organizaciones ofrecen productos (o servicios) modificados o nuevos a los mercados existentes. Esta constituye una extensión limitada del alcance organizativo. En la práctica, incluso la penetración de mercado probablemente requerirá cierto grado de desarrollo de producto, pero en este caso el desarrollo de producto implica mayores niveles de innovación. Para Sony, tal desarrollo de producto incluiría pasar del sistema de música portátil *walkman* de las cintas de audio, hacia los sistemas basados en el CD y el MP3. Se trata del mismo mercado pero las tecnologías son radicalmente diferentes. En el caso del *walkman,* Sony probablemente tenía poca elección para realizar tales significativos desarrollos de productos. Sin embargo, el desarrollo de productos puede ser una actividad cara y de alto riesgo, debido al menos por dos razones:

- *Nuevas capacidades estratégicas.* El desarrollo de producto normalmente supone dominar nuevas tecnologías que pueden no ser familiares a la organización.

Por ejemplo, muchos bancos entraron en la banca online al comienzo de este siglo, pero sufrieron de muchos retrasos con tecnologías radicalmente diferentes de sus tradicionales sucursales para ofrecer servicios bancarios. El éxito frecuentemente dependía de una disposición a adquirir nuevas capacidades tecnológicas y de *marketing*, a menudo con la ayuda de empresas de consultoría especializadas en tecnología de la información y comercio electrónico[3]. Por lo tanto, el desarrollo de producto normalmente supone fuertes inversiones y un elevado riesgo de fracaso de proyectos.

- *Riesgo en la gestión de proyectos.* Incluso dentro de dominios bastante familiares, los proyectos de desarrollo de producto normalmente están sujetos al riesgo de retrasos e incremento de costes debidos a la complejidad de los proyectos y a los cambios en las especificaciones de los proyectos a lo largo del tiempo. Un caso reciente famoso fue el proyecto de once billones de euros (7,6 billones de libras) del Airbus 380, que sufrió dos años de retrasos a mediados de la primera década del sigo XXI debido a problemas con el cableado. Airbus había dirigido varios desarrollos de nuevos aviones antes, pero los elevados niveles de personalización en masa requeridos por cada aerolínea cliente y las incompatibilidades en el *software* de diseño asistido por ordenador, generaron una mayor complejidad que la que el personal de gestión del proyecto de la compañía podía gestionar.

7.2.4. Desarrollo de mercado

El **desarrollo de mercado** se produce cuando los productos existentes son ofrecidos en nuevos mercados.

Si el desarrollo de producto es arriesgado y caro, una estrategia alternativa es el desarrollo de mercado. El **desarrollo de mercado** se produce cuando los productos existentes son ofrecidos en nuevos mercados. De nuevo, la extensión del alcance es limitada. Por supuesto, normalmente esto puede suponer también cierto desarrollo de producto, aunque sea solo en términos de empaquetado o servicio. El desarrollo de mercado puede tomar tres formas:

- *Nuevos segmentos.* Por ejemplo en los servicios públicos, un colegio puede ofrecer sus servicios educativos a estudiantes con más edad que los tradicionales, quizá mediante cursos por la tarde o noche.
- *Nuevos usuarios.* Un ejemplo de esto podría ser el aluminio, cuyos usuarios originales de fabricación de empaquetado y cubiertos son ahora suplementados por usuarios en la industria aeroespacial y del automóvil.
- *Nuevos ámbitos geográficos.* El principal ejemplo de esto es la internacionalización, pero la extensión de un pequeño minorista en nuevas ciudades también sería un ejemplo.

En todos los casos, es esencial que las estrategias de desarrollo de mercado estén basadas en productos o servicios que se ajusten a los *factores clave de éxito* del nuevo mercado (véase el Apartado 2.4.4). Las estrategias basadas en simplemente ofrecer productos o servicios tradicionales es probable que fracasen. Además, el desarrollo de mercado se enfrenta a problemas similares que el desarrollo de producto. En términos de capacidades estratégicas, los desarrolladores de mercado a menudo carecen de las habilidades de *marketing* y las marcas adecuadas para hacer progresos en un mercado con clientes que no son familiares. Desde el lado de la dirección, el desafío es la coordinación entre diferentes segmentos, usuarios y áreas geográficas, todos los cuales pueden tener necesidades diferentes. La estrategia de desarrollo internacional de mercado es considerada en el Capítulo 8.

Para una descripción de las distintas direcciones de desarrollo consideradas por el director ejecutivo Mattias Döpfer de la editorial alemana Axel Springer, véase la Ilustración 7.1.

Ilustración 7.1

Direcciones del desarrollo para Axel Springer

Esta editorial alemana cuenta con muchas oportunidades y el dinero para perseguirlas.

En 2007, Mathias Döpfner, presidente y director ejecutivo de la editorial Axel Springer, tenía dos billones de euros para invertir en nuevas oportunidades. El año anterior, las autoridades de la competencia habían prohibido su adquisición total de la mayor emisora de televisión alemana, ProSiebenSat 1. Ahora Döpfner estaba buscando direcciones alternativas.

Fundada en 1946 por el propio Axel Springer, la compañía en 2007 era el mayor editor de Alemania de periódicos y revistas, con más de 10.000 empleados y unos 150 títulos. Títulos famosos incluyen *Die Welt*, el *Berliner Morgenpost*, *Bild* y *Hörzu*. Fuera de Alemania, Axel Springer era más fuerte en Europa del Este. La compañía también contaba con inversiones dispersas, en su mayor parte pequeñas en compañías de radio y televisión alemanas, de manera notable una participación del doce por ciento en ProSiebenSat 1. Axel Springer describía sus objetivos estratégicos como el liderazgo de mercado en el negocio esencial del lenguaje alemán, la internacionalización y digitalización del negocio principal.

La posterior digitalización de los negocios de periódicos y revistas fue claramente importante y requeriría de una financiación sustancial. Había también oportunidades para el lanzamiento de nuevos títulos de revistas impresas en el mercado alemán. Pero Döpfner estaba considerando oportunidades de adquisición: "Ocurre sin decirlo", se refería al *Financial Times*, "que siempre que una gran compañía de medios internacional salga al mercado (p. ej., está en venta), la examinaremos de manera cuidadosa, sea en medios impresos, TV u *on line*".

Döpfner mencionaba varios tipos específicos de oportunidades de adquisición. Por ejemplo, todavía estaba interesado en adquirir una gran cadena de televisión europea, incluso aunque probablemente fuera en el exterior de Alemania. También se sentía atraído por la posibilidad de adquirir activos infravalorados en los viejos medios (es decir, impresos) y reflotarlos a la manera de un inversor de capital privado: "Me encantaría adquirir negocios que necesiten reestructurarse, en los que podamos añadir valor introduciendo nuestra experiencia en gestión y en el sector". Sin embargo, Döpfner tranquilizaba a sus inversores afirmando que no sentía la necesidad de "hacer una gran cosa para hacer una gran cosa". También estaba considerando qué hacer con la participación del doce por ciento en ProSiebenSat 1.

Fuente principal: Financial Times Deutschland, 2 de abril (1007).

Preguntas

1. En referencia a la Figura 7.1, clasifique las distintas direcciones del desarrollo consideradas por Mattias Döpfner para Axel Springer.
2. Utilizando la matriz de Ansoff, ¿qué otras opciones podría perseguir Döpfner?

7.2.5. Diversificación

La **diversificación** es definida como una estrategia que lleva a una organización fuera de sus mercados existentes y de sus productos existentes.

La **diversificación** propiamente dicha es una estrategia que lleva a una organización fuera de sus mercados existentes y de sus productos existentes (p. ej., recuadro D en la Figura 7.2). En este sentido, incrementa de manera radical el alcance de la organización. De hecho, gran parte de la diversificación no es un extremo, tal y como sugieren los recuadros de la matriz de crecimiento de Ansoff. El recuadro D tiende a significar que la diversificación es no relacionada o conglomerada (véase el Apartado 7.3.2), pero mucha de la diversificación en la práctica supone construir sobre relaciones con mercados o productos existentes. Frecuentemente, una excesiva penetración de mercado y desarrollo de producto suponen algunos ajustes de diversificación de productos o mercados. La diversificación es una cuestión de grado.

Sin embargo, la matriz de Ansoff no aclara que cuanto más se desplace la organización más allá de su punto de partida en cuanto a los productos y mercados existentes, más tiene que aprender. La diversificación es solo una dirección para el desarrollo de la organización, y necesita ser considerada junto con sus alternativas. Los inductores de la diversificación, en sus distintas formas y las maneras en las que es gestionada son las principales cuestiones abordadas por este capítulo.

7.3 RAZONES PARA LA DIVERSIFICACIÓN

En términos de la matriz de Ansoff, la diversificación es la dirección del desarrollo más radical [4]. La diversificación puede ser elegida por una variedad de razones, algunas que generan más valor que otras. Son tres las razones para la diversificación que potencialmente crean valor:

- Pueden conseguirse *incrementos de eficiencia* al aplicar los recursos y capacidades existentes en la organización a los nuevos mercados y productos y servicios. Estos a menudo son descritos como *economías de alcance,* en contraste con las economías de escala [5]. Si una organización cuenta con recursos o competencias infrautilizados que no puede cerrar o vender de manera efectiva a otros usuarios potenciales, puede tener sentido utilizar tales recursos o competencias mediante la diversificación en una nueva actividad. En otras palabras, existen economías que pueden conseguirse extendiendo el alcance de las actividades de la organización. Por ejemplo, muchas universidades poseen muchos recursos en términos de residencias, que deben tener para sus estudiantes pero que se encuentran infrautilizadas durante cierto tiempo. Estas residencias de estudiantes son utilizadas de manera más eficiente si las universidades expanden el alcance de sus actividades para congresos y turismo durante el periodo de vacaciones. Las economías de alcance pueden aplicar tanto a recursos *tangibles*, como la residencia de estudiantes, como a recursos y competencias *intangibles,* como marcas y habilidades del personal. En ocasiones, estas ventajas de alcance son denominadas como los beneficios de la **sinergia** [6], que significa que las actividades o activos son más efectivos juntos que separados (la famosa ecuación 2 + 2 = 5). Por tanto, un estudio de cine y una compañía de música podrían ser sinérgicos si tuvieran un mayor valor juntas que separadas. La Ilustración 7.2 muestra cómo una compañía francesa, Zodiac, ha diversificado siguiendo este enfoque.

Las **sinergias** se refieren a los beneficios que son conseguidos cuando las actividades o activos se complementan entre, sí de manera que su efecto combinado es mayor que la suma de las partes.

Ilustración 7.2

Zodiac: diversificaciones hinchables

Una organización puede perseguir los beneficios de las sinergias construyendo una cartera de negocios a través de la diversificación relacionada.

La empresa Zodiac fue fundada cerca de París, Francia, en 1896 por Maurice Mallet, justo antes de que su primer globo aerostático ascendiera. Durante cuarenta años, Zodiac fabricada solo dirigibles. En 1937, el zepelín alemán *Hindenburg* cayó cerca de Nueva York, lo que detuvo de manera abrupta el mercado de dirigibles. Debido a la extinción de su actividad tradicional, Zodiac decidió explotar su experiencia técnica y pasar de los dirigibles a los botes neumáticos. Esta diversificación mostró ser muy exitosa: en 2004, con más de un millón de unidades vendidas en cincuenta años, el bote neumático de goma Zodiac (con un precio de aproximadamente 10.000 euros) era muy popular en todo el mundo.

Sin embargo, debido al incremento de la competencia, especialmente procedente de fabricantes italianos, Zodiac diversificó sus negocios. En 1978, adquirió Aerazur, una compañía especializada en paracaídas, pero también en salvavidas y en balsas hinchables de emergencia. Estos productos tenían fuertes sinergias con los botes neumáticos y sus principales clientes eran fabricantes de aviones. Zodiac confirmó este movimiento hacia un nuevo mercado en 1987, con la adquisición de Air Cruisers, un fabricante de escaleras inflables de evacuación para aviones. Como consecuencia, Zodiac se convirtió en un proveedor clave para Boeing, McDonnell Douglas y Airbus. Zodiac reforzó esta posición mediante la adquisición de dos importantes fabricantes de asientos para aviones: Sicma Aero Seats de Francia y Weber Aircraft de Estados Unidos. En 1997, Zodiac también adquirió, por 150 millones de euros, MAG Aerospace, el líder mundial para sistemas de vacío de residuos para aviones. Finalmente, en 1999, Zodiac adquirió Intertechnique, un actor importante en componentes activos para aviones (circulación de combustible, hidráulica, oxígeno y apoyo vital, energía eléctrica, controles y pantallas de cubierta de vuelo, sistemas de control, etc.). Combinando estas competencias con su experiencia tradicional en productos inflables, Zodiac lanzó una nueva unidad de negocio: airbags para la industria del automóvil.

En paralelo a estas diversificaciones, Zodiac reforzó su posición en botes neumáticos mediante la adquisición de varios competidores: Bombard-L'Angevinière en 1980, Sevylor en 1981, Hurricane and Metzeler en 1987.

Finalmente, Zodiac desarrolló un negocio de piscinas. La primera línea de productos, en 1981, estaba basada en una tecnología de estructura inflable y Zodiac más tarde cambió —de nuevo mediante adquisiciones— a piscinas de base rígida portátiles, piscinas modulares fijas, limpiadores de piscinas y sistemas de purificación de agua, productos de playa hinchables y colchones de aire.

En 2003, las ventas totales del grupo Zodiac alcanzaron 1,45 billones de euros con un beneficio neto de 115 millones de euros. Zodiac era una compañía muy internacional, con una fuerte presencia en Estados Unidos. Cotizaba en la bolsa de París y los rumores de adquisiciones por parte de poderosos grupos estadounidenses eran frecuentes. Sin embargo, la familia del fundador, inversores institucionales, la dirección y los empleados juntos poseían en 55 por ciento de las acciones.

Más allá de los negocios de marina y placer, los productos para aviación suponían casi el 75 por ciento de la facturación total del grupo. Zodiac poseía un cuarenta por ciento de cuota de mercado del mercado mundial de equipamiento aeronáutico. Por ejemplo, el sistema de energía eléctrica del nuevo Airbus A380 procedía de Zodiac. En 2004, Zodiac incluso alcanzó Marte, ya que las sondas *Spirit* y *Opportunity* de la NASA estaban equipadas con productos Zodiac, desarrollados por su subsidiaria estadounidense Pioneer Aerospace.

Preparado por Frédéric Fréry, ESCP-EAP European School of Management.

Preguntas

1. ¿Cuáles eran las bases de las sinergias que se encontraban tras cada una de las diversificaciones de Zodiac?
2. ¿Cuáles son las ventajas y potenciales peligros de tales bases para la diversificación?

- *Extender las capacidades de la matriz corporativa* en nuevos mercados y productos o servicios puede ser otra fuente de ganancia. En un sentido, esto lleva más allá el punto en el que se aplican en nuevas áreas las competencias existentes. Sin embargo, este punto pone de manifiesto habilidades de la matriz que de otra forma podrían ser obviadas con facilidad. A nivel de la matriz corporativa, los directivos deben desarrollar una competencia en la dirección de una serie de productos o servicios diferentes que pueda ser aplicada incluso a negocios que no comparten recursos a nivel de unidad operativa. Prahalad y Bettis han descrito este conjunto de habilidades corporativas como la *lógica dominante de dirección general* o *lógica dominante* [7]. Así, el conglomerado francés LVMH incluye un amplio rango de negocios —desde el champán, pasando por la moda y perfumes, hasta los medios financieros— que comparten muy pocos recursos o competencias a nivel operativo. LVMH crea valor para estas compañías especializadas añadiendo habilidades de matriz —por ejemplo, el apoyo de marcas clásicas y la provisión de personas altamente creativas— que son relevantes para todos esos negocios individuales (véase el Apartado 7.4.1).
- *Incremento del poder de mercado,* que puede resultar de poseer una gama diversa de negocios. Con muchos negocios, una organización puede permitirse subsidios cruzados entre negocios, por lo que los excedentes generados en un negocio pueden ser inyectados a otro, de manera que los competidores pueden no ser capaces de hacerlo. Esto puede proporcionar a una organización una ventaja competitiva para los negocios subsidiados y el efecto a largo plazo puede ser expulsar a otros competidores, dejando a la organización con un monopolio del que pueden obtenerse unos buenos beneficios. Este fue el temor que se encontraba tras el rechazo de la Comisión Europea de permitir la puja de General Electric de 43 billones de dólares (36 billones de euros) por la compañía de controles electrónicos Honeywell en 2001. General Electric podría haber incorporado a sus motores de avión electrónica de Honeywell en un paquete más barato que el que podrían ofrecer los fabricantes de motores de aviones rivales. Como cada vez más los fabricantes de aviones y aerolíneas eligen el paquete más barato, los rivales podrían haber sido expulsados del negocio. General Electric entonces contaba con el poder de mercado para incrementar los precios sin la amenaza de la competencia.

Existen otras razones que a menudo son ofrecidas para la diversificación pero que crean valor de una manera menos evidente y en ocasiones sirven a los intereses de los directivos más que a los intereses de los accionistas:

- La *respuesta ante el declive del mercado* es una razón común pero dudosa para la diversificación. Se puede argumentar que la diversificación de Microsoft en juegos electrónicos como la Xbox —cuyo lanzamiento costó quinientos millones de dólares (415 millones de euros) solo en *marketing*— fue una respuesta al crecimiento lento de sus negocios centrales de software. Los accionistas podrían haber preferido el dinero de la Xbox para que les fuera devuelto, dejando a Sony o Nintendo haciendo juegos, mientras que Microsoft lo rechazó con elegancia. La propia Microsoft defiende sus distintas diversificaciones como una respuesta necesaria a la convergencia entre electrónica y medios informáticos.

- *Repartir riesgos* entre un conjunto de negocios es otra justificación común para la diversificación. Sin embargo, la teoría financiera convencional es muy escéptica con respecto al reparto de riesgos mediante la diversificación de negocios. Argumenta que los propios inversores pueden diversificar de manera más efectiva invirtiendo en una cartera diversa de compañías bastante diferentes. Mientras que los directivos podrían preferir la seguridad de un conjunto de negocios diverso, los accionistas no necesitan cada una de las compañías en las que invierten para estar diversificados —preferirían que los directivos se concentraran en dirigir sus negocios esenciales tan bien como puedan—. Por otra parte, para los negocios privados, en los que los propietarios cuentan con una gran proporción de sus activos vinculados con el negocio, puede tener sentido diversificar riesgos en una serie de actividades diferentes, por lo que si una parte tiene problemas, el negocio en su conjunto no es derribado.
- *Las expectativas de stakeholders poderosos,* incluyendo altos directivos, en ocasiones pueden inducir una diversificación inapropiada. Bajo la presión de los analistas de Wall Street para ofrecer un crecimiento continuo de los ingresos, a finales de los años noventa, la compañía energética Enron diversificó más allá de sus intereses originales en la comercialización de energía hacia la comercialización de materias primas como petroquímicas, aluminio e incluso ancho de banda[8]. Al satisfacer a los analistas en el corto plazo, esta estrategia aumentó el precio de las acciones y permitió a la alta dirección mantenerse en el puesto. Sin embargo, pronto resultó que muy poca de esta diversificación había sido rentable, y en 2001 Enron colapsó en la mayor quiebra de la historia.

Para decidir si tales razones tienen sentido o no y contribuir al rendimiento corporativo, es importante tener claro las diferentes formas de diversificación, en particular el grado de relación (o de no relación) de las unidades de negocio en una cartera. Los apartados siguientes consideran la diversificación relacionada y no relacionada.

7.3.1. Diversificación relacionada

La **diversificación relacionada** es el desarrollo corporativo más allá de los productos y mercados actuales, pero dentro de las capacidades o red de valor de la organización.

La **diversificación relacionada** puede ser definida como el desarrollo corporativo más allá de los productos y mercados actuales, pero dentro de las capacidades o red de valor de la organización (véase el Apartado 3.4). Por ejemplo, Procter & Gamble y Unilever son corporaciones diversificadas, pero virtualmente todos sus intereses se encuentran en bienes de gran consumo distribuidos mediante minoristas. Sus distintos negocios se benefician de compartir capacidades de investigación y desarrollo, *marketing* de consumo, relaciones con minoristas poderosos y desarrollo de marca global.

La red de valor proporciona una forma de pensar sobre distintas formas de diversificación relacionada, tal y como se muestra en la Figura 7.3:

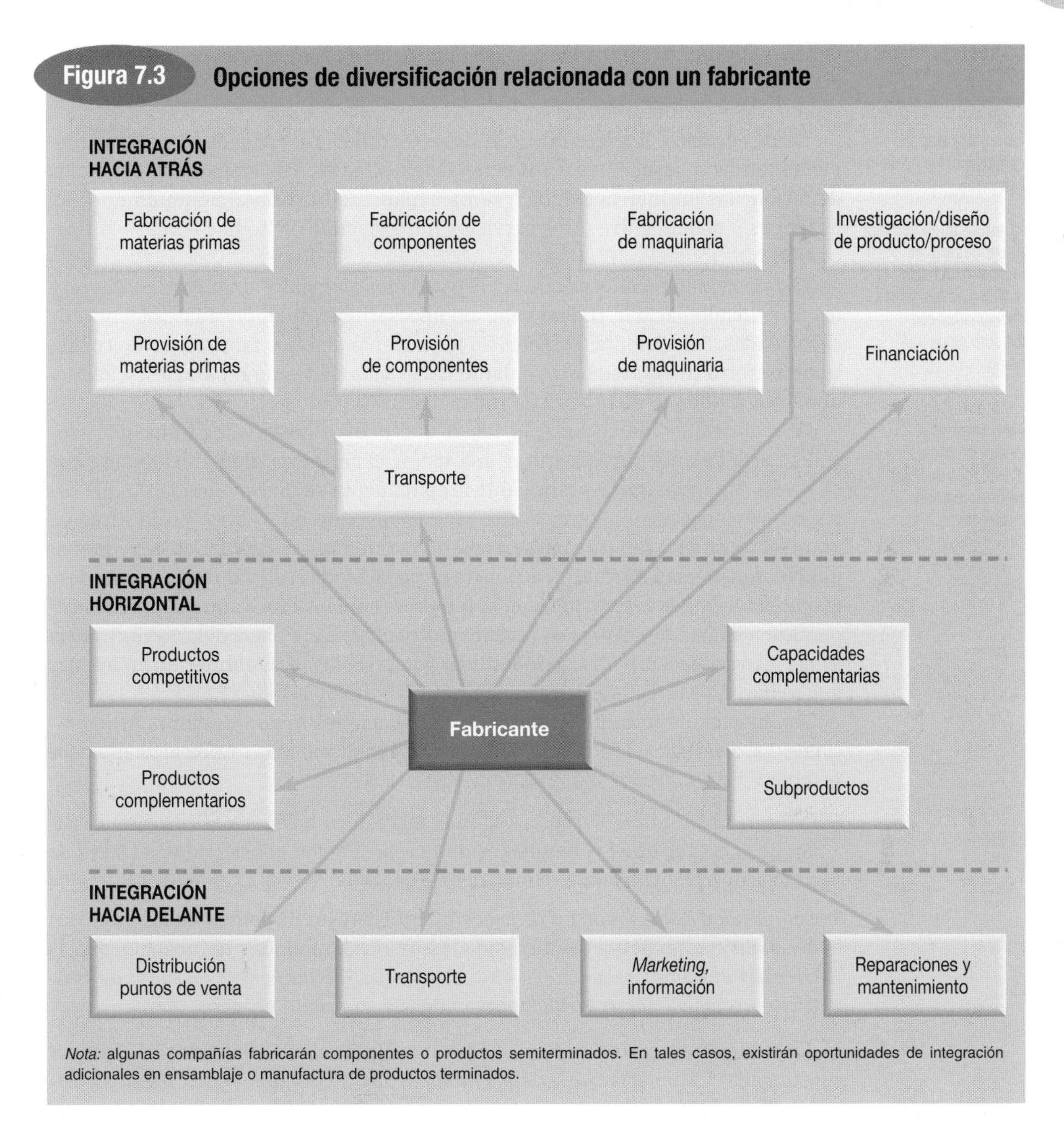

La **integración vertical** es integración hacia atrás o hacia delante con respecto a actividades adyacentes en la red de valor.

La **integración vertical** se refiere a la integración hacia atrás o hacia delante con respecto a actividades adyacentes en la red de valor. La **integración hacia atrás** se refiere al desarrollo hacia actividades que están relacionadas con los inputs hacia los negocios actuales de la compañía (retroceder en la red de valor). Por ejemplo, la adquisición por un fabricante de coches de un proveedor de componentes sería diversificación relacionada mediante integración vertical hacia atrás. La **integración vertical hacia delante** se refiere al desarrollo hacia activi-

La **integración hacia atrás** es el desarrollo hacia actividades que están relacionadas con los inputs hacia los negocios actuales de la compañía.

La **integración vertical hacia delante** es el desarrollo hacia actividades que están relacionadas con los outputs de una compañía.

La **integración horizontal** es el desarrollo hacia actividades que son complementarias o adyacentes a las actividades actuales.

dades que están relacionadas con los outputs de una compañía (ir hacia delante en el sistema de valor). Para un fabricante de coches podría ser la distribución, reparación y mantenimiento.

La **integración horizontal** es el desarrollo hacia actividades que son complementarias o adyacentes a las actividades actuales. Por ejemplo, la compañía de búsquedas en Internet Google se ha expandido horizontalmente en noticias, imágenes y mapas, entre otros servicios (otro ejemplo es Zodiac —véase la Ilustración 7.2—).

Es importante reconocer que las capacidades y vínculos de valor son diferentes. Un vínculo hacia la red de valor no necesariamente implica la existencia de capacidades. Por ejemplo, a finales de los noventa algunos fabricantes de coches comenzaron a integrarse hacia delante hacia actividades de reparación y mantenimiento, siguiendo una lógica de red de valor.

Los fabricantes de coches pensaban que podían crear valor utilizando vínculos hacia delante para asegurar una mejor experiencia global del cliente con su coche. Sin embargo, los fabricantes rápidamente se dieron cuenta de que estos nuevos negocios suponían capacidades bastante diferentes: no fabricar en grandes factorías, sino prestar servicio de mantenimiento en muchas pequeñas unidades dispersas. Al final, la ausencia de capacidades relevantes tuvo más peso que el potencial de los vínculos de la red de valor y los fabricantes de coches generalmente abandonaron tales iniciativas de integración hacia delante. Las sinergias a menudo son difíciles de identificar y más costosas de extraer en la práctica que lo que a los directivos les gusta admitir [9].

También es importante admitir que las relaciones tienen desventajas potenciales. La diversificación relacionada puede ser problemática por al menos dos razones:

- *Tiempo y coste a nivel corporativo,* en la medida en que los altos directivos tratan de asegurar que los beneficios de la relación son conseguidos a través de compartir o transferir entre unidades de negocio.
- *Complejidad de las unidades de negocio,* conforme los directivos de las unidades de negocio atienden a las necesidades de otras unidades de negocio, quizás compartiendo recursos o ajustando estrategias de *marketing,* en lugar de centrarse exclusivamente en las necesidades de su propia unidad.

En resumen, una simple afirmación como que *la relación importa* tiene que ser cuestionada [10]. Mientras que existe evidencia de que pueden existir efectos positivos sobre el resultado (véase 7.3.3), cada decisión de diversificación individual necesita una consideración cuidadosa con respecto a lo que significa la relación y lo que conduce hacia mejoras en el resultado.

7.3.2. Diversificación no relacionada

Si la diversificación relacionada supone el desarrollo dentro de las capacidades actuales o la red de valor actual, la **diversificación no relacionada** es el desarrollo de productos o servicios más allá de las capacidades actuales y red de va-

La **diversificación no relacionada** es el desarrollo de productos o servicios más allá de las capacidades actuales y red de valor.

lor. La diversificación no relacionada a menudo es descrita como una estrategia *conglomerada*. Debido a que no existen economías de alcance evidentes entre los diferentes negocios, pero existe un coste evidente de la oficina central, las acciones de las compañías con diversificación no relacionada a menudo sufren de lo que es denominado el *descuento del conglomerado* —en otras palabras, una valoración inferior que la que tendrían los negocios individuales por separado—. En 2003, el conglomerado francés Vivendi-Universal, cuyos intereses se extendían de los servicios públicos a la telefonía móvil y medios de comunicación, se estaba vendiendo con un descuento estimado de entre el quince y el veinte por ciento. Naturalmente, los accionistas estaban presionando a la dirección para dividir el conglomerado en sus partes con más valor.

Sin embargo, los problemas de los conglomerados pueden ser exagerados y existen ciertamente ventajas potenciales de la diversificación no relacionada en determinadas condiciones:

- La *explotación de lógicas dominantes,* en lugar de relaciones operativas concretas, puede ser una fuente de creación de valor conglomerado. Como en Berkshire Hathaway (véase la Ilustración 7.3), un inversor hábil como Warren Buffett, el denominado Oráculo de Omaha y uno de los hombres más ricos del mundo, puede ser capaz de añadir valor a negocios diversos dentro de su lógica dominante [11]. Berkshire Hathaway incluye negocios en diferentes áreas de manufactura, seguros, distribución y venta minorista, pero Buffet se centra en negocios maduros que pueda comprender y en cuyos directivos pueda confiar. Durante el *boom* de las *puntocom* a finales de los noventa, Buffet deliberadamente evitó comprar negocios de alta tecnología porque sabía que estaban fuera de su lógica dominante.
- Los *países con mercados poco desarrollados* pueden ser un suelo fértil para los conglomerados. Si los mercados de capital externo y de trabajo todavía no funcionan bien, los conglomerados ofrecen un mecanismo sustitutivo para asignar y desarrollar capital o talento directivo dentro de sus propias fronteras organizativas. Por ejemplo, los conglomerados coreanos (los *chaebol)* tuvieron éxito en la fase de crecimiento rápido de la economía coreana, en parte debido a que fueron capaces de movilizar inversiones y desarrollar directivos de una forma que compañías autónomas en Corea del Sur tradicionalmente eran incapaces de hacerlo. Asimismo, la fuerte cohesión cultural entre directivos en tales *chaebol,* reducía los costes de coordinación y supervisión y control que serían necesarios en un conglomerado occidental, en el que los directivos serían menos confiables [12]. Lo mismo puede ser cierto hoy en otras economías de rápido crecimiento en las que todavía existen mercados de capital y de trabajo poco desarrollados.

También es importante reconocer que la distinción entre diversificación relacionada y no relacionada a menudo es cuestión de grado. Como ocurre en el caso de Berkshire Hathaway, aunque existen pocas relaciones operativas entre los negocios que la constituyen, existe una relación en términos de similares requerimientos de dirección general. Como en el caso de los fabricantes de coches

Ilustración 7.3

Berkshire Hathaway Inc.

Un gestor de cartera puede buscar gestionar un conjunto muy diverso de unidades de negocio en nombre de sus accionistas.

El presidente de Berkshire Hathaway es Warren Buffett, uno de los hombres más ricos del mundo y el vicepresidente es Charles Munge. Los negocios en la cartera son muy diversos. Existen negocios de seguros, incluyendo GEICO, el sexto asegurador de coches en el mundo, fabricantes de alfombras, productos de construcción, ropa y material de deporte. Posee negocios de servicios (la formación de operadores de aviación y mercantes), minoristas de equipamiento de hogar y joyería fina, un periódico y un dominical y el mayor vendedor directo de ropa de hogar de Estados Unidos.

El informe anual de Berkshire Hathaway (2002) proporciona una idea de su lógica y dirección. Warren Buffett explica cómo él y su vicepresidente operan los negocios:

> "Charlie Munger y yo pensamos en nuestros accionistas como socios-propietarios y nosotros mismos somos socios directivos. (Debido al tamaño de nuestro accionariado somos también, para bien o para mal, socios controladores). No vemos la compañía en sí misma como la propietaria última de nuestros negocios, sino que vemos la compañía como un conducto mediante el que nuestros accionistas poseen los activos (...). Nuestro objetivo a largo plazo (...) es maximizar la tasa anual de ganancia media en valor de intrínseco de los negocios de Berkshire para cada acción. No medimos la importancia económica del resultado de Berkshire por su tamaño; medimos el progreso por acción".

> "Nuestra preferencia sería alcanzar nuestra meta poseyendo directamente un grupo de negocios diversificado que genere dinero y consiga de manera consistente rendimientos sobre el capital por encima de la media. Nuestra segunda elección es poseer partes de negocios similares, conseguidas principalmente a través de la adquisición de acciones comunes en el mercado por nuestras subsidiarias de seguros (...). Charlie y yo estamos interesados solo en adquisiciones que creamos que harán incrementar el valor intrínseco por acción de las acciones de Berkshire".

> "Sea cual sea el precio no estamos interesados en absoluto en vender cualquiera de los buenos negocios que posee Berkshire. También somos reacios a vender negocios con un peor comportamiento, en la medida en que esperemos que generen al menos algo de dinero y en la medida en que estemos satisfechos con sus directivos y relaciones con los trabajadores (...). El comportamiento directivo como si de un juego de cartas se tratara (descartarse de los negocios menos prometedores en cada turno) no es nuestro estilo. Preferimos ver nuestros resultados globales penalizados antes de llevar a cabo tal tipo de comportamiento".

Entonces Buffet explica cómo dirige sus negocios subsidiarios:

> "(...) Delegamos casi todo lo posible: en Berkshire hay unos 45.000 empleados y solo doce de los cuales están en la oficina central (...). Charlie y yo principalmente nos ocupamos de las asignaciones de capital y cuidamos y atendemos a nuestros directivos clave. La mayoría de estos directivos se encuentran más a gusto cuando se les deja solos para operar sus negocios y normalmente es lo que hacemos. Se les hace responsables de todas las decisiones operativas y de enviar el dinero que generan a la oficina central. Al enviárnoslo, no se despistan por los distintos incentivos que podrían aparecer delante de ellos si fueran responsables de desplegar el dinero que sus negocios generan. Además, Charlie y yo estamos expuestos a un rango mucho más amplio de posibilidades para invertir esos fondos que el que cualquiera de nuestros directivos podría encontrar en su propia industria".

Fuente: Informe Anual de Berkshire Hathaway, 2002.

Preguntas

1. Los negocios de Berkshire Hathaway son muy diversos, pero excluye negocios de alta tecnología. ¿A qué se debe, dado el estilo de dirección general del grupo?
2. Utilizando la lista explicada en el Apartado 7.4, sugiera cómo y de qué formas Berkshire Hathaway puede o no puede añadir valor para sus accionistas.

que diversifican hacia negocios aparentemente relacionados como reparación y mantenimiento, las relaciones operativas pueden convertirse en mucho menos valiosas que lo que parecen a primera vista. La frontera entre la diversificación relacionada y no relacionada es borrosa y es fácil exagerar el grado de relación.

7.3.3. Diversificación y resultados

Debido a que las mayores corporaciones están diversificadas, pero también debido a que la diversificación puede, en ocasiones, ir en el interés de los directivos, muchos académicos y políticos se han preocupado de establecer si las compañías diversificadas realmente obtienen mejores resultados que las compañías no diversificadas. Después de todo, sería mucho más preocupante si las grandes corporaciones estuvieran diversificando simplemente para reducir riesgos de los directivos, salvar puestos directivos en negocios en declive o preservar la imagen de crecimiento, como en el caso de Enron.

Las investigaciones sobre diversificación generalmente han encontrado algunos beneficios con respecto al resultado, con los *diversificadores relacionados* obteniendo mejores resultados que las empresas que se mantenían *especializadas* y aquellas que seguían estrategias de diversificación *no relacionada*[13]. En otras palabras, la relación diversificación-resultados tiende a seguir una forma de U invertida, tal y como aparece en la Figura 7.4. La implicación que se deriva es que cierto grado de diversificación es bueno —pero no demasiado—.

Sin embargo, tales estudios sobre el resultado producen medias estadísticas. Algunas estrategias de diversificación relacionada fracasan —como en el caso

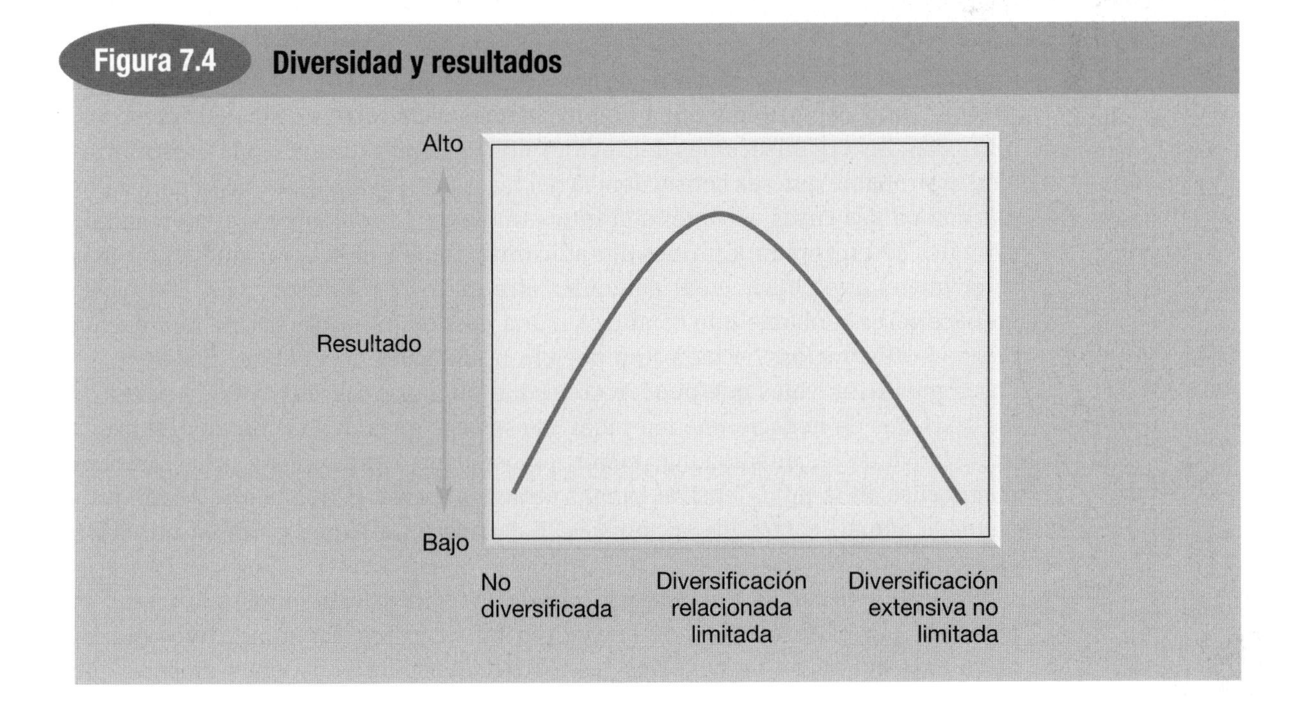

Figura 7.4 Diversidad y resultados

de los fabricantes de coches verticalmente integrados—, mientras que algunos conglomerados tienen éxito —como en el caso de Berkshire Hathaway—. Las acusaciones frente a la diversificación no relacionada no son sólidas, y lógicas dominantes efectivas o contextos nacionales particulares pueden jugar en su favor. La conclusión de los estudios sobre resultados es que, aunque en media la diversificación relacionada genera mejores resultados que la no relacionada, cualquier estrategia de diversificación necesita de un cuestionamiento riguroso sobre sus méritos particulares.

7.4 CREACIÓN DE VALOR Y MATRIZ CORPORATIVA

Debido a los dudosos beneficios de la diversificación, está claro que ciertas matrices corporativas no añaden valor. Durante 2006, dos grandes conglomerados norteamericanos, Tyco y Cendant, decidieron dividirse de manera voluntaria, reconociendo que sus unidades de negocio subsidiarias serían más valiosas por separado que juntas bajo su matriz. También en el sector público, unidades como colegios u hospitales están recibiendo cada vez una mayor libertad de las autoridades de las que dependen, debido a que la independencia es vista como más efectiva. Este apartado examina cómo las matrices corporativas pueden añadir o destruir valor y considera tres enfoques de cartera diferentes que pueden ser efectivos.

7.4.1. Actividades de las matrices corporativas que añaden y destruyen valor [14]

Cualquier matriz corporativa necesita demostrar que crea más valor que lo que cuesta. Esto es aplicable tanto a organizaciones comerciales como del sector público. Para las organizaciones del sector público, la privatización o la externalización es probable que sea consecuencia del fracaso en demostrar que se crea valor. Las compañías cuyas acciones son intercambiadas libremente en el mercado de capitales se enfrentan a un desafío adicional. Deben demostrar que crean más valor que el que podría crear cualquier otra matriz corporativa rival. El fracaso en hacerlo, es probable que conduzca a una absorción hostil o a una liquidación (véase la Ilustración 7.4 para una posible liquidación de Cadbury Schweppes). Las compañías rivales que puedan creer que pueden crear más valor a partir de las unidades de negocio pueden pujar por las acciones de la compañía, sobre la expectativa de hacer funcionar mejor los negocios o venderlos a otras matrices potenciales. Si la puja del rival es más atractiva y creíble que la que puede prometer la actual matriz, los accionistas la atenderán a expensas de la dirección existente.

En este sentido, la competencia tiene lugar entre diferentes matrices corporativas por el derecho a poseer y controlar negocios. En el mercado competitivo para el control de negocios, las matrices corporativas deben mostrar que

Ilustración 7.4

¿Un buen acuerdo para Nelson Peltz?

Los financieros pueden hacer dinero con las corporaciones sobrediversificadas y los directivos tienen que responder.

Figura 1. Precios de las acciones de Cadbury Schweppes, 2006-2007.

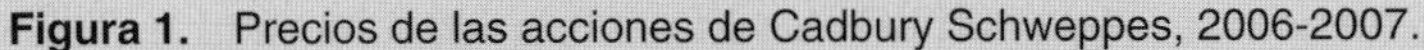

Fuente: www.bigcharts.com. Marketwatch.Online de BigCharts.com. Copyright 2007 por Dow Jones & Company, Inc. Reproducido con permiso de Dow Jones & Company, Inc. En formato libro de texto vía Copyright Clearance Center.

En marzo de 2007, el financiero americano Nelson Peltz utilizó su hedge fund Trian Fund Management LP para adquirir una participación del tres por ciento en Cadbury Schweppes PLC. Peltz era conocido como un accionista activista, dispuesto a extraer el máximo valor para los accionistas presionando a la dirección o desmembrando grupos con malos resultados. Durante los siguientes días, el precio de la acción de Cadbury Schweppes se incrementó el quince por ciento (véase la Figura 1).

Desde 1969, Cadbury Schweppes había combinado los negocios de chocolate y confitería de la compañía original Cadbury (fundada en 1824) con el negocio de bebidas carbonatadas de Schweppes (fundada en 1790). Las principales marcas de confitería de Cadbury incluían Dairy Milk, Creme Edges y el chicle Dentyne. La compañía era el principal productor de confitería en el mundo, con una cuota de mercado del diez por ciento, justo delante de Mars y Nestlé. El negocio de Schweppes poseía el siete por ciento de 7 Up y Dr Pepper, así como las bebidas originales Schweppes. Sin embargo, en su mercado principal de Estados Unidos, ocupaba un distante número tres tras Coca-Cola y PepsiCo, quienes juntos poseían el 75 por ciento del mercado de bebidas carbonatadas. La dirección de Cadbury Schweppes estaba invirtiendo de manera sustancial en el negocio de las bebidas, habiendo comprado importantes instalaciones de embotellado durante 2006. Todd Stitzer, el director ejecutivo de Cadbury Schweppes, había jugado un papel fundamental en la adquisición de Dr Pepper y 7 Up en 1995.

Dos días después del anuncio de la participación en Peltz, Cadbury Schweppes afirmó que estaba considerando seriamente la escisión de su negocio de bebidas. Las opciones que estaban siendo examinadas para el negocio de bebidas eran: establecerlo como una compañía independiente; vender el negocio a otra compañía o entidad de private equity; mantener una pequeña participación en el negocio y, con el tiempo, vender las acciones restantes.

Poco después, comenzaron a surgir rumores de una posible fusión entre Cadbury Schweppes y Hershey, el confitero norteamericano con un cinco por ciento del mercado de confitería del mundo. Tal acuerdo proporcionaría a la empresa resultante una considerable ventaja sobre los competidores y un apalancamiento considerable sobre minoristas poderosos. Cadbury era débil en el mercado de confitería de Estados Unidos, mientras que Hershey era débil en Europa.

Fuentes: Wall Street Journal y Financial Times, varias fechas.

Preguntas

1. ¿Por qué se comportó el precio de las acciones de Cadbury Schweppes de la manera que lo hizo?
2. ¿Por qué piensa que Cadbury Schweppes no había actuado antes con respecto a la opción de escindirse?

cuentan con *ventaja de matriz* sobre el mismo principio de que las unidades de negocio deben demostrar ventaja competitiva. Deben demostrar que son la mejor matriz corporativa posible para los negocios que controla. Por lo tanto, las matrices deben tener un enfoque muy claro sobre cómo pueden crear valor. En la práctica, sin embargo, muchas de sus actividades pueden destruir valor, así como crearlo.

Actividades que crean valor[15]

Existen cuatro tipos principales de actividades mediante las que una matriz corporativa puede añadir valor:

- *Propósito.* La matriz corporativa puede proporcionar una clara visión global o *propósito estratégico* de sus unidades de negocio[16]. Esta visión debería guiar y motivar a los directivos de las unidades de negocio para maximizar el resultado general de la organización a través del compromiso con un propósito común. La visión debería proporcionar a los stakeholders una *imagen externa clara* sobre lo que es la organización en su conjunto: esto puede tranquilizar a los accionistas sobre la racionalidad de contar con una estrategia diversificada. Finalmente, una clara visión proporciona una *disciplina* sobre la matriz corporativa para no desviarse hacia actividades inapropiadas o incurrir en costes innecesarios.
- *Ayuda y facilitación.* La matriz corporativa puede ayudar a los negocios a *desarrollar capacidades estratégicas,* al ayudarles a mejorar sus habilidades y confianza. También puede facilitar cooperar y compartir entre las distintas unidades de negocio, de manera que se mejoren las *sinergias* que existan dentro de la misma organización corporativa. Los cursos sobre dirección general son un medio efectivo de conseguir tales objetivos, ya que proporciona a los directivos de las distintas unidades conocimiento sobre habilidades de dirección y una oportunidad para ellos de construir relaciones entre sí y ver oportunidades para la cooperación.
- *Provisión de servicios centrales y recursos.* La matriz es obviamente un proveedor de capital para la *inversión*. La matriz también puede proporcionar servicios centrales como tesorería, asesoramiento sobre impuestos y recursos humanos, que si son centralizados pueden beneficiarse de una *escala suficiente* para que sean eficientes y para construir *habilidades relevantes* en torno a estas actividades. Los servicios centralizados a menudo cuentan con un mayor *apalancamiento*: por ejemplo, combinar la compra de unidades de negocio separadas incrementa su poder de negociación para inputs compartidos como la energía. Este apalancamiento puede ser útil para *ayudar en las relaciones* con agentes externos, como reguladores gubernamentales u otras compañías en la negociación de alianzas. Finalmente, la matriz puede tener un importante papel en la gestión de las habilidades dentro del conjunto de la compañía, por ejemplo mediante la *transferencia de directivos* entre las unidades de negocio o creando sistemas de *gestión del conocimiento.*

- *Intervención*. Finalmente, la matriz corporativa también puede intervenir dentro de sus unidades de negocio para asegurar el rendimiento apropiado. La matriz corporativa debería ser capaz de *supervisar y controlar* de manera estrecha las unidades de negocio y *mejorar el rendimiento* reemplazando a directivos débiles o ayudándoles en reflotar sus negocios. La matriz también puede *cuestionar y desarrollar* las ambiciones estratégicas de las unidades de negocio, de manera que los negocios que estén presentando rendimientos satisfactorios sean animados a obtener rendimientos incluso mejores.

Actividades que destruyen valor

Sin embargo, también existen tres amplias formas mediante las que la matriz corporativa puede destruir valor de manera inadvertida:

- *Adición de costes directivos*. De manera más simple, el personal e instalaciones del centro corporativo son caros. El centro corporativo normalmente cuenta con los directivos mejor pagados y las oficinas más lujosas. Son los negocios reales los que tienen que generar los ingresos que sirven para pagarles. Si sus costes son mayores que el valor que crean, entonces los directivos del centro corporativo son destructores netos de valor.
- *Adición de complejidad burocrática*. Junto a estos costes financieros, existe la *niebla burocrática* creada por un estrato adicional de dirección y la necesidad de coordinarse con los distintos negocios. Esto normalmente ralentiza las respuestas de los directivos a los problemas y lleva a compromisos entre los intereses de los negocios individuales.
- *Oscurecimiento del resultado financiero*. Un peligro en una gran compañía diversificada es que el bajo rendimiento de los negocios que funcionan mal puede ser oscurecido. Los negocios con un mal funcionamiento pueden ser subsidiados por los más fuertes. Internamente, la posibilidad de ocultar los malos resultados reduce los incentivos para que los directivos de las unidades de negocio se esfuercen todo lo que pudieran por sus negocios: cuentan con una red de seguridad proporcionada por la matriz. Externamente, los accionistas y los analistas financieros no pueden juzgar con facilidad el rendimiento de las unidades individuales dentro del conjunto corporativo. Los precios de las acciones de las compañías diversificadas a menudo están corregidos a la baja, dado que los accionistas prefieren los negocios especializados de unidades independientes, en el que un mal rendimiento no puede ser ocultado.

Estos peligros sugieren claras vías para las matrices corporativas que deseen evitar la destrucción de valor. Deberían vigilar estrechamente los centros de costes, tanto financieros como burocráticos, asegurando que no son más de lo requerido por su estrategia corporativa. Deberían también hacer todo lo posible por promover la transparencia financiera, de manera que las unidades de negocio estén bajo presión para obtener resultados y los accionistas confíen que no existen catástrofes ocultas.

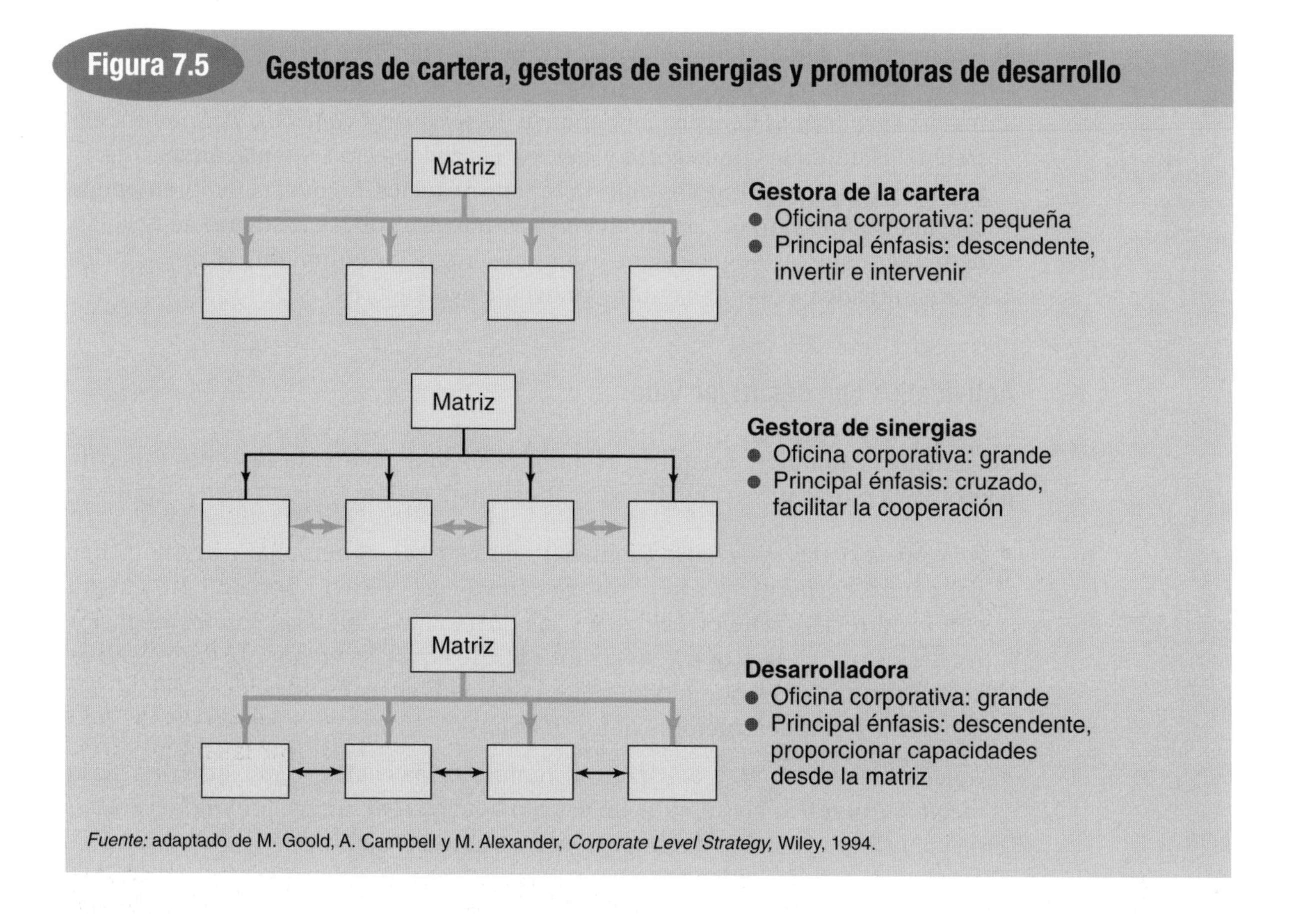

Fuente: adaptado de M. Goold, A. Campbell y M. Alexander, *Corporate Level Strategy*, Wiley, 1994.

De manera general, existen muchas formas mediante las que las matrices corporativas pueden añadir valor. Por supuesto, existen dificultades para perseguir todas ellas y algunas son difíciles de combinar con otras. Por ejemplo, una matriz corporativa que intervenga en un sentido descendente de manera intensa es menos probable que sea vista por sus directivos como un facilitador y como una fuente de ayuda útil. Los directivos de las unidades de negocio se concentrarán en maximizar su resultado individual en lugar de buscar formas de cooperar con los directivos de otras unidades de negocio para conseguir un mayor bien común. Por esta razón, los papeles de la matriz corporativa tienden a caer en tres tipos principales, cada uno internamente coherente pero distinto de los demás [17]. Estos tres tipos de papel de la matriz corporativa son resumidos en la Figura 7.5.

7.5 MATRICES DE CARTERA

La discusión del Apartado 7.4 sobre la lógica que pueden adoptar las matrices corporativas para la dirección de una organización multinegocio. Este apartado introduce dos modelos mediante los que los directivos pueden dirigir las distintas partes de su cartera de manera diferenciada o añaden y eliminan unidades de negocio dentro de la cartera. Cada modelo se refiere a dos criterios básicos:

- El *equilibrio* en la cartera, por ejemplo, en relación con sus mercados y las necesidades de la corporación.
- El *atractivo* de las unidades de negocio, en términos de lo fuertes que son individualmente y lo rentables que sus mercados o industrias es probable que sean.

7.5.1. La matriz crecimiento-cuota de mercado (o BCG)[18]

Una de las formas más comunes y conocidas de concebir el equilibrio de una cartera de negocios es la matriz Boston Consulting Group (BCG) (véase la Figura 7.6). En esta, la cuota de mercado y el crecimiento de mercado son variables críticas para determinar el grado de atractivo y el equilibrio. Sin embargo, la matriz BCG advierte que un alto crecimiento requiere una fuerte inversión, por ejemplo para expandir la capacidad o desarrollar marcas. Debe existir un equilibrio dentro de la cartera, de manera que existan algunos negocios de bajo crecimiento que generen un excedente suficiente para financiar las necesidades de inversión de negocios de mayor crecimiento.

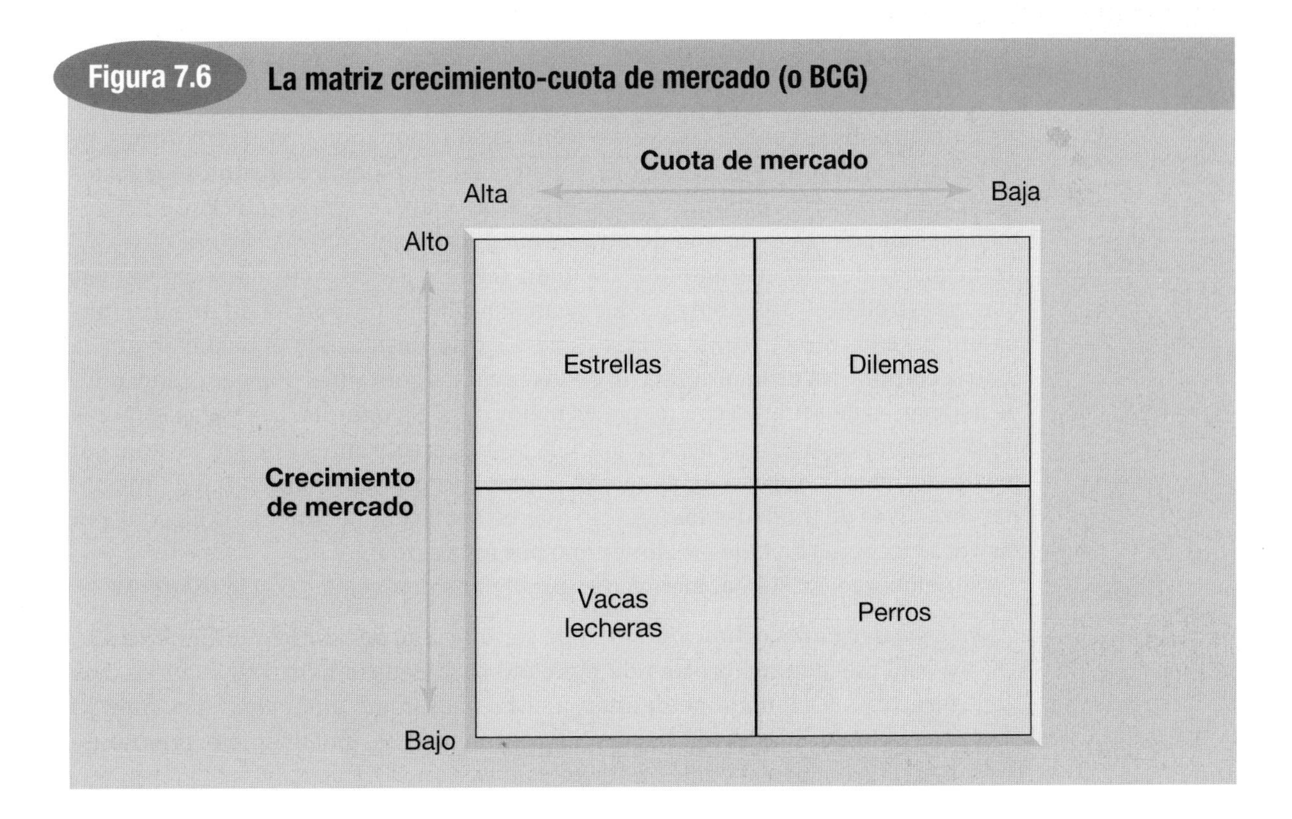

Los ejes crecimiento/cuota de mercado de la matriz BCG definen cuatro tipos de negocios:

Una **estrella** es una unidad de negocio que tiene una alta cuota de mercado en un mercado en crecimiento.

- Una **estrella** es una unidad de negocio que tiene una alta cuota de mercado en un mercado en crecimiento. La unidad de negocio puede estar invirtiendo fuertemente para mantener el ritmo de un sector en crecimiento, pero una alta cuota de mercado proporcionaría suficientes beneficios para hacerla más o menos autosuficiente en términos de necesidades de inversión.

Un **dilema** (o niño problema) es una unidad de negocio en un mercado en crecimiento, pero sin tener aún una alta cuota de mercado.

- Un **dilema** (o niño problema) es una unidad de negocio en un mercado en crecimiento, pero sin tener aún una alta cuota de mercado. Convertir los dilemas en estrellas, con una alta cuota de mercado, requiere de fuertes inversiones. Muchos dilemas no son capaces de desarrollarse, por lo que la matriz BCG recomienda alimentar a varios a la vez. Es importante estar seguro de que algunos dilemas se desarrollen hacia estrellas, de manera que las estrellas finalmente se conviertan en vacas lecheras y estas puedan terminar siendo perros.

Una **vaca lechera** es una unidad de negocio con una alta cuota de mercado en un mercado maduro.

- Una **vaca lechera** es una unidad de negocio con una alta cuota de mercado en un mercado maduro. Sin embargo, como el crecimiento es lento, las inversiones necesarias son menores, mientras que una alta cuota de mercado significa que la unidad de negocio debería ser rentable. La vaca lechera debería ser un proveedor de fondos, ayudando a financiar inversiones en dilemas.

Los **perros** son unidades de negocio con una baja cuota en mercados estáticos o en declive.

- Los **perros** son unidades de negocio con una baja cuota en mercados estáticos o en declive y son, por tanto, la peor combinación de todas. Pueden ser un pozo sin fondo de fondos y utilizar una cantidad desproporcionada de tiempo y recursos de la compañía. La matriz BCG normalmente recomienda desinvertir o cerrar.

La matriz BCG cuenta con varias ventajas. Proporciona una buena forma de visualizar las distintas necesidades y potencial de todos los distintos negocios dentro de la matriz corporativa. Advierte a las matrices corporativas de las demandas financieras de lo que de otra forma podría parecer una cartera deseable de negocios de alto crecimiento. También recuerda a las matrices corporativas que las estrellas es probable que decaigan. Por último, proporcionan una disciplina útil para los directivos de unidades de negocio, destacando el hecho de que la matriz corporativa es la propietaria de los recursos sobrantes que generan y puede asignarlos de acuerdo con lo que es mejor para el conjunto. Las vacas lecheras no deberían acaparar sus beneficios. Los recursos sobrantes pueden no solo ser los fondos para la inversión, ya que la matriz corporativa también puede reasignar directivos de unidades de negocio que no sean completamente utilizados por las vacas lecheras de bajo crecimiento o por los perros.

Sin embargo, existen al menos tres problemas potenciales con la matriz BCG:

- *Vaguedad en las definiciones.* Puede ser difícil de decidir lo que significa alto o bajo crecimiento o cuota de mercado para determinadas situaciones. Los directivos a menudo se definen a sí mismos como *alta cuota* al definir su mercado de una forma particularmente estrecha (por ejemplo, ignorando mercados internacionales relevantes).

- *Supuestos sobre el mercado de capital.* La idea de que una matriz corporativa necesita de una cartera equilibrada para financiar inversiones de fuentes internas (vacas lecheras) supone que el capital no puede ser obtenido de mercados externos, por ejemplo mediante el lanzamiento de acciones o la obtención de préstamos. La noción de una cartera equilibrada puede ser más relevante en países en los que los mercados de capitales se encuentran poco desarrollados o en compañías privadas que desean reducir la dependencia de accionistas externos o bancos.
- *Crueldad hacia los animales.* Tanto las vacas lecheras como los perros reciben un tratamiento poco generoso: las primeras simplemente son ordeñadas, mientras que a los segundos se les pone término o se les expulsa de la corporación. Este tratamiento puede causar *problemas de motivación,* en la medida en que los directivos de tales unidades ven poco sentido trabajar duro en beneficio de los otros negocios. Existe además el peligro de la *profecía autocumplida.* Las vacas lecheras se convertirán en perros incluso más rápido de lo que el modelo espera si son simplemente ordeñadas y se les deniega la inversión adecuada. Finalmente, la noción de que un perro puede ser simplemente vendido y cerrado también supone que no existen *vínculos con otras unidades de negocio* de la cartera, cuyo rendimiento puede depender en parte de mantener vivo al perro. Este enfoque de cartera hacia los perros funciona mejor para las estrategias conglomeradas, en las que las desinversiones es poco probable que tengan consecuencias en otras partes de la cartera.

7.5.2. La matriz de política direccional (o GE-McKinsey)

Otra forma de considerar una cartera de negocios es mediante la *matriz de política direccional*[19] que categoriza las unidades de negocio en aquellas con buenas perspectivas y aquellas con perspectivas menos buenas. La matriz fue originalmente desarrollada por la consultora McKinsey & Co. para ayudar al conglomerado americano General Electric en la gestión de su cartera de unidades de negocio. En concreto, la **matriz de política direccional** posiciona las unidades de negocio de acuerdo con: (a) lo atractivo que es el mercado relevante en el que están operando y (b) las fortalezas competitivas de las UEN en tal mercado. El grado de atractivo puede ser identificado por los análisis PESTEL o de las cinco fuerzas, mientras que las fortalezas de las unidades de negocio pueden ser definidas por el análisis de los competidores (por ejemplo el lienzo estratégico). Algunos analistas también deciden mostrar gráficamente lo grandes que son los mercados para una determinada actividad de la unidad de negocio e incluso la cuota de mercado de tal unidad de negocio, tal y como se muestra en la Figura 7.7. Por ejemplo, los directivos de una empresa con la cartera que se muestra en la Figura 7.7 se preocuparán por el hecho de que cuentan con cuotas relativamente bajas en los mercados mayores y más atractivos, mientras que la mayor fortaleza se encuentra en un mercado con solo un atractivo medio y mercados más pequeños con poco atractivo a largo plazo.

La **matriz de política direccional** posiciona las unidades de negocio de acuerdo con (a) lo atractivo que es el mercado relevante en el que están operando y (b) las fortalezas competitivas de las UEN en tal mercado.

Figura 7.7 **Matriz de política direccional (GE-McKinsey)**

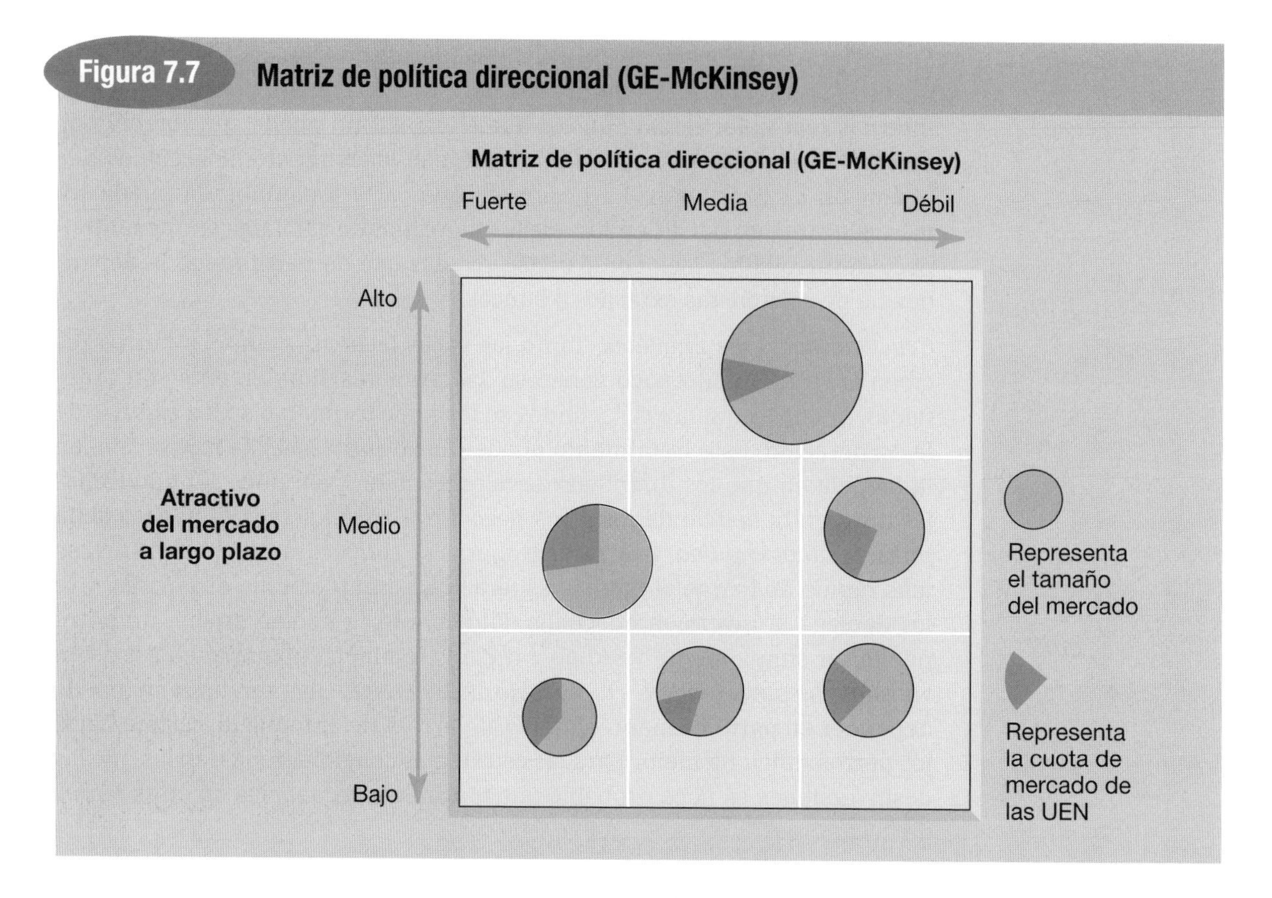

La matriz también proporciona una forma de considerar estrategias apropiadas a nivel corporativo dado el posicionamiento de las unidades de negocio, tal y como se muestra en la Figura 7.8. Sugiere que las unidades de negocio con el mayor potencial de crecimiento y la mayor fortaleza sean aquellas en las que invertir para crecer. Aquellas que son las más débiles y en los mercados menos atractivos deberían ser desinvertidas o *cosechadas* (p. ej., utilizadas para conseguir tanto dinero como sea posible antes de desinvertirlas).

La matriz de política direccional es más compleja que la matriz BCG. Sin embargo, cuenta con dos ventajas. En primer lugar, a diferencia de las cuatro celdas más simples de la matriz BCG, las nueve celdas de la matriz de política direccional permiten la posibilidad de un difícil término intermedio, en donde los directivos tienen que ser muy selectivos. En este sentido, la matriz de política direccional es menos mecanicista que la matriz BCG, alentando un debate abierto sobre los casos menos claros. En segundo lugar, los dos ejes de la matriz de política direccional no están basados en medidas únicas (p. ej., cuota de mercado y crecimiento de mercado). La fortaleza del negocio puede derivar de muchos otros factores distintos de la cuota de mercado, y el atractivo de la industria no solo se reduce a las tasas de crecimiento de la industria. Por otra parte, la matriz de política direccional comparte algunos problemas con la matriz BCG, particularmente con respecto a las definiciones vagas, supuestos sobre el mercado de capitales, motivación y profecía autocumplida. Sin embargo, en términos generales el valor de

Figura 7.8 Indicaciones estratégicas basadas en la matriz de política direccional

la matriz se encuentra en el hecho de que ayuda a los directivos a invertir en los negocios que es más probable que valgan la pena.

RESUMEN

- Muchas corporaciones comprenden varias unidades de negocio, en ocasiones muchas. Las decisiones sobre el número de unidades de negocio se incluyen dentro del ámbito de la *matriz corporativa.*
- La estrategia se refiere a las decisiones de la matriz corporativa con respecto a: (a) el *alcance de mercado y producto* y (b) cómo persiguen *añadir valor* al que crean sus unidades de negocio.
- La diversidad de producto a menudo es considerada en términos de diversificación *relacionada* y *no relacionada.*
- El resultado tiende a resentirse si las organizaciones se convierten en muy diversas, o no relacionadas, en sus unidades de negocio.
- Las matrices corporativas pueden destruir valor, así como crearlo, y deberían estar dispuestas a *desinvertir* unidades para las que no pueden crear valor.
- La matriz BCG y la matriz de política direccional resultan útiles para ayudar a las matrices corporativas a gestionar el equilibrio y atractivo global de su cartera de negocios.

Lecturas clave recomendadas

- Un análisis accesible de las direcciones del desarrollo se recoge en A. Campbell y R. Park, *The Growth Gamble: When leaders should bet on big new businesses*, Nicholas Brealey, 2005.
- M. Goold y K. Luchs, "Why diversify: four decades of management thinking", en D. Faulkner y A. Campbell (eds), *The Oxford Handbook of Strategy*, vol. 2, Oxford University Press, pp. 18-42, proporciona una visión general autorizada de la opción de diversificación a lo largo del tiempo.

Referencias

1. Esta figura es una extensión de la matriz producto/mercado: véase H.I. Ansoff, *Corporate Strategy*, 1988, capítulo 6. La matriz fue después desarrollada en la que se muestra a continuación:

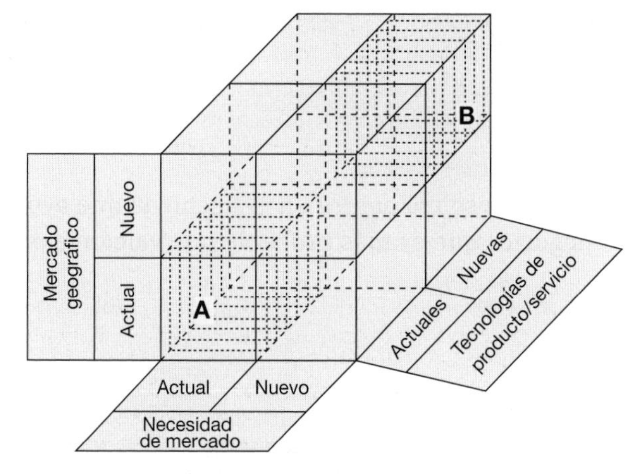

Fuente: H. Ansoff, The New Corporate Strategy, Wiley, 1988.

2. Para conocer la autoridad de la competencia de la Comisión Europea, véase http://ec.europa.eu/comm/competition; para conocer la Comisión de la Competencia de Reino Unido, véase http://www.competition-commission.org.uk/.
3. Véase por ejemplo, J. Huang, M. Enesi, y R. Galliers, "Opportunities to learn from failure with electronic commerce: a case study of electronic banking", *Journal of Information Technology*, vol. 18, núm. 1 (2003), pp. 17-27.
4. Para un análisis del desafío que supone el crecimiento y diversificación sostenidos, véase A. Campbell y R. Parks, *The Growth Gamble*, Nicholas Brearley (2005) y D. Laurie, Y. Doz y C. Sheer, "Creating new growth platforms", *Harvard Business Review*, vol. 84, núm. 5 (2006), pp. 80-90.
5. Sobre las economías de alcance, véase D. J. Teece, "Towards an economic theory of the multiproduct firm", *Journal of Economic Behavior and Organization*, vol. 3 (1982), pp. 39-63.
6. M. Goold y A. Campbell, "Desperately seeking synergy", *Harvard Business Review*, vol. 76, núm. 2 (1998), pp. 131-145.
7. Véase C. K. Prahalad y R. Bettis, "The dominant logic: a new link between diversity and performance", *Strategic Management Journal*, vol. 6, núm. 1 (1986), pp. 485-501; y R. Bettis y C. K. Prahalad, "The dominant logic: retrospective and extension", *Strategic Management Journal*, vol. 16, núm. 1 (1995), pp. 5-15.

8. Para un análisis teórico y estudio empírico de los intereses de los directivos y la diversificación, véase M. Goranova, T. Alessandri, P. Brandes y R. Dharwadkar, "Managerial ownership and corporate diversification: a longitudinal view", *Strategic Management Journal,* vol. 28, núm. 3 (2007), pp. 211-226.

9. Pehrson, "Business relatedness and performance: a study of managerial perceptions", *Strategic Management Journal,* vol. 27, núm. 3 (2006), pp. 265-282.

10. A. Campbell y K. Luchs, *Strategic Synergy,* Butterworth/Heinemann, 1992.

11. Véase Prahalad y Bettis en la referencia 7.

12. Véase C. Markides, "Corporate strategy: the role of the centre", en A. Pettigrew, H. Thomas y R. Whittington (eds.), *Handbook of Strategy and Management,* Sage, 2002. Para una discusion de los cambios recientes en las chaebols, véase J. Chang y H.-H. Shin, "Governance system effectiveness following the crisis: the case of Korean business group headquarters", *Corporate Governance: an International Review,* vol. 14, núm. 2 (2006), pp. 85-97.

13. L. E. Palich, L. B. Cardinal y C. Miller, "Curvilinearity in the diversification-performance linkage: an examination of over three decades of research", *Strategic Management Journal,* vol. 21 (2000), pp. 155-174. La relación de U invertida constituye el consenso de las diferentes investigaciones, aunque existen estudios en desacuerdo, en particular encuentran variaciones a lo largo del tiempo y en diferentes países. Para estudios recientes sensibles al contexto, véase M. Mayer y R. Whittington, "Diversification in Context: a Cross National and Cross Temporal Extension, *Strategic Management Journal,* vol. 24 (2003), pp. 773-781 y A. Chakrabarti, K. Singh y I. Mahmood, "Diversification and performance: evidence from East Asian firms", *Strategic Management Journal,* vol. 28, (2007), pp. 101-120.

14. Para un buen análisis sobre los papeles de la matriz, véase Markides en la referencia 12. Un estudio empírico reciente sobre matrices corporativas es: D. Collis, D. Young y M. Goold, "The size, structure and performance of corporate headquarters", *Strategic Management Journal,* vol. 28, núm. 4 (2007), pp. 383-406.

15. M. Goold, A. Campbell y M. Alexander, *Corporate Level Strategy,* Wiley 1994, se refiere a la capacidad de añadir valor y destruir valor de las matrices corporativas.

16. Para un análisis del papel que juega claridad en la definición de la misión, véase A, Campbell, M. Devine y D. Young, *A Sense of Mission,* Hutchinson Business, 1990. Sin embargo, G. Hamel y C. K. Prahalad argumentan en el capítulo 6 de su libro, *Competing for the Future,* Harvard Business School Press, 1994, que las declaraciones de misión ejercen un impacto insuficiente en la competencia de establecer con claridad el *propósito estratégico.* Esto es más probable que sea una afirmación breve aunque clara que se centra más en la claridad de la orientación estratégica (ellos utilizan la palabra *destino)* que en cómo será conseguida la orientación estratégica. Véase también a Hamel y Prahalad sobre el propósito estratégico en *Harvard Business Review,* vol. 67, núm. 3 (1989), pp. 63-76.

17. Los dos primeros tipos se basan en un trabajo de Michael Porter, "From competitive advantage to corporate strategy", *Harvard Business Review,* vol. 65, núm. 3 (1987), pp. 43-59.

18. Para un análisis más extensivo de la matriz de crecimiento-cuota de mercado, véase C. Hax y N. S. Majluf en R. G. Dyson (ed.), *Strategic Planning. Models and Analytical Techniques,* Wiley, 1990; y D. Faulkner, "Portfolio matrices", en V. Ambrosini (ed.), *Exploring Techniques of Analysis and Evaluation in Strategic Management,* Prentice Hall, 1998. Para explicaciones originales de la matriz BCG, véase B. D. Henderson, *Henderson on Corporate Strategy,* Abt Books, 1979.

19. Hax y N. Majluf, "The use of the industry attractiveness-business strength matrix in strategic planning", en R. Dyson (ed.), *Strategic Planning: Models and analytical techniques,* Wiley, 1990.

CASO DE EJEMPLO

El grupo Virgin

Aidan McQuade

El Grupo Virgin es una de las mayores compañías privadas de Reino Unido. El grupo incluía, en 2006, 63 negocios tan diversos como aerolíneas, gimnasios, tiendas de música y trenes. El grupo incluía Virgin Galactic, que prometía viajes al espacio.

La imagen personal y personalidad del fundador, Richard Branson, se encuentra muy ligada a la de la compañía. El gusto de Branson por la publicidad le ha llevado a proezas como aparecer como un comerciante callejero en la comedia americana *Friends,* hasta el intento de un viaje en globo sin escalas por todo el mundo. Sin duda, esto ha contribuido a la definición de la marca y a que sea reconocida. La investigación ha mostrado que el nombre Virgin estaba asociado con palabras como "divertido", "innovador", "atrevido" y "exitoso".

En 2006, Branson anunció planes de invertir tres billones de dólares (2,4 billones de euros) en energías renovables. Virgin, mediante su asociación con la compañía de cable NTL, también llevó a cabo una expansión en los medios de comunicación, de manera que desafiaba públicamente la forma en la que NewsCorp operaba en Reino Unido y sus efectos sobre la democracia británica. La naturaleza y escala de ambas iniciativas sugería que el gusto de Branson por su marca de negocios permanecía inalterado.

Orígenes y actividades

Virgin fue fundada en 1970 como una empresa de venta de discos por correo y se desarrolló como una compañía privada dedicada a la edición de música y a su distribución minorista. En 1986, la compañía fue lanzada al mercado de valores con una facturación de 362,5 millones de euros. Sin embargo, Branson se cansó de las obligaciones de las empresas cotizadas; le molestaba hacer presentaciones en la City a personas que, él creía, no entendían el negocio. La presión para crear beneficios a corto plazo, especialmente cuando el precio de las acciones comenzó a caer, fue el colmo: Branson decidió echar marcha atrás y convertir la empresa en capital privado y las acciones fueron recompradas al precio original de oferta.

El nombre Virgin fue elegido para representar la idea de la compañía siendo una virgen en cada negocio en el que entraba. Branson había dicho que "la marca es el activo individual más importante que poseemos; nuestro objetivo último es establecer un nombre global importante". Esto no significaba que Virgin infravalorara la importancia de comprender los *negocios* que estaban bajo su marca. Con respecto a su intento de establecer una compañía de energía "verde" que producía etanol y combustibles de etanol celuloso en competencia con la industria petrolífera, decía: "Somos una compañía ligeramente fuera de lo común, en la que nos introducimos en industrias sobre las que no sabemos nada y nos sumergimos".

La expansión de Virgin a menudo se ha realizado mediante empresas conjuntas en las que Virgin proporcionaba la marca y su socio la mayoría del capital. Por ejemplo, el movimiento del Grupo Virgin hacia la ropa y la cosmética requería de un desembolso de solo 1.000 libras, mientras que su socio, Victory Corporation, invirtió veinte millones de libras. Con Virgin Mobile, Virgin construyó un negocio formando sociedad con operadores móviles existentes para vender móviles bajo el nombre de marca Virgin. Las competencias de las líneas aéreas descansan en la gestión de la red. Virgin se propuso diferenciarse ofreciendo servicios innovadores. Aunque no operaba su propia red, Virgin ganó un premio al mejor operador móvil en Reino Unido.

Virgin Fuels parecía ser algo diferente, al poner Virgin el capital y utilizar la marca Virgin para atraer la atención hacia las cuestiones y posibilidades que ofrece la tecnología.

En 2005, Virgin anunció el establecimiento de una compañía de medios *quadruple play,* proporcionando servicios de televisión, ancho de banda, línea fija y comunicación móvil mediante la fusión de los intereses de Branson en telefonía móvil en Reino Unido con las dos compañías de cable de Reino Unido. Esta compañía de Virgin tendría nueve millones de clientes directos, 1,5 millones más que BSkyB y, por lo tanto, contaría con la capacidad financiera de competir con BSkyB por contenidos de calidad como deportes y películas [1]. Virgin trató de expandir sus negocios más allá, al hacer una oferta por ITV. Esta fue rechazada por infravalorar la compañía y finalmente arrebatada al adquirir una participación del

---

Este caso ha sido actualizado y revisado por Aidan McQuade, Universidad de Strathclyde Graduate School of Business, basado en el trabajo de Urmilla Lawson.

dieciocho por ciento de ITV por BSkyB. Esto llevó a pedir a los reguladores que forzaran a BSkyB a reducir o deshacerse de su participación mostrando su preocupación porque BSkyB pudiera tener influencia material sobre las estaciones emisoras de televisión gratuita [2].

Virgin ha sido descrita como una organización *keiretsu* —una estructura de unidades vinculadas de manera indirecta, operadas por equipos autogestionados que utilizan un nombre de marca común.— Branson argumentaba que, conforme se expandía, estaba dispuesto a sacrificar beneficios a corto plazo para conseguir un crecimiento a largo plazo de los distintos negocios.

Algunos comentaristas han argumentado que Virgin se ha convertido en una marca que simplemente da el visto bueno a sus actividades, pero que no siempre ofrece habilidades a los negocios con los que está asociada. Sin embargo, Will Whitehorn, director de asuntos corporativos de Virgin, afirmaba que "en Virgin sabemos lo que significa la marca y cuando ponemos nuestra marca en algo estamos haciendo una promesa".

Branson consideraba que Virgin estaba añadiendo valor de tres formas principales, aparte de a través de la marca. Estas eran las relaciones públicas y habilidades de *marketing,* su experiencia con empresas nuevas en nuevos sectores, y el entendimiento de las oportunidades presentadas por mercados *institucionalizados.* Virgin consideraba un mercado *institucionalizado* al dominado por pocos competidores, que no proporciona valor a los clientes debido a que se había convertido en ineficiente o preocupados por los propios competidores. Virgin creía que era un acierto cuando identificaba tal complacencia y ofrecía más por menos. La entrada en las industrias de combustibles y medios de comunicación ciertamente se ajusta al modelo de tratar de agitar mercados *institucionalizados.*

Lógica corporativa

En 2006, Virgin carecía de los atavíos de una multinacional típica. Branson describió el Grupo Virgin como una "casa de capital riesgo con marca" [3]. No existía un *grupo* como tal; los resultados financieros no estaban consolidados ni para un examen externo o, como Virgin afirmaba, ni para uso interno. Su página web describía a Virgin como una familia más que como una jerarquía. Sus operaciones financieras estaban dirigidas desde Ginebra.

En 2006, Branson explicaba la base sobre la que consideraba las oportunidades: tenían que ser globales en alcance, mejorar la marca, merecer la pena y tener una expectativa de una rentabilidad sobre la inversión razonable [4]. Cada negocio estaba *restringido,* de manera que los prestamistas de una compañía no tenía derechos sobre los activos de otra. La restricción parecía también estar relacionada, no solo con la provisión de protección financiera, sino también con un aspecto de ética en los negocios. En una entrevista en 2006, Branson criticaba a los supermercados por vender cedés baratos. Su crítica se centraba en el uso de los supermercados de la venta a pérdida en los cedés, perjudicando a los minoristas de música, en lugar de cuestionar la forma en la que los minoristas de música hacen negocios. Branson había hecho una característica central de Virgin que agitara los mercados institucionalizados siendo innovadora. Incurrir en pérdidas no es un enfoque innovador.

Virgin ha evolucionado desde estar compuesta casi en su totalidad de compañías privadas hasta un grupo en el que algunas de las compañías estaban cotizadas.

Virgin y Branson

Históricamente, el Grupo Virgin ha estado controlado principalmente por Branson y sus lugartenientes de confianza, muchos de los cuales habían estado con él durante más de veinte años. La creciente coincidencia entre intereses personales e iniciativas de negocio podía distinguirse en el establecimiento de Virgin Fuels. En el análisis de su esfuerzo por establecer una compañía de fuel *verde* en competencia con la industria petrolífera, Branson hizo la observación geopolítica de que los combustibles no basados en el petróleo un día podrían "evitar otra guerra en Oriente Medio"; la oposición de Branson a la Segunda Guerra del Golfo fue notoria [5]. En algunas ocasiones, la relación entre convicción personal e intereses en los negocios estaba menos clara. Los comentarios de Branson sobre la amenaza que suponía para la democracia británica la propiedad de NewsCorp de un gran porcentaje de los medios británicos podrían representar una preocupación genuina de una figura pública o envidia de un rival en los negocios que ha sido batido en la compra de ITV.

Más recientemente Branson ha sido acusado de hablar sobre retirarse de los negocios "que más o menos funcionan por sí mismos ahora [6]", y esperando que su hijo Sam pudiera convertirse en algo más que una figura decorativa de Virgin [7]. Sin embargo, mientras que estaba considerando este retiro de los negocios, Branson también estaba lanzando sus iniciativas en medios y combustibles. Quizá la idea de Branson de una jubilación temprana era de carácter más activo que la de la mayoría.

Resultados corporativos

Ya en 2006, Virgin, con resultados desiguales, se había enfrentado a una industria establecida tras otra, en un esfuerzo de agitar "sectores de negocios gordos y complacientes". Había puesto su mirada en el sector de medios británico y en la industria de combustibles global.

Las aerolíneas eran claramente una pasión para Branson. De acuerdo con Branson, Virgin Atlantic, cuyo 49 por ciento era propiedad de Singapore Airways, era una compañía que no quería vender rotundamente: "Existen algunos negocios que preservas, que nunca venderías y este es uno de ellos". A pesar de los temores de algunos analistas de que el éxito de la aerolínea no podría sostenerse, dada la naturaleza *cíclica* del negocio, Branson mantenía un fuerte interés en la industria e incluía negocios de aerolíneas como Virgin Express (europeo), Virgin Blue (Austria) y Virgin Nigeria en el grupo. El compromiso de Branson con la búsqueda de combustibles *más verdes* y la reducción del calentamiento global no le había llevado a retirar sus flotas, sino a provocar un debate sobre las medidas para reducir las emisiones de carbono de los aeroplanos.

Al comienzo del siglo veintiuno, el problema más público al que se enfrentaba Branson era Virgin Trains, cuyas líneas Cross Country y West Coast estaban situadas en los puestos 23 y 24 de franquicias de operadores de trenes, de acuerdo con el Strategic Rail Authority Review en 2000. En 2002, Virgin Trains estaba ofreciendo beneficios y pagaba su primera prima al gobierno británico.

El futuro

El comienzo del siglo veintiuno también presenció la posterior expansión de Virgin, desde las aerolíneas, finanzas spa y telefonía móvil en África, hasta las telecomunicaciones en Europa y en Estados Unidos. La salida a bolsa de negocios individuales en lugar del grupo como un todo se ha convertido en una parte intrínseca de los *malabarismos* financieros que se encuentran tras la expansión de Virgin.

Algunos comentaristas han identificado un riesgo con respecto al enfoque de Virgin: "La mayor amenaza es que (...) la marca Virgin puede quedar asociada con el fracaso [8]". Este aspecto fue destacado por una comentarista [9] que afirmaba que "un cliente que tenga una experiencia lo suficientemente importante con cualquiera de las líneas de productos puede rechazar todos los demás". Sin embargo, Virgin aduce que las investigaciones sobre su marca indican que la gente que tiene una mala experiencia culpará tal compañía particular de Virgin, pero estará dispuesta a utilizar otros productos o servicios de Virgin, debido a la elevada diversidad de la marca. Tal confianza en la marca ayuda a explicar por qué Virgin debería incluso contemplar rescates arriesgados y prolongados como el de sus compañía de transporte ferroviario.

Sarah Sands cuenta que la madre de Branson "una vez presumía con orgullo que su hijo se convertiría en primer ministro". Tras ello, Sands comentaba que pensaba que su madre minusvaloraba su ambición [10]. Con la entrada de Virgin en combustibles y medios de comunicación y las declaraciones de Branson sobre que estaba adquiriendo corporaciones petrolíferas y NewsCorp, Sands puede probar finalmente si ha sido profética con sus comentarios.

Notas

1. *Sunday Telegraph,* 4 de diciembre (2005).
2. *Independent,* 22 de noviembre (2006).
3. Hawkins (2001a, b).
4. PR Newswire Europe, 16 de octubre (2006).
5. *Fortune,* 6 de febrero (2006).
6. *Independent on Sunday,* 26 de noviembre (2006).
7. Ibid.
8. *The Times* 1998, citado en Vignali (2001).
9. Wells (2000).
10. *Independent on Sunday,* 26 de noviembre (2006).

Fuentes: The Economist, "Cross his heart", 5 de octubre (2002); "Virgin on the ridiculous", 29 mayo (2003); "Virgin Rail: tilting too far", 12 de julio (2001). P. McCosker, "Stretching the brand: a review of the Virgin Group", *European Case Clearing House,* 2000. *The Times,* "Virgin push to open up US aviation market", 5 de junio (2002); "Branson plans $1bn US expansion", 30 de abril (2002). *Observer,* "Branson eyes 31 bn float for Virgin Mobile", 18 de enero (2004). *Strategic Direction,* "Virgin Flies High with Brand Extensions", vol. 18, núm. 10, (octubre de 2002). R. Hawkins, "Executive of Virgin Group outlines corporate strategy" *Knight Ridder/Tribune Business News,* 29 de julio (2001a). R. Hawkins, "Branson in new dash for cash", *Sunday Business,* 29 de julio (2001 b); *South China Morning Post,* "Virgin shapes kangaroo strategy aid liberalisation talks between Hong Kong and Australia will determine carrier". game-plan", 28 de junio (2002). C. Vignali, "Virgin Cola", *British Food Journal,* vol. 103, núm. 2 (2001), pp. 131-139. M. Wells, "Red Barón", *Forbes Magazine,* vol. 166, núm. 1, 7 de marzo (2000).

Preguntas

1. ¿Cuál es la lógica corporativa de Virgin como un grupo de empresas?
2. ¿Existen algunas relaciones de naturaleza estratégica entre los negocios dentro de la cartera de Virgin?
3. ¿Cómo añade valor Virgin Group como matriz corporativa a sus negocios?
4. ¿Cuáles son las principales cuestiones a las que se enfrenta el Grupo Virgin al final del caso y cómo debería afrontarlos?

8

ESTRATEGIA INTERNACIONAL

OBJETIVOS DE APRENDIZAJE

Tras leer este capítulo, usted debería ser capaz de:

- Valorar el potencial de internacionalización de diferentes mercados, teniendo en cuenta las variaciones a lo largo del tiempo.
- Identificar las fuentes de ventaja competitiva en la estrategia internacional, mediante el aprovisionamiento global y la explotación de factores locales plasmados en el Diamante de Porter.
- Distinguir entre cuatro tipos principales de estrategia internacional.
- Ordenar los potenciales mercados para la entrada o expansión, teniendo en cuenta el grado de atractivo, la distancia cultural y de otro tipo, y las amenazas de reacción de los competidores.
- Valorar los méritos relativos de los distintos modos de entrada en el mercado, incluyendo empresas conjuntas, licencias e inversión directa en el extranjero.

8.1 INTRODUCCIÓN

El capítulo anterior introdujo el desarrollo de mercado como una estrategia, en relación con la matriz de Ansoff. Este capítulo se centra en un tipo de desarrollo de mercado específico, aunque importante, que opera en mercados geográficos diferentes. La internacionalización supone elecciones sobre en qué países competir, en qué medida modificar el rango de productos o servicios de la organización y cómo dirigir internacionalmente. Estos tipos de cuestiones son relevantes para un amplio rango de organizaciones en la actualidad. Por supuesto, existen grandes multinacionales como Nestlé, Toyota o McDonalds. Pero cada vez más pequeñas empresas también son *nacidas globales,* construyendo relaciones internacionales desde el comienzo. Las organizaciones del sector público también están teniendo que tomar decisiones con respecto a colaboración, externalización e incluso competencia con organizaciones en el extranjero. Por ejemplo, la legislación de la Unión Europea requiere que las organizaciones de servicio público acepten ofertas de proveedores no nacionales.

La Figura 8.1 sitúa la estrategia internacional como el tema central del capítulo. Sin embargo, la estrategia internacional depende en último término del entorno externo (Capítulo 2) y de las capacidades organizativas (Capítulo 3). Del lado del entorno, la Figura 8.1 destaca los inductores de la internacionalización; del lado de las capacidades, muestra las fuentes nacionales e internacionales de ventaja. La elección de la estrategia internacional tiende a determinar la selección de los distintos mercados-país y de los modos de entrada en el mercado.

Figura 8.1 **Marco de análisis de la estrategia internacional**

Este capítulo examina aspectos clave de la estrategia internacional como sigue. El apartado siguiente introduce los *inductores de la internacionalización.* El capítulo considera las fuentes nacionales e internacionales de ventaja competitiva, particularmente aquellas localizadas en el *aprovisionamiento global* y aquellas que se encuentran en los factores específicos del país recogidos en el *Diamante* de Michael Porter. A la luz de tales inductores y fuentes de ventaja competitiva, el capítulo describe diferentes *tipos de estrategia internacional.* Como los distintos mercados geográficos tienden a demandar significativas modificaciones en producto o servicio, algunas estrategias internacionales van desde un simple desarrollo de mercado hasta estrategias cada vez más diversificadas [1]. A partir de este punto, el capítulo pasa a analizar la selección del mercado y la entrada en el mercado. En este punto, el capítulo subraya la interdependencia del atractivo del mercado con distintos tipos de *distancia* y la amenaza de *represalias de los competidores.* Finalmente, el capítulo considera las ventajas relativas de diferentes *modos de entrada,* incluyendo la utilización empresas conjuntas, la inversión directa en el extranjero y la licencia. Son analizadas las *secuencias de entrada,* incluyendo aquellas para nuevas empresas y multinacionales emergentes.

8.2 INDUCTORES DE LA INTERNACIONALIZACIÓN

Existen muchas presiones generales que incrementan la internacionalización. Las barreras al comercio internacional, a la inversión y la migración son mucho menores que las de hace algunas décadas. La regulación internacional y de los gobiernos han mejorado, de manera que la inversión y el comercio en el extranjero son menos arriesgados. Las mejoras en la comunicación —desde vuelos más baratos hasta Internet— hacen que los movimientos y la diseminación de ideas sean mucho más fáciles a lo largo del mundo. De manera no menos importante, el éxito de nuevas potencias económicas como las denominadas BRIC (Brasil, Rusia, India y China) está generando nuevas oportunidades y desafíos para los negocios internacionalmente [2].

Sin embargo, no todas estas tendencias en la internacionalización van en un sentido ni afectan a todas las industrias. Por ejemplo, la migración en la actualidad se está haciendo más difícil entre algunos países. Internet y los vuelos más baratos están haciendo más fácil expatriar comunidades para que permanezcan dentro de sus culturas de origen en lugar de fusionarse en un único crisol de gustos e ideas. Muchas autodenominadas multinacionales están concentradas en mercados bastante particulares, como por ejemplo, Norteamérica y Europa Occidental, o cuentan con un conjunto de vínculos internacionales muy limitados (por ejemplo, acuerdos de aprovisionamiento o externalización con solo uno o dos países extranjeros). Los mercados varían enormemente en el grado en el que las necesidades de los consumidores se están estandarizando —comparemos los sistemas operativos para ordenadores con los sabores de los chocolates—. En resumen, los directivos necesitan tener cuidado con los *cuentos globales,* por los que la integración económica en un único mundo homogéneo y competitivo es enormemente exagerada. Como ocurre en el sector de distribución minorista chino (Ilustración 8.1), los inductores internacionales son normalmente un poco más complicados que esto.

Ilustración 8.1

Distribución minorista china: ¿global o local?

La internacionalización no es un proceso simple, tal y como han comprobado en China las cadenas de supermercados Carrefour y Wal-Mart.

Al comienzo del siglo XXI, China es un imán para las ambiciosas cadenas de supermercados occidentales. Creciendo a una tasa del trece por ciento anual, el mercado chino alcanzará, según el Euromonitor, los 747 billones de dólares (380 billones de euros) en 2010. Unos 520 millones de personas alcanzarán la clase media-alta en China en 2025. Con la industria local fragmentada y centrada en regiones particulares, las grandes compañías occidentales pueden tener una ventaja.

En 1995, tras una experiencia de seis años en el vecino Taiwán, la cadena de supermercados francesa Carrefour entró en el mercado chino de una manera sustancial. En 2006, Carrefour era el sexto mayor minorista en China, aunque esto significaba solo el 0,6 por ciento del total del mercado. La mayor minorista el mundo, la americana Wal-Mart, se situaba muy cerca por detrás, especialmente con su adquisición en 2006 de una cadena taiwanesa con establecimientos en el continente. Estos dos rivales estaban persiguiendo estrategias muy diferentes. Wal-Mart estaba persiguiendo su estrategia de aprovisionamiento y distribución centralizados, aprovisionando todo lo posible desde su nuevo y moderno centro logístico en Shenzen. Carrefour estaba siguiendo una estrategia descentralizada, excepto en Shanghai, donde contaba con varias tiendas, Carrefour permitía a sus directores de tienda, dispersos en muchas regiones diferentes de China, que tomaran sus propias decisiones de compra y aprovisionamiento.

El crecimiento de compañías como Carrefour y Wal-Mart, así como cadenas locales, demuestra que todavía existe un mercado sustancial para la experiencia de supermercados occidentales. Carrefour, por ejemplo, fue pionera en los bienes de *marca blanca* en China, mientras que Wal-Mart proporciona experiencia en logística. El crecimiento de la riqueza y la exposición a ideas del extranjero sin duda incrementa la recepción China. Sin embargo, el progreso ha sido lento. Wal-Mart todavía tiene que obtener beneficios en China; Carrefour ya lo ha hecho, pero sus márgenes del dos o el tres por ciento son significativamente inferiores a los márgenes de casi el cinco por ciento de los que disfruta en Francia.

Un primer descubrimiento para Wal-Mart fue que los consumidores chinos prefieren frecuentes compras, comprando pequeñas cantidades cada vez. Aunque Wal-Mart suponía que los consumidores chinos conducirían hasta sus tiendas en el exterior de la ciudad y llenarían sus coches con grandes lotes de productos congelados en una compra semanal, como muchos americanos, los clientes chinos preferían abrir tales lotes para llevarse las cantidades que necesitaban. Además, en 2006, Wal-Mart permitió la presencia de sindicatos en sus tiendas, en marcado contraste con su política en el resto del mundo.

Otro descubrimiento para los minoristas occidentales es el grado de variación regional en este gran y multiétnico país. En el norte de China, las salsas de soja son importantes; en China central, las salsas de chile picante son demandadas; en el sur, la salsa de ostras es la más importante. Con respecto a la fruta, los norteños deben tener dátiles; los sureños, *lichis*. En el norte, el frío significa mayor demanda de carne roja, y como los clientes llevan varias capas de ropa, pasillos más anchos en las tiendas. Los norteños no tienen mucho acceso al agua caliente, por lo que lavan con menos frecuencia su pelo, lo que significa que se venden mejor sobrecitos de jabón que grandes botellas.

Fuentes: Financial Times, Wall Street Journal y Euromonitor (varias fechas).

Preguntas

1. ¿Cuáles son los pros y los contras de las distintas estrategias perseguidas en China por Carrefour y Wal-Mart?
2. ¿Cuáles pueden ser los peligros para un gran minorista occidental de quedarse fuera del mercado chino?

Dada la complejidad de la internacionalización, la estrategia internacional debería estar respaldada por un diagnóstico cuidadoso de la intensidad y la dirección de las tendencias en mercados particulares. El modelo de inductores de la internacionalización de George Yip proporciona una base para tal diagnóstico (véase la Figura 8.2) [3]. Es preciso considerar que aunque este modelo se refiere a la necesidad de una *estrategia global*, con todas las partes del negocio cuidadosamente coordinadas en todo el mundo, la mayoría de tales inductores también son aplicables a *estrategias internacionales* más amplias, permitiendo operaciones en el extranjero más limitadas y una menor coordinación entre ellas (véase el Apartado 8.4). En consecuencia, los inductores de Yip pueden ser considerados

Figura 8.2 Inductores de la internacionalización

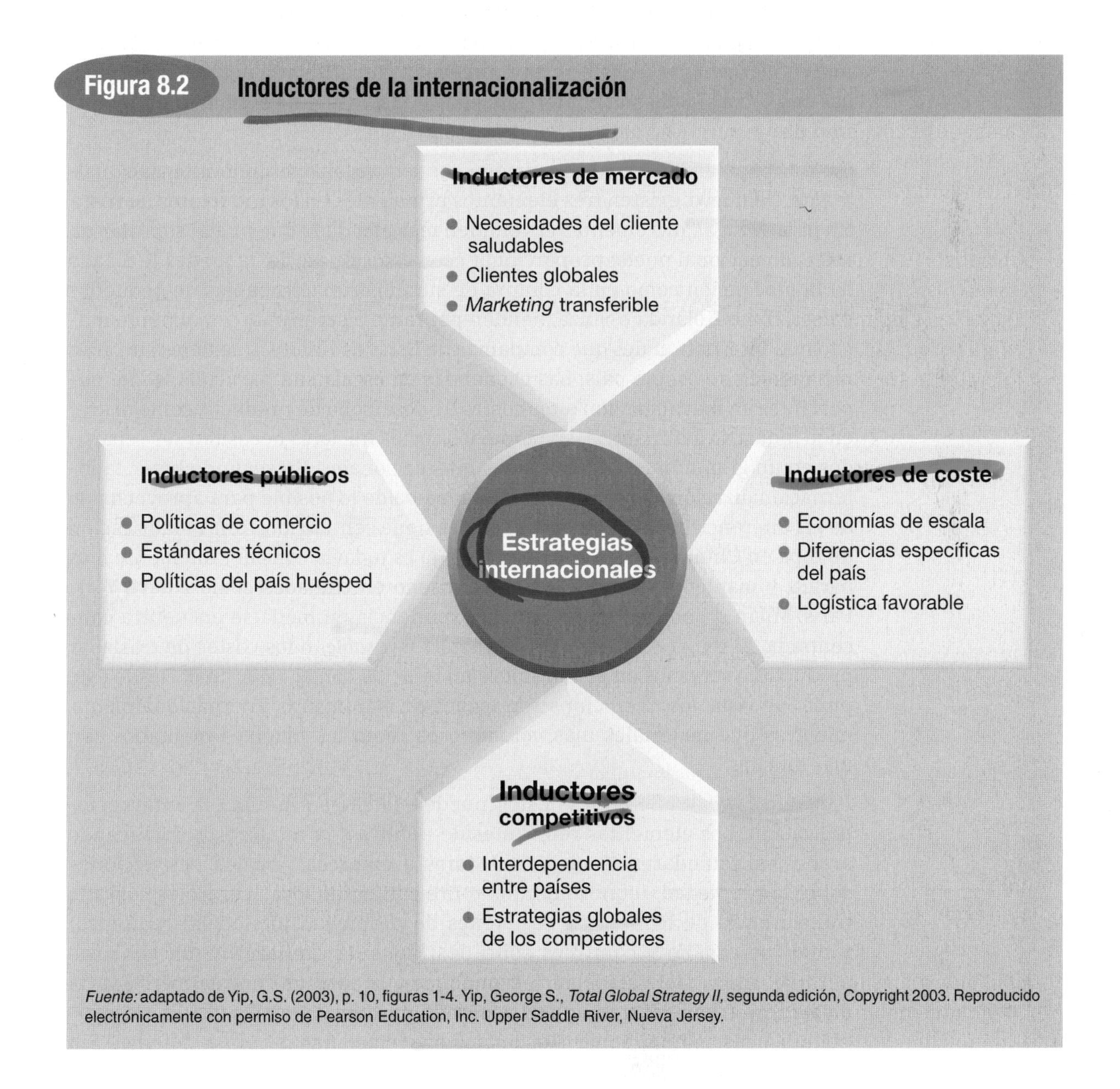

Fuente: adaptado de Yip, G.S. (2003), p. 10, figuras 1-4. Yip, George S., *Total Global Strategy II*, segunda edición, Copyright 2003. Reproducido electrónicamente con permiso de Pearson Education, Inc. Upper Saddle River, Nueva Jersey.

simplemente *inductores de la internacionalización.* Los cuatro inductores de la internacionalización son los siguientes:

- *Inductores de mercado.* Un facilitador crítico de la internacionalización en algunos mercados es cierta estandarización de los mercados. Existen tres componentes tras este inductor. En primer lugar, la presencia de *necesidades y gustos del cliente similares:* el hecho de que en la mayoría de las sociedades los consumidores tengan necesidades similares de crédito fácil ha promovido la amplia presencia de varias compañías, como Visa. En segundo lugar, la presencia de *clientes globales:* por ejemplo, las compañías de componentes para el automóvil se han convertido en más internacionales conforme sus clientes, como Toyota o Ford, se han internacionalizado y han requerido de componentes estandarizados para todas sus factorías en el mundo. Por último, el *"marketing"? transferible* promueve la globalización del mercado: marcas como Coca-Cola son comercializadas de formas muy similares en todo el mundo.
- *Inductores de coste:* los costes pueden ser reducidos operando internacionalmente. De nuevo, existen tres elementos principales en los inductores de coste. En primer lugar, incrementar el volumen más allá de lo que puede soportar un mercado nacional puede proporcionar *economías de escala,* tanto desde el lado de la producción como en la compra de suministros. Compañías de pequeños países, como Holanda o Suiza, tienden por tanto a ser proporcionalmente mucho más internacionales que compañías de Estados Unidos, que tienen un gran mercado en su propio país. Las economías de escala son particularmente importantes en industrias con altos costes de desarrollo de producto, como ocurre en la industria aeronáutica, en la que los costes iniciales necesitan ser repartidos en un gran número de mercados internacionales. En segundo lugar, la internacionalización es promovida en la medida de lo posible para aprovecharse de las diferencias *específicas del país.* Así, tiene sentido localizar la fabricación de ropa en China o África, donde el trabajo es todavía considerablemente más barato, y mantener las actividades de diseño en ciudades como Nueva York, París, Milán o Londres, en las que la experiencia en moda se encuentra concentrada. El tercer elemento es la *logística favorable,* o los costes de trasladar productos o servicios en el extranjero en relación con el valor final. Desde este punto de vista, los microchips son fáciles de suministrar internacionalmente, mientras que materiales más voluminosos como los muebles montados son más difíciles.
- *Inductores gubernamentales.* Estos pueden facilitar e inhibir la internacionalización. Los elementos relevantes de política son numerosos, incluyendo aranceles, estándares técnicos, subsidios a empresas locales, restricciones sobre la propiedad, requerimientos sobre contenido local, controles sobre la transferencia de tecnología, regímenes de propiedad intelectual (patentes) y tipos de cambio y controles sobre los flujos de capital. Ningún gobierno permite una completa apertura económica y la apertura normalmente varía de manera amplia entre industrias, siendo particularmente sensibles la agricultura y las industrias de alta tecnología relacionadas con la defensa. Sin

embargo, la Organización Internacional del Comercio continúa impulsando una mayor apertura y la Unión Europea y el Acuerdo de Libre Comercio de Norteamérica han conseguido mejoras significativas en sus regiones específicas [4].

- *Inductores competitivos.* Se refieren de manera específica a la globalización como una estrategia mundial integrada en lugar de estrategias internacionales más simples. Tales inductores tienen dos elementos. En primer lugar, la *interdependencia* de las operaciones en distintos países incrementan la presión para la coordinación global. Por ejemplo, un negocio con una planta en México que sirve tanto a mercados japoneses como estadounidenses tiene que coordinar cuidadosamente las tres localizaciones; un aumento repentino de ventas en un país, o un desplome en otro, tendrán efectos significativos en los otros países. El segundo elemento se relaciona directamente con la estrategia del competidor. La presencia de *competidores globalizados* incrementa la presión de adoptar una estrategia global en respuesta, debido a que los competidores pueden utilizar los beneficios de un país para subsidiar sus operaciones en otro. Una empresa con una estrategia internacional débilmente coordinada es vulnerable a competidores globales, debido a que no es capaz de ayudar a las subsidiarias del país atacadas por la competencia orientada, subsidiada. El peligro es de un progresivo abandono de aquellos países atacados y el socavamiento gradual de cualquier economía de escala global que el actor internacional pudiera haber comenzado a conseguir [5].

La idea principal que puede extraerse del modelo de inductores de Yip es que el potencial de internacionalización de las industrias es variable. Existen muchos factores diferentes que pueden apoyarla o inhibirla, y un paso importante en la determinación de una estrategia de internacionalización es una valoración realista del verdadero alcance para la internacionalización en la industria de que se trate. La Ilustración 8.2 explica algunas de las razones para el incremento en la diversidad internacional de Deutsche Post desde finales de los noventa.

8.3 FUENTES DE VENTAJA NACIONALES E INTERNACIONALES

Como queda claro a partir de la anterior discusión sobre los inductores de coste en la estrategia internacional, la localización de las actividades es una fuente crucial de ventaja potencial y una de las características distintivas de la estrategia internacional en relación con otras estrategias de diversificación. Tal y como ha explicado Bruce Kogut, una organización puede mejorar la configuración de su *cadena y red de valor* [6] obteniendo ventaja de las diferencias específicas de cada país (véase el Apartado 3.5.1). Existen dos oportunidades principales disponibles: la explotación de *ventajas nacionales* particulares, a menudo en el país de origen de la compañía, y la obtención de ventajas en el exterior mediante una *red de valor internacional.*

Ilustración 8.2

El incremento en la diversidad internacional Deutsche Post

Mercados cada vez más globalizados y cambios políticos y regulatorios se encuentran entre las razones para una creciente diversidad internacional de la organización.

La internacionalización de Deutsche Post se encuentra íntimamente vinculada con las oportunidades y presiones que resultan de la desregulación de los mercados nacionales e internacionales y la globalización asociada de los sectores del transporte y logística. La base fue establecida por la importante reforma del sistema postal alemán en 1990. La Ley sobre la Estructura de Correos y Telecomunicaciones mantenía a Deutsche Post como una compañía de capital público pero trataba de preparar a la compañía para la privatización gradual (la empresa se convirtió en cotizada en 2000 con una venta inicial del veintinueve por ciento del capital). En los años siguientes, la compañía pasó a través de un periodo de consolidación y restructuración que incluyó la integración de Correos de Alemania del Este. En 1997, un año que presenció la liberalización del mercado postal alemán, la compañía había establecido la base para un periodo de rápida expansión internacional.

La posterior globalización de las actividades de Deutsche Post fue inducida principalmente por las demandas de un creciente número de clientes empresariales de un único proveedor de envíos nacionales e internacionales y servicios de logística. Durante los cinco años siguientes, Deutsche Post respondió adquiriendo actores clave en el mercado internacional de envíos y logística, principalmente Danzas y DHL, con el ánimo de "convertirse en el proveedor global más importante de servicios exprés y de logística". Esta expansión internacional permitió a Deutsche Post —renombrada Deutsche Post World Net (DPWN) para poner de manifiesto sus ambiciones globales— conseguir, por ejemplo, un importante contrato con BMW para el transporte, almacenamiento y envío de coches a los agentes asiáticos. Como parte de su programa denominado "START", DPWN inició, en 2003, un programa orientado hacia la armonización de sus estructuras de productos y ventas, creando redes integradas e implementando procesos de gestión para todo el grupo para obtener beneficios de las economías de escala resultantes de sus operaciones globales. Al mismo tiempo, DPWN implementó su lema "Una marca, una imagen para el cliente", por lo que convertía a la marca DHL en su "imagen pública" con la expectativa de que su "nombre de marca familiar y de confianza nos ayude a continuar desarrollando servicios globalizados".

La desregulación y los cambios políticos más amplios, reflejados en la eliminación de las restricciones al comercio, continuaron induciendo la expansión internacional. La entrada de China en la Organización Internacional del Comercio mejoró el potencial de crecimiento en su mercado postal internacional. Conforme a ello, DPWN reforzó su compromiso con su cada vez más importante mercado y fue recompensada con un crecimiento del 35 por ciento durante el periodo de 2002 a 2004 y, mediante una empresa conjunta con Sinotrans, consiguió una cuota del cuarenta por ciento de los servicios exprés internacionales chinos. DPWN trataba de explotar los cambios regulatorios más cerca de casa también. Con su subsidiaria Deutsche Post Global Mail (Reino Unido) consiguió una licencia a largo plazo para el envío en masa ilimitado por parte del regulador británico Postcomm, DPWN consiguió una oportunidad para seguir creciendo en Reino Unido y continuó expandiendo su presencia en el mercado postal británico mediante la adquisición del operador postal Speedmail.

Fuentes: www.dpwn.de/enrde/press/news; Informe anual de DPWN, 2002.

Preparado por Michael Mayer, Universidad de Bath.

Preguntas

1. ¿Cuáles fueron los inductores de la internacionalización asociados con la estrategia DPWN?
2. Evalúe los pros y los contras de una estrategia multipaís y una estrategia global para DPWN.

8.3.1. El Diamante de las Naciones de Porter[7]

Como ocurre para cualquier estrategia, la internacionalización necesita estar basada en la posesión de alguna ventaja competitiva sostenible (véase el Capítulo 3). Esta ventaja competitiva normalmente tiene que ser sustancial. Después de todo, un competidor que entra en un mercado procedente del exterior normalmente comienza con desventajas considerables en relación a los competidores existentes, que normalmente cuentan con un conocimiento del mercado superior, relaciones establecidas con clientes locales, cadenas de suministro fuertes, entre otras cosas. Un entrante extranjero debe contar con ventajas competitivas significativas para superar tales desventajas. El ejemplo del gigante americano minorista Wal-Mart proporciona un ejemplo. Wal-Mart ha tenido éxito en muchos mercados asiáticos con mercados minoristas relativamente poco desarrollados, pero fue forzada a retirarse en 2006 del mercado maduro de Alemania tras casi una década de fracaso. En Alemania, a diferencia de la mayoría de mercados asiáticos, Wal-Mart no contaba con una ventaja competitiva significativa con respecto a los minoristas domésticos.

El Capítulo 3 aborda la ventaja competitiva en general, pero el contexto internacional hace aparecer fuentes de ventaja específicamente nacionales que pueden ser sustanciales y difíciles de imitar. Los países y las regiones dentro de ellos a menudo se encuentran asociados con tipos específicos de ventaja competitiva duradera; por ejemplo, los suizos en la banca privada, los italianos del norte en piel y productos de moda, y los taiwaneses en ordenadores portátiles. El **Diamante de Porter** ayuda a explicar por qué algunas naciones tienden a producir empresas con ventajas competitivas sostenibles en algunas industrias en mayor medida que en otras (véase la Figura 8.3). El grado de ventaja nacional varía de industria en industria.

El Diamante de Porter sugiere que existen razones inherentes por las que algunas naciones son más competitivas que otras y por las que algunas industrias dentro de las naciones son más competitivas que otras.

El Diamante de Porter sugiere que existen cuatro determinantes de la ventaja nacional en interacción, o de la base de operaciones, en determinadas industrias (estos cuatro determinantes en conjunto componen una figura con forma de diamante). Los determinantes son los siguientes:

- *Condiciones de los factores.* Se refieren a los *factores de producción* implicados en realizar un producto o servicio (p. ej., materias primas, terreno y trabajo). Las condiciones de los factores a escala nacional pueden traducirse en ventajas competitivas generales para las empresas nacionales en mercados internacionales. Por ejemplo, la habilidad lingüística de los suizos ha proporcionado una ventaja significativa a su industria bancaria. La energía barata tradicionalmente ha proporcionado una ventaja a la industria del aluminio norteamericana.
- *Condiciones de la demanda en el país de origen.* La naturaleza de los clientes domésticos puede convertirse en una fuente de ventaja competitiva. Clientes sofisticados y exigentes en el país ayudan a que una empresa se entrene para ser efectiva en el exterior. Por ejemplo, las elevadas expectativas de los clientes japoneses respecto al equipamiento eléctrico y electrónico proporcionaron un impulso para tales industrias en Japón, llevando al dominio

Figura 8.3 El Diamante de Porter: los determinantes de las ventajas nacionales

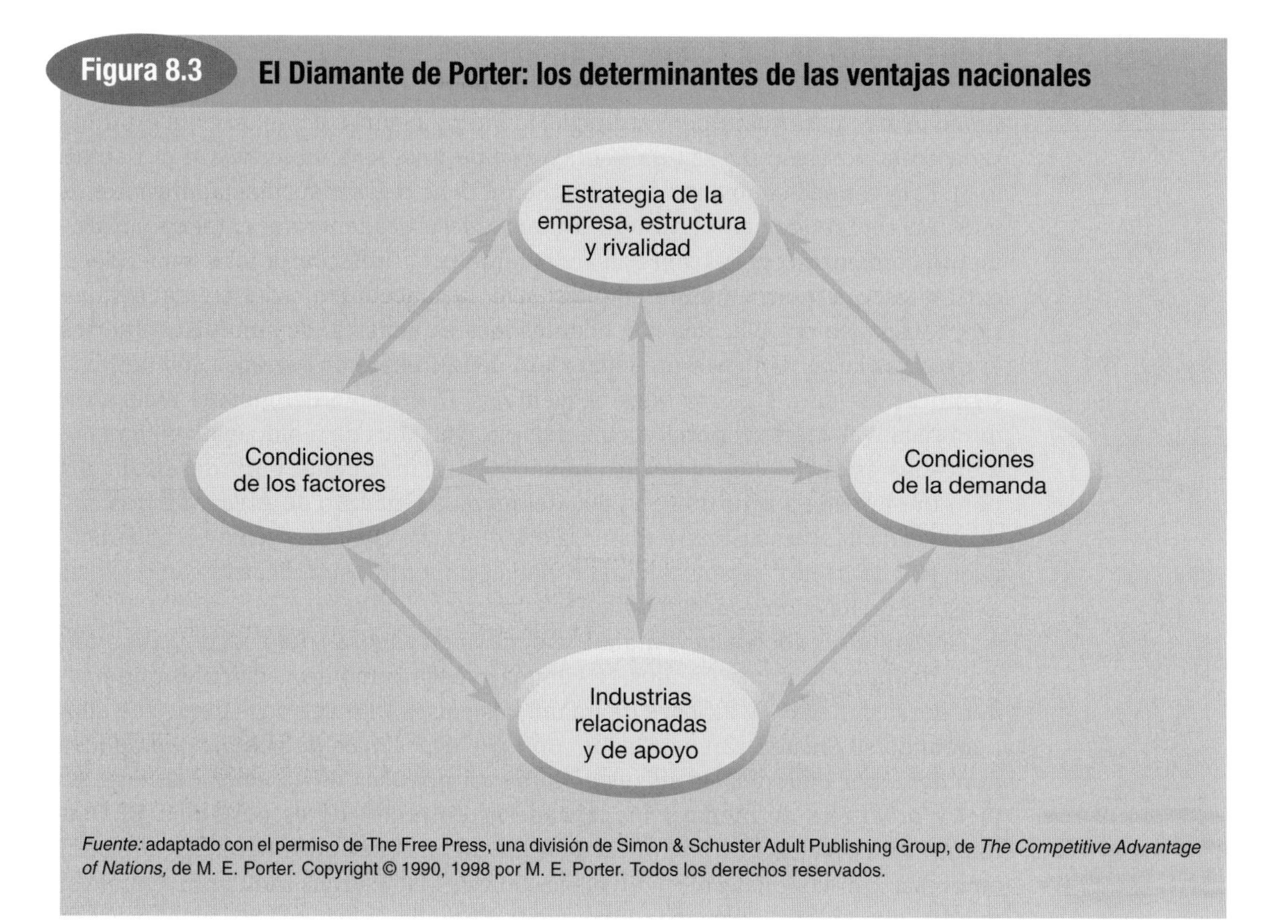

Fuente: adaptado con el permiso de The Free Press, una división de Simon & Schuster Adult Publishing Group, de *The Competitive Advantage of Nations*, de M. E. Porter. Copyright © 1990, 1998 por M. E. Porter. Todos los derechos reservados.

global de tales sectores. Clientes sofisticados en Francia e Italia ayudaron a mantener sus industrias locales de moda en la vanguardia durante muchas décadas.

- *Industrias relacionadas y de apoyo.* Los *clústeres* locales de industrias relacionadas y de apoyo pueden ser una importante fuente de ventaja competitiva. Estas a menudo están basadas en una región, lo que hace la interacción personal más fácil. Por ejemplo, en el norte de Italia, la industria de calzado deportivo de piel, la maquinaria para el tratamiento de la piel y los servicios de diseño que se encuentran tras ello, se agrupan en el mismo clúster regional para el beneficio muto de los demás. Silicon Valley constituye un *clúster* de organizaciones de *hardware, software,* investigación y capital riesgo que juntas crean un círculo virtuoso de iniciativa tecnológica.
- *Estrategia de la empresa, estructura de la industria y rivalidad.* Las estrategias características, estructuras de las industrias y rivalidades en diferentes países pueden ser también bases de ventaja. La estrategia de las compañías alemanas de invertir en excelencia técnica les proporciona una ventaja característica en las industrias de ingeniería y crea grandes depósitos

de conocimiento. Una estructura de la industria local competitiva también resulta útil: un excesivo dominio en su territorio base, puede hacer que las organizaciones locales puedan volverse complacientes y perder ventaja en el exterior. Cierta rivalidad local puede en realidad ser una ventaja, por tanto. Por ejemplo, el éxito a largo plazo de los fabricantes de coches japoneses está basado en parte en la política gubernamental que mantiene varios actores nacionales (a diferencia de en Reino Unido, en el que todos los fabricantes se han fusionado en uno) y la industria farmacéutica suiza se convirtió en fuerte en parte debido a que cada compañía tenía que competir con varios rivales locales fuertes.

El Diamante de Porter ha sido utilizado por gobiernos que tratan de incrementar la ventaja competitiva de sus industrias locales. El argumento de que la rivalidad puede ser positiva ha llevado a importantes cambios en políticas en muchos países hacia el potenciamiento de la competencia en lugar de la protección de industrias nacionales. Los gobiernos también pueden potenciar las industrias locales elevando los estándares de seguridad o ambientales (p. ej., creando condiciones de demanda sofisticadas) o fomentando la cooperación entre proveedores y compradores en un nivel local (p. ej., construyendo *clústeres* de industrias relacionadas y de apoyo en regiones particulares).

Sin embargo, para las organizaciones individuales, el valor del Diamante de Porter se encuentra en identificar el grado en el que pueden basarse sobre las ventajas basadas en el país de origen para crear una ventaja competitiva en relación a otros en un frente global. Por ejemplo, las compañías cerveceras holandesas —como Heineken— se han beneficiado de una globalización temprana resultado de la naturaleza del mercado de origen holandés. Benetton, la empresa italiana de ropa, ha conseguido un éxito global utilizando su experiencia de trabajar a través de una red de fabricantes en su gran mayoría independientes, a menudo de naturaleza familiar, para construir su red de minoristas franquiciados. Antes de embarcarse en una estrategia internacional, los directivos deberían buscar fuentes generales de ventaja nacional sobre las que basar las fuentes de venta individual de su compañía.

8.3.2. La red de valor internacional

No obstante, las fuentes de ventaja no necesitan ser puramente domésticas. Para las compañías internacionales, la ventaja puede surgir de la configuración internacional de su *red de valor*. En este caso, las diferentes habilidades, recursos y costes de los distintos países a lo largo del mundo pueden ser explotados sistemáticamente para asignar cada elemento de la cadena de valor al país o región en el que puedan desempeñarse de la manera más efectiva y eficiente. Esto puede ser conseguido mediante inversiones directas en el exterior y empresas conjuntas, pero también mediante el **aprovisionamiento global** (p. ej., adquiriendo servicios y componentes de los proveedores más apropiados en todo el mundo, sea cual sea su localización). Por ejemplo, en Reino Unido, el Servicio Nacional de Sa-

Aprovisionamiento global: adquirir servicios y componentes de los proveedores más apropiados en todo el mundo, sea cual sea su localización.

lud ha contratado personal médico del extranjero para compensar una carencia en habilidades y capacidad en el país.

Pueden identificarse diferentes ventajas de localización:

- Las *ventajas en costes* incluyes costes laborales, costes de transporte y comunicación e incentivos fiscales. Los costes laborales son importantes. Por ejemplo, las empresas americanas y europeas, de manera creciente están trasladando las tareas de programación de *software* a la India, donde los costes de los programadores informáticos son la cuarta parte de lo que serían en una empresa americana, para un nivel de habilidades comparable. Conforme los salarios en la India se han incrementado, las empresas de TI indias han comenzado a trasladar trabajo a localizaciones con costes incluso inferiores, como China, con algunas previsiones que apuntan a que las subsidiarias de las empresas indias llegarán a controlar el cuarenta por ciento de las exportaciones chinas de servicios de TI.
- Las *capacidades únicas* pueden permitir a una organización mejorar su ventaja competitiva. Una razón para que Accenture localice una oficina de desarrollo de software en rápida expansión en la ciudad china de Dalian fue que la comunicación con potenciales empresas multinacionales japonesas y coreanas que operaban en la región era más fácil que si se hubiera elegido una localización equivalente en La India o en Filipinas. Las organizaciones también pueden buscar explotar ventajas relacionadas con capacidades tecnológicas o científicas específicas. Por ejemplo, Boeing localizó su mayor centro de ingeniería fuera de Estados Unidos. en Moscú, para ayudar a su acceso al conocimiento ruso en áreas como aerodinámica. Organizaciones como Boeing, por tanto, están aprovechando de manera progresiva su habilidad de selectivamente explotar ventajas de localización para construir y mejorar sus capacidades estratégicas existentes. De otra manera, la internacionalización se está incrementando, no solo para tratar de explotar las capacidades existentes en nuevos mercados nacionales, sino para desarrollar capacidades estratégicas basándose en las capacidades en cualquier lugar del mundo.
- Las *características nacionales* pueden permitir a las organizaciones desarrollar ofertas de productos diferenciadas orientadas a diferentes segmentos de mercado. Por ejemplo, el fabricante americano de guitarras Gibson complementa sus productos fabricados en Estados Unidos con alternativas a menudo similares producidas en Corea del Sur bajo la marca Epiphone. Sin embargo, debido a la tradición musical americana, las guitarras de alta calidad de Gibson se benefician de la reputación de estar todavía *made in the USA*.

Por supuesto, una de las consecuencias de que las organizaciones traten de explotar las ventajas de localización disponibles en diferentes organizaciones de distintos países puede ser que crean complejas redes de relaciones inter e intraorganizativas. Por ejemplo, Boeing ha desarrollado una red global de actividades de I+D a través de sus subsidiarias y asociaciones con organizaciones colaboradoras (véase la Ilustración 8.3).

Ilustración 8.3

La red de I+D global de Boeing

Las organizaciones pueden buscar explotar ventajas de localización en todo el mundo.

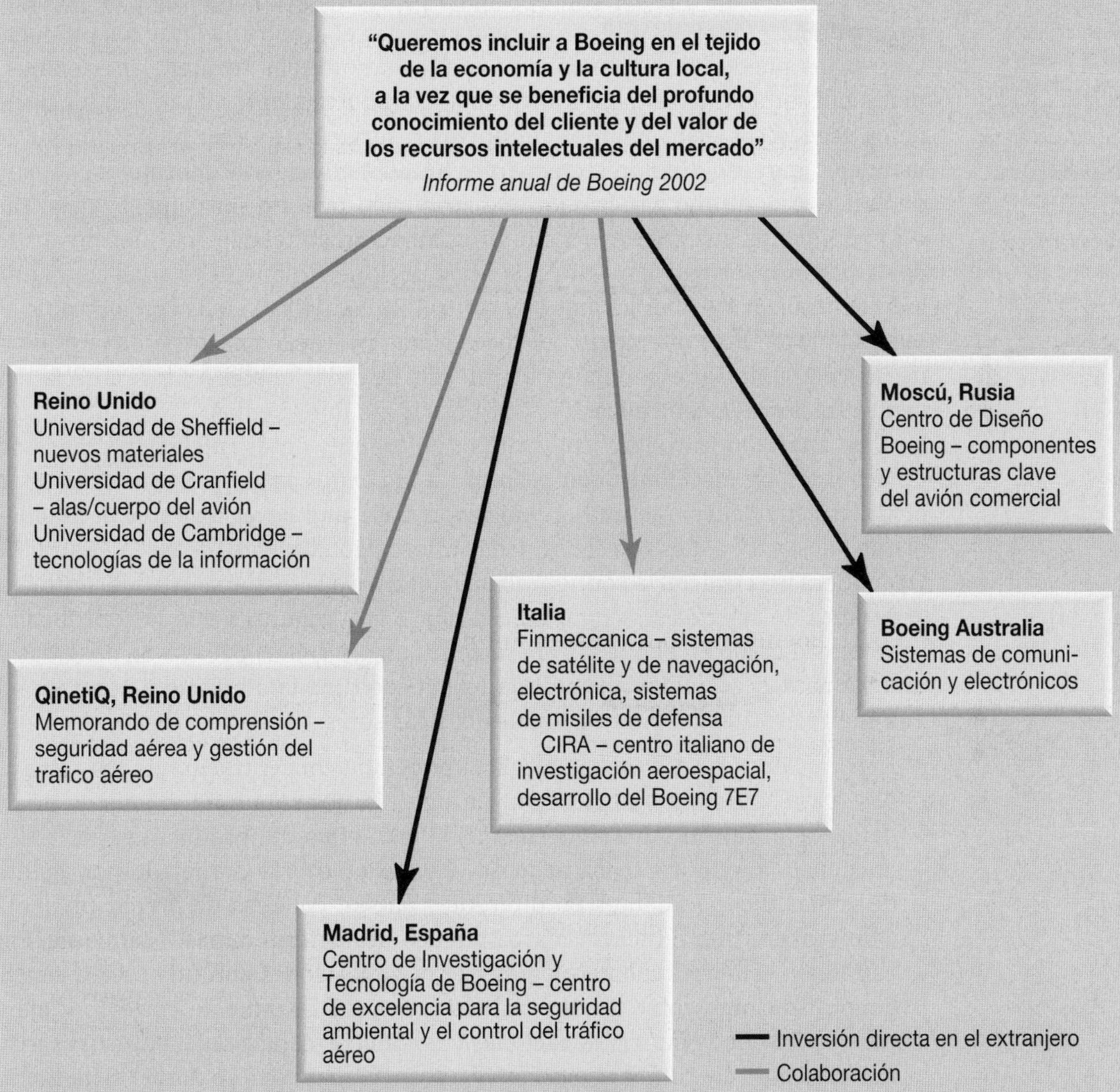

"Queremos incluir a Boeing en el tejido de la economía y la cultura local, a la vez que se beneficia del profundo conocimiento del cliente y del valor de los recursos intelectuales del mercado"
Informe anual de Boeing 2002

Reino Unido
Universidad de Sheffield – nuevos materiales
Universidad de Cranfield – alas/cuerpo del avión
Universidad de Cambridge – tecnologías de la información

QinetiQ, Reino Unido
Memorando de comprensión – seguridad aérea y gestión del trafico aéreo

Madrid, España
Centro de Investigación y Tecnología de Boeing – centro de excelencia para la seguridad ambiental y el control del tráfico aéreo

Italia
Finmeccanica – sistemas de satélite y de navegación, electrónica, sistemas de misiles de defensa
CIRA – centro italiano de investigación aeroespacial, desarrollo del Boeing 7E7

Moscú, Rusia
Centro de Diseño Boeing – componentes y estructuras clave del avión comercial

Boeing Australia
Sistemas de comunicación y electrónicos

— Inversión directa en el extranjero
— Colaboración

Fuentes: Boeing.com, Informe anual de Boeing 2002, Aviation International News Online.

Preparado por Michael Mayer, Universidad de Bath

Preguntas

1. ¿Qué razones pueden estar dirigiendo la internacionalización de las actividades de I+D de Boeing?
2. ¿A qué desafíos puede enfrentarse Boeing conforme internacionaliza sus actividades de I+D?

8.4 ESTRATEGIAS INTERNACIONALES

El **dilema global-local** se relaciona con el grado en el que los productos y servicios pueden ser estandarizados a lo largo de las fronteras nacionales o necesitan ser adaptados para ajustarse a los requerimientos de mercados nacionales específicos.

A pesar de la habilidad para obtener fuentes de ventaja competitiva internacional mediante factores basados en el país destino o redes de valor internacionales, las organizaciones se enfrentan a cuestiones difíciles respecto a qué tipos de estrategias perseguir en sus mercados. Aquí el problema normalmente es el denominado **dilema global-local**. Este se relaciona con el grado en el que los productos y servicios pueden ser estandarizados a lo largo de las fronteras nacionales o necesitan ser adaptados para ajustarse a los requerimientos de mercados nacionales específicos. Para algunos productos o servicios —como televisiones— los mercados parecen similares en todo el mundo, ofreciendo enormes economías de escala si el diseño, producción y distribución pueden ser centralizados. Para otros productos y servicios —como programación de televisión—, los gustos todavía parecen ser muy específicos a nivel nacional, lo que lleva a las compañías a descentralizar las operaciones y el control, situándolas lo más cerca posible del mercado local. Este dilema global-local puede provocar una serie de respuestas de las compañías que persiguen estrategias internacionales, que van de la descentralización a la centralización, con posiciones intermedias.

Este apartado introduce cuatro tipos diferentes de estrategia internacional, de acuerdo con elecciones con respecto a la *configuración* internacional de las distintas actividades que una organización tiene que llevar a cabo y el grado en el que tales actividades son *coordinadas* internacionalmente (véase la Figura 8.4). De manera más exacta, la configuración se refiere a la dispersión o concentración geográfica de actividades como fabricación e I+D, mientras que la coordinación se refiere al grado en el que las operaciones en diferentes países son dirigidas de una forma descentralizada o de una forma coordinada de manera centralizada. Las cuatro estrategias internacionales básicas son[8]:

- *Exportación simple.* Esta estrategia supone una concentración de las actividades (particularmente fabricación) en un país, normalmente el país de origen de la organización. Al mismo tiempo, el *marketing* del producto exportado se encuentra muy poco coordinado en el exterior, quizás manejado por agentes de ventas independientes en diferentes países. Políticas de precio, presentación, distribución e incluso marca pueden ser determinadas localmente. Esta estrategia es normalmente elegida por organizaciones con una fuerte ventaja de localización —como las determinadas por el Diamante de Porter, por ejemplo—, pero donde las organizaciones cuentan con capacidades directivas insuficientes para coordinar el *marketing* internacionalmente, o donde el *marketing* coordinado añadiría poco valor, por ejemplo en productos agrícolas o materias primas.
- *Multidoméstica.* Esta estrategia supone una débil coordinación internacional, pero supone una dispersión en el exterior de distintas actividades, incluyendo fabricación y en ocasiones desarrollo de producto. Por lo tanto, en lugar de exportar, los bienes y servicios son producidos localmente en cada mercado nacional. Cada mercado es tratado independientemente, otorgándose prioridad

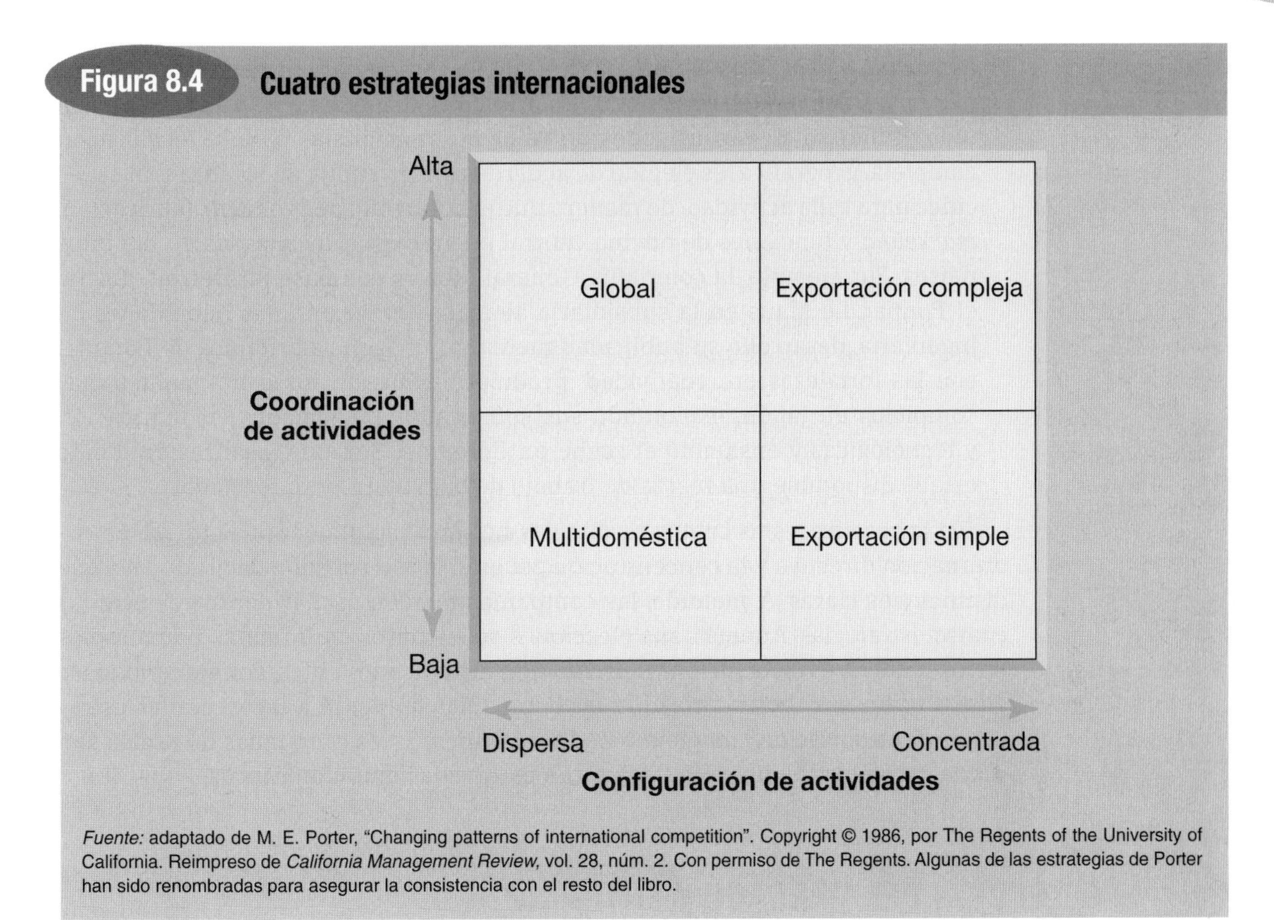

Fuente: adaptado de M. E. Porter, "Changing patterns of international competition". Copyright © 1986, por The Regents of the University of California. Reimpreso de *California Management Review*, vol. 28, núm. 2. Con permiso de The Regents. Algunas de las estrategias de Porter han sido renombradas para asegurar la consistencia con el resto del libro.

a las necesidades de cada mercado doméstico local —de ahí *multidoméstica*—. Las adaptaciones locales pueden hacer que la cartera corporativa se encuentre cada vez más diversificada. Esta estrategia es apropiada cuando existen escasas economías de escala y fuertes beneficios para adaptarse a las necesidades locales. Esta estrategia multidoméstica es particularmente atractiva en servicios profesionales, en los que las relaciones locales son críticas, pero supone riesgos hacia la marca y reputación si las prácticas nacionales se convierten en demasiado diversas.

- *Exportación compleja*. Esta estrategia supone todavía la localización de la mayor parte de las actividades en un único país, pero desarrolla actividades de *marketing* más coordinadas. Se puede beneficiar de economías de escala en fabricación e I+D, pero las oportunidades de gestión de marca y fijación de precios son dirigidas de manera más sistemática. Por supuesto, las demandas de coordinación son considerablemente más complejas que en la estrategia de exportación simple. Esta es una etapa común para compañías de economías emergentes, ya que retiene algunas ventajas de localización de su país de origen, pero persigue construir una marca y una red más fuertes en el exterior con una madurez organizativa creciente.

- *Estrategia global.* Esta estrategia describe la estrategia internacional más madura, con actividades altamente coordinadas dispersas geográficamente en todo el mundo. El uso de redes de valor internacionales para la localización completa, geográfica, es elegido de acuerdo con la ventaja de localización específica para cada actividad, de manera que el desarrollo de producto, fabricación, *marketing* y funciones de oficina central pueden estar localizadas en distintos países. Por ejemplo, la compañía General Motors con base en Detroit, diseñó el Pontiac Le Mans en la subsidiaria alemana Opel, con altas habilidades de ingeniería, desarrolló su publicidad mediante su agencia británica de Londres con las fortalezas en creatividad, produjo muchos de sus componentes más complejos en Japón, explotando sus sofisticadas capacidades en fabricación y tecnológicas y ensambló el coche en Corea del Sur, una localización donde estaba disponible una fuerza de trabajo de bajo coste, pero formada.

En la práctica, estas cuatro estrategias no son absolutamente distintas. La coordinación directiva y la concentración geográfica son cuestión de grado más que distinciones claras. A menudo, las compañías pueden oscilar dentro y entre las cuatro estrategias. Además, sus elecciones se encontrarán influidas por cambios en los inductores de la internacionalización introducidos antes. Por ejemplo, si los gustos están muy estandarizados, las compañías tenderán a favorecer las estrategias de exportación compleja o multidoméstica. Si las economías de escala son pocas, la lógica nos dice que se elegirán estrategias multidomésticas.

8.5 SELECCIÓN DEL MERCADO Y ENTRADA

Tras haber decidido una estrategia internacional construida sobre fuentes significativas de ventaja competitiva y apoyada por fuertes inductores de la internacionalización, los directivos necesitan a continuación decidir en qué países entrar. No todos los países son igualmente atractivos. Sin embargo, hasta cierto grado, los países inicialmente pueden ser comparados utilizando las técnicas de análisis del entorno estándar, por ejemplo, las dimensiones identificadas en el modelo PESTEL (véase el Apartado 2.2.1), o de acuerdo con las Cinco Fuerzas de la industria (Apartado 2.3). Sin embargo, existen determinantes específicos del atractivo del mercado que necesitan ser considerados en la estrategia de internacionalización y pueden ser analizados bajo dos principales títulos: las características intrínsecas del mercado y la naturaleza de la competencia. Un punto clave es cómo las estimaciones iniciales del atractivo del país pueden ser modificadas por distintas medidas de *distancia* y la probabilidad de *reacción* de los competidores. El apartado concluye considerando diferentes *modos de entrada* en mercados nacionales.

8.5.1. Características del mercado

Al menos cuatro elementos del modelo PESTEL son particularmente importantes en la comparación de países para la entrada:

- *Político.* Los entornos políticos varían ampliamente entre países y se pueden alterar con rapidez. Rusia, desde la caída del comunismo, ha experimentado frecuentes oscilaciones a favor y en contra de la empresa privada extranjera. Por supuesto, los gobiernos pueden crear significativas oportunidades para las organizaciones. Por ejemplo, la agencia oficial de desarrollo regional Scottish Enterprise proporcionó un subsidio para atraer los premios MTV de 2003 a la capital escocesa Edimburgo, mientras que cambios políticos y regulatorios pueden crear oportunidades para la expansión internacional, como en el caso de Deutsche Post (véase la Ilustración 8.2 anterior). Sin embargo, es importante determinar el nivel de *riesgo político* antes de entrar en un país.

- *Económico.* Aspectos clave a comparar en la decisión sobre la entrada son los niveles de producto interior bruto y renta disponible que ayudan a estimar el tamaño potencial del mercado. Las economías de rápido crecimiento obviamente proporcionan oportunidades y en economías en desarrollo como la de China, el crecimiento se traduce en una creación más rápida de una clase media de alto consumo. Sin embargo, las compañías también deben ser conscientes de la estabilidad del tipo de cambio del país, lo que puede afectar su flujo de ingresos. Puede existir un importante *riesgo de cambio.*

- *Social.* Los factores sociales serán claramente importantes, por ejemplo la disponibilidad de una fuerza de trabajo bien formada o el tamaño de los segmentos de mercado demográficos —viejos o jóvenes— relevantes para la estrategia. Las variaciones culturales necesitan ser consideradas, por ejemplo en la definición de los gustos en el mercado.

- *Legal.* Los países varían ampliamente en su régimen legal, determinando el grado en el que los negocios pueden hacer cumplir contratos, proteger la propiedad intelectual o evitar la corrupción. De manera similar, la policía será importante para la seguridad de los empleados, un factor que en el pasado ha impedido hacer negocios en algunos países sudamericanos.

Es bastante común asignar valoraciones a los mercados de distintos países sobre criterios como estos y entonces elegir los países para la entrada que ofrezcan las mayores puntuaciones relativas. No obstante, Pankaj Ghemawat ha puesto de manifiesto que lo que importa no es solo el atractivo de diferentes países comparados entre sí, sino la compatibilidad de los posibles países con la propia compañía que se está internacionalizando[9]. El argumento es que, para aquellas empresas que proceden de un determinado país, algunos países son más *distantes* (o incompatibles) que otros. En otras palabras, las compañías con diferentes nacionalidades no se ajustarán igualmente bien en todos los países mejor valorados. Un mercado sudamericano puede encontrarse con la misma valoración que un país de oriente medio en términos de atractivo, pero una compañía española probablemente se sentiría más cercana al primero que al segundo. Por lo tanto, al mismo tiempo que una clasificación relativa de los países, cada compañía tiene que añadir su propia valoración de los países de acuerdo con su *cercanía.*

Argumentando que la "distancia todavía importa", Ghemawat ofrece un "modelo CAGE", en el que cada letra del acrónimo destaca distintas dimensiones de la distancia:

- *Distancia cultural.* La dimensión referente a la distancia se relaciona con las diferencias en lenguaje, etnicidad, religión y normas sociales. La distancia cultural no solo es una cuestión de similitud en gustos de los consumidores, sino que se extiende a importantes compatibilidades en términos de comportamientos directivos. Aquí, por ejemplo, las empresas americanas pueden estar más cerca de Canadá que de México, el cual las empresas españolas pueden encontrar relativamente compatible.
- *Distancia administrativa y política.* Se refiere a la distancia en términos de tradiciones administrativas, políticas o legales incompatibles. Los lazos coloniales pueden reducir la diferencia, de manera que la herencia compartida entre Francia y sus anteriores colonias del este de África crea cierto entendimiento que va más allá de las ventajas lingüísticas. La debilidad institucional —por ejemplo, una administración lenta o corrupta— puede ampliar la distancia entre países. También pueden existir diferencias políticas: las compañías chinas cada vez son más capaces de operar en partes del mundo que las compañías americanas encuentran más difícil, por ejemplo partes de Oriente Medio y África.
- *Distancia geográfica.* Esta no solo es una cuestión de los kilómetros que separan a un país de otro, sino que incluye otras características geográficas del país como tamaño, acceso a través del mar y calidad de las infraestructuras de comunicación. Por ejemplo, las dificultades de Wal-Mart en Europa se relacionan con el hecho de que sus sistemas de logística estaban desarrollados para el enorme espacio geográfico de Norteamérica y resultaron ser mucho menos adecuados para los países más pequeños y densos de Europa. La infraestructura de transportes puede reducir o exagerar la distancia física. Francia está mucho más cerca de grandes partes de la Europa continental que Reino Unido, debido a la barrera que representa el canal de La Mancha y las relativamente malas carreteras e infraestructura de ferrocarriles de Bretaña.
- *Distancia económica.* El elemento final del modelo CAGE se refiere particularmente a las distancias en cuanto a riqueza. En lugar de simplemente asumir que un mercado rico es bueno para entrar y un mercado pobre es malo, el modelo apunta hacia las diferentes capacidades de compañías procedentes de diferentes países. Las multinacionales de países ricos normalmente son malas a la hora de servir a los consumidores de países más pobres (véase la Ilustración 8.4 para ver cómo el Unilever se enfrentaba a este problema). En los países en desarrollo, las multinacionales de países ricos, a menudo terminan centrándose en las élites económicas. Por el contrario, a menudo requiere mucho tiempo para las compañías de países en desarrollo aprender todos los requerimientos que las clases medias de países ricos esperan de manera rutinaria [10].

Ilustración 8.4

Innovación estratégica en Hindustan Lever Ltd

Las grandes multinacionales pueden necesitar todavía adaptar sus productos y servicios a las necesidades del mercado local.

Unilever es una de las mayores compañías del mundo de productos de consumo. Trata de establecer sus marcas sobre una base global y apoyarlas con investigación y desarrollo de vanguardia. Sin embargo, es muy consciente de que los mercados difieren y que, si va a ser global, tiene que estar preparada para adaptarse a las condiciones locales de los mercados. También reconoce que si aspira a tener un alcance global, tiene que ser capaz de comercializar sus bienes en las áreas más pobres, así como en las más ricas. De hecho, calcula que en 2010 la mitad de sus ventas provendrán del mundo en desarrollo —un incremento de un treinta por ciento con respecto a 2000—.

En las áreas rurales de La India, Hindustan Lever está comenzando a vender bienes con marca Unilever de formas adaptadas a las condiciones locales.

Gran parte del esfuerzo se refiere a comercializar bienes con marca en los *haats* locales o plazas de mercado, en las que los representantes de Unilever venden los productos desde la trasera de los camiones utilizando altavoces para explicar la oferta de la marca. Los ejecutivos locales argumentan que, cuanto más pobre es la gente, se encuentra menos naturalmente inclinada a pagar por versiones de mala calidad del producto auténtico —si las compañías que fabrican el producto auténtico se preocupan de explicar la *diferencia*—.

Para ayudar a desarrollar las habilidades para hacer esto, los directivos de Unilever formados en La India comenzaron sus carreras viviendo durante semanas en pueblos rurales en los que comían, dormían y hablaban con los lugareños: "Una vez que has compartido tiempo con los consumidores, te das cuenta de que quieren las mismas cosas que tú quieres. Quieren una buena calidad de vida".

Los mismos ejecutivos han innovado más en la forma en la que los bienes son comercializados. Han desarrollado modelos de venta directa en los que mujeres, pertenecientes a grupos de autoayuda que realizan operaciones de microcréditos, venden productos Unilever de manera que hacen crecer los ahorros de sus colectivos. Aunque ver la televisión es poco común, los ejecutivos de Hindustan Lever también han montado cientos de espectáculos en directo en mercados de ganado, empleado folclore rural. El objetivo con ello es, no solo potenciar las marcas de Lever, sino explicar la importancia de una mayor higiene y número de baños. De hecho, el personal de ventas asiste a festivales religiosos y utiliza luces ultravioletas sobre las manos de la gente para mostrar los peligros de los gérmenes y la suciedad.

Pero no solo es la forma en la que se comercializan los productos lo que se adapta en La India rural. El desarrollo de productos también es diferente. Por ejemplo, las mujeres indias están muy orgullosas del cuidado de su cabello y consideran su cuidado como un lujo. Sin embargo, tienden a utilizar el mismo jabón para el lavado del cuerpo que para el lavado del cabello. Por lo tanto, Lever ha dedicado esfuerzos en investigación y desarrollo para encontrar un jabón de bajo coste que pueda ser utilizado para el cuerpo y para el cabello y que esté orientado a ciudades más pequeñas y áreas rurales.

Tal y como muestra Keki Dadiseth, un director de Hindustar Lever, "todo el mundo quiere marcas. Y hay mucha más gente pobre que rica en el mundo. Para ser un negocio global (...) hay que participar en todos los segmentos".

Fuente: Rekha Balu, "Strategic innovation: Hindustan Lever Ltd", *FastCompany.com* (www.fastcompany.com/magazine), número 47, junio (2001).

Preguntas

1. ¿Cuáles son los desafíos a los que una multinacional como Unilever se enfrenta en el desarrollo de marcas globales mientras potencia la receptividad local?
2. ¿En qué otros ejemplos de adaptación de marcas globales puede pensar?
3. Las multinacionales han sido criticadas por comercializar bienes con marca, más caros, en áreas más pobres de países en desarrollo. ¿Cuál es su opinión sobre las consideraciones éticas de las actividades de Hindustan?

8.5.2. Características competitivas

Valorar el atractivo relativo de los mercados mediante los análisis PESTEL y CAGE solo es el primer paso. El segundo elemento se relaciona con la competencia. En este punto, por supuesto, el modelo de las cinco fuerzas de Michael Porter puede ayudar (véase el Apartado 2.3). Por ejemplo, los mercados de países con muchos competidores existentes, poderosos compradores (quizá grandes cadenas minoristas como en gran parte de Norteamérica y Europa del Norte) y bajas barreras para nuevos entrantes del extranjero normalmente no serían atractivos. Sin embargo, una consideración adicional es la probabilidad de reacción de otros competidores.

El modelo de las cinco fuerzas (véase el Apartado 2.3.1) ya abordaba el tema de la reacción de los competidores bajo la denominación de rivalidad. Respecto a la estrategia internacional, la probabilidad y ferocidad de las potenciales reacciones de los competidores se añaden al simple cálculo del atractivo relativo del mercado del país. Como se muestra en la Figura 8.5, los mercados de los distintos países son clasificados de acuerdo con dos ejes [11]. El primero es el *atractivo del mercado* para el nuevo entrante, de acuerdo con PESTEL, CAGE y el modelo de las cinco fuerzas, por ejemplo. En la Figura 8.5, los países A y B son los más atractivos para el entrante. El segundo es el *grado de reacción del defensor,* que es probable que se encuentre influido por el atractivo del mercado para el defensor, pero también por el grado en el que el defensor está trabajando con una estrategia globalmente integrada, en lugar de multidoméstica. Un defensor será más reactivo si los mercados son importantes para él y si cuenta con capacidades directivas para coordinar su respuesta. En este caso, el defensor es muy reactivo en los países A y D. El tercer elemento es el *peso* (p. ej., poder) que el defensor es capaz de reunir para contraatacar. El peso es normalmente función de la cuota en el mercado en particular, pero puede encontrarse influida por conexiones con otros actores locales poderosos, como minoristas o el gobierno. En la Figura 8.5, el peso es representado por el tamaño de los círculos, con el defensor contando con más peso en los países A, C, D y F.

La elección del país en el que entrar puede ser modificada de manera significativa añadiendo capacidad de reacción y peso a los cálculos del grado de atractivo. Basándose solo en el grado de atractivo, el país mejor situado para entrar en la Figura 8.5 es el país A. Desafortunadamente, también es uno en los que el defensor es muy reactivo y uno en los que posee más peso. El país B parece ser un mejor movimiento internacional que A. Por otro lado, el país C es una mejor posibilidad que el país D, debido a que, incluso si son igualmente atractivos, el defensor es menos reactivo. Un resultado sorprendente derivado de tener en cuenta el grado de reacción y el peso en cuenta es la reevaluación del país E: aunque se encuentra quinto sobre la base del simple atractivo, puede colocarse en segundo lugar si se considera la reacción del competidor.

Este tipo de análisis es particularmente provechoso para la consideración de los movimientos internacionales de dos competidores interdependientes, como pueden ser Unilever y Procter & Gamble o British Airways y Singapore Airlines. En estos casos, el análisis es relevante para cualquier movimiento estratégico

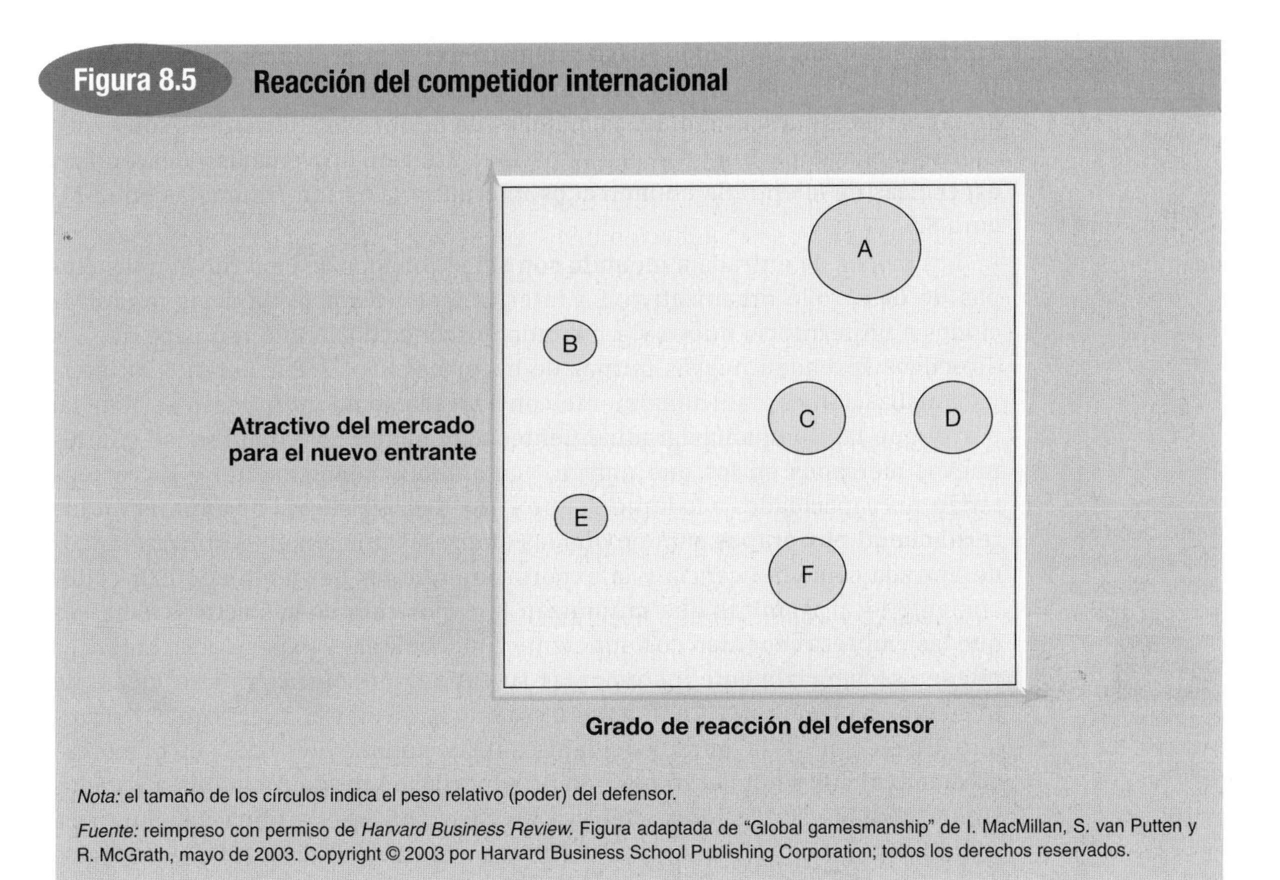

Figura 8.5 Reacción del competidor internacional

Nota: el tamaño de los círculos indica el peso relativo (poder) del defensor.

Fuente: reimpreso con permiso de *Harvard Business Review.* Figura adaptada de "Global gamesmanship" de I. MacMillan, S. van Putten y R. McGrath, mayo de 2003. Copyright © 2003 por Harvard Business School Publishing Corporation; todos los derechos reservados.

agresivo, por ejemplo la expansión de las operaciones existentes en un país, así como la entrada inicial. Además, especialmente en el caso de competidores globalmente integrados, el peso total del defensor debe ser tenido en cuenta. El defensor puede elegir reaccionar en otros mercados distintos del mercado objetivo, contraatacar si tiene el peso suficiente para hacer daño al agresor. Naturalmente, este tipo de análisis también puede ser aplicado para las interacciones entre competidores diversificados además de internacionales: cada círculo podría representar diferentes productos o servicios.

8.5.3. Modos de entrada

Una vez que ha sido seleccionado un determinado mercado nacional para la entrada, una organización necesita elegir cómo entrar en tal mercado. Los modos de entrada difieren en el grado de compromiso de recursos con un mercado en particular y en el grado en el que una organización se encuentra operativamente implicada en una localización en particular. Los tipos de modos de entrada más importantes son: exportación, acuerdos contractuales mediante licencias y franquicias, empresas conjuntas y alianzas, e inversión directa en el exterior, que de hecho puede suponer la adquisición de compañías establecidas o el desarrollo de instalaciones *desde cero*. Estos métodos de desarrollo alternativos son explicados con mayor profundidad en el Apartado 9.3, pero las ventajas y desventajas específicas de la entrada en mercados internacionales son resumidas en la Figura 8.6.

Expansión internacional por etapas: las empresas inicialmente utilizan modos de entrada que les permiten maximizar la adquisición de conocimiento mientras que minimizan la exposición de sus activos.

Los modos de entrada a menudo son seleccionados de acuerdo con las etapas de desarrollo organizativo. La internacionalización lleva a las organizaciones a un territorio nuevo y a menudo desconocido, lo que requiere que los directivos aprendan nuevas formas de hacer negocios[12]. Por lo tanto, la internacionalización es tradicionalmente considerada como un proceso secuencial por el que las compañías gradualmente incrementan su compromiso con los nuevos mercados en los que entran, acumulando conocimiento e incrementando sus capacidades a lo largo del proceso. Esta estrategia de **expansión internacional por etapas** supone que las empresas inicialmente utilizan modos de entrada como la licencia y la exportación que les permiten adquirir conocimiento local mientras que minimizan la exposición de sus activos. Una vez que las empresas cuentan con suficiente conocimiento y experiencia, entonces pueden secuencialmente incrementar su exposición, quizá primero mediante una empresa conjunta y finalmente mediante la inversión directa en el extranjero. Un ejemplo es la entrada del fabricante de automóviles BMW en el mercado americano. Tras un largo periodo de exportación desde Alemania a Estados Unidos, BMW estableció una fábrica en Spartanburg, Carolina del Sur, para reforzar su posición competitiva en un importante mercado a nivel estratégico como es el americano.

En contraste con la gradual internacionalización seguida originalmente por muchas empresas grandes y establecidas, algunas empresas pequeñas ahora se están internacionalizando con rapidez en las primeras etapas de su desarrollo, utilizando múltiples modos de entrada hacia distintos países. Estas son las denominadas empresas *nacidas globales* [13]. GNI, la mini multinacional de la Ilustración 8.5, ilustra este proceso de *nacido global*. En la consecución de esta rápida internacionalización, las empresas nacidas globales necesitan gestionar de manera simultánea el proceso de internacionalización y el desarrollo de su estrategia e infraestructura más amplias, aunque a menudo carecen del conocimiento basado en la experiencia para hacerlo.

Las multinacionales de los países emergentes a menudo también se están trasladando con rapidez a lo largo de los distintos modos de entrada. Importantes ejemplos son los de la multinacional china de electrodomésticos de línea blanca Haier, la compañía farmacéutica india Ranbaxy Laboratories y la compañía cementera mexicana Cemex. Las estrategias internacionales de estas compañías no consisten simplemente en exportar y tener bajos costes [14]. Normalmente, desarrollan *capacidades únicas* en su mercado de origen, en áreas desatendidas por las multinacionales establecidas. Entonces pueden desplazarse hacia el establecimiento de avanzadas en mercados más desarrollados. Por ejemplo, debido a las necesidades del mercado chino, Haier consiguió hacerse experta en la producción muy eficiente de electrodomésticos de línea blanca

Figura 8.6 Modos de entrada en los mercados: ventajas y desventajas

Exportación

Ventajas

- No son necesarias instalaciones productivas en el país de destino
- Pueden explotarse economías de escala
- Al utilizar Internet, las empresas pequeñas/sin experiencia pueden conseguir acceso a mercados internacionales

Desventajas

- No permite a la empresa beneficiarse de las ventajas de localización de la nación de destino
- Limita las oportunidades de conseguir conocimiento de los mercados y competidores locales
- Puede generar dependencia de los intermediarios en la exportación
- Exposición a las barreras al comercio como los aranceles
- Incurre en costes de transporte
- Puede limitar la habilidad de responder con rapidez a las demandas de los clientes

Empresas conjuntas y alianzas

Ventajas

- Riesgo de la inversión compartido con el socio
- Combinación de recursos y conocimientos complementarios
- Puede ser una condición gubernamental para la entrada en el mercado

Desventajas

- Dificultad de identificar al socio adecuado y acordar unos términos contractuales apropiados
- Gestionar la relación con el socio extranjero
- Pérdida de ventaja competitiva debido a la imitación
- Limita la habilidad de integrar y coordinar actividades a lo largo de las fronteras nacionales

Licencias

Ventajas

- Ingresos derivados de la venta de la producción y los derechos de marketing acordados contractualmente
- Limita la exposición económica y financiera

Desventajas

- Dificultad de identificar al socio apropiado y de acordar los términos contractuales
- Pérdida de ventaja competitiva debido a la imitación
- Limita los beneficios de las ventajas de localización en el país de destino

Inversión directa en el exterior

Ventajas

- Control de los recursos y capacidades
- Facilita la integración y coordinación de actividades a lo largo de las fronteras nacionales
- La adquisición permite una rápida entrada en el mercado
- Las inversiones desde cero permiten el desarrollo de instalaciones de última generación y pueden atraer apoyo financiero del gobierno del país de destino

Desventajas

- Inversión sustancial y compromiso con el país de destino, lo que produce exposición económica y financiera
- La adquisición puede conducir a problemas de integración y coordinación
- La entrada supone tiempo y es menos predecible en términos de costes

Ilustración 8.5

La mini-multinacional

GNI, una "start-up" biotecnológica, cuenta con menos de cien empleados, pero opera en cinco países en cuatro continentes.

Christopher Savoie es un emprendedor estadounidense que originalmente estudió medicina en Japón, consiguiendo un japonés fluido y adoptando la nacionalidad japonesa. En 2001, fundó GNI, una compañía de biotecnología que en 2006 había alcanzado los tres billones de yenes (veinte millones de euros) en fondos dedicados a inversiones, incluyendo una participación del famoso banco de inversión Goldman Sachs. La compañía ya cuenta con operaciones en Tokio y Fukuoka, Japón; en Shanghai, China; en Cambridge y Londres, Reino Unido, y en San José, California (Estados Unidos). Cuenta también con la colaboración con un laboratorio en Auckland, Nueva Zelanda. Savoie comenta: "Tomamos lo mejor en cada país y lo unimos todo".

La estrategia de GNI se centra en enfermedades asiáticas que han sido olvidadas por las grandes farmacéuticas occidentales, por ejemplo el cáncer estomacal y la hepatitis. De acuerdo con Savoie: "A Asia le ha tocado la negra. Como pequeña compañía, tenemos que elegir un nicho, y pensamos que la mitad de la humanidad es un lugar aceptable para comenzar".

Los científicos de GNI trabajan a partir de cordones umbilicales, proporcionando tejido genético que virtualmente no ha sido afectado por el entorno. Sin embargo, los padres japoneses tradicionalmente conservan los cordones umbilicales de sus hijos. Por lo tanto, GNI trabaja en el Rosie Maternity Hospital en Cambridge para proveer sus materiales genéticos básicos. Por otra parte, GNI en Japón cuenta con acceso rápido a superordenadores y los científicos japoneses trabajan en los algoritmos necesarios para analizar los códigos genéticos. Japón también ha sido la principal fuente de fondos, donde las regulaciones sobre nuevas empresas son más flexibles. China es un lugar efectivo para las pruebas clínicas sobre pacientes. Las ventajas regulatorias suponen que las pruebas pueden llevarse con mayor rapidez en China, además con una décima parte del coste de Japón. En 2005, GNI se fusionó con Shanghai Genomics, una *start-up* operada por dos emprendedores educados en Estados Unidos. Mientras tanto, en San José, existe una oficina de desarrollo de negocio que busca relaciones con los grandes gigantes farmacéuticos norteamericanos.

Savoie describe el modelo de negocio como esencialmente simple:

> "Contamos con una estructura de costes china, superordenadores japoneses y, en Cambridge, acceso a materiales éticos (cordones umbilicales) y los mejores científicos clínicos. Esta es una red que podemos utilizar para desarrollar ciencia de alto nivel y convertirla en moléculas para competir con los grandes chicos".

Fuentes: D. Pilling, "March of the mini-multinational", *Financial Times,* 4 de mayo (2006); www.gene-networks.corn.

Preguntas

1. Analice la red de valor de GNI en términos de ventajas en coste, capacidades únicas y características nacionales.
2. ¿A qué desafíos directivos se enfrentará GNI conforme crezca?

muy simples, proporcionando una ventaja en costes que es transferible fuera de la base de fabricación china. En 1999, Haier estableció una factoría en Carolina del Sur en Estados Unidos, compitiendo cara a cara con las gigantes multinacionales accidentales como General Electric y Whirlpool en su territorio de origen.

RESUMEN

- El *potencial de internacionalización* en cualquier mercado particular se encuentra determinado por cuatro inductores: mercado, coste, gobierno y estrategias de los competidores.
- Las fuentes de ventaja en la estrategia internacional pueden surgir del aprovisionamiento global a través de la *red de valor internacional* y las fuentes nacionales de ventaja, tal y como se muestra en el *Diamante de Porter.*
- Existen cuatro tipos principales de estrategia internacional, que varían de acuerdo al grado de *coordinación* y *configuración geográfica:* exportación simple, exportación compleja, multidoméstica y global.
- La selección del mercado para la entrada internacional o expansión debería basarse en el atractivo, medidas multidimensionales de *distancia* y las expectativas de *reacción* de los competidores.
- Los modos de entrada en nuevos mercados incluyen: *exportación, licencia, empresas conjuntas* y *alianzas,* e *inversión directa en el extranjero.*

Lecturas clave recomendadas

- Una introducción reveladora sobre el funcionamiento —e ineficiencias— de la economía global actual es: P. Rivoli, *The Travels of a T-Shirt in the Global Economy: an Economist Examines the Markets, Power and Politics of World Trade,* Wiley, 2006. Una visión más optimista se encuentra en T. Friedman, *The World is Fiat: the Globalized World in the Twenty First Century,* Penguin, 2006.
- Una perspectiva estimulante de la estrategia internacional es la proporcionada por G. Yip, *Total Global Strategy II,* Prentice Hall, 2003. Un libro de texto general exhaustivo es A. Rugman y S. Collinson, *International Business,* cuarta edición, FT Prentice Hall, 2006.

Referencias

1. De hecho, muchos autores se refieren a la internacionalización simplemente como una *diversificación internacional:* véase N. Capar y M. Kotabe, "The relationship between international diversification and performance in service firms", *Journal of International Business Studies,* vol. 34 (2003), pp. 345-355.
2. T. Friedman, *The World is Fiat: the Globalized World in the Twenty First Century,* Penguin, 2006; y P. Rivoli, *The Travels of a T-Shirt in the Global Economy: an Economist Examines the Markets, Power and Politics of World Trade,* Wiley, 2006.
3. G. Yip, *Total Global Strategy II,* Prentice Hall, 2003.
4. Datos específicos industriales sobre las tendencias en la apertura al comercio e inversiones pueden encontrarse en la página web de la Organización Mundial del Comercio, www.wto.org.

5. G. Hamel; y C. K. Prahalad, "Do you really have a global strategy?", *Harvard Business Review,* vol. 63, núm. 4 (1985), pp. 139-148.
6. B. Kogut, "Designing global strategies: comparative and competitive value added changes", *Sloan Management Review,* vol. 27 (1985), pp. 15-28.
7. M. E. Porter, *The Competitive Advantage of Nations,* MacMillan, 1990.
8. Esta tipología se basa en el modelo básico de M. E. Porter, "Changing patterns of international competition". *California Management Review,* vol. 28, núm. 2 (1987), pp. 9-39, aunque adapta sus términos para las cuatro estrategias en términos más comprensibles: es preciso notar en particular que aquí la estrategia *global* ha sido transpuesta para colocarse en el recuadro superior izquierdo y el recuadro superior derecho es descrito como *exportación compleja.*
9. P. Ghemawat, "Distance still matters", *Harvard Business Review,* septiembre (2001), 137-147.
10. Para un buen análisis de las compañías en países en desarrollo y sus oportunidades, véase T. Khanna y K. Palepu, "Emerging giants: building world-class companies in developing countries", *Harvard Business Review,* octubre (2006), pp. 60-69.
11. Este modelo es introducido en I. MacMillan, A. van Putten y R. McGrath, "Global Gamesmanship", *Harvard Business Review,* vol. 81, núm. 5 (2003), pp. 62-71.
12. Para análisis detallados sobre el papel del aprendizaje y la experiencia en la entrada en el mercado, véase M. F. Guillén, "Experience, imitation, and the sequence of foreign entry: wholly owned and joint-venture manufacturing by South Korean firms and business groups in China, 1987-1995", *Journal of International Business Studies,* vol. 83 (2003), pp. 185-198; y M. K. Erramilli, "The experience factor in foreign market entry modes by service firms", *Journal of International Business Studies,* vol. 22, núm. 3 (1991), pp. 479-501.
13. G. Knights y T. Cavusil, "A taxonomy of born-global firms", *Management International Review,* vol. 45, núm. 3 (2005), pp. 15-35.
14. Para análisis de las multinaciones en países emergentes, véase T. Khanna y K. Palepu, "Emerging giants: building world-class companies in developing countries", *Harvard Business Review,* octubre (2006), pp. 60-69; y J. Sinha, "Global champions from emerging markets", *McKinsey Quarterly,* núm. 2 (2005), pp. 26-35.

CASO DE EJEMPLO

Lenovo Computers: Occidente se encuentra con Oriente

Introducción

En mayo de 2005, la decimotercera mayor compañía de ordenadores personales del mundo, Lenovo, adquirió el tercer mayor negocio de ordenadores personales del mundo, la división de PC de IBM. En ese momento Lenovo, completamente basada en China, estaba pagando 1,75 billones de dólares (1,4 billones de euros) para controlar un negocio que operaba en todo el mundo y que inventó la industria del ordenador personal en 1981. Michael Dell, el creador de la mayor compañía de PC del mundo, comentó simplemente "no funcionará".

Lenovo había sido fundada en 1984 por Liu Chuanzhi, un investigador de cuarenta años que trabajaba para el Instituto de Computación de la Academia China de las Ciencias. Su anterior carrera había incluido el desensamblado de sistemas de radar americanos capturados durante la guerra de Vietnam y la plantación de arroz durante la Revolución Cultural China. Liu Chuanzhi había comenzado con un capital de 25.000 dólares del Instituto de Computación y prometió a su jefe que construiría un negocio con ingresos de 250.000 dólares. Trabajando en el viejo cuartel del Instituto de Computación y tomando prestadas sus instalaciones, una de las primeras iniciativas de Liu fue la reventa de televisiones en color. Pero el éxito real llegó en 1987, cuando Lenovo fue una de las primeras en incorporar a los PC importados software con caracteres chinos.

Lenovo comenzó a despegar cuando Liu utilizó el apoyo de su padre, bien colocado en el gobierno chino, para importar PC baratos a través de Hong Kong. Durante 1988, Lenovo colocó su primer anuncio para un puesto de trabajo y reclutó a 58 jóvenes para incorporarse a la compañía. Aunque la generación fundadora de Lenovo estaba en los cuarenta, los nuevos contratados estaban aún en los veinte, ya que la Revolución Cultura había impedido cualquier graduado universitario durante un periodo de diez años en China. Entre los nuevos reclutados estaba Yang Yuanquing, que encabezaría el negocio de PC antes de que tuviera treinta años y posteriormente se convirtió en el presidente de la nueva empresa Lenovo-IBM a la edad de 41 años. Este fue el nuevo equipo que ayudó a lanzar la producción del primer PC Lenovo en 1990 y condujo la compañía hasta una cuota de mercado del treinta por ciento dentro de China en 2005. La compañía había sido parcialmente lanzada a cotización en el Mercado de Valores de Hong Kong en 1994.

El acuerdo

El trabajo en el acuerdo con IBM PC comenzó en 2004, con Lenovo ayudada por la consultora estratégica McKinsey & Co y el banco de inversión Goldman Sachs. IBM quería deshacerse de su negocio de PCs, que solo contaba con una cuota de mercado del cuatro por ciento en Estados Unidos y sufría de bajos márgenes en un mercado competitivo dominado por Dell y Hewlett Packard. Los servicios con mayores márgenes y los ordenadores mainframe serían el futuro de IBM. Junto a Lenovo, IBM contaba en la puja con la empresa de private equity Texas Pacific Group. Lenovo ofreció el mayor precio, pero Texas Pacific fue persuadida para tomar una participación en el nuevo grupo, mientras que IBM mantenía el trece por ciento de la propiedad. La Academia China de las Ciencias, de propiedad pública, todavía poseía el veintisiete por ciento de las acciones, el mayor accionista individual.

El nuevo presidente, Yang Yuanqing, tenía una clara visión de lo que la compañía tenía que conseguir, mientras reconocía algunos desafíos:

> "En cinco años, quiero que Lenovo sea una marca de PCs muy famosa, quizás con un crecimiento que duplique el de la industria. Quiero tener un pequeño margen de beneficios y quizás algunos otros negocios más allá de los PC, en todo el mundo. Estamos al comienzo de esta nueva compañía, por lo que podemos definir algunas cuestiones fundamentales de la cultura. Las tres palabras que utilizo para describirla son: confianza, respeto, compromiso".

Continuaba diciendo:

> "Como compañía global, quizás tengamos que sacrificar algo de velocidad, especialmente durante nuestra primera fase. Necesitamos más comunicación. Necesitamos tomar tiempo para comprendernos entre sí. Pero la velocidad se encuentra en los genes de la vieja Lenovo. Espero que también se encuentre en los genes de la nueva Lenovo".

IBM no estaba abandonando su viejo negocio a su propia suerte. Lenovo tenía el derecho de uso de la marca IBM para PC durante cinco años, incluyendo el valioso nombre de ThinkPad. A la fuerza de ventas de IBM se le ofrecerían incentivos para vender Lenovo PCs, de la misma forma que tenían con las máquinas con marca IBM. IBM Gobal Services fue contratada para proporcionar mantenimiento y soporte. IBM tendría dos observadores sin derecho a voto en el consejo de Lenovo. Además, Stephen Ward, el anterior responsable de la división de IBM, con 51 años, se convirtió en el director general de Lenovo.

La dirección del nuevo gigante

Tener un director general de IBM no fue una completa sorpresa. Después de todo, el negocio de trece billones de dólares era casi un ochenta por ciento ex IBM y los clientes y empleados tenían que tener asegurada la continuidad. Pero existían algunos desafíos significativos que debía gestionar la nueva compañía.

Las cosas no habían comenzado bien. Cuando el equipo chino por primera vez voló a Nueva York para conocer al equipo de IBM, no fue recibido en el aeropuerto como esperaba y era práctica de cortesía en China. Yang y Ward estaban en desacuerdo sobre la localización de la nueva matriz, Yang quería que estuviera compartida entre Beijing y cerca de Nueva York. Ward prevaleció y Yang trasladó su familia a Estados Unidos. La estructura de la nueva organización mantuvo el antiguo negocio de IBM y el original de Lenovo como divisiones separadas. Pero aún así la nueva compañía necesitaba de una considerable vinculación con China, a trece horas de vuelo y doce zonas horarias. Las teleconferencias entre la Costa Este y China se convirtieron en una forma de vida, con llamadas desde Estados Unidos a las seis de la mañana o a las once de la noche para coincidir con sus colegas chinos. Las llamadas eran siempre en inglés, con muchos chinos menos que fluidos en ese idioma y con el lenguaje corporal imposible de observar.

La naturaleza china de la compañía fue un aspecto que fue un problema político para algunos clientes. IBM contaba con una gran parte del negocio con el gobierno y los miembros populistas del Congreso de Estados Unidos montaron una campaña contra el hecho de que los ordenadores chinos entraran en dominios sensibles. En Alemania, las leyes laborales permitían una transición voluntaria de los empleados de IBM a Lenovo y muchos trabajadores alemanes eligieron no cambiar, dejando a la compañía con poco personal. Existían algunas disconformidades entre algunos trabajadores de IBM en Japón respecto la propiedad china. Entre las dos culturas, estadounidense y china, existían considerables diferencias. Qiao Jian, vicepresidente de recursos humanos, comentaba:

> "A los americanos les gusta hablar; a la gente china le gusta escuchar. Al principio nos sorprendía por qué seguían hablando cuando no tenían nada que decir. Pero hemos aprendido a ser más directos cuando tenemos un problema y los americanos están aprendiendo a escuchar".

Las diferencias culturales no solo eran nacionales. Lenovo básicamente era una compañía nueva y relativamente simple —básicamente un país, un producto—. La gigante multinacional IBM Corporation, fundada en 1924, era bastante más compleja. El equipo directivo de Lenovo, en su mayor parte treintañeros, eran mucho más jóvenes que el de IBM y la media de edad de la compañía era de veintiocho años. IBM era famosa por sus procesos directivos y rutinas. Qiao Jian comentaba: "La gente de IBM establece una hora para una llamada de conferencia y lo fijan para cada semana. ¿Pero por qué hay que llamar si no hay nada de qué informar?". Por otra parte, la gente de IBM tenía una tendencia a llegar tarde a las reuniones, algo que estaba estrictamente rechazado en Lenovo.

Algunos resultados

Al comienzo, la respuesta a la nueva Lenovo fue positiva. Los clientes de IBM se mantuvieron leales y el precio de las acciones comenzó a ascender (véase la Figura 1). Los ejecutivos de IBM que quedaban reconocían que al menos eran parte de un negocio comprometido con los PC, en lugar de una cenicienta en el imperio mucho mayor de IBM. El hecho de que los PC Lenovo se fabricaran en China con un coste de mano de obra de solo 3,00 dólares ofrecía unas grandes oportunidades.

Sin embargo, el líder del mercado Dell respondió a la nueva compañía con fuertes recortes de precios, ofreciendo ahorros de cien dólares sobre el ordenador medio. Con la cuota de mercado en el crucial mercado americano comenzando a decaer, el ex director general de IBM Stephen Ward fue reemplazado en diciembre de 2005 por William Amelio. Este fue un golpe maestro para Lenovo, ya que Amelio había estado dirigiendo la región Asia-Pacífico de Dell. Al mismo tiempo que conocía el negocio de Dell desde el interior, Amelio, que vivió durante varios años en Singapur, tenía un buen conocimiento del negocio asiático:

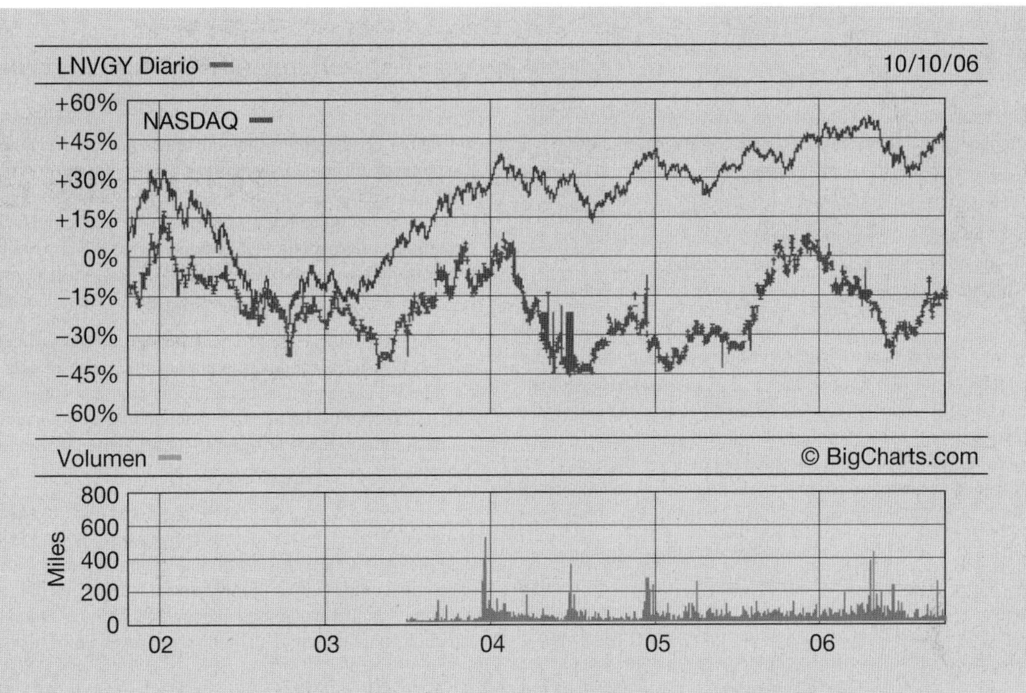

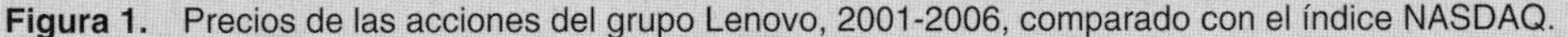

Figura 1. Precios de las acciones del grupo Lenovo, 2001-2006, comparado con el índice NASDAQ.

Fuente: www.bigcharts.com (11 octubre de 2006). Marketwatch.online de BigCharts.com. Copyright 2006 por Dow Jones 8 & Company, Inc. Reproducido con permiso de Dow Jones & Company, Inc. en el formato de libro de texto mediante el Copyright Clearance Center.

"En los cinco años que he estado en Asia, una cosa que he aprendido (...) es a tener mucha más paciencia. He sido alguien que ha tenido un alto sentido de la urgencia y del movimiento, pero también he aprendido cómo atemperar las distintas culturas con las que he tenido que tratar para ser más efectivo.

Amelio comenzó tratando los costes, eliminando mil puestos de trabajo del exterior de China. Integró el negocio de IBM y el negocio de Lenovo en una sola estructura. La compañía lanzó una nueva gama de PC con la marca Lenovo para negocios americanos de pequeño y mediano tamaño, un mercado tradicionalmente ignorado por IBM. Para mejorar su alcance dentro de este segmento, Lenovo expandió las ventas a los grandes minoristas americanos como Office Depot. La cuota en el mercado americano comenzó a recuperarse, llegando de nuevo al cuatro por ciento. Lenovo comenzó a considerar entrar en el mercado indio.

Las acciones de Amelio parecían funcionar. Tras una precipitada caída durante la primera mitad de 2006, el precio de las acciones comenzó a ascender. Pero esto no disimulaba que el precio de las acciones en otoño de 2006 estaba todavía por debajo de lo que estaba cinco años antes y seguía yendo a la zaga del índice tecnológico NASDAQ.

Fuentes: L. Zhijun, *The Lenovo Affair,* Wiley, Singapur, 2006; *Business Week,* 7 de agosto (2006), 20 de abril (2006), 22 de diciembre (2005) y 9 de mayo (2005); *Financial Times,* 8 de noviembre (2005), 9 de noviembre y 10 de noviembre (2005).

Preguntas

1. ¿Qué fuentes nacionales de ventaja competitiva podría extraer Lenovo de su base china? ¿Qué desventajas se derivan de su base china?
2. A la luz del modelo CAGE y del modelo de MacMillan *et al.* de Reacción del Competidor (Figura 8.5), comente la entrada de Lenovo en el mercado americano.
3. Ahora que Lenovo es internacional, ¿qué tipo de estrategia internacional debería perseguir, exportación simple, multidoméstica, exportación compleja, o global?

MET
DE DESARROLL
Y EVALUACIÓN DE
LA ESTRATEGIA

OBJETIVOS DE APRENDIZAJE

Tras leer este capítulo, usted debería ser capaz de:

- Identificar los *métodos* mediante los que las estrategias pueden ser llevadas a cabo: *crecimiento orgánico, fusiones y adquisiciones* y *alianzas estratégicas.*
- Aplicar tres *criterios de éxito* para evaluar las opciones estratégicas: *adecuación, aceptabilidad* y *factibilidad.*
- Utilizar una serie de *técnicas para evaluar las opciones estratégicas.*

…UCCIÓN

El Capítulo 6 ofrecía una serie de elecciones sobre cómo posicionar la organización en relación con los competidores. Dentro de esta elección generalizada con respecto a las bases de la ventaja competitiva existen más elecciones específicas que realizar sobre la orientación estratégica de la organización, en particular qué mercados y qué productos son más apropiados. Estas elecciones fueron establecidas en el Capítulo 7 y desarrolladas con mayor profundidad en el Capítulo 8, en el contexto de la estrategia internacional. Sin embargo, existe un tercer nivel de elección con respecto a los *métodos mediante los que la estrategia competitiva y la orientación estratégica pueden ser llevadas a cabo*. Este es el tema central del Apartado 9.2, que constituye la primera mitad de este capítulo.

Teniendo en mente que el uso de conceptos y herramientas introducidos en los Capítulos del 2 al 5 del libro generará distintas ideas acerca de las estrategias que pueden ser seguidas: los estrategas pueden necesitar considerar muchas posibles opciones. La segunda mitad de este capítulo, por lo tanto, analiza los *criterios de éxito* mediante los que pueden ser valoradas estas opciones y, a partir de tales criterios, explica algunas de las *técnicas para evaluar las opciones estratégicas*.

La Figura 9.1 resume la estructura del capítulo.

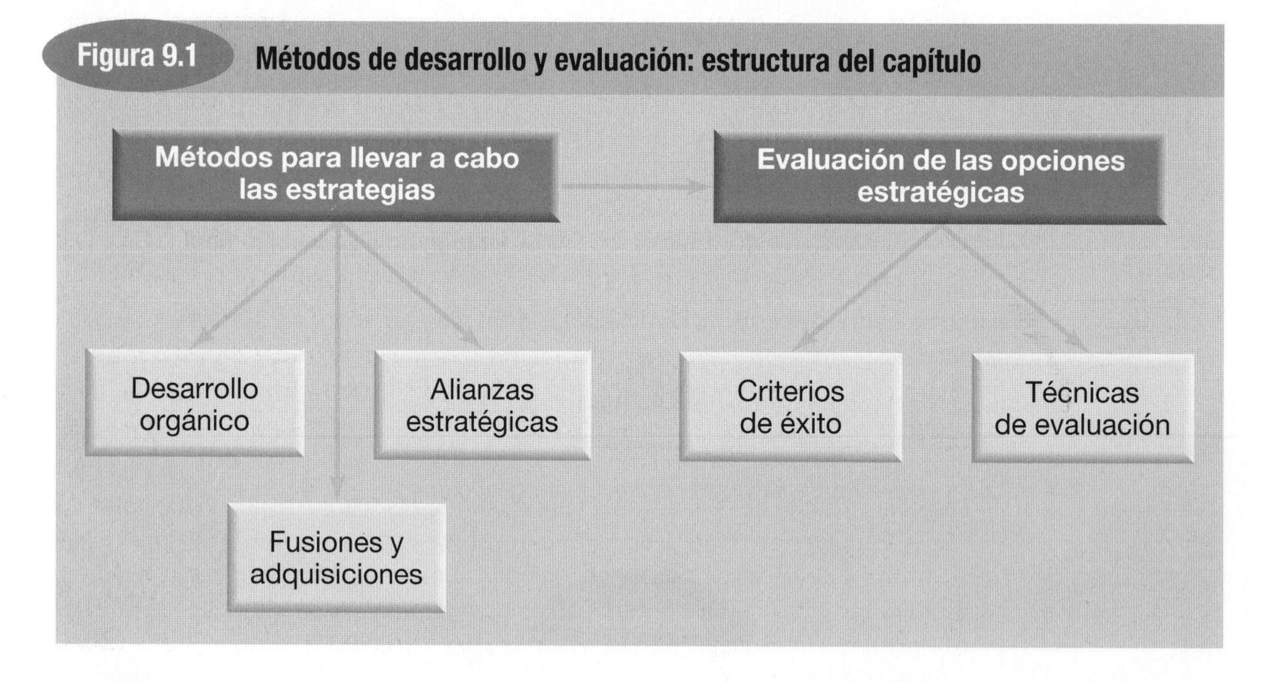

Figura 9.1 Métodos de desarrollo y evaluación: estructura del capítulo

9.2 MÉTODOS DE DESARROLLO

Cualquiera de las direcciones del desarrollo analizadas en los Capítulos del 6 al 8 pueden ser llevadas a cabo de diferentes formas o mediante distintos **méto-**

Un **método de desarrollo** es el *medio* mediante el que puede ser desarrollada una estrategia.

dos de desarrollo: los medios por los que una estrategia puede ser desarrollada. Estos métodos pueden dividirse en desarrollo orgánico, adquisición (o venta) y alianzas.

9.2.1. Desarrollo orgánico [1]

El **desarrollo orgánico** se refiere al desarrollo de las estrategias mediante la construcción y el desarrollo de las propias capacidades de una organización.

El **desarrollo orgánico** o desarrollo interno se refiere al desarrollo de las estrategias mediante la construcción y el desarrollo de las propias capacidades de una organización. Para muchas organizaciones, el desarrollo orgánico ha sido el principal método de desarrollo de la estrategia y existen algunas razones de peso para que esto sea así:

- Los *productos muy técnicos* en términos de diseño o método de fabricación se prestan al desarrollo orgánico, dado que el proceso de desarrollo puede ser la mejor forma de adquirir las capacidades necesarias para competir con éxito. Tales competencias pueden, por supuesto, generar nuevos recursos y crear nuevas oportunidades de mercado.
- El *conocimiento y el desarrollo de capacidades* puede ser mejorado mediante el desarrollo orgánico. Por ejemplo, un negocio puede percibir que la involucración directa conseguida al tener su propia fuerza de ventas, en lugar de utilizar agentes de venta, le proporciona mayor conocimiento del mercado y, por lo tanto, una ventaja competitiva sobre otros rivales más distantes de sus clientes.
- *Reparto de la inversión a lo largo del tiempo*. El coste final de desarrollar nuevas actividades internamente puede ser mayor que el de adquirir otras compañías. Sin embargo, repartir tales costes a lo largo del tiempo puede ser una opción más favorable que el considerable gasto de una adquisición en un determinado momento del tiempo. Este es un importante motivo para el desarrollo orgánico en pequeñas compañías o muchos pequeños servicios públicos que pueden no contar con los recursos para cuantiosas inversiones puntuales.
- *Minimización de la disrupción*. La menor tasa de cambio del desarrollo orgánico puede también minimizar la disrupción de otras actividades y evitar los problemas políticos y culturales que se pueden producir en la integración de la adquisición (véase el Apartado 9.2.2).
- La *naturaleza de los mercados* puede dictar el desarrollo orgánico. En muchos casos, las organizaciones que son pioneras pueden no encontrarse en una posición de desarrollarse mediante la adquisición o una empresa conjunta, dado que son las únicas en el campo. O pueden existir pocas oportunidades para adquisiciones, como, por ejemplo, ocurre para compañías extranjeras que tratan de entrar en Japón.

9.2.2. Fusiones y adquisiciones

Una **adquisición** se produce cuando una organización toma la propiedad de otra organización, mientras que una **fusión** implica una decisión tomada de mutuo

Una **adquisición** se produce cuando una organización toma la propiedad de otra organización.

Una **fusión** es una decisión tomada de mutuo acuerdo entre organizaciones para su propiedad conjunta.

acuerdo entre organizaciones para su propiedad conjunta. En la práctica, pocas adquisiciones son hostiles y pocas fusiones se realizan entre iguales. Por eso, tanto adquisiciones como fusiones normalmente suponen que los directivos de una organización ejerzan influencia estratégica entre sí. La actividad global en las fusiones se encuentra dominada por Norteamérica y Europa Occidental, mientras que es mucho menos común en otras economías (por ejemplo, Japón). Esto refleja la influencia de las diferencias en los sistemas de gobierno corporativo que existen (véase el Apartado 4.2).

Motivos para las fusiones y adquisiciones

Existen diferentes motivos para el desarrollo a través de fusiones y adquisiciones. Una razón principal puede ser la necesidad de mantener el ritmo de evolución de un *entorno* cambiante:

- *Velocidad de entrada*. Los productos o mercados pueden estar cambiando con tal rapidez, que la adquisición se convierte en la única forma de entrar con éxito en el mercado, dado que el proceso de crecimiento interno es demasiado lento.
- La *situación competitiva* puede influir sobre una compañía para que prefiera la adquisición. En mercados estáticos y en los que las cuotas de las empresas se mantienen puede ser difícil para una nueva empresa la entrada dado que su presencia puede generar exceso de capacidad. Si la entrada se produce mediante adquisiciones, el riesgo de reacción competitiva puede ser reducido.
- *Consolidación de oportunidades*. Si existen bajos niveles de concentración en la industria, puede existir una oportunidad para mejorar el equilibrio entre oferta y demanda adquiriendo compañías y eliminando la capacidad excedentaria. En muchos países la *desregulación* de los servicios públicos también ha creado un nivel de fragmentación que ha sido considerado como subóptimo. Por lo tanto, existía una oportunidad para que organizaciones adquirentes racionalizaran la provisión y/o persiguieran conseguir otros beneficios, por ejemplo mediante la creación de compañías *multi-utility* que ofrecen electricidad, gas, telecomunicaciones y otros servicios a los clientes.
- Los *mercados financieros* pueden proporcionar condiciones que motiven las adquisiciones. Si el valor de la acción o el PER de una compañía es elevado, esta puede considerar la oportunidad de adquirir una empresa con un bajo valor de la acción o PER. De hecho, este es un importante estímulo para las compañías que buscan oportunidades de adquisición. Un ejemplo extremo es la liquidación de activos, en la que el principal motivo es la ganancia a corto plazo comprando activos infravalorados y vendiéndolos gradualmente.

También existen *consideraciones relacionadas con las capacidades*:

- La *explotación de capacidades estratégicas* puede motivar las adquisiciones, por ejemplo, mediante la compra de compañías en el extranjero para explotar habilidades de I+D o *marketing* internacionalmente.

- La *eficiencia en costes* es una razón comúnmente aducida para las adquisiciones, normalmente mediante la fusión de unidades, de manera que se racionalicen recursos (por ejemplo, servicios centrales o instalaciones de producción) para conseguir ventajas de escala.
- La *obtención de nuevas capacidades* también puede ser conseguida mediante adquisiciones, o al menos ser un motivo para la adquisición. Por ejemplo, una compañía puede ser adquirida por su conocimiento en I+D o su conocimiento en determinados procesos de negocio o mercados.

La adquisición también puede ser resultado de las *expectativas de los "stakeholders"*:

- Las *expectativas de los accionistas institucionales* pueden ser de crecimiento continuo y las adquisiciones pueden ser una forma rápida de conseguir ese crecimiento. Sin embargo, existen considerables riesgos de que el crecimiento mediante esta vía resulte en destrucción de valor en lugar de en creación —por algunas de las razones discutidas en el Capítulo 7—.
- La *ambición directiva* puede motivar adquisiciones, debido a que aceleran el crecimiento de la compañía. De hecho, esto puede mejorar su ego, proporcionar mejores trayectorias profesionales y mayores recompensas monetarias.
- Los *motivos especulativos* de algunos *stakeholders* pueden estimular las adquisiciones que proporcionen un estímulo a corto plazo del valor de las acciones. Otros accionistas se muestran cautelosos ante tales movimientos especulativos, ya que la ganancia a corto plazo puede destruir posibilidades a más largo plazo.

Adquisiciones y resultado financiero

Las adquisiciones no son una forma fácil o garantizada de mejora del resultado financiero. Aproximadamente el setenta por ciento de las adquisiciones terminan con rendimientos más bajos para los accionistas de ambas organizaciones. El error más común es pagar demasiado por una compañía —posiblemente debido a falta de experiencia en adquisiciones, o asesoramiento financiero inadecuado (por ejemplo, del banco de inversión implicado)—. Además, los directivos de la compañía implicada pueden ser excesivamente optimistas con respecto a los beneficios de la adquisición. Una adquisición probablemente incluirá recursos y competencias poco valiosos además de los que han motivado la compra; o puede ser que las capacidades de las organizaciones que se fusionan no sean compatibles. Este fue el caso, por ejemplo, de la adquisición en 2004 en Reino Unido de la cadena de supermercados Safeway por su competidor Morrisons. Entre los problemas que existían se encontraba el hecho de que Morrisons dedicó un año a tratar de integrar los sistemas de TI de las dos compañías antes de abandonar el intento. Por tal razón, si es posible, los adquirentes pueden tratar de comprar productos o procesos en lugar de las compañías completas. En el mejor de los casos, puede requerir un tiempo considerable de la compañía adquirente para conseguir beneficio financiero de las adquisiciones.

Hacer que las adquisiciones funcionen

El programa de implementación que sigue a una fusión o una adquisición variará dependiendo de su propósito. Sin embargo, existen cuatro cuestiones que con frecuencia se producen y que importan para el éxito o fracaso de una fusión/adquisición:

- *Añadir valor*. El adquirente puede encontrar dificultades para añadir valor al negocio adquirido (las cuestiones relacionadas con la matriz, analizadas en el Apartado 7.4).
- *Conseguir el compromiso de los directivos intermedios* responsables de las operaciones y relaciones con los clientes en el negocio adquirido es importante para evitar incertidumbres internas y mantener la confianza del adquirente. Relacionado con esto, la decisión de qué ejecutivos mantener en el negocio adquirido debe hacerse con rapidez.
- *Las sinergias esperadas puede que no se consigan,* debido a que no existen en el grado esperado o debido a que resulta difícil integrar las actividades del negocio adquirido. Por ejemplo, si el motivo era la transferencia de competencias o conocimiento puede ser difícil identificar cuáles son (véase el Apartado 3.4.3).
- *Problemas de ajuste cultural*. Esto puedes surgir debido a que el negocio adquirente encuentra que aspectos de la cultura *cotidianos* pero arraigados (por ejemplo, las rutinas organizativas) difieren, de manera que se muestran difíciles de superar, aunque no son fácilmente identificables antes de la adquisición. Esto puede ser particularmente problemático con las adquisiciones entre países.

9.2.3. Alianzas estratégicas

Una **alianza estratégica** supone que dos o más organizaciones comparten recursos y actividades para desarrollar una estrategia.

Una **alianza estratégica** supone que dos o más organizaciones comparten recursos y actividades para desarrollar una estrategia. Van desde las simples alianzas entre dos socios para la producción conjunta hasta aquellas que cuentan con múltiples socios y que proporcionan productos y soluciones complejos. A comienzo de siglo, las quinientas mayores compañías globales tienen cada una sesenta alianzas en media. Este tipo de desarrollo conjunto de nuevas estrategias se ha convertido en cada vez más popular. Esto se debe a que las organizaciones no siempre pueden hacer frente a entornos o estrategias cada vez más complejos (resultado de la globalización) a partir de recursos y competencias internos. Pueden necesitar obtener materiales, habilidades, capacidad de innovación, recursos financieros o acceso a mercados, pero admiten que pueden encontrarse fácilmente disponibles mediante la cooperación o mediante la propiedad. Sin embargo, aproximadamente la mitad de las alianzas fracasan[2], por lo que es necesario un análisis cuidadoso de las razones que se encuentran tras el éxito y el fracaso.

Razones para las alianzas

Una razón frecuente para las alianzas es obtener aquellos recursos que una organización necesita pero que no posee ella misma. Por ejemplo, los bancos necesitan conseguir acceso a los sistemas de pago que hacen que puedan ser utilizadas las tarjetas de crédito en los establecimientos minoristas (por ejemplo, Visa o Mastercard) y a los datáfonos (ATMs) para la recaudación de dinero. Sin embargo, estos recursos no confieren una ventaja competitiva a los miembros de la alianza; no se pretende que lo hagan —son requerimientos umbral para la banca moderna—. Tales acuerdos son *alianzas de infraestructura* que suponen compartir o reunir recursos, pero que no persiguen conseguir una ventaja competitiva[3]. Sin embargo, en este punto nos interesan las *alianzas estratégicas* que persiguen obtener tal ventaja.

Los motivos para tales alianzas son de tres tipos principales:

- Necesidad de alcanzar una cierta *masa crítica,* que las alianzas pueden conseguir formando asociaciones con competidores o proveedores de productos complementarios. Esto puede generar reducciones de costes y una mejora de la oferta al cliente.
- *Coespecialización* —permitir a cada socio concentrarse en actividades que se ajusten mejor a sus capacidades—: por ejemplo, entrar en nuevos mercados geográficos en los que una organización necesita conocimiento y experiencia local en distribución, *marketing* y soporte al cliente. De manera similar, las alianzas con organizaciones en otras partes de la cadena de valor (por ejemplo, proveedores o distribuidores) son comunes.
- *Aprendizaje* de los socios y desarrollo de competencias que pueden ser más ampliamente explotadas en otro ámbito. Por ejemplo, los primeros pasos en los negocios electrónicos pueden ser dados con un socio que tenga experiencia en el desarrollo de páginas web. Sin embargo, a largo plazo la intención puede ser desarrollar tales actividades internamente. También las organizaciones pueden desarrollar actividades como medio de *experimentación,* dado que les permite superar la dependencia en exclusiva de la explotación de sus propios recursos y capacidades. De hecho, pueden utilizar alianzas como base para el desarrollo de opciones estratégicas diferentes de las que están siendo desarrolladas internamente de manera orgánica[4].

Tipos de alianzas

Existen distintos tipos de alianzas estratégicas. Algunas pueden ser relaciones entre organizaciones formalizadas. En el otro extremo se encuentran acuerdos de cooperación menos formales y redes informales entre organizaciones, que no suponen participaciones accionariales o de propiedad:

- Las *empresas conjuntas* son alianzas relativamente formalizadas y pueden tomar diferentes formas. Las organizaciones permanecen independientes pero crean una nueva organización conjuntamente constituida por ambas empresas.

Las empresas conjuntas son una forma de colaboración muy común en China, por ejemplo. Las empresas locales proporcionan mano de obra y entrada a los mercados, mientras que las empresas occidentales proporcionan tecnología, habilidades de dirección y recursos financieros.

- Los *consorcios* pueden implicar a dos o más organizaciones en un acuerdo de empresa conjunta normalmente de manera más enfocada sobre un negocio o proyecto particular. Ejemplos de este tipo de acuerdos incluyen grandes proyectos de ingeniería civil o grandes empresas aeroespaciales, como el Airbus europeo. Pueden desarrollarse también entre organizaciones del sector público en la que los servicios (como el transporte público) traspasa fronteras administrativas.
- Las *redes* son acuerdos menos formales en los que las organizaciones consiguen una ventaja mutua trabajando en colaboración, sin depender de acuerdos de participaciones cruzadas o contratos formales. Carlos Jarillo sugiere que las características de tales redes son la dependencia de la coordinación mediante la adaptación mutua de las relaciones de trabajo, la confianza mutua (véase más abajo) y, normalmente, una *organización central* que puede haber promovido la red y mantiene una actitud proactiva hacia ella[5]. Tales acuerdos en red pueden existir entre competidores en industrias altamente competitivas, en las que cierta forma de puesta en común puede ser beneficiosa (por ejemplo, en la industria de la Fórmula 1, en la que el conocimiento de vanguardia tiende a fluir entre empresas).

Otros acuerdos de alianzas normalmente tienen naturaleza contractual y es poco probable que supongan algún tipo de propiedad:

- La *franquicia* supone que el poseedor de la franquicia realice actividades específicas como fabricación, distribución o venta, mientras que el franquiciador es responsable del nombre de marca, el *marketing* y, probablemente, la formación. Quizás los ejemplos más conocidos son Coca-Cola y McDonald's.
- La *licencia* es común en las industrias basadas en las ciencias donde, por ejemplo, el derecho a fabricar un producto patentado es permitido a cambio de una cuota.
- Con la *subcontratación* una compañía elige subcontratar determinados servicios o parte de un proceso. Por ejemplo, de manera creciente en los servicios públicos puede subcontratarse (o *externalizarse*) la recogida de basuras, limpieza y servicios de TI a compañías privadas.

La Figura 9.2 muestra tres factores importantes que pueden determinar los tipos de alianzas:

- La *velocidad del cambio en el mercado* requerirá que los movimientos estratégicos sean realizados rápidamente. Por lo tanto, las redes, menos formales y más flexibles, pueden ser más apropiadas que una empresa conjunta, que podría requerir mucho tiempo para que sea establecida.
- *La gestión de los recursos y capacidades*. Si una estrategia requiere recursos separados, específicos, entonces una empresa conjunta será apropiada. Por el

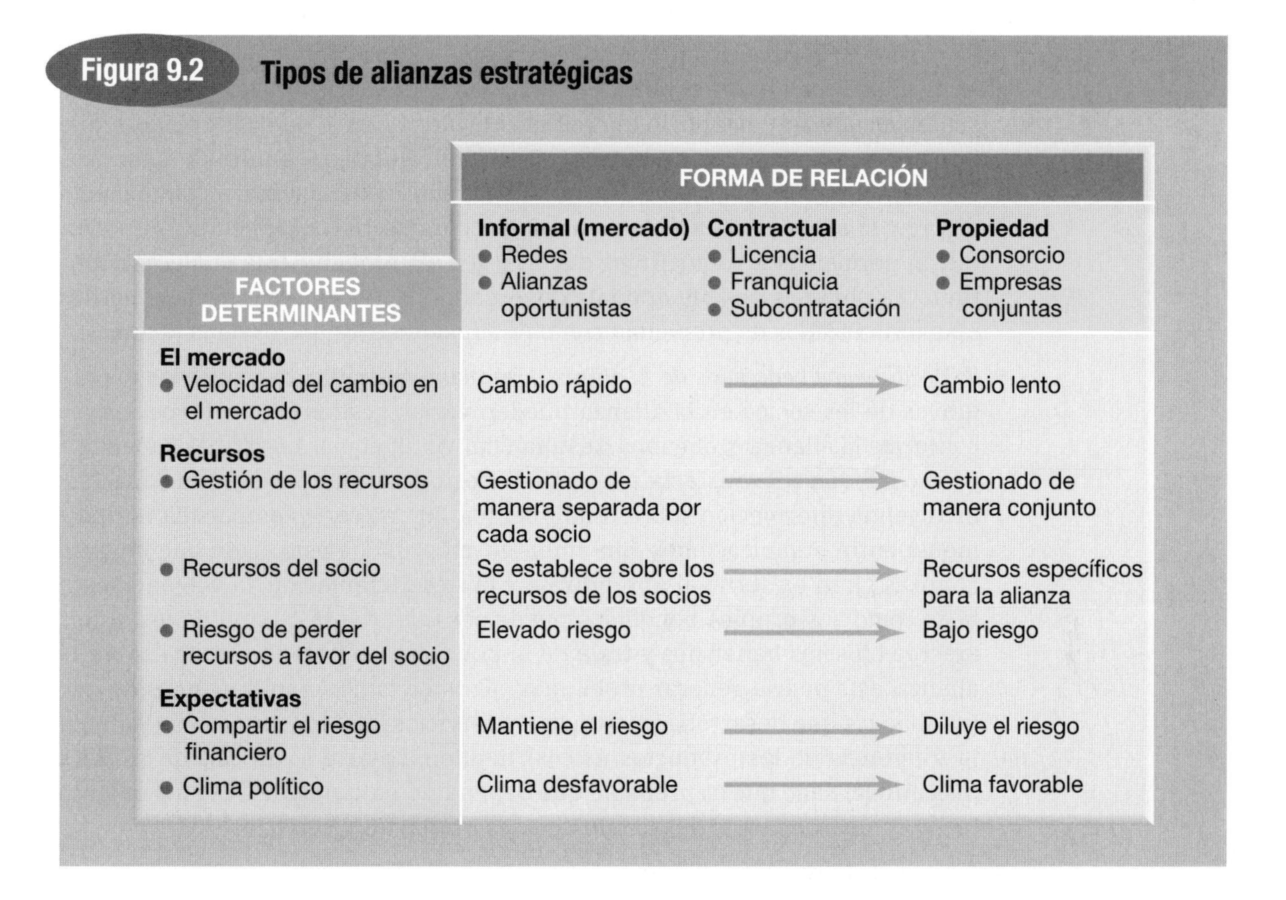

Figura 9.2 **Tipos de alianzas estratégicas**

contrario, si el propósito estratégico y las operaciones de la alianza pueden ser apoyadas por los recursos y capacidades de los socios, se favorecen relaciones más informales o redes.

- *Las expectativas y motivos* de los socios de la alianza jugarán su papel. Por ejemplo, si los socios de la alianza la consideran un medio de compartir su riesgo financiero, esto favorecerá acuerdos más formales como las empresas conjuntas.

Ingredientes de las alianzas de éxito[6]

Aunque las organizaciones pueden establecer una alianza debido a una o más de las razones expuestas, los beneficios de las alianzas tienden a evolucionar. Por ejemplo, puede que se establezca una alianza para abordar una oportunidad tecnológica particularmente compleja pero que proporcione oportunidades nuevas e inesperadas. El éxito de las alianzas, por lo tanto, depende de cómo sea gestionada y de la forma en la que los socios potencien la naturaleza evolutiva de la asociación. Debido a esto, los factores de éxito caen dentro de las tres categorías siguientes:

- *Propósito estratégico*. Un propósito estratégico claro es probable que sea útil en el inicio de una alianza. Conforme una alianza de desarrolla, es probable que sus expectativas y beneficios percibidos evolucionen —no solo debido a que a menudo se encuentran construidas para enfrentarse a entornos dinámicos o complejos—. Si las expectativas de los miembros de la alianza comienzan a divergir, la alianza finalmente puede desintegrarse. Si las expectativas en evolución permanecen compatibles o convergen, es probable que la alianza continúe. También es posible que tal convergencia se incremente hacia acuerdos más formalizados de propiedad como una fusión de los socios de la alianza.
- *Expectativas y beneficios de la alianza*. De manera similar, dado que las expectativas de los socios en la alianza pueden variar, gestionar tales expectativas conforme la alianza evoluciona, resulta vital. Al nivel más básico, las expectativas no pueden ser satisfechas sin una disposición a intercambiar información, incluyendo información sobre rendimientos, que no sería compartida normalmente entre organizaciones. Sin embargo, más allá de esto, dado que muchas alianzas giran en torno al aprendizaje y la experimentación, la aceptación de tales como sus propios beneficios puede ser importante. Si uno de los socios no cree en estos beneficios y trata de imponer una estrategia *estática* sobre la alianza, esto podría generar problemas [7]. Existen también indicaciones de que las alianzas que desarrollan productos y servicios basados en el conocimiento (a diferencia de los productos físicos) tienden a atar a los socios de manera más íntima, dado que es probable que dependan mutuamente de conocimiento tácito compartido en el desarrollo de tales productos y servicios [8].
- *Gestión de las relaciones dentro de la alianza*. El apoyo de la alta dirección para una alianza es importante, puesto que las alianzas requieren que se construya y mantenga un amplio rango de relaciones. Esto puede suponer obstáculos culturales y políticos que los altos directivos deben ayudar a superar. Por el contrario, también son necesarias fuertes relaciones personales para conseguir *compatibilidad a nivel operativo*. En las asociaciones entre distintos países, esto incluye la necesidad de superar las diferencias culturales nacionales. Sin embargo, la investigación muestra de manera consistente que la *confianza* es el ingrediente más importante del éxito y una razón importante para el fracaso si no existe. Pero la confianza tiene dos elementos diferenciados. La confianza puede *estar basada en la competencia,* en el sentido de que cada socio confía en que el otro cuente con los recursos y competencias para cumplir su parte en la alianza. La confianza también *se encuentra basada en el carácter,* y se refiere a si los socios confían entre sí con respecto a los motivos y son compatibles en términos de actitudes con respecto a la integridad, la sinceridad, la discreción y la consistencia del comportamiento. En términos generales, el mensaje es que la calidad de las relaciones en una alianza es de importancia primordial; de hecho en gran medida las relaciones son más importantes que los recursos físicos.

Por lo tanto, un mensaje consistente que se repite es que, aunque puede ser muy útil asegurar que una alianza tenga *acuerdos sobre objetivos, gobierno* y *organización* claros respecto a las actividades que conectan a los socios, también es importante mantener la alianza *flexible*, dado que puede *evolucionar* y *cambiar*.

9.3 EVALUACIÓN DE LA ESTRATEGIA

Tres **criterios de éxito** se utilizan para valorar la viabilidad de las opciones estratégicas.

Los Capítulos del 6 al 8 del libro han introducido una selección de elecciones estratégicas, tal y como se resumen en la Figura 9.3. Este apartado del capítulo gira en torno a cómo estas pueden ser evaluadas preguntándose por qué algunas estrategias pueden tener más éxito que otras. Esto lo hace en términos de tres **criterios de éxito** que pueden ser utilizados para valorar la viabilidad de las opciones estratégicas:

- *Adecuación*, que se refiere a si la estrategia aborda las cuestiones clave relacionadas con la *posición estratégica* de la organización (tal y como se analizaba en los Capítulos del 2 al 5).
- *Aceptabilidad,* que se refiere a los *resultados en términos de rendimiento* esperados (como la *rentabilidad* o el *riesgo)* de una estrategia y el grado en el que estos se ajustan las *expectativas* de los accionistas.
- *Factibilidad,* que se refiere a si una estrategia podría funcionar en la práctica, es decir, a si se cuenta con las capacidades para llevar a cabo la estrategia.

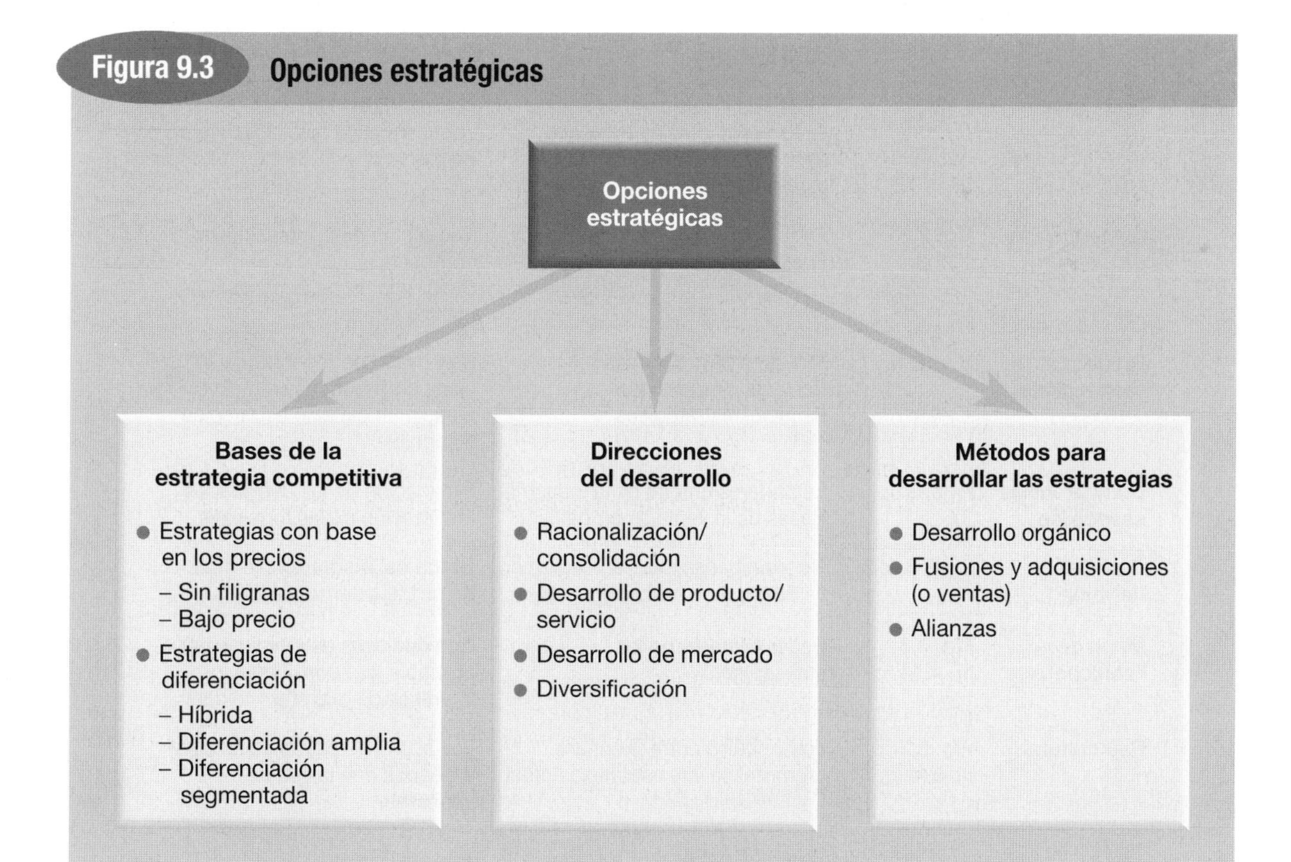

Figura 9.3 Opciones estratégicas

9.3.1. Adecuación

La **adecuación** se refiere a si una estrategia considera aspectos clave relacionados con la posición estratégica de la organización.

La **adecuación** se refiere a si una estrategia considera aspectos clave relacionados con la posición estratégica de la organización. Por lo tanto, se refiere a la *lógica* global de una estrategia. En particular, requiere de una valoración del grado en el que cualquier opción estratégica se ajusta a los inductores clave y cambios esperados en el *entorno,* explota *capacidades estratégicas* y resulta apropiada en el contexto de las *expectativas e influencia de los "stakeholders"* e *influencias culturales*. Por lo tanto, los conceptos y modelos ya analizados en los Capítulos del 2 al 5 pueden ser especialmente útiles para comprender la adecuación. Algunos ejemplos se muestran en la Figura 9.4. Sin embargo, hay un aspecto importante a tener en cuenta. Es muy probable que la mayor parte de las cuestiones hayan sido abordadas si han sido empleados los conceptos y técnicas presentados en

Figura 9.4 Adecuación de las opciones estratégicas en relación con la opción estratégica

Concepto	Figuras ilustraciones	Ayuda a comprender	Las estrategias adecuadas deben abordar
PESTEL	Ill. 2.1	Inductores clave del entorno Cambios en la estructura de la industria	Ciclos de la industria Convergencia de la industria Principales cambios ambientales
Escenarios	Ill. 2.2	Grado de incertidumbre/riesgo Grado en el que las opciones estratégicas son mutuamente excluyentes	Necesidades de planes de contingencia o *investigaciones* de bajo coste
Cinco fuerzas	Fig. 2.2 Ill. 2.3	Atractivo de la industria Fuerzas competitivas	Reducción de la intensidad competitiva Desarrollo de barreras a los nuevos entrantes
Grupos estratégicos	Ill. 2.5	Atractivo de los grupos Barreras de movilidad Espacios estratégicos	Necesidad de reposicionarse hacia un grupo más atractivo o hacia un espacio estratégico disponible
Competencias esenciales	Figs. 3.1, 3.6, 3.8	Estándares umbral de la industria Bases de la ventaja competitiva	Eliminación de las debilidades Explotación de las fortalezas
Cadena de valor	Figs. 3.6, 3.7	Oportunidades para la integración vertical o externalización	Grado de integración vertical o posible externalización
Mapa de "stakeholders"	Fig. 4.5 Ill. 4.4a, b	Poder e interés de los stakeholders	Qué opciones estratégicas es probable que consideren los intereses de qué stakeholders
Red cultural	Fig. 5.7 Ill. 5.4	Los vínculos entre la cultura organizativa y la estrategia actual	Las opciones estratégicas más alineadas con la cultura imperante

los Capítulos del 2 al 5. Por lo tanto, es importante que las cuestiones realmente importantes sean identificadas de entre todas estas. De hecho, una importante habilidad del estratega es que sea capaz de discernir tales *cuestiones estratégicas clave*. Evaluar la adecuación de una estrategia resulta extremadamente difícil a menos que tales cuestiones hayan sido identificadas previamente.

El análisis sobre las direcciones estratégicas recogido en los Capítulos del 6 al 8 y sobre los métodos de desarrollo en el Apartado 9.2, no solo se referían a la comprensión de qué direcciones y métodos están *disponibles* para las organizaciones, sino que también proporcionan razones por las que las estrategias pueden ser consideradas como *adecuadas*. La Figura 9.5 resume estos aspectos de los

Figura 9.5 Algunos ejemplos de adecuación

Opción estratégica	Por qué esta opción puede ser adecuada en términos de:		
	Entorno	Capacidad	Influencias del "stakeholder"/cultural
Direcciones			
Consolidación	Retirada de los mercados en declive Mantenimiento de la cuota de mercado	Construida sobre las fortalezas mediante la continua inversión e innovación	Asociado a lo que conoce mejor la organización y sus stakeholders
Penetración de mercado	Conseguir cuota de mercado para conseguir ventaja	Explotar recursos y competencias superiores	
Desarrollo de producto	Explotar el conocimiento de las necesidades del cliente	Explotar I+D	Minimiza el riesgo de alejarse de los stakeholders con intereses en mantener el status quo o tomar decisiones que vayan en contra de la cultura
Desarrollo de mercado	Mercados actuales saturados Nuevas oportunidades para: extensión geográfica, entrar en nuevos segmentos o nuevos usos	Explotar productos y capacidades actuales	
Diversificación	Mercados actuales saturados o en declive	Explotar competencias esenciales en nuevos ámbitos	Cumple las necesidades de los stakeholders con expectativas de crecimiento más rápido Potencial choque con la cultura
Métodos			
Desarrollo orgánico	Socios o adquisiciones no disponibles o no adecuados	Construido sobre las propias capacidades Aprendizaje y desarrollo de competencias	Facilidad cultura/política
Fusión/ adquisición	Velocidad Oferta/demanda Ratios P/E	Adquirir competencias Economías de escala	Resultados: crecimiento o valor de la acción Potencial choque con la cultura
Desarrollo conjunto	Velocidad Norma en la industria Necesario para la entrada en el mercado	Competencias complementarias Aprendizaje de los socios	Reduce el riesgo De moda

apartados anteriores y proporciona razones y ejemplos de por qué las direcciones o métodos estratégicos pueden ser considerados como adecuados.

Puede haber opciones *disponibles* para una organización que sean más o menos adecuadas que otras. Pueden utilizarse una serie de herramientas de evaluación para valorar la adecuación. Los siguientes modelos son útiles que pueden ayudar a comprender mejor la adecuación relativa de las diferentes opciones estratégicas:

- *Clasificar las opciones estratégicas*. Las opciones son valoradas a partir de factores clave relacionados con la posición estratégica de la organización y se establece una puntuación (o clasificación). Véase la Ilustración 9.1 para un ejemplo detallado.
- Los *árboles de decisión* también pueden ser utilizados para valorar las opciones estratégicas a partir de una lista de factores clave. En este caso, las opciones son *eliminadas* y las opciones preferidas aparecen al introducir de manera progresiva requerimientos que deben ser cumplidos (como crecimiento, inversión o diversidad). Véase la Ilustración 9.2.
- *Escenarios*. Las opciones estratégicas son consideradas a partir de una serie de posibles situaciones futuras. Esto es especialmente útil si existe un gran nivel de incertidumbre (tal y como se analizaba en el Apartado 2.2.2: Ilustración 2.2). Las opciones adecuadas son aquellas que son sensibles en términos de los distintos escenarios, por lo que algunas necesitan *mantenerse abiertas,* quizás en la forma de planes de contingencia. O podría ocurrir que una opción que esté siendo considerada se encuentre que es adecuada en diferentes escenarios.

9.3.2. Aceptabilidad

La **aceptabilidad** se refiere a los resultados esperados de una estrategia y al grado en el que estos satisfacen las expectativas de los *stakeholders.*

La **aceptabilidad** se refiere a los resultados esperados de una estrategia. Estos pueden ser de tres tipos: *rendimiento, riesgo* y *reacciones de los stakeholders*. La Figura 9.6 resume algunas herramientas que pueden ser útiles para comprender la aceptabilidad de las estrategias, junto a algunas de sus limitaciones. Normalmente resulta adecuado utilizar más de un enfoque para valorar la aceptabilidad de una estrategia.

Rendimiento

Los **rendimientos** son los beneficios que los stakeholders esperan recibir de una estrategia.

Los **rendimientos** son los beneficios que los *stakeholders* esperan recibir de una estrategia. Las medidas de rendimiento son una forma común de valorar las propuestas de nuevos negocios o de importantes proyectos por parte de los directivos de negocio. Por lo tanto, una valoración de los rendimientos financieros y no financieros para las distintas opciones estratégicas específicas podría ser un criterio clave de aceptabilidad de una estrategia —al menos para algunos *stakeholders*—. Existen diferentes enfoques para analizar el rendimiento. Este apartado se centra brevemente en tres de ellos. Es importante recordar que no existen estándares absolutos de lo que constituye un buen o mal rendimiento. Diferirá entre industrias, países y entre diferentes *stakeholders*. También existen visiones diferentes con respecto a qué medidas proporcionan la mejor valoración del rendimiento, tal y como veremos más adelante.

Ilustración 9.1

Jerarquización de opciones: Churchill Pottery

La jerarquización puede basarse en un análisis DAFO comparando las opciones estratégicas con los factores estratégicos clave derivados del análisis.

En los años noventa, Churchill Pottery, con sede en Stoke-on-Trent, Reino Unido, era una de las protagonistas de la serie de la BBC titulada *Troubleshooter*, en la que los equipos directivos de una serie de compañías eran invitados a analizar el desarrollo estratégico de sus organizaciones con Sir John Harvey-Jones (ex presidente de ICI). Como muchas compañías manufactureras tradicionales en ese momento, Churchill se encontraba bajo una presión creciente por parte de importaciones más baratas en sus mercados tradicionales, y estaba considerando si desplazarse al mercado de *calidad superior*, lanzando una nueva gama dirigido al extremo del mercado que aprecia el diseño. El ejercicio de clasificación de más abajo fue realizado por un grupo de participantes en un programa de dirección que había visto el vídeo de Churchill Pottery.

Los resultados de la clasificación eran interesantes. En primer lugar, ponían de manifiesto la necesidad de hacer *algo*. En segundo lugar, los cambios radicales en la estrategia —como movimientos hacia el comercio minorista o diversificación— son considerados como no adecuados. No abordan los problemas del negocio esencial, no se ajustan a las capacidades de Churchill y no se ajustarían culturalmente. Esto deja a los desarrollos relacionados como los favoritos —como puede esperarse en una empresa manufacturera tradicional como Churchill. La elección se reduce a inversiones significativas en reducción de costes para apoyar un enfoque esencialmente *commodity* al mercado (opciones 2 a 5) o un ataque de los segmentos crecientes de *calidad superior*. La compañía eligió lo último y con cierto éxito —presumiblemente ayudada por su amplia exposición a través de la serie *Troubleshooter*—.

Fuente: basado en las serie de la BBC *Troubleshooter*.

Preguntas

1. La opción 4 ha sido clasificada delante de las otras debido a que:
   a) ¿Es la que más marcas positivas tiene?
   b) ¿Es la que menos marcas negativas tiene?
   c) ¿Es una combinación de ambos?
   d) ¿Por otras razones?

   Justifique su respuesta.
2. Enumere las principales fortalezas y limitaciones del análisis de jerarquización.

	Factores estratégicos clave						
Opciones estratégicas	Propiedad familiar	Fondos para invertir	Importaciones de bajo precio	Carencia de habilidades de diseño/marketing	Baja automatización	Gusto del consumidor (diseño)	Clasificación
1. No hacer nada	✓	?	✗	?	✗	✗	**C**
2. Consolidarse en los segmentos actuales (inversión/automatización)	✓	✗	✓	?	✓	?	**B**
3. Expandirse en el exterior	✗	✗	✗	✗	✗	?	**C**
4. Lanzar una gama de *calidad superior*	✓	✓	✓	✗	?	✓	**A**
5. Expandir la producción de *marca propia* (hacia hoteles/empresas de catering)	✓	✓	✓	?	✗	?	**B**
6. Abrir establecimientos minoristas	✗	✗	?	✗	?	?	**C**
7. Diversificar	✗	✗	?	?	?	✓	**C**

✓ Favorable; ✗ = Desfavorable; **?** = Incierto o irrelevante.

A = Más adecuada; **B** = Posible; **C** = No adecuada

Ilustración 9.2

Un árbol de decisión estratégico para un bufete de abogados

Los árboles de decisión evalúan opciones futuras al eliminar progresivamente otras conforme se introducen criterios adicionales a la evaluación.

La mayor parte del trabajo de un determinado bufete de abogados estaba relacionado con la transmisión de inmuebles, cuyos beneficios se habían reducido de manera significativa. Por lo tanto, se quería considerar una serie de nuevas estrategias para el futuro. Utilizando un árbol de decisión estratégico, se fue capaz de eliminar determinadas opciones identificando unos pocos criterios clave que deberían incorporar los desarrollos futuros, como crecimiento, inversiones (en local, sistemas de TI o adquisiciones) y diversificación (por ejemplo, en derecho matrimonial, que, de hecho, a menudo proporciona trabajos de transmisión de inmuebles en la medida en que las familias *se reorganizan*).

El análisis del árbol de decisión revela que si los socios de la empresa desean que el crecimiento sea un importante aspecto de las estrategias futuras, las opciones 1-4 se encuentran mejor valoradas que las opciones 5-8. En un segundo paso, la necesidad de estrategias que supongan una baja inversión colocaría las opciones 3 y 4 por debajo de las opciones 1 y 2 y así sucesivamente.

Los socios eran conscientes de que esta técnica tiene limitaciones, de manera que la elección de cada rama en el árbol puede tender a ser simplista. Responder sí o no a la diversificación no permite la amplia variedad de alternativas que pudieran existir entre ambos extremos, por ejemplo *adaptar el estilo del servicio de transmisiones* (esto podría ser una variante importante de las opciones 6 u 8). Sin embargo, como punto de partida para la evaluación, el árbol de decisión es una herramienta útil.

Preguntas

1. Trate de invertir la secuencia de los tres parámetros (diversificación, inversión y crecimiento) y vuelva a trazar el árbol de decisión. ¿Aparecen las mismas ocho opciones?
2. Añada un cuarto parámetro al árbol de decisión. Este nuevo parámetro es el desarrollo mediante *métodos internos* o mediante *adquisiciones*. Enumere las 16 opciones en la columna de la derecha.

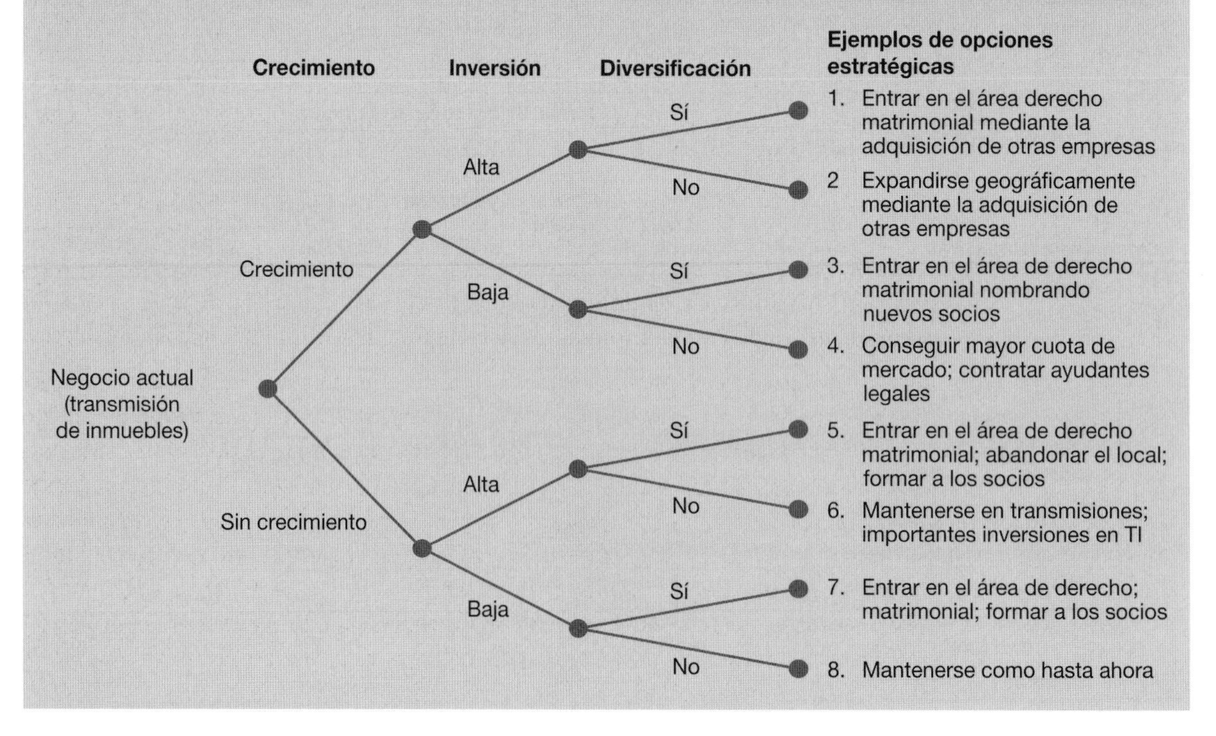

Figura 9.6 Algunos criterios para valorar la aceptabilidad de las opciones estratégicas

Criterios	Utilizados para comprender	Ejemplos	Limitaciones
Rendimiento			
Rentabilidad	Rendimiento financiero sobre las inversiones en proyectos importantes	Rendimiento sobre el capital Plazo de recuperación Flujo de caja descontado	Se aplica a proyectos diferenciados Solo costes/beneficios tangibles
Coste-beneficio	Costes/beneficios más amplios (incluyendo intangibles)	Importantes proyectos de infraestructuras	Dificultades de cuantificación
Opciones reales	Secuencia de decisiones	Análisis de las opciones reales	Cuantificación
Análisis del valor para el accionista	Impacto de las nuevas estrategias sobre el valor para los accionistas	Fusiones/adquisiciones Valoración de nuevos negocios	Detalle técnico a menudo difícil
Riesgo			
Proyecciones de ratios financieros	Solidez de la estrategia	Análisis del punto muerto Impacto sobre el apalancamiento y liquidez	
Análisis de sensibilidad	Comprobación de los supuestos/solidez	Análisis *¿Qué pasa si?*	Probar los factores de manera separada
Reacciones de los "stakeholders"	Dimensiones políticas de la estrategia	Mapa de los stakeholders	Fundamentalmente cualitativo

Análisis financiero[9]

Los análisis financieros tradicionales son utilizados de manera extensiva en la valoración de la aceptabilidad de diferentes opciones estratégicas. Tres enfoques comúnmente utilizados son:

- Previsiones del *rendimiento sobre el capital empleado (ROCE)* para un periodo de tiempo específico después de que una nueva estrategia haya sido puesta en marcha. Por ejemplo, un ROCE del quince por ciento en el año 3. Esto se muestra en la Figura 9.7(a). El ROCE es una medida del poder de generación de ingresos de los recursos utilizados en la implementación de una determinada opción estratégica.
- Cálculo del *periodo de recuperación*. Este es el tiempo que transcurre hasta que los flujos de caja acumulados para una opción estratégica se convierten en positivos. En el ejemplo de la Figura 9.7(b), el periodo de recuperación es de tres años y medio. La recuperación es utilizada como un criterio financiero cuando es necesaria una inyección de capital significativa para poder realizar un nuevo negocio. El juicio que tiene que hacerse es si el periodo de recuperación es demasiado largo y si la organización está preparada para esperar. Los periodos de recuperación varían de industria en industria. Los proyectos de infraestructuras públicas como la construcción de carreteras pueden valorarse a partir de periodos de recuperación que superan los cincuenta años.

Figura 9.7 Valoración de la rentabilidad

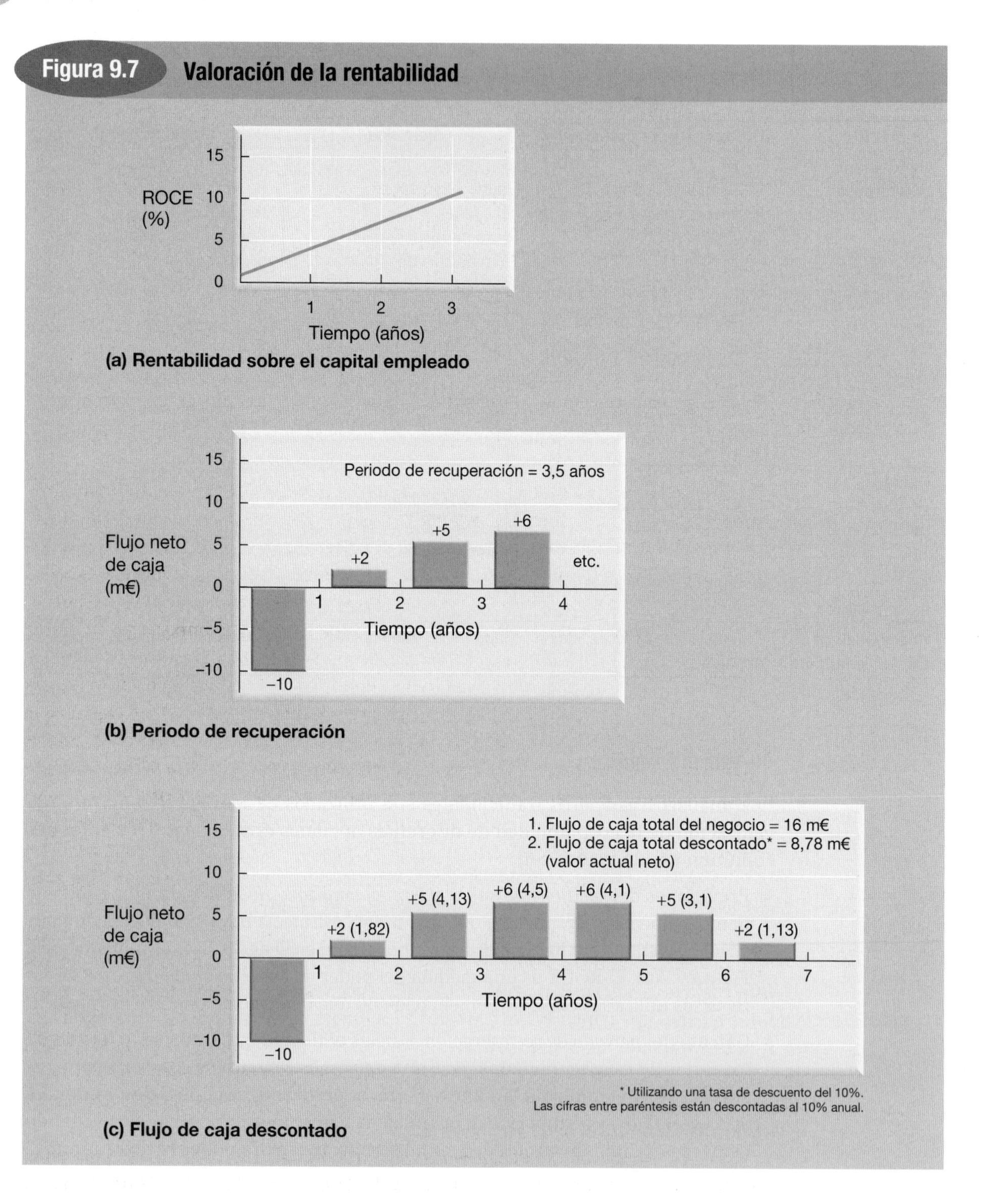

- Calcular los *flujos de caja descontados*. Esta es una técnica de valoración de inversiones ampliamente utilizada. Es una extensión del análisis del periodo de recuperación. Una vez que las entradas y salidas de caja han sido valoradas para cada uno de los años de la opción estratégica (véase la Figura 9.7(c)) son descontadas. Esto refleja el hecho de que los fondos generados pronto son más valiosos que los fondos generados tarde. En el ejemplo, el coste de capital o tasa de descuento del diez por ciento (después de impuestos) refleja la tasa de rendimiento requerida por aquellos que proporcionan fondos para el negocio —accionistas y/o prestamistas—. El diez por ciento de coste de capital *incluye* un complemento por inflación de entre el tres y el cuatro por ciento. Es denominado *coste monetario del capital*. Por el contrario, el coste *real* del capital es del seis o el siete por ciento *después* de *excluir* la inflación.

El flujo de caja después de impuestos proyectado de dos millones de euros al comienzo del año 2 es equivalente a recibir 1,82 millones de euros ahora (dos millones de euros multiplicados por 0,91 o 1/1,10). La cifra de 1,82 millones de euros es denominada el *valor actual* de recibir dos millones de euros al final del año 1/comienzo del año 2 a un coste de capital del diez por ciento. De manera similar, los flujos después de impuestos de cinco millones de euros al final del año 2/comienzo del año 3, tienen un valor actual de 4,13 millones de euros (cinco millones de euros multiplicados por 1/1,10 al cuadrado). El *valor actual neto (VAN)* del proyecto en conjunto se obtiene sumando todos los valores actuales netos durante la vida del proyecto. En el ejemplo es de siete años. El VAN es de 9,78 millones de euros. Al tener en cuenta el valor del dinero en el tiempo, los 8,78 millones de euros son el flujo de caja extra que generará una opción estratégica durante toda su vida. Es importante recordar que el análisis de los flujos de caja descontados es solo tan bueno como los supuestos sobre los que se encuentra basado. Por ejemplo, si el incremento del volumen de ventas del tres por ciento al año se vuelve poco realista, entonces el cálculo del VAN será excesivamente optimista. La *tasa interna de rendimiento (TIR)* es la tasa de rendimiento que produce un VAN de cero. Por ejemplo, en la Figura 9.7(c), un coste de capital o tasa de descuento del 32 por ciento produciría un VAN de cero.

Existen también otras consideraciones que hay que tener en mente cuando se lleva a cabo un análisis financiero. En particular, no hay que equivocarse por la aparente rigurosidad de los distintos enfoques. La mayoría de ellos han sido desarrollados con el propósito de la valoración de inversiones. Por lo tanto, se centran en proyectos diferenciados en los que las entradas y salidas de fondos adicionales pueden ser predichas de manera relativamente fácil: por ejemplo, un minorista abriendo una nueva tienda. Tales supuestos no son necesariamente válidos en muchos contextos estratégicos. La forma precisa en la que se desarrolla una estrategia (y las consecuencias en términos de flujos de caja asociados) tiende a mostrarse más claras conforme la implementación se produce que al inicio. No son fáciles de aislar los desarrollos estratégicos y los flujos de caja asociados de las actividades de negocio en curso.

Adicionalmente, las proyecciones financieras tienden a centrarse en los costes y beneficios directos *tangibles*, en lugar de en la estrategia de manera más amplia. Por ejemplo, un nuevo producto puede mostrarse no rentable como proyecto simple. Pero puede tener sentido estratégico al mejorar la aceptabilidad de mercado de otros productos de la cartera de la compañía. En un intento de superar algunas de estas limitaciones, han sido desarrollados otros enfoques en la valoración del rendimiento.

Coste-beneficio

En muchas situaciones, el beneficio es una interpretación excesivamente estrecha del rendimiento, particularmente en aquellas en las que los beneficios intangibles tienen una importante consideración. Esto es normalmente así para importantes proyectos de infraestructura pública, como la ubicación de un aeropuerto o un proyecto de alcantarillado, tal y como muestra la Ilustración 9.3, o en organizaciones con programas de innovación a largo plazo (por ejemplo empresas farmacéuticas o aeroespaciales). El concepto *coste-beneficio* sugiere que puede establecerse un valor monetario para todos los costes y beneficios de una estrategia, incluyendo rendimientos tangibles e intangibles hacia personas y organizaciones distintas de las que *patrocinan* el proyecto o estrategia.

Aunque en la práctica la valoración monetaria es a menudo difícil, puede realizarse, y, a pesar de sus dificultades, el análisis coste-beneficio es útil siempre que sus limitaciones sean comprendidas. Su principal beneficio es que fuerza a los directivos a ser explícitos con respecto a los distintos factores que influyen sobre la elección de la estrategia. Por lo tanto, incluso si la gente está en desacuerdo sobre el valor que debería asignarse a determinados costes o beneficios, al menos pueden argumentar sus razones sobre una base común y comparar los méritos de los distintos argumentos.

Riesgo

El **riesgo** se refiere a la probabilidad y las consecuencias del fracaso de una estrategia.

Otro aspecto de la aceptabilidad es el *riesgo* al que se enfrenta una organización al poner en marcha una estrategia. El **riesgo** se refiere a la probabilidad y las consecuencias del fracaso de una estrategia. El riesgo puede ser elevado para organizaciones con importantes programas de innovación a largo plazo, en el que existen altos grados de incertidumbre sobre aspectos clave en el entorno o si existen altos niveles de preocupación pública con respecto a nuevos desarrollos —como semillas genéticamente modificadas—. Las valoraciones formales de riesgo a menudo se encuentran incorporadas en planes de negocio, de la misma forma que las proyecciones de inversión de importantes proyectos. Otros riesgos diferentes de los que tienen impacto financiero inmediato se incluyen como *riesgo de imagen corporativa o de marca* o *riesgo de perder una oportunidad*. El desarrollo de un buen entendimiento de la posición estratégica de una organización (Capítulos del 2 al 4 de este libro) se encuentra dentro de la esencia de una buena valoración del riesgo. Sin embargo, algunos de los conceptos que se presentan a continuación también pueden ser utilizados para establecer los detalles de una valoración del riesgo.

Ratios financieros

La proyección de cómo pueden cambiar los ratios financieros clave si una estrategia fuera adoptada puede proporcionar ideas útiles sobre el riesgo. Al nivel más amplio, una valoración de cómo la *estructura de capital* de la empresa cambiaría es una buena medida general de riesgo. Por ejemplo, las estrategias que requie-

Ilustración 9.3

Proyecto de construcción de una red de alcantarillado

La inversión en elementos de infraestructura —como una red de alcantarillado— a menudo requiere de una cuidadosa consideración de los costes y beneficios generales del proyecto.

Las compañías suministradoras de agua británicas privatizadas eran monopolios en el suministro de agua y la eliminación de aguas residuales. Una de sus prioridades era la inversión en nuevos sistemas de alcantarillado para cumplir los estándares cada vez más exigentes impuestos por la ley. Frecuentemente utilizaban el análisis coste-beneficio para valorar proyectos. Las cifras que se presentan a continuación proceden de un análisis real.

Coste/Beneficio	**Millones de libras**	**Millones de libras**
Beneficios		
Beneficios multiplicador/vinculación		0,29
Prevención de inundaciones		2,5
Reducción de las interrupciones de tráfico		7,2
Beneficios ecológicos		4,6
Beneficio de las inversiones		23,6
Fomento de visitantes		4,0
Beneficios totales		42,8
Costes		
Costes de construcción	18,2	
Menos: costes de trabajo sin cualificación	(4,7)	
Coste de oportunidad de la construcción	(13,5)	
Valor actual de los beneficios netos	29,3	
Tasa interna de rendimiento real	15%	

Nota: cifras descontadas a la tasa de descuento *real* del 5% durante 40 años.

Beneficios

Los beneficios resultan principalmente del menor uso de los ríos como cloacas en superficie. También existen beneficios económicos resultantes de la construcción. Los siguientes beneficios se encuentran cuantificados en la tabla:

- Los beneficios del efecto multiplicador con respecto a la economía local del mayor gasto de aquellos que están empleados en el proyecto.
- El beneficio del efecto vinculación con respecto a la economía local, derivado de las compras a empresas locales, incluyendo el efecto multiplicador sobre tal gasto.
- Reducción del riesgo de inundaciones de los ríos o del colapso de los viejos alcantarillados: las probabilidades de inundaciones pueden ser cuantificadas utilizando registros históricos y el coste de los daños de las inundaciones mediante valoraciones detalladas de las propiedades vulnerables a los daños.
- La reducción de la interrupción del tráfico derivada de inundaciones y cierres de carreteras para reparar los viejos alcantarillados: estadísticas sobre los costes de los retrasos para los usuarios, flujos de tráfico sobre las carreteras afectadas y la frecuencia de cierre en el pasado pueden ser utilizadas para cuantificar los ahorros.
- El mayor valor ecológico de los ríos (por ejemplo, para pasear en barca o pescar) puede ser medido por encuestas que pregunten a los visitantes qué valor tiene para ellos o mirando el efecto sobre las tasas cobradas en otros lugares.
- El mayor valor de los alquileres y la venta puede medirse mediante la consulta a promotores inmobiliarios y observando los efectos en otros lugares.
- Mayor número de visitantes a las instalaciones de la ribera del río como resultado de una menor contaminación.

Coste de construcción

Este es el coste sin incluir los costes de mano de obra sin cualificar. El uso de trabajo sin cualificar no es una carga en la economía y su coste debe ser deducido para llegar al coste de oportunidad.

Beneficios netos

Una vez que la difícil tarea de cuantificar costes y beneficios está completa, las técnicas de descuento estándar pueden utilizarse para calcular el valor actual neto y la tasa interna de rendimiento y el análisis puede ser realizado de la misma forma que para los proyectos convencionales.

Fuente: G. Owen, anteriormente de la Sheffield Business School.

Preguntas

1. ¿Qué opina con respecto a lo apropiado de los beneficios enumerados?
2. ¿En qué medida es fácil o difícil asignar valores monetarios a tales beneficios?

ran un incremento en la desuda a largo plazo incrementarán el apalancamiento de la compañía y, por lo tanto, su riesgo financiero.

Una consideración del impacto probable sobre la *liquidez* de una organización es también importante para valorar el riesgo. Por ejemplo, un pequeño minorista reacio a crecer fácilmente puede estar tentado de financiar los costes necesarios de amueblamiento de la tienda, retrasando los pagos a los proveedores o el descubierto en el banco. El grado en que este incremento en el riesgo ocasionado por una menor liquidez amenace su supervivencia, depende de la probabilidad de que los acreedores o el banco demanden los pagos a la empresa —una cuestión que claramente requeriría de la justicia.

Análisis de sensibilidad

En ocasiones denominado como análisis *qué ocurre si*, el análisis de sensibilidad permite que cada uno de los supuestos importantes que se encuentra detrás de

Ilustración 9.4

Análisis de sensibilidad

El análisis de sensibilidad es una técnica útil para valorar el grado en el que el éxito de una estrategia depende de supuestos clave que subyacen tras la estrategia

En 2007, Dusnmore Chemical Company era una compañía de un solo producto que se encontraba en un mercado maduro y relativamente estable. Se trataba de utilizar esta situación que constituía una *vaca de caja* para generar fondos para un nuevo negocio con un producto relacionado. Los cálculos habían mostrado que la compañía necesitaría generar unos cuatro millones de libras (unos seis millones de euros) de fondos (en valores de 2007) entre 2008 y 2013 para que su nuevo negocio fuera posible.

Aunque el resultado esperado de la compañía era un flujo de caja de 9,5 millones de libras durante tal periodo (la *base*), la dirección estaba preocupada por valorar el impacto probable de tras factores clave:

- Posibles incrementos en *costes de producción* (trabajo, gastos generales y materiales), que podrían ser como mucho el tres por ciento anual en términos reales.
- *Utilización de la capacidad productiva*, que podría reducirse hasta un veinticinco por ciento debido a la antigüedad de la planta y a unas relaciones laborales difíciles.
- *Niveles de precios*, que podrían verse afectados por la amenaza de entrada de un muevo importante competidor. Esto podría reducir los precios hasta un tres por ciento cada año en términos reales.

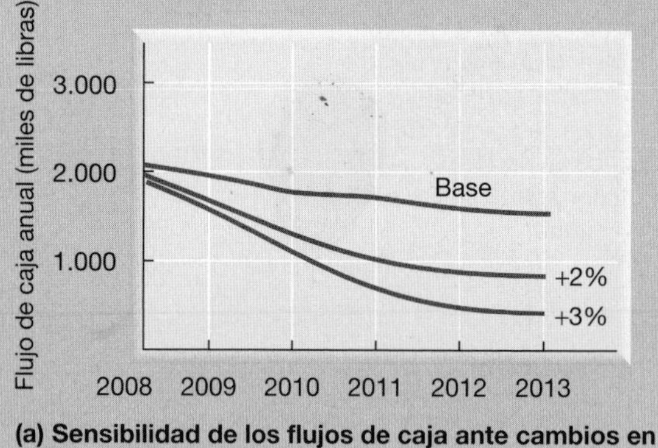

(a) Sensibilidad de los flujos de caja ante cambios en los costes de producción reales

Se decidió utilizar el análisis de sensibilidad para valorar el posible impacto de cada uno de tales factores sobre la capacidad de la compañía de generar cuatro millones de libras. Los resultados se muestran en los gráficos.

A partir de este análisis, la dirección concluyó que su objetivo de cuatro millones de libras sería conseguido con una *capacidad de utilización* como poco del sesenta por ciento, que se iba a conseguir con seguridad. El incremento de los *costes* una estrategia particular sea cuestionado. En particular, prueba lo sensible que es el rendimiento o resultado predicho (por ejemplo, rentabilidad) ante cada uno de tales supuestos. Por ejemplo, los supuestos subyacentes clave que se encuentran tras una estrategia pudieran ser que la demanda de mercado crecerá un cinco por ciento al año, o que la compañía estará libre de huelga o que determinadas máquinas caras operarán al noventa por ciento de carga. El análisis de sensibilidad se pregunta cuál sería el efecto sobre el resultado (en este caso, rentabilidad) de variaciones en tales supuestos. Por ejemplo, si la demanda de mercado crece a una tasa de solo el uno por ciento, o llega hasta el diez por ciento, ¿alteraría alguno de estos extremos la decisión de implementar tal estrategia? Esto puede ayudar a desarrolla una idea más clara de los riesgos de tomar determinadas decisiones estratégicas y el grado de confianza que los directivos pudieran tener en una determinada decisión. La Ilustración 9.4 muestra cómo puede ser utilizado el análisis de sensibilidad.

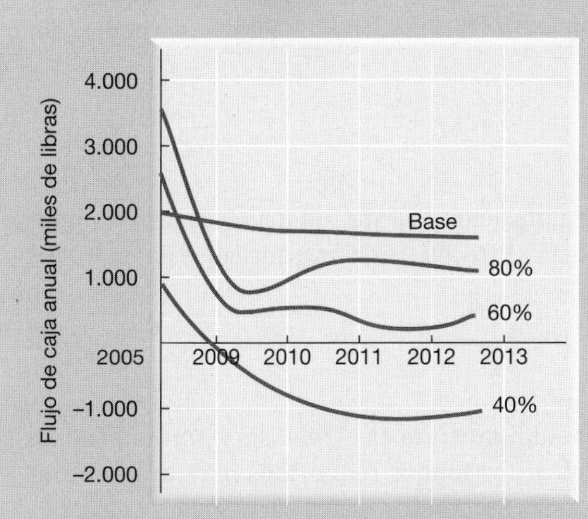

(b) Sensibilidad de los flujos de caja ante cambios en la utilización de la planta

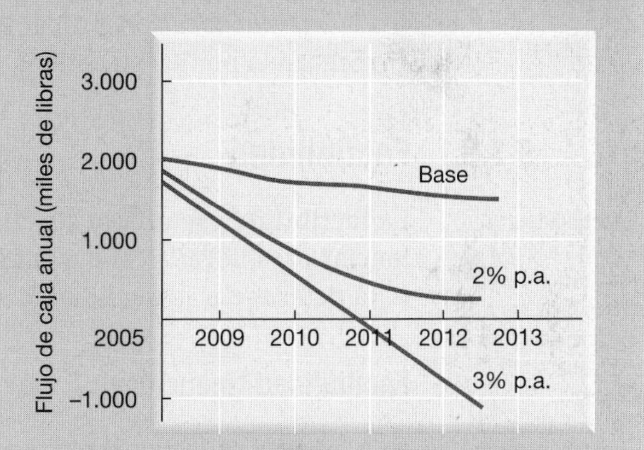

(c) Sensibilidad de los flujos de caja ante cambios en el precio real

Fuente: los cálculos para la prueba de sensibilidad utilizan programas informáticos empleados en el caso estudio de Doman de Peter Jones (Sheffield Business School).

de producción del tres por ciento al año todavía permitiría conseguir a la compañía el objetivo de cuatro millones de libras. Por el contrario, las *reducciones de precios* del tres por ciento al año podrían resultar en un déficit de dos millones de libras.

La dirección concluyó a partir de este análisis que el factor clave que afectaría a su pensamiento sobre esta cuestión era el impacto probable de la nueva competencia y el grado en el que podrían proteger los niveles de precios si aparecía tal competencia. Por lo tanto, desarrollaron una estrategia de marketing agresiva para disuadir a los potenciales entrantes.

Preguntas

1. ¿Qué debería hacer la compañía si las campañas de marketing no son capaces de detener la erosión en los precios reales?:
   a) ¿Intentar conseguir más ventas para aumentar la utilización de la capacidad?
   b) ¿Reducir su coste unitario de producción?
   c) ¿Alguna otra cosa?

Reacciones de los "stakeholders"

El análisis del *mapa de stakeholders* del Apartado 4.4.1 mostraba cómo puede ser utilizado para comprender el contexto político y considerar la agenda política en una organización. Sin embargo, el mapa de *stakeholders* puede también ser útil para comprender las posibles reacciones de los *stakeholders* ante las nuevas estrategias, la habilidad de gestionar tales reacciones y de ahí la aceptabilidad de una estrategia.

Existen muchas situaciones en las que las reacciones de los *stakeholders* podrían ser cruciales. Por ejemplo:

- *Reestructuración financiera*. Una nueva estrategia puede requerir de la reestructuración financiera de un negocio, por ejemplo el lanzamiento de nuevas acciones, lo que podría ser inaceptable para grupos poderosos de *stakeholders,* dado que diluye su poder de voto.
- *Una fusión o adquisición* podría ser inaceptable para los sindicatos, el gobierno o algunos clientes.
- *Un nuevo modelo de negocio* podría eliminar canales (por ejemplo minoristas), lo que podría derivar en una reacción violenta, que podría hacer peligrar el éxito de la estrategia.
- *La externalización* es probable que resulte en pérdidas de empleos y podría ser rechazada por los sindicatos.

9.3.3. Factibilidad

La **factibilidad** se refiere a si una organización cuenta con los recursos y competencias para llevar a cabo una estrategia.

La **factibilidad** se refiere a si una organización cuenta con los recursos y competencias para llevar a cabo una estrategia. Pueden utilizarse una serie de enfoques para determinar la factibilidad.

Factibilidad financiera

Una forma útil de valorar la factibilidad financiera es el *análisis y previsión de los flujos de caja* [10]. Este persigue identificar los fondos requeridos para una estrategia y las fuentes probables para obtener los fondos. Estos recursos en ocasiones son denominados *fuentes de financiación*. Esto se muestra en la Ilustración 9.5. La previsión de flujos de caja se encuentra, por supuesto, sujeta a las dificultades y errores de cualquier método de previsión. Sin embargo, debería poner de manifiesto si una estrategia propuesta es probable que sea factible en términos de generación de fondos y de la disponibilidad en el momento adecuado de los nuevos requerimientos de fondos.

La factibilidad financiera también puede ser valorada mediante un análisis del umbral de rentabilidad [11]. Este es un enfoque simple y ampliamente utilizado para juzgar la factibilidad de alcanzar objetivos financieros como el ROCE y el beneficio operativo. Además, proporciona una valoración de los riesgos de las distintas estrategias, particularmente si diferentes opciones estratégicas requieren de estructuras de costes muy diferentes.

Ilustración 9.5

Análisis de los flujos de caja. Un ejemplo

Un análisis de los flujos de caja puede ser utilizado para valorar si una estrategia propuesta es probable que sea factible en términos financieros. Lo consigue, en primer lugar, haciendo previsiones sobre los fondos que serían necesarios para la estrategia, y, en segundo lugar, identificando las fuentes probables de financiación para tales requerimientos de fondos.

Kentex Plc (un minorista británico de material eléctrico) estaba considerando llevar a cabo una estrategia de expansión. En el futuro inmediato, supondría abrir nuevas tiendas en la República de Irlanda. Para evaluar la factibilidad financiera de esta propuesta y establecer los requerimientos de fondos y fuentes de financiación, la compañía decidió llevar a cabo un análisis de los flujos de caja.

Etapa 1: Cálculo de las entradas de fondos

La apertura de nuevos establecimientos se preveía que incrementase los ingresos o ventas desde los actuales 30 millones de libras (unos 45 millones de euros), hasta los 31,65 millones de libras durante los tres años siguientes. Además, se esperaba generar flujos de caja operativo de 15 millones de libras durante el mismo periodo de tiempo.

Etapa 2: Cálculo de las salidas de fondos

Habría una serie de costes asociados a las nuevas tiendas. En primer lugar, Kentex decidió comprar en lugar de alquilar inmuebles, por lo que serían necesarias inversiones en capital para adquirirlos y acondicionar las tiendas. La previsión era de 13,25 millones de libras. Además sería necesario un mayor fondo de maniobra para cubrir los stocks adicionales. Las previsiones para estos estaban basadas solo en simples estimaciones de proporciones. Sobre el nivel de ventas previo de 30 millones de libras, ventas adicionales de 1,65 millones de libras hacían necesario un incremento en el fondo de maniobra de 0,55 millones de libras. Los pagos por impuestos y dividendos esperados estaban calculados en 1,2 y 0,5 millones de libras respectivamente.

Etapa 3: Cálculo y financiación de las necesidades de capital

Los cálculos muestran un déficit de 0,5 millones de libras. El problema al que se enfrentaba Kentex era cómo financiar ese déficit. Podría obtener dinero mediante una ampliación de capital, pero la compañía decidió buscar un crédito a corto plazo de 0,65 millones de libras. Esto supondría el pago de intereses de 0,15 millones de libras durante el periodo de tres años suponiendo un interés simple del 7,5 por ciento anual. Por lo tanto, la cantidad de fondos obtenidos sería de 0,5 millones de libras.

El análisis conjunto de los flujos de caja se resume a continuación:

Entradas de fondos	Salidas de fondos
Flujos de fondos operativos, 15 millones de libras	Gasto de capital, 13,25 millones de libras
	Incremento del fondo de maniobra, 0,55 millones de libras
	Impuestos, 1,2 millones de libras
	Subtotal de salidas de fondos, 15 millones de libras
	Dividendos, 0,5 millones de libras
	Salidas de fondos totales, 15,5 millones de libras

Nota: La diferencia entre las entradas de fondos y las salidas de fondos era de 500.000 libras.

Preguntas

1. ¿Qué partes de esta valoración es probable que tengan la mayor probabilidad de error?
2. ¿Cuáles son las implicaciones de su respuesta a la pregunta 1 con respecto al análisis que debería ser presentado a los decisores?
3. ¿Cómo afectaría esta incertidumbre a la dirección de la fase de implementación si es dada la aprobación?

Disponibilidad de recursos

Aunque la factibilidad financiera es importante, puede conseguirse una comprensión más amplia de la factibilidad identificando los recursos y competencias necesarios para una determinada estrategia. De hecho, la efectividad de una estrategia es probable que dependa de si tales capacidades se encuentran disponibles o pueden ser desarrolladas u obtenidas. Por ejemplo, la expansión geográfica en un mercado puede depender de manera crítica de su experiencia en *marketing* y distribución, junto con la disponibilidad de fondos para financiar mayores *stocks*. O una estrategia de desarrollo de nuevos productos para venderlos a los clientes actuales puede depender de habilidades de ingeniería, la capacidad de mecanizado y la reputación de la compañía de calidad de los nuevos productos.

Una valoración de la disponibilidad de recursos puede ser utilizada para juzgar: (a) el grado en el que es necesario cambiar las capacidades actuales de una organización para conseguir o mantener los requerimientos *umbral* para una estrategia; y (b) si y cómo pueden ser desarrollados los recursos y/o competencias esenciales para mantener la ventaja competitiva. La cuestión es si tales cambios son *factibles* en términos de escala, calidad del recurso o periodo de tiempo del cambio.

Estrategia en acción

El tema de la factibilidad es tratado de manera más general a través de las cuestiones tratadas en el capítulo final del libro. En este capítulo final se tratan aspectos no sólo financieros y de disponibilidad de recursos, sino también la cuestión de si la estrategia diseñada puede ser implementada en términos de:

- Cómo puede ponerse en práctica una determinada estrategia con respecto a la forma en la que la organización necesita estar estructurada.
- Qué procesos directivos (por ejemplo, en términos de sistemas de planificación y control) son necesarios y en qué medida pueden ser efectivos a la hora de poner en marcha una estrategia.
- Cómo deben gestionarse los cambios en la estrategia.

RESUMEN

- Existen tres *métodos* de desarrollo de la estrategia:
  - El *desarrollo orgánico* tiene la principal virtud de basarse en las capacidades estratégicas de una organización. Sin embargo, puede resultar en recursos excesivamente desarrollados y es probable que requiera del desarrollo de tales capacidades.
  - Las *fusiones y adquisiciones* pueden tener ventajas de velocidad y la capacidad de adquirir competencias no disponibles internamente. Sin embargo, los antecedentes existentes sobre las adquisiciones no son buenos.
  - Las *alianzas* de éxito parecen ser aquellas en las que los socios tienen una actitud positiva hacia la naturaleza evolutiva de la alianza y en las que existe confianza entre los socios.
- El éxito o el fracaso de las estrategias estará relacionado con tres *criterios de éxito* principales:
  - *Adecuación,* que se refiere a si una estrategia aborda la posición estratégica de la organización, tal y como se analizaba en los Capítulos del 6 al 9 del libro. Se refiere a la lógica de la estrategia.
  - La *aceptabilidad* de una estrategia se refiere a tres cuestiones: el *rendimiento* esperado de una estrategia, el nivel de *riesgo* y la probable *reacción de los "stakeholders"*.
  - *Factibilidad,* que se refiere a si una organización posee o puede obtener las capacidades para llevar a cabo una estrategia.

Lecturas clave recomendadas

- Un libro de texto completo sobre fusiones y adquisiciones es P. Gaughan, *Mergers, Acquisitions and Corporate Restructurings,* cuarta edición, Wiley, 2007.
- Un libro útil sobre alianzas estratégicas es J. Child, *Cooperative strategy,* Oxford University Press, 2005.
- Un libro que explora las técnicas de la evaluación de las estrategias de manera más complete es V. Ambrosini, G. Johnson y K. Scholes (eds), *Exploring Techniques of Analysis Evaluation in Strategic Management,* Prentice Hall, 1998.

Referencias

1. F. Mognetti, *Organic Growth: Cost-Effective Business Expansion from Within,* Wiley, 2002.
2. No obstante, ver J. Dyer, P. Kale y H. Singh, "How to make strategic alliances work", *Sloan Management Review,* vol. 42, no. 4 (2001), pp. 37-43.

3. Esta definición se basa en la explicación de ul-Haq de las alianzas de infraestructura, véase R. ul-Haq, *Alliances and Co-Evolution: Insights from the Banking Sector,* Palgrave, 2005, pp. 6-9.

4. Para un análisis más completo del papel de las alianzas y las empresa conjuntas en la exploración *versus* explotación, véase W. Kummerle, "Home base and knowledge management in international ventures", *Journal of Business Venturing, 17,* núm. 2 (2002), pp. 99-122.

5. Estas características están basadas en J. Carlos Jarillo, "On Strategic Networks", *Strategic Management Journal,* vol. 9, núm. 1 (1988), pp. 31-41.

6. Véase Y. Doz y G. Hamel, *Alliance Advantage: The art of Creating value through partnering,* Harvard Business School Press, 1998; T. Pietras y C. Stormer, "Making strategic alliances work", *Business and Economic Review,* vol. 47, núm. 4 (2001), pp. 9-12; N. Kaplan y J. Hurd, "Realising the promise of partnerships', *Journal of Business Strategy,* vol. 23, núm. 3 (2002), 38-42; A. Parkhe, "Interfirm diversity in global alliances", *Business Horizons,* vol. 44, núm. 6 (2001); R. ul-Haq (referencia 3); I. Hipkin y P. Naude, "Developing Effective Alliance Partnerships", *Long Range Planning,* vol. 39 (2006), pp. 51-69; A. Inkpen, "Learning and Knowledge Acquisition Through International Strategic Alliances", *Academy of Management Executive,* vol. 2, núm. 4 (1998), pp. 69-80; y "Learning through joint ventures: a framework of knowledge acquisition", *Journal of Management Studies.* vol. 37, núm. 7 (2000), pp. 1019-1045.

7. Véase I. Hipkin y P. Naude (referencia 6).

8. Inkpen en *Academy of Management Executive* (referencia 6).

9. La mayoría de los textos sobre finanzas y contabilidad explican con mayor detalle los análisis financieros resumidos aquí. Por ejemplo, véase G. Arnold, *Corporate Financial Management,* tercera edición, Prentice Hall, 2005, capítulo 4.

10. Véase G. Arnold, *Corporate Financial Management,* tercera edición, FT/Prentice Hall, 2005, capítulo 3, p. 108.

11. El análisis del umbral de rentabilidad o punto de equilibrio es recogido en la mayoría de los textos de contabilidad. Ver, por ejemplo, G. Arnold (referencia 10), p. 223.

CASO DE EJEMPLO ¿Tesco conquista el mundo?

En 2006, Tesco, el minorista de la alimentación con más éxito en Reino Unido (con una cuota aproximada del 30 por ciento), de nuevo informó de un año record. Durante los cuatro años anteriores casi duplicó las ventas del grupo (excluyendo el IVA) y los beneficios, hasta los 57 billones y los 3,33 millones de euros respectivamente. Las *estadísticas del grupo* conformaban una imagen de lo que este crecimiento significaba sobre el terreno: el número de establecimiento se había triplicado hasta los 2.672 y la cifra de empleados había crecido un 60 por ciento hasta los 273.000. De manera significativa, las ventas al resto de Europa habían crecido del 9 al 13 por ciento de las ventas del grupo y las ventas en Asia fueron del 11 por ciento de las ventas del grupo (desde un 6 por ciento en 2002). La compañía también había extendido su línea de productos de manera significativa desde 2002, introduciéndose en los sectores de no alimentación y servicios de venta al pormenor.

Como cabía esperar, el informe anual de 2006 era muy optimista y el presidente, David Reid, resumía los logros de la compañía y las perspectivas de futuro:

Reino Unido. Nuestras ventas en el negocio central de Reino Unido han sido fuertes, dado que hemos invertido en todas las partes de la oferta al cliente.

Negocio internacional. Ha proporcionado un buen crecimiento en las ventas, beneficios y rentabilidad. Nuestro mayor programa de desarrollo de tiendas de la historia ha generado 500.000 metros cuadrados de superficie de venta, con un incremento de más de 600.000 de metros cuadrados para el año actual.

Área de no alimentación. De nuevo ha experimentado un fuerte progreso, con las ventas en Reino Unido que se han incrementado el 13%. Nuestras áreas establecidas como salud y belleza (hasta el 10%) han funcionado bien y los departamentos más nuevos como electrónica de consumo (34% de crecimiento) y ropa (16% de crecimiento) han funcionado de manera particularmente positiva.

Servicios minoristas. También han tenido un buen año con tesco.com ofreciendo resultados récord, Tesco Personal Finance comportándose bien dentro de un sector de finanzas personales complicado y un buen crecimiento en telecomunicaciones.

El informe también explicaba en más detalles exactamente cómo cada una de las principales partes del negocio estaba cambiando y desarrollándose:

Negocio central en Reino Unido

"Ofrecer a los clientes lo que quieren 24 horas 7 días a la semana"

Gamas

Como todo el mundo es bienvenido a Tesco, apreciamos que nuestros alientes tengan diferentes gustos y requerimientos. Trabajamos duro para proporcionar a nuestros clientes una amplia variedad de las principales marcas, una gama realmente buena de productos Tesco —desde la línea Finest a la Value— y cantidad de nuevas ideas para alimentar a la familia.

En lugar de ofrecer una gama de productos estándar en cualquier lugar, hemos puesto un gran esfuerzo en adaptar nuestra oferta a los clientes locales. Por ejemplo, nuestra tienda Extra en Slough, Berkshire, ofrece unos 900 productos asiáticos, desde alimentos vegetarianos y de acuerdo con el Halal, hasta amplias gamas de arroz al por mayor e incluso DVD de Bollywood.

Formatos

Nuestros formatos de tiendas tratan de ajustarse a las diferentes necesidades de nuestros clientes, allá donde vivan y donde quieran comprar —en grandes superficies, en pequeñas tiendas u *on-line*—. Tesco Express proporciona buenos alimentos y bajos precios y los lleva a casa... Metro ofrece la comodidad de Tesco en la ciudad y en los centros comerciales, allí donde la gente vive y trabaja. En las Superstores de Tesco, los clientes pueden encontrar todo lo que necesitan para su compra semanal y en nuestras tiendas Extra los clientes pueden encontrar, no sólo toda la gama de alimentos y de productos de conveniencia, sino también una completa gama de productos de no alimentación. La tienda Homeplus, con productos de no alimentación, fueron puestas en prueba en 2005.

NO ALIMENTACIÓN

"Ofrecer una elevada calidad, gama, precio y servicio"

Más y más gente está eligiendo comprar, no solo sus productos básicos para el hogar, sino también productos más caros en Tesco, que van desde ropa a televisiones y frigoríficos, y del equipamiento deportivo hasta juguetes. Aprecian la comodidad de poder hacer toda su compra bajo un mismo techo en nuestras tiendas Extra.

Proporcionaremos productos que sean comunes a todos los países (Reino Unido, Irlanda y Europa Central) como grupo. Cada país tendrá la responsabilidad de identificar las necesidades locales de sus clientes y proporcionar tales productos de los proveedores apropiados dentro de su respectivo país.

SERVICIOS MINORISTAS

"Hacer la compra *on-line* simple"

Tesco.com es el servicio de compra on-line de comestibles con más éxito del mundo. Lo que es importante respecto a nuestro negocio *on-line* es la diversidad de clientes que lo utilizan, desde ocupadas familias urbanas hasta gente en comunidades rurales. También ha permitido a mucha gente confinada en su hogar comprar adecuadamente por primera vez.

Servicio de alquiler de DVDs. 60.000 personas se han registrado en nuestro servicio de alquiler de DVD, proporcionándoles acceso a 30.000 títulos que se encuentran disponibles en nuestro servicio *on-line* de DVD.

Energía. Hemos permitido que cientos de miles de clientes ahorren dinero en sus facturas de gas y electricidad (comparando precios de diferentes proveedores). Este servicio es totalmente exhaustivo, totalmente independiente y totalmente imparcial.

Mantenerse en forma "on-line". Las dietas *on-line* ayudan a los clientes a adaptar sus dietas a lo que es adecuado para ellos, teniendo en cuenta estilos de vida, preferencias alimenticias y recomendaciones del médico.

"Servicios financieros que son simples"

Tesco Personal Finance ahora ofrece 21 productos y servicios financieros que van desde préstamos y cuentas de ahorro hasta tarjetas de crédito y seguros. Somos el tercer mayor asegurador de coches británico, con más de 1,4 millones de pólizas de seguro activas.

Continuamente estamos tratando de mejorar nuestra oferta a los clientes y ahora ofrecemos la oportunidad de cambiar moneda en el establecimiento, mediante puestos en siete tiendas. También hemos hecho la compra de títulos de calidad mucho más cómoda para los clientes mediante la asociación con National Savings & Investments.

Tesco Mobile es una red virtual formada como empresa conjunta con el operador telefonía móvil O_2.

Internacional

Con la excepción de Irlanda (91 tiendas), la expansión internacional de la compañía se ha producido en Europa del Este (272 tiendas) y Asia (450 tiendas). La compañía planeaba entrar en el mercado de Estados Unidos en 2007 con un formato completamente local para el consumidor americano representado en Express. Lo más interesante fue la forma en la que cada desarrollo reflejaba las condiciones locales del mercado, en lugar de trabajar hacia un modo de entrada estándar. Algunos de los detalles del informe anual de 2006 son mostrados en la tabla.

¿Qué es lo siguiente?

A pesar de esta prometedora visión, no todo el mundo está convencido de que Tesco era ya un importante actor mundial. La obvia comparación se producía con el mayor minorista del mundo, la compañía norteamericana Wal-Mart, cuya facturación de 250 billones de euros era más de cuatro veces la de Tesco. Aunque las ventas de Wal-Mart en Estados Unidos se estaban incrementando, tenía presencia en unos 70 países con 2.285 tiendas fuera de Estados Unidos: era casi tres veces mayor que la "huella" internacional de Tesco. Wal-Mart ganó la carrera de entrar en La India en otoño de 2006, dejando a Tesco con dificultades para encontrar un socio local adecuado, lo que es crucial en tal mercado.

La investigación de mercado con consumidores de Reino Unido también mostró algunas cuestiones sobre las que tenía que pensar la compañía. En particular, aunque Tesco había atraído un amplio rango de clientes en distintos grupos demográficos y de edad, había evidencia de que el mercado se estaba fragmentando. La lealtad de los clientes de Tesco parecía estar reduciéndose y en un análisis de las marcas favoritas de la gente por edades[1], Tesco y otros minoristas reconocidos estaban bien posicionados en el rango de mayores de 55 años, pero Tesco no se encontraba entre las 10 marcas mejor posicionadas para el rango de edad de 16 a 24 años.

Pero el presidente de Tesco, Sir Terry Leahy, tenía clara cuál era la *fórmula* de Tesco para el éxito:

Tesco hace la experiencia de compra mejor para los clientes y hemos basado nuestro éxito y nuestro crecimiento en escucharlos.

Nota

1. Investigación de Milward Brown recogida por Carlos Grande, *Financial Times*, 19 de diciembre (2006).

Fuente: Informe Anual Tesco 2006 en www.tesco.com

Establecimientos internacionales de Tesco en 2006

China (39 tiendas)
Hemos comenzado a acelerar nuestro programa de expansión más allá del delta del Yangtsé y tenemos equipos trabajando para desarrollar nuestra red en Beijing, Shenzhen y Guangzhou. También hemos invertido en capacidad, proporcionando sistemas y conocimiento de Tesco al negocio, centrándose particularmente en mejorar el diseño de las tiendas, la cadena de suministros y el abastecimiento de las tiendas

Corea del Sur (62 tiendas)
Hemos abierto ochos nuevos supermercados en Corea del Sur este año, incluyendo tres hipermercados compactos. Hemos seguido adaptando nuestro modelo Express en Corea del Sur, permitiéndonos centrarnos en los productos clave que los clientes desean que estén disponibles, cerca de donde viven y trabajan.

Eslovaquia (37 tiendas)
En línea con otros negocios de Europa Central, Tesco Eslovaquia ha introducido una promesa de precios sobre 50 ítems cada día, garantizando que no seamos batidos por ningún competidor local. Nuestro nuevo programa de tiendas ahora se encuentra apoyado por el crecimiento de nuestro formato de hipermercados compactos.

Japón (111 tiendas)
En Japón, operamos supermercados de descuento de conveniencia, normalmente de unos 300 metros cuadrados. Hemos abierto nuestra primera tienda de prueba Express en abril de 2006.

Hungría (87 tiendas)
Los clientes se están enfrentando a un entorno más difícil, tanto respecto al económico general como al de la distribución, lo que ha contenido nuestro crecimiento, aunque aún así hemos conseguido un progreso sólido. Nuestros clientes se han beneficiado de menores precios en tienda y de la extensión de las gasolineras, haciendo significativamente más barato repostar.

Malasia (13 tiendas)
Hemos probado nuestro formato Express en Malasia con tres tiendas, situadas principalmente en el área de Kuala Lumpur. También hemos abierto nuestra primera tienda Value, una tienda de 300 metros cuadrados en Banting. Ofreciendo una gama de hipermercado adaptada en una tienda más pequeña que es más barata construir, hemos sido capaces de proporcionar una oferta minorista moderna a una comunidad que no habría sido capaz de mantener un hipermercado más grande.

Polonia (105 tiendas)
Los clientes aprecian la comodidad de nuestras tiendas de pequeño formato que proporcionan muchas de las ventajas de nuestros grandes hipermercados más cerca de donde viven y trabajan.

República Checa (35 tiendas)
Hemos acelerado nuestro programa de desarrollo de establecimientos, añadiendo un 20% a nuestra área de ventas durante el año, con ocho nuevos hipermercados compactos. (Además) hemos abierto la primera tienda del grupo de 1.000 metros cuadrados… [que] nos permite ofrecer los productos Tesco a ciudades más pequeñas, lo que supone una gama adaptada localmente de unos 2.700 productos.

República de Irlanda (91 tiendas)
Continuamos invirtiendo para reducir los precios para nuestros clientes irlandeses (...) También nos estamos centrando en extender nuestras gamas de productos. Con Finest creciendo en popularidad, hemos incrementado el número de líneas en áreas como queso, comidas preparadas y vino.

Tailandia (219 tiendas)
[Mediante] el lanzamiento de nuestro formato Talad hemos adaptado nuestra oferta a los clientes que están acostumbrados a comprar en mercados locales. Ahora tenemos diez de estas tiendas, que contienen entre 4.500 y 7.500 productos en unos 1.000 metros cuadrados de espacio de venta.

Taiwán (6 tiendas)
[Hemos acordado un] intercambio de activos con Carrefour (...) [que] nos permitirá salir de Taiwán con un impacto financiero mínimo, permitiéndonos centrarnos en inversiones en Europa Central y en otros negocios asiáticos.

Turquía (8 tiendas)
En Turquía, Kipa ha mostrado unos resultados muy positivos (...) Hemos lanzado con éxito la marca Kipa Value en Turquía, junto con otros 400 productos hasta el momento y planeamos extender esto al año siguiente.

Preguntas

1. Utilizando la Figura 7.2 del Capítulo 7, identifique las direcciones del desarrollo que Tesco ha seguido desde sus orígenes como un minorista de la alimentación con base en Reino Unido.
2. Identifique las direcciones del desarrollo *disponibles* para la compañía en el futuro y valore la adecuación relativa de cada una de tales opciones ordenándolas (utilice la Ilustración 9.1 como un ejemplo).
3. Para cada uno de las 4 opciones de desarrollo más valoradas en su lista, compare los méritos relativos del desarrollo orgánico, adquisición o alianza estratégica.
4. Complete su evaluación de las opciones que aparecen ahora más adecuadas aplicando los criterios de aceptabilidad y factibilidad (véase los Apartados 9.3.2 y 9.3.3, respectivamente).

ESTRATEGIA EN ACCIÓN

OBJETIVOS DE APRENDIZAJE

Tras leer este capítulo, usted debería ser capaz de:

- Analizar los principales tipos de organización estructural en términos de sus fortalezas y debilidades.
- Reconocer cómo los procesos organizativos (como son los sistemas de planificación y objetivos de rendimiento) necesitan ser diseñados para ajustarse a las circunstancias en las que las estrategias son implementadas (como el tamaño de la organización, el tipo de producto/servicio y la naturaleza de los mercados).
- Valorar el impacto de los *papeles* y *estilos* de dirección de los agentes del cambio.
- Considerar el valor de los diferentes *inductores* del cambio estratégico.

.1 INTRODUCCIÓN

Se explicó en el Capítulo 1 que puede considerarse que la dirección estratégica se encuentra compuesta por tres elementos principales: determinar la *posición estratégica* de una organización, realizar *elecciones estratégicas* para el futuro y dirigir la *estrategia en acción* (véase la Figura 1.3). Como este libro trata de los fundamentos de la estrategia, se concentra principalmente en los dos primeros elementos, posición y elección. Pero incluso la estrategia elegida con más acierto carece de valor a menos que sea puesta en marcha. Aunque este libro pone menos énfasis en tales cuestiones de estrategia en acción, este capítulo se centrará en tres cuestiones clave (véase la Figura 10.1):

- Los tipos de *estructura* organizativa que se adaptarán mejor a las estrategias de la organización. por ejemplo, si la gente debería ser organizada en funciones de negocio (finanzas, recursos humanos, etc.) o en divisiones de producto o mercado (como regiones geográficas).
- Los *procesos* organizativos necesarios para implementar la estrategia elegida dentro de cualquier estructura. Por ejemplo, supervisión del trabajo, procesos de planificación y objetivos de rendimiento.
- La *gestión del cambio estratégico,* que plantea cuestiones de liderazgo, poder y política, así como tácticas de dirección.

Otras cuestiones que incluye la estrategia en acción —como el desarrollo de los procesos estratégicos, las estrategias de obtención de recursos y la práctica

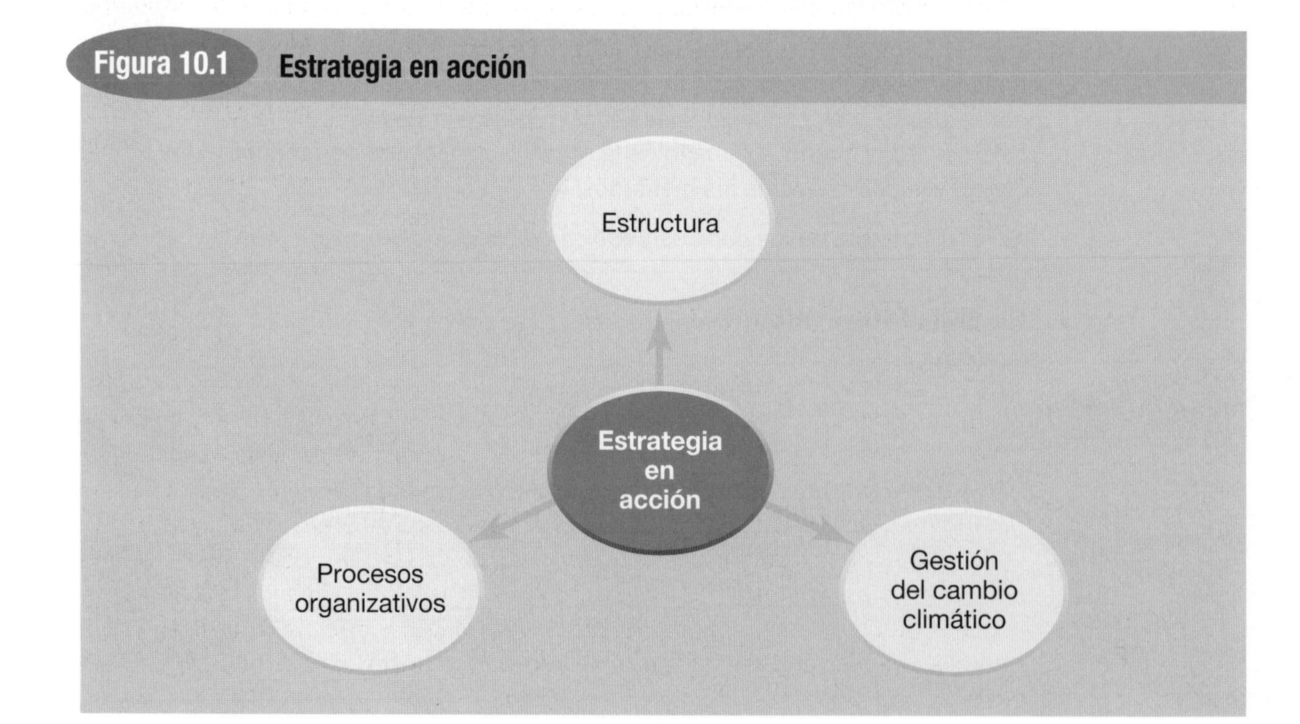

de la estrategia» son tratadas con mayor profundidad en *Exploring Corporate Stragey*[1]—.

10.2 ESTRUCTURAS

Los directivos a menudo describen su organización mediante un organigrama, constituyendo su estructura formal. Estos organigramas definen los *niveles* y papeles en una organización. Son importantes para los directivos porque describen quién es responsable de qué. Pero las estructuras formales son importantes mediante, al menos, dos formas más. En primer lugar, las líneas estructurales de reporte determinan los patrones de comunicación y de intercambio de conocimiento: la gente tiende a no hablar mucho con gente con un nivel muy superior o menor en la jerarquía, o en diferentes partes de la organización. En segundo lugar, los tipos de posiciones estructurales en lo más alto sugieren los tipos de habilidades requeridas para ascender en la organización. Por ejemplo, una estructura con especialistas funcionales (como *marketing* o finanzas) en lo más alto, indica la importancia de disciplinas funcionales especializadas en lugar de experiencia general en negocios. En resumen, las estructuras formales pueden revelar bastante respecto al papel del conocimiento y habilidades en una organización. Por lo tanto, las estructuras pueden ser discutidas de manera acalorada (véase la Ilustración 10.1).

Este apartado revisa tres tipos estructurales básicos: funcional, divisional y matricial[2]. De manera general, los dos primeros tipos tienden a enfatizar una dimensión estructural sobre la otra, ya sea la especialización funcional o las unidades de negocio. En contraste, la estructura matricial tiende a combinar dimensiones estructurales de manera más uniforme, por ejemplo, tratando de proporcionar a unidades de producto y geográficas el mismo peso. Sin embargo, ninguna de estas estructuras en unas solución universal de los desafíos que supone la puesta en marcha de la estrategia. Más bien, la estructura adecuada depende de los tipos de desafíos particulares a los que se enfrenta cada organización.

10.2.1. La estructura funcional

Una **estructura funcional** se encuentra basada en las actividades primarias que tienen que ser llevadas a cabo por una organización, tales como producción, finanzas y contabilidad, marketing, recursos humanos e investigación y desarrollo.

Una vez que una organización crece más allá de un nivel muy básico de tamaño y complejidad, tiene que comenzar a dividir responsabilidades. Un tipo fundamental de estructura es la **estructura funcional,** que divide las responsabilidades de acuerdo con los principales papeles de la organización, tales como producción, investigación y ventas. La Figura 10.2 representa un organigrama típico para tal negocio. Esta estructura se encuentra normalmente en compañías más bien pequeñas, o en aquellas con líneas de productos estrechas, más que diversas. Además, dentro de una estructura divisional (véase más adelante), las propias divisiones pueden ser divididas en departamentos funcionales (véase la Figura 10.3 posterior).

Ilustración 10.1

Volkswagen: un caso de centralización

A new chief executive introduces a more centralised structure over this muti-brand giant.

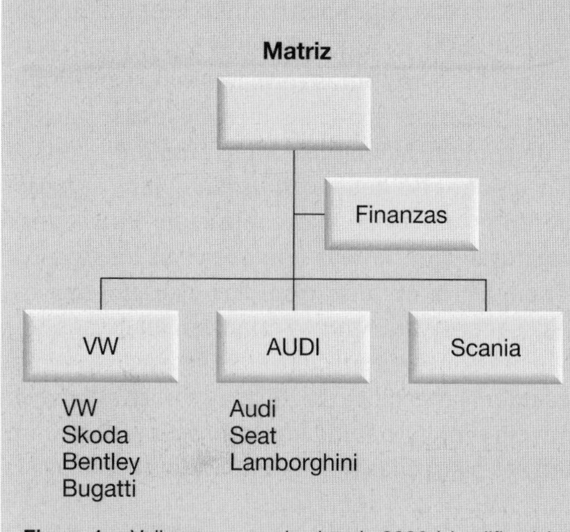

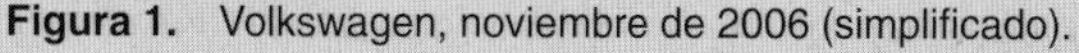

Figura 1. Volkswagen, noviembre de 2006 (simplificado).

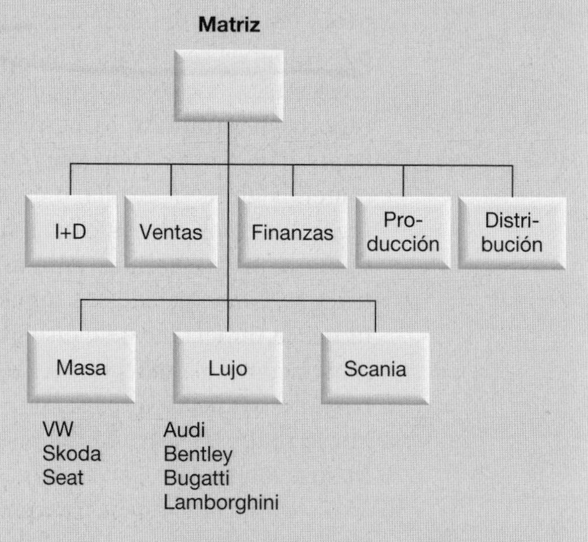

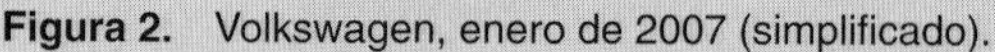

Figura 2. Volkswagen, enero de 2007 (simplificado).

En 2007, siguiendo a la consecución por parte de Porsche de una participación de control y al nombramiento de un nuevo director ejecutivo, el fabricante alemán de coches VW anunció una importante reorganización. Durante los años anteriores, VW había estado organizada como dos grupos de marcas bajo las marcas principales VW y Audi (véase la Figura 1), con el conocimiento técnico y de marketing en torno a las marcas particulares dentro de cada una. Ahora la compañía tenía que ser reorganizada en torno a dos principales grupos, un grupo de mercado de masas (VW, Skoda, Seat) y grupo de mercado de más lujo (Audi, Bentley, Bugatti y Lamborghini). VW también tenía una importante participación en el fabricante de camiones Scania. La compañía estaría más centralizada, con nuevas responsabilidades corporativas de producción, ventas, distribución e I+D (véase la Figura 2). El nuevo director general, Martin Winterkorn, también actuaría como responsable de I+D y sería directamente responsable para el grupo de marcas VW.

El propósito declarado de esta estructura más centralizada era incrementar las sinergias entre las distintas marcas. La I+D centralizada ayudaría a asegurar que se compartan motores y componentes, y la centralización de la producción ayudaría a la optimización de la utilización de la factoría en toda la compañía. El responsable saliente del grupo VW tenía otra visión. Afirmaba que, para asegurar la integración y motivación entre las distintas funciones, era necesaria experiencia para identificarla de manera íntima con las distintas marcas. De acuerdo con él, la nueva estructura mimetizaba la estructura centralizada de Porsche, pero Porsche era mucho más pequeña y solo contaba con una marca. Los portavoces de Porsche respondieron recordando que Porsche era el fabricante de coches más rentable del mundo, mientras que VW era uno de los menos rentables.

Preguntas

1. ¿A qué tipo de estructura se parece más la antigua estructura descentralizada y a qué tipo de estructura se está acercando Volkswagen?
2. ¿Qué pros y contras puede observar en la nueva estructura de Volkswagen?

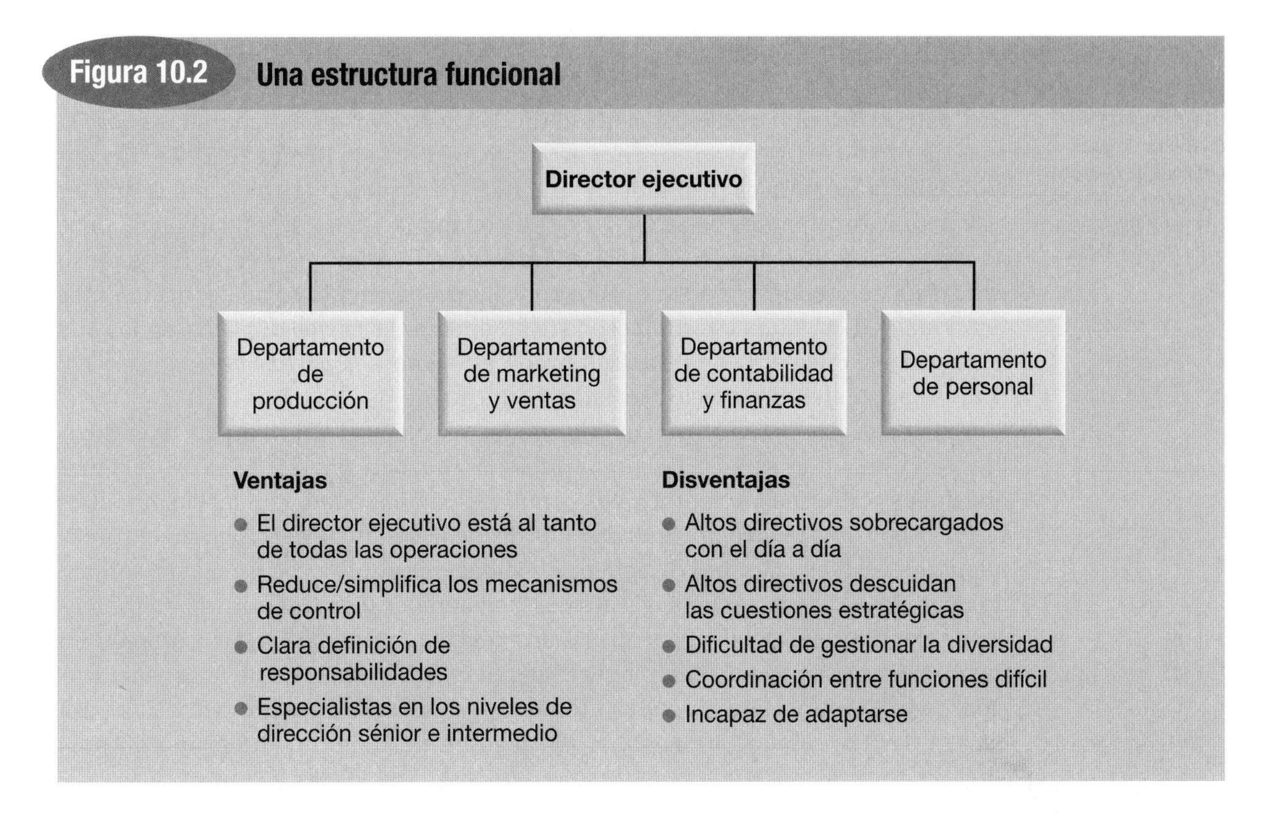

La Figura 10.2 también resume las potenciales ventajas y desventajas de una estructura funcional. Existen ventajas en el hecho de que facilita que los altos directivos estén involucrados directamente en las operaciones y permite un mayor control operativo desde lo más alto. La estructura funcional proporciona una clara definición de roles y tareas, incrementando la responsabilidad. Los departamentos funcionales también proporcionan concentraciones de experiencia, por lo tanto potenciando el desarrollo de conocimiento en áreas de especialidad funcional.

Sin embargo, existen desventajas, particularmente conforme las organizaciones se convierten en mayores o más diversas. Quizás la mayor preocupación en el mundo de rápidos cambios sea que los altos directivos se centran en sus responsabilidades funcionales, viéndose sobrecargados con las operaciones rutinarias y demasiado preocupados por los intereses funcionales estrechos. Como resultado, encuentran difícil tener una visión estratégica de la organización en su conjunto o gestionar respuestas coordinadas de manera rápida. Por lo tanto, las organizaciones funcionales pueden ser inflexibles. Los departamentos funcionales separados tienden también a encerrarse en sí mismos —los denominados *silos funcionales*— haciendo difícil integrar el conocimiento de diferentes especialistas funcionales. Finalmente, debido a que se encuentran centralizados en torno a funciones particulares, las estructuras funcionales no son buenas gestionando la diversidad de producto o funcional. Por ejemplo, un departamento central de *marketing* puede tratar de imponer un enfoque uniforme de la publicidad a pesar de las necesidades diversas de las distintas UEN de la organización en todo el mundo.

10.2.2. La estructura divisional

Una **estructura divisional** consiste en una serie de divisiones separadas sobre la base de productos, servicios o áreas geográficas.

Una **estructura divisional** consiste en una serie de divisiones separadas sobre la base de productos, servicios o áreas geográficas (véase la Figura 10.3). La divisionalización a menudo es resultado de un intento de superar los problemas que las estructuras funcionales tienen a la hora de ocuparse de la diversidad mencionada antes[3]. Cada división puede responder a los requerimientos específicos de su estrategia de producto/mercado, utilizando su propio conjunto de departamentos funcionales. Una situación similar existe en muchos servicios públicos, en los que la organización se encuentra estructurada en torno a *departamentos de servicio* como esparcimiento, servicios sociales y educación.

Existen varias potenciales ventajas de las estructuras divisionales. Son flexibles, en el sentido de que las organizaciones pueden añadir, cerrar o fusionar divisiones conforme las condiciones cambien. Como unidad de negocio autosuficiente, es posible controlar las divisiones desde la distancia controlando el rendimiento de los negocios. Los directivos divisionales cuentan con un mayor sentido de propiedad de sus propias estrategias divisionales. Las divisiones geográficas —por ejemplo, una división europea o una división norteamericana— ofrecen un medio de dirigir internacionalmente. Pueden existir beneficios de la especialización dentro de una división, permitiendo que se desarrollen competencias para desarrollar un enfoque mucho más claro sobre un determinado grupo de pro-

Figura 10.3 Una estructura divisional

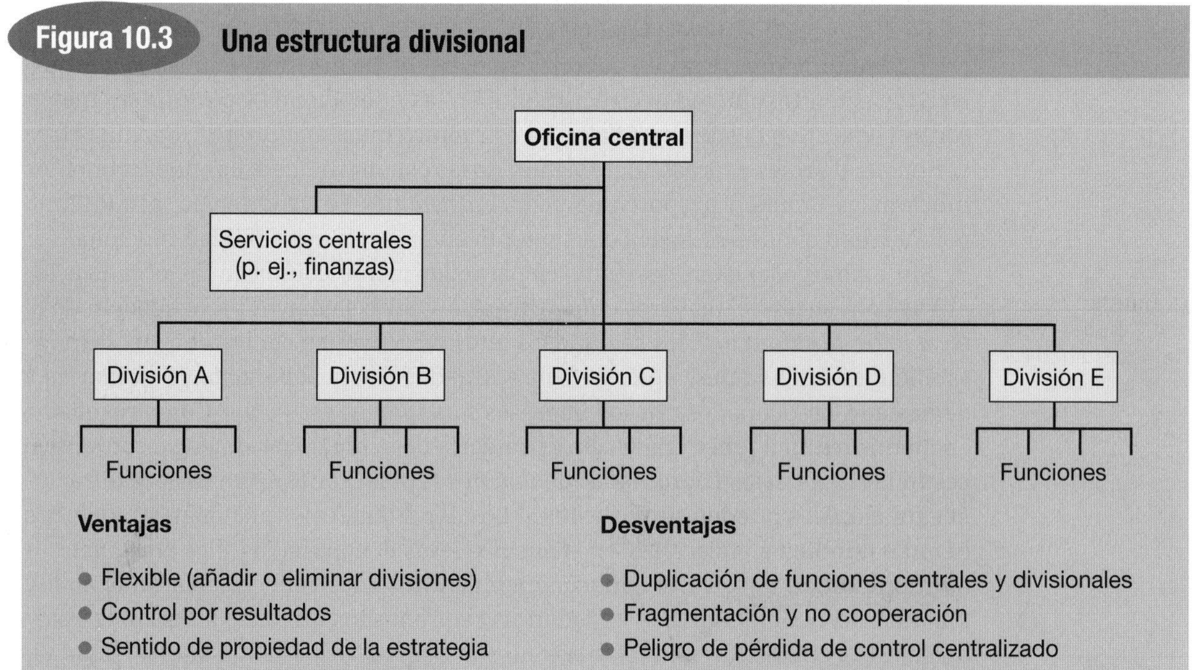

ductos, tecnología o grupo de clientes. La responsabilidad de la dirección de un negocio divisional en su conjunto constituye un buen entrenamiento en la toma de una visión estratégica para los directivos que esperan progresar hacia una posición más alta.

Sin embargo, las estructuras divisionales pueden tener también desventajas de tres tipos principales. En primer lugar, las divisiones pueden convertirse en tan autosuficientes que pueden ser negocios independientes *de facto*, duplicando por tanto las funciones y costes de la matriz de la compañía. Por lo tanto, puede tener más sentido dividir la compañía en dos negocios independientes, siendo las escisiones de este tipo muy comunes. En segundo lugar, la divisionalización tiende a dificultar que se coopere y comparta conocimiento entre unidades de negocio: las divisiones pueden literalmente dividirse. La experiencia dentro de la corporación se encuentra fragmentada y los objetivos de rendimiento divisional proporcionan pobres incentivos a colaborar con otras divisiones. Finalmente, las divisiones pueden convertirse en excesivamente autónomas, especialmente si las empresas conjuntas y acuerdos de cooperación diluyen la propiedad. En tales casos, las empresas multivisionales degeneran en *compañías holding*, en las que la matriz efectivamente *posee* los distintos negocios en un sentido financiero, ejerciendo poco control y añadiendo muy poco valor. La Figura 10.3 resume tales ventajas y desventajas potenciales de una estructura divisional.

Las compañías multidivisionales grandes y complejas a menudo cuentan con un segundo nivel de *subdivisiones* dentro de sus divisiones principales. Tratar las unidades estratégicas de negocio como subdivisiones dentro de una gran división reduce el número de unidades que la matriz tiene que dirigir directamente. Las subdivisiones pueden ayudar también a que las organizaciones complejas respondan a presiones contradictorias. Por ejemplo, una organización podría contar con subdivisiones geográficas dentro de un conjunto global de divisiones de producto.

10.2.3. La estructura matricial

La **estructura matricial** es una combinación de estructuras que podrían tomar la forma de divisiones de producto y geográficas o estructuras funcionales y divisionales operando al mismo tiempo.

Una **estructura matricial** combina diferentes dimensiones estructurales de manera simultánea, por ejemplo, divisiones de producto y áreas geográficas o divisiones y especialización funcional[4]. La Figura 10.4 proporciona ejemplos de tal estructura.

Las estructuras matriciales tienen varias ventajas. Son efectivas en la gestión del conocimiento porque permiten que sean integradas áreas de conocimiento separadas dentro de la organización. En particular, en las organizaciones de servicios profesionales, la organización matricial puede ser útil en la aplicación de conocimiento especializado a diferentes segmentos de mercado o geográficos. Por ejemplo, para servir a un determinado cliente, una empresa de consultoría puede basarse en personas procedentes de grupos especializados en determinado tipo de conocimiento (por ejemplo, estrategia o diseño organizativo) y otras agrupadas de acuerdo a mercados particulares (sectores industriales o regiones geográficas). La Figura 10.4(b) muestra cómo un colegio puede combinar el conocimiento

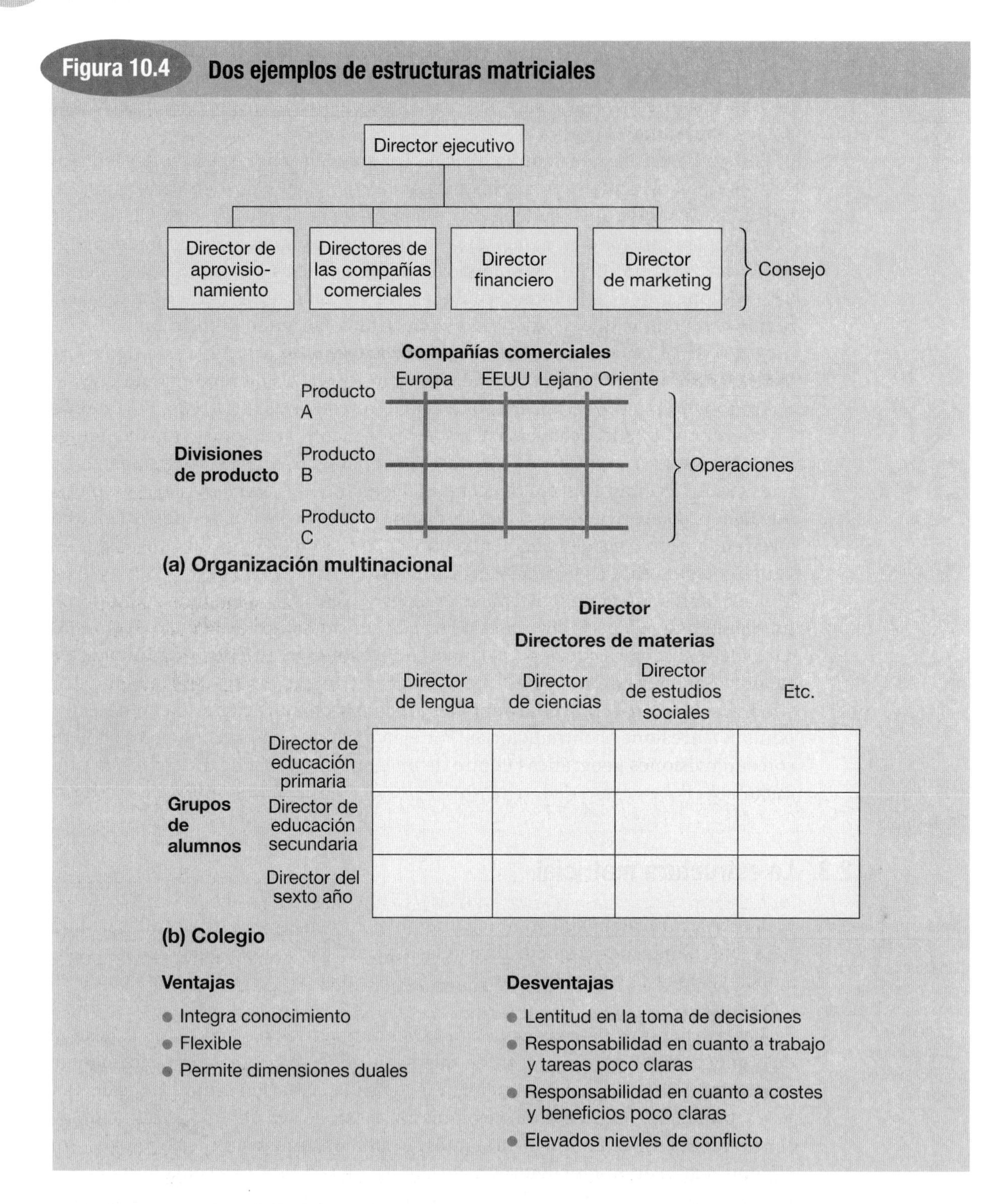

separado de especialistas temáticos para crear programas de estudio ajustados a los distintos grupos de edad. Las organizaciones matriciales son flexibles, porque permiten que diferentes dimensiones de la organización sean combinadas. Son particularmente atractivas a las organizaciones que operan globalmente debido a la posible combinación entre dimensiones locales y globales. Por ejemplo, una compañía global puede preferir divisiones definidas geográficamente como unidades operativas para el *marketing* local (debido a su especialización en el conocimiento local de sus clientes). Pero al mismo tiempo, puede desear contar con divisiones de producto globales responsables de la coordinación en todo el mundo del desarrollo de producto y fabricación, aprovechándose de economías de escala y especialización. En algunas organizaciones, se crea una estructura matricial para apoyar determinados proyectos y es *disuelta* cuando el proyecto finaliza. Estas *estructuras de acuerdo con proyectos* son comunes en ingeniería civil, gestión de eventos y partes de los servicios públicos.

Sin embargo, como una estructura matricial reemplaza las líneas formales de autoridad con relaciones cruzadas dentro de la matriz, a menudo se generan problemas. En particular, normalmente *se requiere más tiempo para tomar decisiones,* debido a la negociación entre los directivos de diferentes dimensiones. También pueden producirse *conflictos,* debido a que el personal se ve responsable ante directivos de dos dimensiones estructurales. En resumen, las organizaciones matriciales son difíciles de dirigir.

Como con cualquier estructura, pero particularmente en la estructura matricial, la cuestión clave en la práctica es la forma en la que realmente funciona (p.ej. los procesos y relaciones). El ingrediente clave en una estructura matricial de éxito puede ser la capacidad de la alta dirección de mantener relaciones de colaboración (dentro de la matriz) y de evitar el desorden y ambigüedad que puede generar. Es por esta razón por la que Barlett y Ghoshal describen la matriz más como un *estado mental* que una estructura formal.

10.3 PROCESOS ORGANIZATIVOS

La estructura es un ingrediente clave de la puesta en marcha de la estrategia. Pero dentro de cualquier estructura, lo que hace funcionar a la organización son los procesos organizativos formales e informales. Tales procesos pueden ser considerados como controles sobre las operaciones de la organización, por lo tanto, pueden ayudar u obstaculizar la traducción de la estrategia en acción.

Los procesos de control pueden ser subdivididos de dos formas. En primer lugar, pueden tender a enfatizar el control sobre los *inputs* o el control sobre los *outputs*. Los procesos de control de los *inputs* se refieren a los *recursos* consumidos en la estrategia, especialmente recursos financieros y compromiso de las personas. Los procesos de control de los *outputs* se centran en asegurar *resultados* satisfactorios, por ejemplo, el cumplimiento de objetivos o la consecución de competitividad en el mercado. La segunda subdivisión se realiza entre controles directos e indirectos. Los controles directos suponen una *íntima supervisión* o control. Los controles indirectos son más *relajados,* estableciendo las condiciones según las cuales los comportamientos deseados son conseguidos de manera semiautomática.

Las organizaciones normalmente utilizan una combinación de estos procesos de control, pero unos dominarán sobre otros de acuerdo con los retos estratégicos. Tal y como veremos, las medidas de *input* tienden a requerir que quienes controlen tengan unos niveles de conocimiento superiores a que se suponen que tienen los controlados. En muchas organizaciones intensivas en conocimiento, especialmente aquellas que generan innovación y cambio, quienes controlan rara vez tienen un buen entendimiento de lo que sus empleados expertos están haciendo y tienen a basarse más en controles de *outputs*. Al menos pueden saber cuándo una unidad ha alcanzado sus objetivos de ingresos o rentabilidad. El control directo se basa en gran medida en la presencia física de la dirección, aunque en la actualidad la vigilancia mediante las tecnologías de la información pueden ser un sustituto. Por esta razón, las organizaciones internacionales pueden hacer uso de controles indirectos para sus subsidiarias geográficamente dispersas. Por otra parte, los procesos de control directo pueden ser muy efectivos para pequeñas organizaciones con una única ubicación.

10.3.1. Supervisión directa

La **supervisión directa** es el control directo de las decisiones estratégicas por uno o unos pocos individuos.

La **supervisión directa** es el control directo de las decisiones estratégicas por uno o unos pocos individuos, normalmente centrada en el esfuerzo puesto en la actividad por los empleados. Es un proceso predominante en las pequeñas organizaciones. También puede existir en organizaciones más grandes, en las que se producen pocos cambios y si la complejidad de la actividad no es demasiado grande para que un pequeño número de directivos controlen la estrategia *en detalle* desde el centro. Esto se produce a menudo en negocios familiares y en áreas del sector público con una historia de implicación política *de primera mano* (a menudo donde un único partido político ha dominado durante un largo periodo).

La supervisión directa requiere que quienes controlan conozcan en detalle lo que suponen los trabajos que supervisan. Estos deben ser capaces de corregir errores, pero no estorbar a los experimentos innovadores. La supervisión directa es más fácil en una única ubicación, aunque el control a larga distancia (por ejemplo, estrategias de *trading* en banca) ahora es posible a través de medios electrónicos. La supervisión directa también puede ser efectiva durante una *crisis,* cuando puede ser necesario el control autocrático ejercido mediante supervisión directa para conseguir resultados rápidos. Los directivos especializados en reflotar empresas a menudo tienen un estilo autocrático.

10.3.2. Procesos de planificación

Los **procesos de planificación** planifican y controlan la asignación de recursos y su utilización.

Los **procesos de planificación** constituyen el control administrativo arquetípico, en el que la implementación con éxito de las estrategias se alcanza mediante procesos que planifican y controlan la asignación de recursos y su utilización. La atención se centra en controlar los *inputs* de la organización, particularmente financieros. Un plan cubriría todas las partes de la organización y mostraría claramente, en términos financieros, el nivel de recursos asignados a cada área (sean funciones, divisiones o unidades de negocio). También mostraría las formas detalladas mediante las que estos recursos serían utilizados. Esto normalmente tomaría la forma de un *presupuesto*. Por ejemplo, a la función de *marketing* se le asignarían cinco millones de euros, pero se necesitaría mostrar cómo serían gastados, determinando las proporciones empleadas en personal, publicidad, demostraciones, etcétera. Estos capítulos de gasto serían controlados regularmente para medir el gasto real frente al planificado.

Una fortaleza de este enfoque planificado del control estratégico es la capacidad de supervisar y controlar la implementación de la estrategia. La forma detallada mediante la que la planificación puede apoyar la estrategia varía:

- La planificación puede ser conseguida mediante la *estandarización de los procesos de trabajo* (como características del producto o propiedades del servicio). En ocasiones, estos procesos de trabajo son objeto de un riguroso modelo de valoración y revisión —por ejemplo, cumplir estándares de calidad externamente auditados (como el ISO 9000)—. En muchas organizaciones de servicios, tal "rutinización" ha sido conseguida mediante sistemas de TI, lo que ha llevado a la automatización del servicio y a significativas reducciones del coste. Esto puede proporcionar una ventaja competitiva si las organizaciones se encuentran posicionadas en productos o servicios de bajo precio. Por ejemplo, el coste de las transacciones de la banca en Internet son una fracción de las transacciones realizadas en las sucursales.
- Los *sistemas ERP (Enterprise Resource Planning)*[5], proporcionados por especialistas de software como SAP u Oracle, utilizan sofisticadas TI para conseguir planificar el control. Estos sistemas tratan de integrar todas las operaciones del negocio, incluyendo recursos humanos, finanzas, operaciones, distribución, etc. Esto comenzó con la utilización de sistemas EPOS (*Electronic Point of Sale*) en las tiendas, que se vinculaban con el control de stocks. Se pueden conseguir mayores ventajas si estos sistemas pueden extenderse de manera más amplia en el sistema de valor más allá de las fronteras de la organización hacia las cadenas de aprovisionamiento y distribución —por ejemplo, en el lanzamiento automático de órdenes de aprovisionamiento para evitar la ruptura de stocks—. Las operaciones de comercio electrónico están añadiendo además la capacidad de integración. La Ilustración 10.2 muestra un ejemplo de ERP.
- Los enfoques de planificación centralizada a menudo utilizan una *fórmula* para controlar la asignación de recursos dentro de una organización. Por ejemplo, en los servicios públicos, los presupuestos pueden ser asignados sobre una base per cápita (por ejemplo, número de pacientes o doctores).

Los procesos de planificación funcionan mejor en condiciones simples y estables, si un presupuesto o fórmula pueden aplicar igualmente bien en todas las unidades en la organización y si los supuestos es probable que sean ciertos para el conjunto del presupuesto y para la fórmula aplicada. Si existe diversidad en las necesidades de las unidades de negocio, es probable que los presupuestos están-

Ilustración 10.2

ERP en Bharat Petroleum

Los sistemas ERP constituyeron la esencia de la transformación estratégica de Bharat Petroleum necesaria para prepararse para la desregulación en la industria del petróleo india.

Bharat Petroleum es una de las tres mayores compañías de refino y distribución de La India. Cuenta con 4.854 gasolineras, unos 1.000 distribuidores de keroseno y 1.828 distribuidores de gas licuado de petróleo (GLP) repartidos a lo largo de toda la India. Enfrentándose a la desregulación de sus mercados, y posiblemente a la privatización parcial, Bharat Petroleum se embarcó en la integración de la empresa mediante la implementación del sistema ERP SAP R/3. Se trataba con ello de incrementar el control sobre las operaciones de la compañía mediante la mejora de la información en áreas como inventario y expedición de productos, trabajando para apoyar un mejor servicio y conseguir una mayor satisfacción del cliente. El nuevo sistema iba a incluir 200 ubicaciones y un amplio rango de procesos, desde la contabilidad financiera, hasta la administración de personal, gestión de la calidad, mantenimiento, gestión de planta y ventas. El director financiero proyectaba unos ahorros de costes de 7,5 millones de euros al año.

La implementación del sistema de ERP no estaba concebida simplemente como un proyecto de sistema de información. Se construyó sobre una reestructuración de la compañía previa en torno a seis nuevas unidades de negocio. La propia implementación del ERP fue denominada proyecto ENTRANS, abreviatura de *Enterprise Transformation.* El responsable del equipo del proyecto no era un especialista en sistemas de información, sino un profesional de los recursos humanos. Solo 10 de los 60 miembros del equipo procedían de sistemas de información. Un grupo de dirección del proyecto, que se reunía al menos mensualmente, supervisaba el proyecto completo, junto con los responsables de cada una de las unidades estratégicas de negocio, finanzas, recursos humanos y TI. El responsable de TI en Bharat Petroleum comentaba: "La única cosa respecto a la implementación del ERP en Bharat Petroleum es que, desde su propia concepción, ha sido una iniciativa de negocio. Nosotros (TI) sólo hemos realizado el necesario papel catalizador".

La implementación fue realizada con la ayuda de PricewaterhouseCoopers, 24 consultores SAP, un equipo de 70 consultores internos especialistas en SAP y seis equipos de cambio a tiempo completo. Todos los usuarios se vieron involucrados en la formación, centrados en la mejora del *aprendizaje organizativo* y en el liderazgo visionario y los programas de planificación. El presidente de Bharat Petroleum declaró que no habría reducciones en la fuerza de trabajo como resultado directo del ERP, incluso aunque se incluyeran menores costes de personal en los beneficios derivados del estudio.

La implementación fue programada durante 24 meses, con las pruebas piloto seleccionadas cuidadosamente sobre la base de la proximidad al equipo del proyecto (con base en Mumbai), la importancia de los procesos envueltos y la preparación del negocio y de los sistemas de TI. Se encontraron muchos problemas iniciales. Los procesos informales no siempre se incorporaban de manera completa en el nuevo sistema SAP, lo que tenía importantes consecuencias. Sin embargo, los directores de planta eran conscientes de que la formalización de los procesos a través del ERP finalmente contribuiría enormemente a incrementar la disciplina entre el personal. En el año tras la finalización, Bharat Petroleum consiguió un crecimiento de las ventas del 24 por ciento. La propia SAP incluyó a Bharat Petroleum en el cuartil superior de las implementaciones del SAP ERP.

Fuente: A. Teltumdbe, A. Tripathy y A. Sahu, "Bharat Petroleum Corporation Limited", *Vikalpa,* vol.27, núm. 3 (2002), pp. 45-58.

Preguntas

1. ¿Cuál es la importancia de que la implementación de un sistema de ERP no fuera encabezada por un experto de sistemas de información?
2. ¿Qué posibles peligros pueden existir en la formalización e integración de los procesos de negocio detallados en un sistema ERP?
3. ¿Qué debería hacer una compañía como Bharat Petroleum con el gran equipo de consultores y formadores internos especializados una vez que se hubiera completado el proyecto de implementación del ERP?

dar o fórmulas beneficien a algunas unidades, mientras que perjudiquen a otras. Así, en Reino Unido hay quienes argumentan que el gobierno no debería seguir tratando a todos los hospitales y universidades de la misma forma, ya que cada uno tiene sus propias oportunidades y amenazas. También los presupuestos y fórmulas pueden ser inflexibles si las condiciones cambiantes contradicen los supuestos originales. Las organizaciones pueden ser penalizadas de manera injusta por los cambios adversos en circunstancias, o se les pueden denegar recursos para responder a las oportunidades no previstas en el presupuesto original.

Debido a los peligros de la falta de sensibilidad hacia las diversas necesidades en la organización, a menudo resulta útil utilizar una planificación de *abajo-arriba*. En la planificación *de abajo-arriba,* las unidades de negocio que se encuentran "abajo" de la organización proponen planes iniciales hacia *arriba* a la oficina central corporativa. El papel de la oficina central es establecer directrices para estos planes iniciales y revisarlos cuando lleguen. Los planes inicialmente propuestos a menudo son incompatibles con los planes de otras unidades y con las expectativas y capacidad de financiación de la oficina central. Las incompatibilidades son resueltas mediante procesos de *reconciliación,* normalmente suponiendo negociación y cierta revisión de algunas de las directrices originales de la matriz. En ocasiones, se producen algunas iteraciones en este proceso de propuesta y revisión, por lo que, aunque se tienen en cuenta las necesidades de las unidades de negocio mejor que la simple planificación central, la planificación de abajo-arriba puede consumir mucho tiempo y ser política.

10.3.3. Procesos culturales

Con el rápido cambio, incremento de la complejidad y necesidad de explotar conocimiento, la motivación de los empleados es cada vez más importante para el rendimiento. Bajo tales presiones, promover el *autocontrol* y la motivación personal puede ser una forma de control efectiva, influyendo sobre la calidad de la aportación del empleado sin intervención directa. Muchos trabajadores cuentan de manera natural con un fuerte grado de autocontrol y motivación que puede ayudar a asegurar un rendimiento apropiado para la estrategia; por ejemplo, músicos o doctores, que tienen un fuerte compromiso con la profesión o los estándares profesionales. Sin embargo, la profesión o los estándares profesionales pueden también desviarse de lo que demanda la estrategia de la organización, y algunos trabajadores incurrirán en elusión en cualquier caso. En este caso, los directivos pueden utilizar procesos culturales para conseguir el rendimiento apropiado.

Los **procesos culturales** se refieren a la cultura de la organización y a la *estandarización de normas.*

Los **procesos culturales** se refieren a la cultura de la organización y a la *estandarización de normas* (tal y como se analizaba en el Capítulo 5). El control es indirecto, internalizado conforme los empleados se convierten en parte de la cultura. El control es ejercido sobre las aportaciones de los empleados, en la medida en que la cultura define normas sobre lo que constituye esfuerzo apropiado e iniciativa. Tres procesos son particularmente importantes en la determinación de las culturas apropiadas: *reclutamiento,* la selección de personal apropiado en el primer lugar; *socialización*, la integración del nuevo personal mediante programas de formación, iniciación y de mentores, por ejemplo, pero también mediante las influencias informales como pueden ser los modelos a seguir; y *recompensas*, en otras palabras, reconocer el comportamiento adecuado mediante pagos, promoción o procesos simbólicos (por ejemplo, reconocimiento público). Estos procesos culturales a menudo sufren de sutiles tipos de resistencia por parte de los empleados, por ejemplo, cinismo y *hacerlo por compromiso* y una vez que han sido instituidos, se vuelven difíciles de cambiar conforme evoluciona la estrategia. Las organizaciones cuentan con muchos procesos culturales que no se encuentran dentro del control directivo formal, como cuando la presión de los grupos de iguales no responde a las estrategias organizativas.

Sin embargo, los procesos culturales son particularmente importantes en aquellas organizaciones que se enfrentan a entornos complejos y dinámicos. En ocasiones, tales procesos culturales positivos se producen sin intervención deliberada de la dirección. Las cultura de colaboración pueden fomentar las *comunidades de práctica*, en las que los expertos de dentro o incluso de fuera de la organización comparten su conocimiento para generar soluciones innovadoras a problemas a partir de su propia iniciativa. Estas comunidades informales, de iniciativa propia van desde los ingenieros de fotocopiadoras de Xerox que intercambiaban información respecto a problemas y soluciones en las reuniones de café al comienzo del día, hasta las redes de programadores que dan soporte al desarrollo del Linux *freeware* internacionalmente en Internet.

10.3.4. Procesos de definición de objetivos de rendimiento

Los **objetivos de rendimiento** se relacionan con los *outputs* de una organización (o parte de una organización), como calidad de los productos, precios o beneficios.

Los **objetivos de rendimiento** se relacionan con los *outputs* de una organización (o parte de una organización), como calidad de los productos, precios o beneficios. Estos objetivos a menudo son conocidos como indicadores clave de rendimiento (*Key Performance Indicators, KPI*). El rendimiento de una organización es juzgado, tanto interna como externamente, sobre su habilidad de alcanzar tales objetivos. Sin embargo, dentro de las fronteras especificadas, la organización es libre respecto a cómo deberían alcanzarse tales objetivos. Este enfoque puede resultar particularmente apropiado en determinadas situaciones:

- *Dentro de grandes negocios*, los centros corporativos pueden elegir objetivos de rendimiento para controlar sus unidades de negocio sin entrar en los detalles de cómo los han alcanzado. Tales objetivos a menudo se encuentran desagregados en la organización como objetivos específicos para las subunidades, funciones e incluso individuos.
- En *mercados regulados*, como ocurre en los servicios privatizados en Reino Unido y otros lugares, los reguladores designados por el gobierno ejercen de manera creciente el control mediante *indicadores de rendimiento* (*Performance Indicators, PI*) acordados, tales como niveles de calidad o niveles de servicio, como medios para asegurar un rendimiento *competitivo*.

- En los *servicios públicos*, en los que el control de las entradas de recursos era el enfoque dominante históricamente, los gobiernos están tratando de transformar los procesos de control hacia los outputs (como la calidad de servicio) y, de manera más importante, hacia los resultados (por ejemplo, tasas de mortalidad de pacientes en la sanidad).

El **cuadro de mando integral** combina medidas cuantitativas y cualitativas, teniendo en cuenta las expectativas de diferentes stakeholders y relaciona una valoración de rendimiento para la elección de la estrategia.

Muchos directivos encuentran difícil desarrollar un conjunto de objetivos útil. Una razón para ello es que cualquier conjunto particular de indicadores es propenso a proporcionar solo una visión parcial de la globalidad. Además, algunos indicadores importantes (como la satisfacción del cliente) tienden a ser desatendidos porque son difíciles de medir, dejando el foco en datos disponibles con facilidad como pueden ser ratios financieros. En la última década, el *cuadro de mando integral* ha sido utilizado de manera creciente como una forma de ampliar el alcance de los indicadores de rendimiento[6]. El **cuadro de mando integral** combina medidas cuantitativas y cualitativas, teniendo en cuenta las expectativas de diferentes *stakeholders* y relaciona una valoración de rendimiento para la elección de la estrategia (tal y como se muestra en la Figura 10.5). De manera importante, el rendimiento se encuentra vinculado no sólo con outputs a corto plazo, sino también con la forma en la que los procesos se encuentran gestionados, por ejemplo,

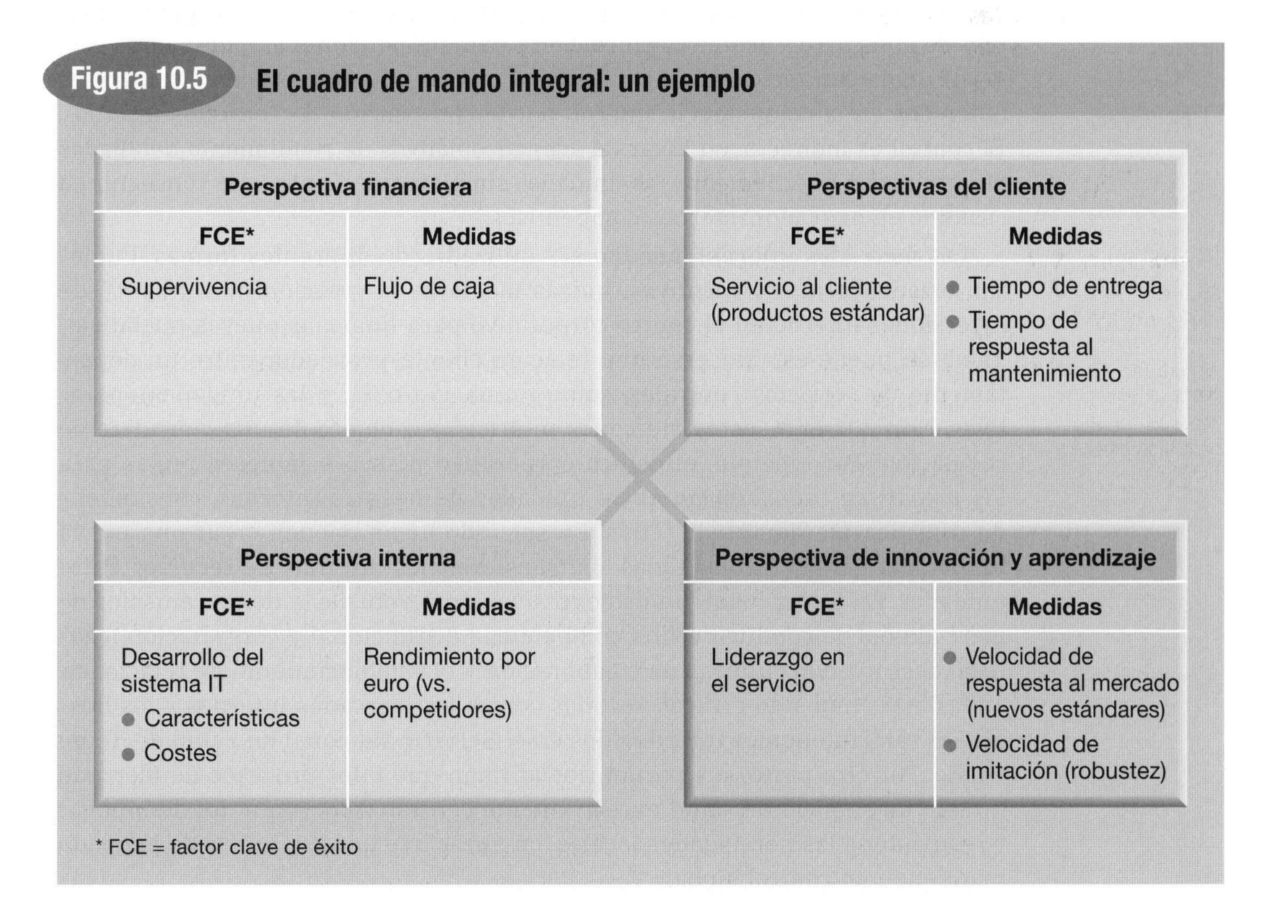

Figura 10.5 El cuadro de mando integral: un ejemplo

los procesos de innovación y aprendizaje que son cruciales para el éxito a largo plazo.

La Figura 10.5 es un ejemplo de cuadro de mando integral para una pequeña compañía de reciente creación que proporciona herramientas estándar y equipamiento de iluminación a la industria de ingeniería. La perspectiva financiera de los propietarios-directivos era simplemente la de sobrevivir durante sus primeros años, requiriendo un flujo de caja positivo (tras la inversión inicial en planta, existencias y local). La estrategia era competir en servicio al cliente tanto en el envío inicial como en el mantenimiento. Esto requería de competencias esenciales en el procesamiento de pedidos y la programación del mantenimiento realizado por el sistema de TI de la empresa. Estas competencias esenciales estaban abiertas a la imitación, por lo que, de hecho, la habilidad de mejorar tales estándares de servicio de manera continua resultaba crítica para el éxito.

10.3.5. Procesos de mercado

Los **procesos de mercado** suponen un sistema formalizado de "contratación" de recursos.

Los **procesos de mercado** (o *mercados internos*) pueden ser establecidos dentro de las organizaciones para controlar actividades internamente[7]. Los procesos de mercado suponen un sistema formalizado para la *contratación* de recursos o *inputs* de otras partes de una organización y para proporcionar *outputs* a otras partes de una organización. El control se centra en los outputs, por ejemplo, ingresos obtenidos en la competencia interna por la consecución de contratos internos. El control es indirecto: en lugar de aceptar objetivos de rendimiento detallados determinados internamente, las unidades simplemente tienen que conseguir su sustento en mercados internos competitivos.

Los mercados internos pueden ser utilizados de diferentes formas. Pudieran existir *ofertas competitivas,* quizás mediante la creación de un banco de inversiones interno en el centro corporativo para financiar nuevas iniciativas. También puede establecerse una relación cliente-proveedor entre un departamento de servicios centrales, como formación o TI, y las unidades operativas. Normalmente, estos mercados internos son objeto de una considerable regulación. Por ejemplo, el centro corporativo podría establecer reglas para los *precios de transferencia* entre unidades de negocio internas, consumiendo considerable tiempo directivo. En segundo lugar, pueden crear una nueva burocracia para controlar todas las transferencias internas de recursos entre unidades. En tercer lugar, un uso excesivamente entusiasta de mecanismos de mercado puede conducir a una competencia disfuncional y contratación legalista, destruyendo culturas de colaboración y el establecimiento de relaciones. Todas estas han sido críticas vertidas contra los mercados internos y los hospitales semiautónomos introducidos en el Servicio Nacional de Salud de Reino Unido. Por otra parte, sus partidarios afirman que tales procesos de mercado liberan un servicio de salud excesivamente centralizado, con el fin de innovar y responder a las necesidades locales, mientras que las disciplinas de mercado mantienen un control global.

10.4 GESTIÓN DEL CAMBIO ESTRATÉGICO

Este apartado del capítulo se ocupa del papel que juegan las personas en la gestión del cambio estratégico y cómo lo desempeñan. Comienza considerando los *papeles* en el cambio estratégico desempeñados por líderes estratégicos, directivos intermedios y la influencia de agentes externos como consultores y *stakeholders* externos. Tras ello, pasa a examinar los diferentes *estilos* de gestión del cambio y los *inductores* en la gestión del cambio.

10.4.1. Papeles en la gestión del cambio

Un **agente del cambio** es el individuo o el grupo que efectúa el cambio estratégico en una organización.

Cuando se procede a gestionar el cambio estratégico, a menudo existe un énfasis excesivo en los individuos situados en lo más alto de una organización. Resulta útil pensar en una *agencia del cambio* de manera más amplia. Un **agente del cambio** es el individuo o el grupo que efectúa el cambio estratégico en una organización. Por ejemplo, el creador de una estrategia puede, o puede no, ser el agente del cambio. Puede necesitar basarse en otros para liderar la realización de cambios en la estrategia. Podría resultar que un directivo intermedio fuera un agente del cambio en un determinado contexto, o quizás, consultores, trabajando conjuntamente con los directivos de dentro de la organización.

Liderazgo estratégico

El **liderazgo** es el proceso de influencia en una organización (o grupo dentro de una organización) en sus esfuerzos hacia la consecución de un objetivo o meta.

Sin embargo, la gestión del cambio a menudo se encuentra directamente vinculada con el papel del líder estratégico[8]. No obstante, el **liderazgo** es el proceso de influencia en una organización (o grupo dentro de una organización) en sus esfuerzos hacia la consecución de un objetivo o meta. Por lo tanto, un líder no es necesariamente alguien en lo más alto, sino más bien alguien que se encuentra en una posición para ejercer influencia en su organización.

Los líderes a menudo se encuentran categorizados de dos formas:

- *Líderes carismáticos,* que se preocupan principalmente de construir una visión de la organización y energizar a las personas para alcanzarlo. La evidencia sugiere que tales líderes ejercen un impacto particularmente beneficioso sobre el rendimiento cuando las personas que trabajan para ellos consideran que la organización se enfrenta a la incertidumbre.
- *Líderes instrumentales o transaccionales,* quienes se centran más en diseñar sistemas y controlar las actividades de la organización.

Sin embargo, idealmente lo que se requiere es la habilidad de adaptar el estilo de liderazgo estratégico al contexto y existe evidencia[9] de que los líderes estratégicos de más éxito son capaces de hacer justamente esto. De hecho, respecto a la gestión del cambio, sería un problema si no pudieran. Después de todo, algunos enfoques tienen más que ver con la creación de la estrategia o con el control, en lugar de con la gestión del cambio, y esto bien podría conducir a enfoques del cambio que no se ajusten a las necesidades particulares del contexto para el cambio específico.

Sin embargo, lo que es probable es que quienes se encuentren en lo más alto de una organización sean vistos por otros, no sólo los que trabajan para ellos, sino también otros *stakeholders* y observadores externos, como íntimamente asociados con los programas de cambio estratégico cuando se producen. En este sentido, son simbólicamente muy significativos en el proceso de cambio.

Directivos intermedios

Un enfoque de arriba hacia abajo de la dirección de la estrategia y del cambio estratégico considera a los directivos intermedios como implementadores de la estrategia. Sin embargo, juegan múltiples roles en relación con la dirección de la estrategia[10]. En el contexto de la gestión del cambio estratégico, existen cinco roles que desempeñan:

- El papel de *implementación y control*. De hecho, son los implementadores de los planes de la alta dirección al asegurar que los recursos son asignados y controlados de manera apropiada, supervisando y controlando el rendimiento y comportamiento del personal y, si fuera necesario, explicando la estrategia a aquellos que les reportan.
- *Dar sentido a la estrategia*. La alta dirección puede establecer una orientación estratégica, pero cómo se le da sentido en contextos específicos (por ejemplo, una región de una multinacional o un departamento funcional) puede, de manera intencionada o no, ser dejada en manos de los directivos intermedios. Si debe evitarse una interpretación equivocada de la estrategia prevista, por lo tanto resulta vital que los directivos intermedios comprendan y tengan un sentido de pertenencia de esta.
- *Reinterpretación y ajuste* de las respuestas estratégicas conforme se desarrollen los eventos (por ejemplo, en términos de relaciones con los clientes, proveedores, o fuerza de trabajo). Este es un papel vital para el que los directivos intermedios se encuentran capacitados de manera única debido a que mantienen contacto día a día con tales aspectos de la organización y de su entorno.
- Un *puente* entre la alta dirección y los miembros de la organización de los niveles más bajos. Se encuentran en posición de traducir las iniciativas de cambio en un mensaje que sea localmente relevante.
- *Consejeros* de los directivos más sénior sobre lo que es probable que se conviertan en obstrucciones y requerimientos para el cambio.

Por lo tanto, cuando es necesario el cambio estratégico, los directivos intermedios juegan un papel *mediador* clave entre aquellos que tratan de dirigir desde lo más alto y el nivel operativo. Un conjunto de investigadores han destacado que, dentro de este papel, resulta de importancia esencial cómo se le da sentido a la estrategia de manera descendente y cómo hablan de ella y la explican a otros.

Agentes externos

Aunque los directivos de la organización tienen importantes papeles que jugar, los agentes externos también pueden ser importantes. Por ejemplo, estos podrían incluir:

- Un *nuevo presidente ejecutivo* del exterior de la organización puede ser introducido en un negocio para mejorar la capacidad para el cambio. Esto se produce especialmente en situaciones de reflote de un negocio. Esta persona cambia el contexto para el cambio, proporcionando una perspectiva fresca sobre la organización, no limitada por las restricciones del pasado, o las rutinas implícitas que pueden evitar el cambio estratégico.
- *Los nuevos directivos del exterior de la organización* también pueden incrementar la diversidad de ideas, ayudar a romper barreras culturales para el cambio e incrementar la experiencia y capacidad para el cambio. Sin embargo, el éxito de su influencia es probable que dependa del grado de *respaldo visible* que tengan del presidente ejecutivo. Sin tal respaldo pueden ser vistos como carentes de autoridad e influencia.
- *Los consultores* a menudo son utilizados para ayudar a formular la estrategia o para planificar el proceso de cambio. También son utilizados de manera creciente como facilitadores del proceso de cambio, por ejemplo, en el desarrollo de una capacidad de coordinación, como planificadores de proyecto para programas de cambio, como facilitadores de equipos de proyecto que trabajan sobre el cambio, o de talleres de estrategia utilizados pata desarrollar la estrategia y planificar medidas de cambio estratégico. El valor de los consultores es triple. En primer lugar, no portan el bagaje cultural de la organización y por lo tanto proporcionan una visión desapasionada del proceso. En segundo lugar, como resultado, pueden formular preguntas y realizar análisis que cuestionen las formas dadas por hechas de ver o hacer las cosas. En tercer lugar, señalan de manera simbólica la importancia de un proceso de cambio, no solo debido a que sus honorarios pueden ser muy elevados.
- *Otros "stakeholders"* pueden influir de manera clave en el cambio. Por ejemplo, gobierno, inversores, clientes, proveedores y analistas de negocio tienen el potencial de actuar como agentes del cambio en las organizaciones.

10.4.2. Estilos en la gestión del cambio

El agente del cambio necesita considerar el estilo de dirección que va a adoptar. Distintos estilos es probable que sean más o menos apropiados de acuerdo con el contexto. Estos estilos son resumidos en la Figura 10.6[11].

La **educación** supone la explicación de las razones para el cambio estratégico y las medidas a adoptar.

- La **educación** supone la explicación de las razones para el cambio estratégico y las medidas a adoptar. Esto puede ser apropiado cuando el problema en la gestión del cambio se debe a la información inadecuada o falta de información y si existe tiempo suficiente para persuadir a las personas de la necesidad del

Figura 10.6 Estilos en la gestión del cambio estratégico

<table>
<tr><th>Estilo</th><th>Significa/contexto</th><th>Beneficios</th><th>Problemas</th><th>Circunstancias de efectividad</th></tr>
<tr><td>Educación</td><td>Sesiones informativas de grupo suponen la internalización de la lógica estratégica y una mayor confianza de la alta dirección</td><td>Superación de la carencia de información (o la mala información)</td><td>Consume tiempo
La dirección o el progreso puede no estar claro</td><td rowspan="2">Cambio incremental o cambio duradero horizontal de carácter transformador</td></tr>
<tr><td>Participación</td><td>Implicación en el establecimiento de la agenda de la estrategia y/o en la resolución de cuestiones estratégicas por la fuerza de trabajo o grupos</td><td>Mayor sentido de compromiso con una decisión o proceso
Puede mejorar la calidad de las decisiones</td><td>Consume tiempo
Soluciones/resultado dentro del paradigma existente</td></tr>
<tr><td>Intervención</td><td>Los agentes del cambio retienen la coordinación/control: delegan elementos de cambio</td><td>El proceso es guiado/controlado pero tiene lugar la implicación</td><td>Riesgo de percepción de manipulación</td><td>Cambio incremental o que no se deba a una crisis</td></tr>
<tr><td>Dirección</td><td>Uso de la autoridad para establecer la dirección y los instrumentos para el cambio</td><td>Claridad y velocidad</td><td>Riesgo de falta de aceptación y de estrategia concebida inadecuadamente</td><td>Cambio transformador</td></tr>
<tr><td>Coerción/edicto</td><td>Uso explícito del poder mediante edicto</td><td>Puede tener éxito en crisis o estados de confusión</td><td>Con menor éxito a menos que se trate de una crisis</td><td>Crisis, cambio transformador rápido o cambio en culturas autocráticas establecidas.</td></tr>
</table>

cambio. Sin embargo, existen problemas al respecto. Suponer que un argumento razonado con carácter descendente superará quizás años de supuestos profundamente arraigados sobre *lo que realmente importa,* podría resultar ingenuo. El cambio puede ser más efectivo si aquellos afectados por él están implicados en su desarrollo y planificación.

La **participación** en el proceso de cambio supone la implicación de aquellos afectados por el cambio estratégico en la agenda de cambio.

- La **participación** en el proceso de cambio supone la implicación de aquellos afectados por el cambio estratégico en la agenda de cambio; por ejemplo, en la identificación de cuestiones estratégicas, el proceso de toma de decisiones, el establecimiento de prioridades, la planificación del cambio estratégico o el diseño de planes de acción. Tal implicación puede potenciar una actitud más positiva hacia el cambio; la gente ve las restricciones a las que se enfrenta la empresa como menos significativas y siente un mayor sentido de pertenencia y una mayor implicación hacia una decisión o proceso de cambio. Por lo tanto, puede ser una forma de generar predisposición y capacidad para el cambio. Sin embargo, existe el riesgo inevitable de que las soluciones serán encontradas desde dentro de la cultura existente, por lo que quien tome este enfoque puede necesidar retener la capacidad de intervenir en el proceso.

La **intervención** es la coordinación y ejercicio de autoridad sobre los procesos de cambio por parte de un agente del cambio quien delega *elementos* del proceso de cambio.

- La **intervención** es la coordinación y ejercicio de autoridad sobre los procesos de cambio por parte de un agente del cambio quien delega *elementos* del proceso de cambio. Por ejemplo, determinadas etapas del cambio, como la generación de ideas, recogida de datos, planificación detallada, desarrollo de razones para el cambio o la identificación de factores clave de éxito, pueden ser delegados a equipos de proyecto o grupos de trabajo. Tales equipos pueden no tomar la completa responsabilidad del proceso de cambio, sino involucrarse y colaborar en este proceso. Los agentes del cambio retienen la responsabilidad para el cambio, se aseguran la supervisión del progreso y que el cambio tenga lugar. Una ventaja es que involucra a los miembros de la organización, no solo en la generación de ideas, sino también en la *implementación parcial* de soluciones, produciendo un incremento del compromiso con el cambio.

La **dirección** supone el uso de autoridad directiva personal para establecer una clara estrategia y cómo se producirá el cambio.

- La **dirección** supone el uso de autoridad directiva personal para establecer una clara estrategia y cómo se producirá el cambio. Es una gestión del cambio estratégico de arriba hacia abajo asociada con una clara visión del propósito estratégico y también puede ser acompañada por una claridad similar sobre los factores clave de éxito y prioridades.

La **coerción** es la imposición del cambio o el lanzamiento de edictos sobre el cambio.

- La **coerción** es la dirección en su forma más extrema. Es la imposición del cambio o el lanzamiento de edictos sobre el cambio. Esta es el uso explícito del poder y puede ser necesaria si la organización se está enfrentando a una crisis, por ejemplo.

Existen algunas observaciones generales que pueden realizarse sobre lo apropiado de estos diferentes estilos en diferentes contextos:

- *Diferentes estilos en diferentes etapas*. Los estilos de gestionar el cambio puede ser necesario que difieran de acuerdo con las etapas de un proceso de cambio. Una clara dirección puede ser vital para motivar un deseo o crear una *buena disposición* al cambio; la participación o la intervención pueden ayudar a conseguir un compromiso más amplio dentro de la organización, y el desarrollo de *capacidades* para identificar obstáculos para el cambio, planificar e implementar programas de acción específicos.
- *Tiempo y alcance*. Los estilos participativos son más adecuados para el cambio incremental dentro de las organizaciones, pero si es necesario un cambio transformador, los enfoques directivos pueden ser más apropiados (es preciso destacar el hecho de que incluso si la alta dirección se ve a sí misma como adoptando estilos participativos, sus subordinados pueden percibir esto como directivo y, de hecho, pueden agradecer tal orientación).

- *Poder*. En organizaciones con *estructuras de poder jerárquicas*, un estilo directivo puede ser común y puede ser difícil separarse de él, no solo porque la gente lo espere. Por otra parte, en *estructuras de poder "planas"* (o una adhocracia, una organización más interconectada u orientada al aprendizaje), es probable que la colaboración y la participación sean más comunes y deseables.
- *Tipos de personalidad*. Diferentes estilos se adaptan a diferentes tipos de personalidad de los directivos. Sin embargo, aquellos con la mayor *capacidad* para gestionar el cambio pueden tener la habilidad para adoptar diferentes estilos en diferentes circunstancias.
- *Los estilos de gestión del cambio no son mutuamente excluyentes*. Por ejemplo, una clara dirección sobre la visión global puede contribuir a un enfoque más colaborativo que conduzca a un desarrollo más detallado de la estrategia. La educación y la comunicación pueden ser apropiados para algunos *stakeholders*, como instituciones financieras; la participación puede ser apropiada para grupos en partes de la organización en las que sea necesario desarrollar *capacidad y disposición;* en aquellas partes de la organización en las que la organización tenga que cambiar con rapidez, el *ritmo* puede requerir de un estilo más directivo.

La Ilustración 10.3 muestra cómo los directores ejecutivos pueden utilizar diferentes estilos en distintos contextos.

10.4.3. Inductores del cambio estratégico

Desafiar aquello dado por hecho

Uno de los principales desafíos a la hora de conseguir el cambio estratégico puede ser la necesidad de cambiar a menudo concepciones antiguas o supuestos dados por hechos , el paradigma (véase el Apartado 5.3.5). Esto puede ser difícil porque los supuestos antiguos pueden ser muy resistentes al cambio. Existen diferentes formas mediante las que tal desafío puede intentarse:

- El análisis estratégico, utilizando el tipo de herramientas que se encuentran en este libro, puede servir en sí mismo para desafiar y por lo tanto cambiar el paradigma.
- La planificación de escenarios (véase el Apartado 2.2.2) también es recomendada como una forma de superar los prejuicios individuales y los supuestos culturales al hacer ver a las personas diferentes futuros posibles y las implicaciones para sus organizaciones[12].
- Otros argumentan que los supuestos de las personas necesitan ser desafiados enfrentándolos de manera específica y animando a las personas a cuestionar y desafiarse entre sí[13]. La idea es que hacer visibles tales supuestos significa que es más probable que sean cuestionados.

Ilustración 10.3

Estilos de liderazgo para gestionar el cambio

Los altos ejecutivos de éxito cuentan con diferentes estilos de liderazgo.

No des vueltas a la cabeza

Siempre he sido bastante bueno escuchando y reconozco con facilidad que no tengo todas las respuestas, por lo que tengo que escuchar. Pero poco después de escuchar, la segunda parte es tirarse a la piscina. Tengo toda la información y aquí está lo que vamos a hacer. La gente necesita cercanía a la decisión. Si escuchas y después das vueltas a la cabeza, la gente se encuentra confundida y esto no es un liderazgo efectivo.

Terry Lundgre, director general de Federated Department Stores (entrevistado por Matthew Boyle, en *Fortune,* 12 de diciembre de 2005, vol. 152, núm. 12, pp. 126-127).

Entrena pero no mimes

Mi enfoque del liderazgo es elevar las aspiraciones y entonces conseguir una gran ejecución (...) comunicar las prioridades con claridad, de manera simple y frecuente (...) en gran medida nuestros líderes de división deben definir su propio futuro. Yo juego el papel de entrenador; pero entrenar no significa mimar. Espero que nuestros directivos tomen decisiones (...) para ayudar a los directivos a tomar tales decisiones estratégicas, los líderes en ocasiones deben cuestionar supuestos profundamente asumidos(...) Representar un papel modelo es vital (...) Sé que debo estar preparado para los momentos de la verdad que alerten a la organización hacia mi compromiso.

Allan G. Laffley, director ejecutivo de Procter & Gamble (en *Leadership Excellence,* noviembre de 2006, vol. 23, núm. 11, pp. 9-10)

Estar dedicado

Sir Terry Leahy de Tesco ha supervisado una de las mayores transformaciones en el sector de la distribución minorista en el mundo. Aún así, él es "arrebatadoramente normal (...) Su discurso es serio y franco. No es un showman (...) no estás enfrentado con una presencia enorme (...) Habla sólo sobre Tesco; (...) es como encontrarse con un líder religioso que fielmente recita un credo." Y estratégicamente: "Él es una combinación de lo muy inteligente —siempre está mirando desde la cumbre— y lo muy simple (...) Le ofreces un problema y trabajará hasta que lo resuelva. Quienes trabajan con él le respetan por su toma de decisiones, pero no realiza sus movimientos sin sentido (...) Todo es analizado, desmontado, analizado y vuelto a montar (...) Se congregan en torno a él directivos sénior que han estado con él y con el grupo durante años. Está al cargo pero también está colegiado". También le gusta hablar y escuchar a la gente en las tiendas: "Lo que hace a Leahy diferente es el extraordinario grado en el que charla con el personal joven y absorbe sus visiones y la atención que pone en los clientes".

Chris Blackhurst "Sir Terry Leahy", *Management Today,* febrero de 2004, p. 32.

Basado en los agentes de influencia clave

William Bratton era el comisionado de la policía de Nueva York responsable de la campaña Zero Tolerance que redujo el crimen en la ciudad. La creencia de Bratton era que una vez que "las creencias y energías de una masa crítica de gente se han captado, la conversión en otra idea se expandirá como una epidemia, proporcionando un cambio fundamental con mucha rapidez". Enfrenta a los directivos clave directamente con los problemas operativos detallados, de manera que no pueden evadir la realidad y los pone *bajo el punto de mira.* Por ejemplo, reunió a personal de policía experimentado y les pidió que se enfrentaran a las preguntas de colegas sénior sobre el resultado de sus comisarías y cómo contribuían a la estrategia global. La idea era introducir una *cultura de resultados:* para permitir que el éxito fuera aplaudido, pero dejar muy claro que los malos resultados no son tolerados.

W. C. Kim y R. Mauborgne, "Tipping point leadership", *Harvard Business Review,* abril de 2003, pp. 60-69.

Preguntas

1. ¿Cuáles pueden ser los beneficios y problemas de cada uno de los estilos de liderazgo? ¿Y bajo qué circunstancias?
2. Solo algunos *stakeholders* se encuentran específicamente mencionados en los ejemplos. ¿Esto significa que el estilo debería ser el mismo respecto a todos los *stakeholders* de la organización?

Cambio de los procesos operativos y rutinas

A la postre, las estrategias son llevadas a cabo mediante procesos del día a día y rutinas de las operaciones de la organización. Por lo tanto, existe una necesidad de *planificar el cambio operativo:* la identificación de los cambios clave en las rutinas de la organización. En efecto, el cambio estratégico necesita ser considerado en términos de la reingeniería de los procesos organizativos[14]. Esta puede ser otra forma mediante las que los supuestos dados por hechos son desafiados, debido a que pueden tener el efecto de que las personas lleguen a cuestionar y desafiar las creencias y supuestos profundamente arraigados en la organización. La lección global es que los cambios en rutinas pueden parecer que sean prosaicos, pero pueden tener un impacto significativo.

Poder y procesos políticos[15]

El Apartado 4.4.1 analizaba la importancia de comprender las relaciones con los *stakeholders* dentro y fuera de la organización. También resulta necesario considerar la gestión del cambio estratégico dentro de su contexto *político.* Esto también puede ser importante debido a que, para efectuar el cambio, puede ser necesario un fuerte apoyo por parte de un individuo o grupo. Este puede ser el director ejecutivo, un miembro poderoso del consejo, o un agente externo influyente. La Figura 10.7 muestra algunos de los mecanismos asociados con la gestión del cambio desde una perspectiva política.

- *Adquirir recursos* o estar identificado con importantes áreas de recursos o áreas de conocimiento. En particular, la habilidad de retirar o asignar tales recursos puede ser una herramienta valiosa a la hora de superar la resistencia o persuadir a otros para que acepten el cambio o generar una buena disposición para el cambio.
- La *asociación con grupos de "stakeholders" poderosos (elites)*, o quienes les dan apoyo, puede ayudar a construir una base de poder. De manera similar, la asociación con un agente del cambio que sea respetado o con un éxito visible puede ayudar a un directivo a superar la resistencia al cambio. O un agente del cambio que se enfrenta a resistencia al cambio puede buscar y convencer a alguien muy respetado de dentro del grupo más resistente al cambio. También puede ser necesario *eliminar individuos o grupos* resistentes al cambio. Quiénes sean estos pueden variar, desde individuos poderosos que se encuentran en posiciones sénior, hasta estratos completos de resistencia, quizás en la forma de altos ejecutivos en una función o servicio amenazado.
- *Construir alianzas y redes* de contactos y simpatizantes puede ser importante para superar la resistencia de grupos más poderosos. Tratar de convertir a toda la organización para que acepte el cambio es difícil, pero puede haber partes de la organización o individuos que sean más favorables hacia el cambio que otras, con los que un agente del cambio podría conseguir apoyo. Este también puede buscar marginar a aquellos que se resistan al cambio. Sin

Figura 10.7 Mecanismos políticos en las organizaciones

Áreas de actividad	Mecanismos				
	Recursos	**Élites**	**Subsistemas**	**Símbolos**	**Problemas clave**
Construir la base de poder	Control de recursos Adquisición de/ identificación con el conocimiento Adquisición de recursos adicionales	Patrocinio por una elite Asociación con una elite	Construcción de alianzas Construcción de equipos	Construir sobre la legitimación	Tiempo requerido para construirla Dualidad de ideales percibida Percibida como amenaza para las elites existentes
Superar la resistencia	Retirada de recursos Uso de *contra-inteligencia*	Descomposición o división de elites Asociación con los agentes del cambio Asociación con un agente externo respetado	Propiciar el momento para el cambio Patrocinar/ recompensar a los agentes del cambio	Atacar o eliminar legitimación Fomentar confusión, conflicto y cuestionamiento	Golpear desde demasiado abajo una base de poder Potencialmente destructiva: necesidad de una reconstrucción rápida
Conseguir la conformidad	Proporcionar recursos	Eliminación de las elites resistentes Necesidad de un *héroe del cambio*	Implementación parcial y colaboración Implementación de *seguidores* Apoyo para los *jóvenes bravos*	Aplaudir/ recompensar Confirmar Confirmación simbólica	Convertir el cuerpo de la organización Volver atrás

embargo, el peligro es que grupos poderosos en la organización pueden considerar la construcción de tal equipo, o actos de marginalización como una amenaza a su propio poder, conduciendo a una mayor resistencia al cambio. Un análisis del poder e interés utilizando el mapa de *stakeholders* (Apartado 4.4.1) puede, por tanto, ser útil para identificar bases de alianza y probable resistencia.

Sin embargo, los aspectos políticos de la gestión del cambio también son potencialmente arriesgados. La Figura 10.7 también resume algunos de los problemas. A la hora de superar tal resistencia, el principal problema puede ser simplemente carecer del poder de llevar a cabo tal actividad. Tratar de romper el status quo puede convertirse en tan destructivo y requerir tanto tiempo que la organización no pueda recuperarse de ello. Si el proceso necesita llevarse a cabo, su reemplazamiento por algún nuevo conjunto de creencias y la implementación de una nueva estrategia es vital y es preciso que sea rápido. Además, como ya se ha identificado, en la implementación del cambio, conseguir el compromiso de algunos altos ejecutivos de una organización es una cosa, algo bastante diferente de conseguir es que el conjunto de la organización acepte un cambio significativo.

Tácticas para el cambio

Existen tácticas para el cambio más específicas que pueden ser empleadas para facilitar el proceso de cambio.

Oportunidad

La importancia del momento oportuno para el cambio a menudo es desatendida a la hora pensar sobre el cambio estratégico. Pero elegir el momento adecuado para promover el cambio resulta vital. Por ejemplo:

- *Basarse en una crisis real o percibida* resulta especialmente útil cuanto mayor sea el grado del cambio necesario. Si existe un mayor riesgo percibido de mantener el status quo que de cambiarlo, es más probable que las personas cambien. De hecho, se dice que algunos directores ejecutivos buscar amplificar problemas para conseguir crisis percibidas con el fin de impulsar el cambio. Por ejemplo, la amenaza de una adquisición hostil puede ser utilizada como catalizador para el cambio estratégico.
- Pueden existir *ventanas de oportunidad* en el proceso de cambio. La llegada de un nuevo director ejecutivo, la introducción de un nuevo producto con éxito, o la llegada a escena de una importante amenaza competitiva pueden proporcionar oportunidades para introducir cambios más significativos que los que normalmente serían posibles. Dado que el cambio será considerado con nervios, también puede ser importante elegir el momento para promover tal cambio y evitar miedo y nerviosismo innecesario. Por ejemplo, si existe necesidad de eliminar ejecutivos, puede ser mejor hacerlo antes que durante el programa de cambio. De tal manera, el programa de cambio puede ser visto como una potencial mejora para el futuro, en lugar de cómo la causa de tales pérdidas.
- *Establecer de manera simbólica la señalización de los plazos* puede ser importante. Los agentes del cambio deberían evitar los mensajes en conflicto sobre el momento oportuno del cambio. Por ejemplo, si es necesario un cambio rápido, deberían evitar mantener procedimientos y señales que sugieran horizontes

de largo tiempo, como mantener procedimientos de control y recompensa, y rutinas establecidos desde hace mucho tiempo.

Logros visibles a corto plazo

Un programa de cambio estratégico requerirá de muchas acciones y tareas detalladas. Es importante que se vea que algunos tienen éxito con rapidez. Por ejemplo, esto podría tomar la forma de una cadena minorista que desarrolla con rapidez un nuevo concepto de tienda y demuestra su éxito en el mercado; acabar de manera efectiva con viejas formas de trabajar y la demostración de mejores formas; acelerar las decisiones eliminando compromisos e introducir responsabilidades laborales claramente definidas, etcétera. En sí mismos, pueden no ser aspectos especialmente significativos de la nueva estrategia, pero pueden ser indicadores visibles de un nuevo enfoque asociado con tal estrategia. La demostración de tales logros impulsará el compromiso con la estrategia.

Una razón aducida para la incapacidad de cambiar es que los recursos no se encuentran disponibles para hacerlo. Esto puede ser superado si es posible identificar *zonas calientes* sobre las que centrar recursos y esfuerzos. Por ejemplo, William Bratton, famoso responsable de la política Zero Tolerance del Departamento de Policía de Nueva York, comenzó centrando recursos y esfuerzos en crímenes relacionados con narcóticos. Aunque suponían un 50-70 por ciento de todos los crímenes, encontraron que solo tenían asignados el 5 por ciento de los recursos de la NYPD para combatirlos. El éxito en este campo se basó en extender sus políticas en otros áreas y conseguir los recursos para ello.

RESUMEN

- Existen muchos *tipos estructurales* (como funcional, divisional, matricial). Cada tipo estructural tiene sus propias fortalezas y debilidades y responde de manera diferente a los desafíos del contexto específico de una organización.
- Existe una serie de diferentes *procesos organizativos* para facilitar la implementación de la estrategia. Tales procesos pueden centrarse en *inputs* o en *outputs* y ser directos o indirectos.
- Puede haber una serie de agentes del cambio, que incluyen líderes, directivos intermedios y agentes externos.
- Los agentes del cambio pueden necesitar adoptar diferentes *estilos* de gestión del cambio estratégico de acuerdo con diferentes contextos.
- *Los inductores para gestionar el cambio estratégico* necesitan ser considerados en términos del tipo de cambio y contexto para el cambio. Tales inductores incluyen el cambio de *procesos operativos y rutinas,* la importancia de los *procesos políticos* y otras *tácticas* para el cambio.

Lecturas clave recomendadas

- La mejor cobertura sobre temas de estructuración y procesos directivos es: R. Daft, *Organisation Theory and Design,* novena edición, South-Western, 2006.
- Los temas de gestión del cambio también se encuentran recogidos en el libro: J. Balogun, V. Hope Hailey, *Exploring Strategic Change,* Prentice Hall, tercera edición, 2008.

Referencias

1. G. Johnson, K. Scholes y R. Whittington, *Exploring Corporate Strategy*, octava edición (2008), Pearson.
2. Una buena revisión de los tipos nuevos y antiguos puede encontrarse en G. Friesen, "Organisation design for the 21st century", *Consulting to Management - C2M,* vol. 16, núm. 3 (2005), pp. 32-51.
3. Esta visión de la divisionalización como respuesta a la diversidad fue propuesta originalmente por A.D. Chandler, *Strategy and Structure,* MIT Press, 1962. Véase R. Whittington y M. Mayer, *The European Corporation: Strategy, Structure and Social Science,* Oxford University Press, 2000, para un resumen del argumento de Chandler y el éxito de las organizaciones divisionales en la Europa actual.
4. Para una revisión de la experiencia actual con las estructuras matriciales, véase S. Thomas y L. D'Annunzio, "Challenges and strategies of matrix organisations: top-level and mid-level managers' perspectives", *Human Resource Planning,* vol. 28, núm. 1 (2005), pp. 39-48.
5. Para los lectores que deseen leer más sobre el ERP, lo siguiente es útil: P. Binngi, M. Sharma y J. Godia, "Critical issues affecting an ERP implementation", *Information Systems Management,* vol. 16, núm. 3 (1999), pp. 7-14; T. Grossman y J. Walsh. "Avoiding the pitfalls of ERP system implementation", *Information Systems Management,* vol. 21, núm. 2 (2004), pp. 38-42.
6. Véase R. Kaplan y D. Norton, "The balanced scorecard: measures that drive performance", *Harvard Business Review,* vol. 70, núm. 1 (1992), pp. 71-79; para un desarrollo reciente, véase R. Kaplan y D. Norton, "Having trouble with your Strategy? Then map it", *Harvard Business Review,* vol. 78, núm. 5 (2000), pp. 167-176; y R. Kaplan y D. Norton, *Alignment: How to Apply the Balanced Scorecard to Strategy,* Harvard Business School Press, 2006.
7. Compañías como Royal Dutch Shell han estado experimentando con mercados internos para estimular la innovación. Véase Gary Hamel, "Bringing Silicon Valley inside", *Harvard Business Review,* vol. 77, núm. 5 (1999), pp. 70-84. Para un análisis de los desafíos de los mercados internos, véase A. Vining, Internal market failure", *Journal of Management Studies,* vol. 40, núm. 2 (2003), pp. 431-457.
8. De hecho, John Kotter define el liderazgo como algo que tiene que ver con la gestión del cambio; véase J. Kotter, "What Leaders Really Do", *Harvard Business Review,* pp. 85-96, diciembre, 2001.
9. El análisis de los diferentes enfoques sobre los líderes estratégicos y la evidencia sobre la efectividad de la adopción de diferentes enfoques puede encontrarse en D. Goleman, "Leadership that gets results", *Harvard Business Review,* vol. 78, núm. 2 (marzo-abril de 2000), pp. 78-90; y C.M. Farkas y S. Wetlaufer, "The ways chief executive officers lead", *Harvard Business Review,* vol. 74, núm. 3 (mayo-junio de 1996), pp. 110-112.
10. Véase S. Floyd y W. Wooldridge, *The Strategic Middle Manager: How to create and sustain competitive advantage,* Jossey-Bass, 1996.
11. Diferentes autores explican los estilos de cambio de diferentes formas. Este apartado se basa en las tipologías utilizadas por J. Balogun y V. Hope Hailey, *Exploring Strategic Change,* tercera edición, Prentice Hall, 2007, apartado 2.4, pp. 31-36; y D. Dunphy y D. Stace, "The strategic manage-

ment of corporate change", *Human Relations,* vol. 46, núm. 8 (1993), pp. 905-920. Para un modelo alternativo, véase R. Caldwell, "Models of change agency: a fourfold classification", *British Journal of Management,* vol. 14, núm. 2 (2003), pp. 131-142.

12. Para un análisis del contexto psicológico, errores de pensamiento y el efecto que ejercen en la forma en que consideran los directivos el futuro, véase K. van der Heijden, R. Bradfield, G. Burt, G. Cairns y G. Wright, *The Sixth Sense: Accelerating organisational learning with scenarios,* John Wiley, 2002, capítulo 2.
13. Para encontrar un ejemplo de este enfoque, véase J. M. Mezias, P. Grinyer y W.D. Guth, "Changing collective cognition: a process model for strategic change", *Long Range Planning,* vol. 34, núm. 1 (2001), pp. 71-95. También para un enfoque sistemático a la elaboración y cambio de la estrategia en base a esta forma de salir a la superficie, véase F. Ackermann y C. Eden junto con I. Brown, *The Practice of Making Strategy.* Sage, 2005.
14. Véase M. Hammer y J. Champy, *Reengineering the Corporation: A manifesto for business revolution.* Harper Collins, 2004.
15. Este análisis se basa en las observaciones del papel de las actividades políticas en las organizaciones, por parte de H. Mintzberg, *Power in and around organisations,* Prentice Hall, 1983; y J. Pfeffer, *Power in Organisations,* Pitman, 1981. Sin embargo, quizás el libro más interesante sobre gestión política sigue siendo el de Maquiavelo, *El Príncipe*. También constituye la base del libro de management de Gerald Griffin, *Machiavelli on Management: Playing and winning the corporate power game,* Praeger, 1991.

CASO DE EJEMPLO

NHS Direct

Alex Murdock

El Sistema Nacional de Salud de Reino Unido (National Health Service, NHS) es una de las mayores organizaciones de este tipo en el mundo. Es el mayor empleador individual en Reino Unido. Hacer un cambio importante en tal organización requiere de mucho esfuerzo y a menudo frustrantemente lento. El caso de estudio se refiere a cómo las cuestiones de obtención de recursos pueden permitir o frustrar el éxito de la estrategia.

> NHS Direct ha sido un ejemplo notable de la nueva NHS organizada en torno a las necesidades de los pacientes. En cinco años ha crecido desde una pequeña experiencia piloto hasta llegar a ser un servicio nacional único.
>
> (Material de Contratación de NHS Direct)

En mayo de 2006, el periódico *The Guardian* informaba de que NHS Direct, el servicio de asistencia telefónica sanitaria dirigido por enfermeras en Inglaterra y en Gales, planeaba despedir a más de 1.000 personas dentro de una reestructuración global de sucursales y objetivos de negocio. Iba a cerrar 12 centros de atención telefónica en Inglaterra y deshacerse de más de la cuarta parte de la fuerza de trabajo para evitar un déficit previsto de 22 millones de euros para el periodo 2006-2007[1].

Escasamente un mes después, Audit Scotland, el organismo que audita NHS 24, el equivalente escocés a NHS Direct, informaba positivamente sobre la forma en la que NHS 24 en Escocia había abierto más centros de atención telefónica y mostraba algunas cuestiones respecto a si el servicio contrataría a más personal para trabajar en él.

Cada mes NHS Direct y NHS Direct Online atendían unas 500.000 llamadas telefónicas y visitas en línea respectivamente. Este probablemente constituye el mayor servicio en línea sobre salud del mundo. Había añadido televisión digital a sus servicios, que ya contaba con unos 500.000 contactos al mes[2]. El servicio había crecido en complejidad.

Aunque existían diferencias en el funcionamiento y gobierno de NHS Direct y NHS 24, el servicio necesitaba funcionar sobre una base nacional respecto a políticas, redes, sistemas, rendimiento y planificación. El gobierno lo consideraba como una *marca* nacional que contribuía al desarrollo de NHS.

La introducción de NHS Direct[3]

NHS Direct era el primer paso de un proceso que busca reconfigurar de manera radical la provisión de servicios de cuidado de la salud e información sobre el cuidado de la salud. Esto ofrecía oportunidades y desafíos. El gobierno de Reino Unido esperaba que NHS Direct se convirtiera en un puente "24 horas al día 7 días a la semana" entre las personas en su hogar y NHS que fuera conocido y considerado.

Los centros de atención telefónica de NHS Direct contrataron a enfermeras con experiencia en el ámbito hospitalario y comunitario. Aproximadamente el 60 por ciento de las enfermeras trabajaban a tiempo parcial para el servicio —a menudo en combinación con su trabajo en otro lugar dentro del NHS—. Ofrecer horarios flexibles y un servicio de guardería también tenía un impacto positivo sobre el reclutamiento de personal. Se había desarrollado un marco de competencia nacional junto con una rotación planeada del personal entre centros de atención telefónica y la entrada en los centros.

NHS Direct estaba respaldada por una considerable tecnología, incluyendo el uso extensivo de software de diagnosis que permitía a los asesores a responder a cuestiones específicas de los llamantes y sugerir posibles diagnósticos y las acciones recomendadas.

NHS y NHS Direct: proyecciones de tamaño, financieras y de crecimiento

NHS es una de las mayores organizaciones del sector público de Europa. En septiembre de 2004, había más de 1,3 millones de personas trabajando en los hospitales del NHS y en los Community Health Services. La evolución del tamaño y fuerza de trabajo se muestran en el Apéndice 1.

Este caso fue preparado por Alex Murdock de la universidad London South Bank. Pretende ser una base para la discusión en clase y no una ilustración de una buena o mala práctica.

El primer ministro Gordon Brown en su presupuesto de 2006 cifraba el gasto de NHS en 96 billones de libras. Esto lo convertía en la segunda área de gasto del gobierno tras la seguridad social. Además, se esperaba que el gasto del NHS se incrementara hasta llegar a los 100 billones de libras en el periodo 2007-2008 (véase la Figura 1).

La proporción del gasto del PIB en NHS por tanto convergerá en la (mayor) proporción del gasto del PIB en la mayoría de los demás países europeos.

En 2001, un estudio de una universidad valoraba el coste del servicio de llamadas de NHS Direct y calculó el impacto en el uso de otros servicios. Este sugería que NHS Direct ahorraba el 45 por ciento de sus costes operativos mediante el menor uso de otros servicios (véase la Figura 2).

NHS Direct: implementación y relaciones de servicio

La implementación de NHS Direct ha sido considerada como un éxito. El Public Accounts Committee Report afirmaba:

> NHS Direct se ha establecido con rapidez como el mayor proveedor del mundo de atención sanitaria telefónica y se está convirtiendo en popular entre el público. Tiene

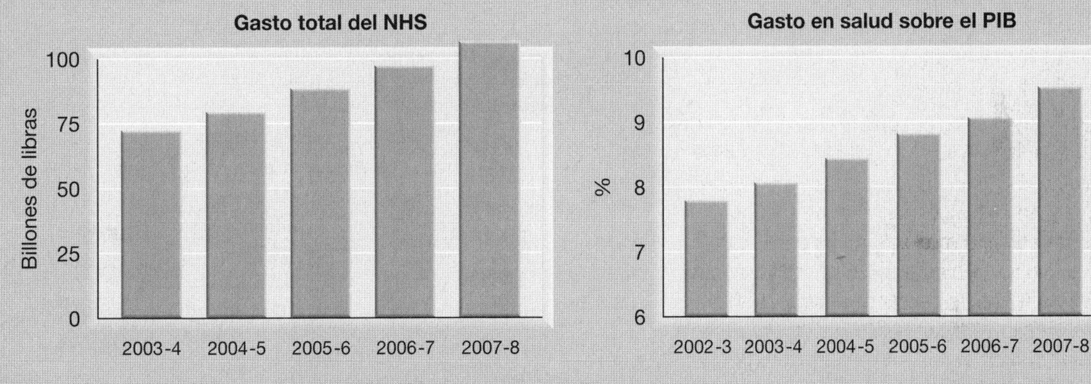

Figura 1. Gasto proyectado del NHS y gasto sobre el PIB.

Fuente: extraído de fuentes del Tesoro del Sistema de Salud, recogido en "NHS Five Year Spending Plans 2003-2008" en *The Guardian*, 26 de abril de 2002 (y octubre de 2003). Derechos reservados de Guardian News and Media Ltd, 2002.

Figura 2. Costes y utilización de los distintos servicios de atención primaria, 2001.

	Costes sin el servicio de llamadas de NHS Direct (libras)	Costes incluyendo el servicio de llamadas de NHS Direct (libras)	Uso sin las consultas de NHS Direct (%)	Uso incluyendo las consultas de NHS Direct (%)
Autoayuda		15,11	17	35
Atención primaria dentro del horario	15,70	30,81	29	19
Atención primaria fuera de horario (urgente)	22,66	37,77	22	15
Atención urgencias hospitalarias	64,96	80,77	3	3
Traslados en ambulancia	141,54	156,65	8	8

Fuente: extraído del National Audit Office Report, "NHS Direct in England", enero de 2002, HC 505.

unas buenas cifras de seguridad, con unas cifras mínimas de eventos adversos. Los departamentos deberían considerar qué lecciones podrían extraer de la introducción con éxito de este importante e innovador servicio.

(40th Report of Public Accounts Committee of House of Commons, "NHS Direct in England", 2002)

La importancia de las relaciones con otras partes de NHS y servicios relacionados se muestra en la Figura 3, que ilustra cómo NHS Direct actuaba como nexo de unión.

El propósito inicial era que NHS Direct tuviera un impacto significativo sobre la reducción de las demandas del médico de familia (atención primaria), aunque los servicios de accidentes y emergencias hospitalarias no serían completamente abordados.

Sin embargo, el Public Accounts Committee Report ponía de manifiesto el desafío de la integración con otros servicios del NHS. Advertía que el Departamento de Salud debía establecer una orientación estratégica clara para el servicio con el fin de evitar que tratara de hacer demasiadas cosas a la vez. Los llamantes estaban esperando demasiado tiempo y el servicio necesitaba mejorar su capacidad y su competencia técnica.

NHS Direct Special Health Authority trabajaba con Primary Care Health Trusts para asegurar que fueran ofrecidos los servicios relevantes a nivel local.

En Escocia, el servicio se desarrollaba en una dirección diferente. Había adoptado un nombre diferente: NHS24. Esta podría haberse considerado que tomaba

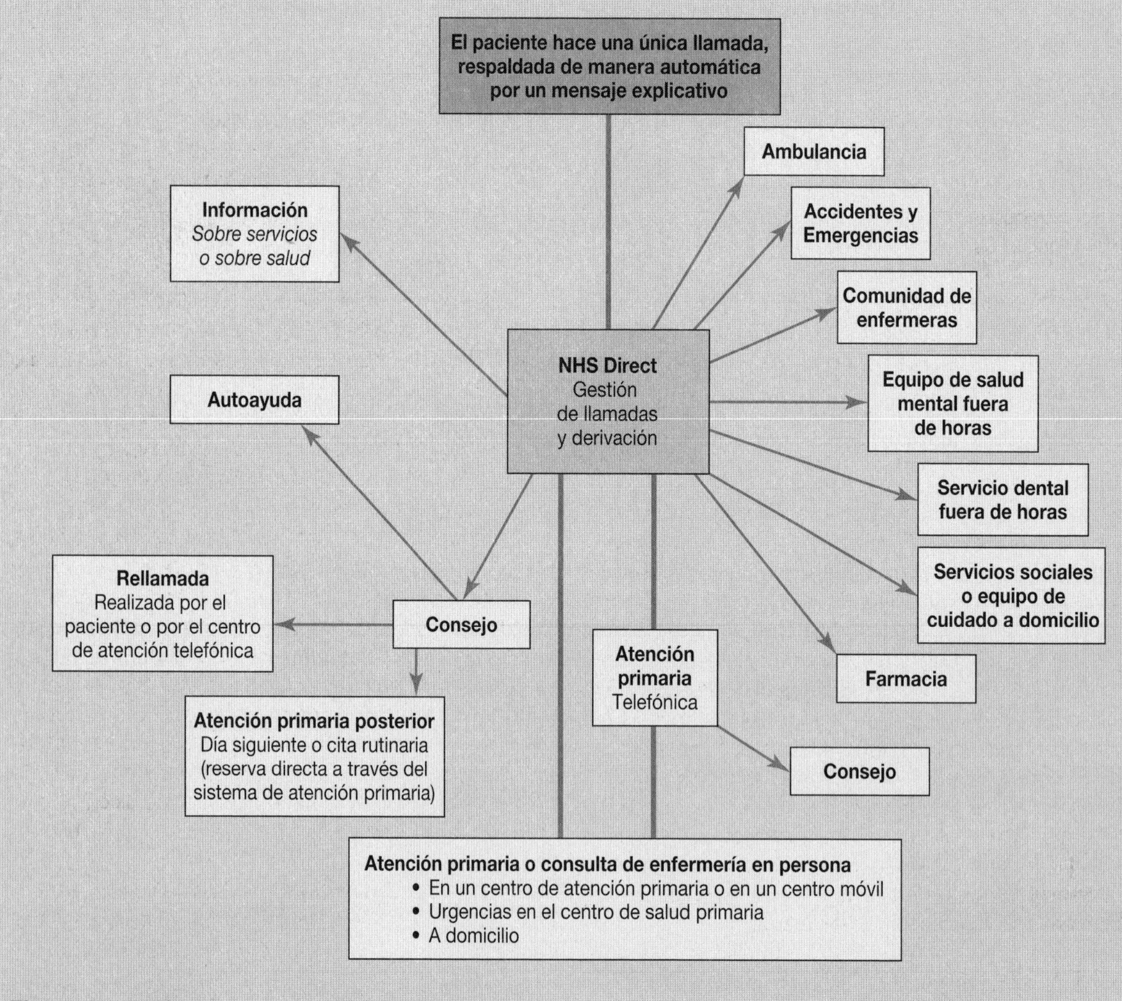

Figura 3. NHS como nexo de unión entre los servicios.

Fuente: 40th Report of Public Accounts Committee of House of Commons, "NHS Direct in England", 2002.

como un punto de partida de la imagen del gobierno de Reino Unido del desarrollo de una *marca* para el servicio. El servicio estaba integrado en lo que se ofrecía en la actualidad utilizando una serie de servidores. El servicio en Escocia se había desarrollado en estrecha colaboración con agencias de salud y doctores, mientras que en otros lugares se basaba fundamentalmente en enfermeras.

NHS Direct Online

El crecimiento del servicio a través de Internet había sido particularmente significativo. Esto podía estar asociado con el uso creciente de Internet y el crecimiento del acceso a la banda ancha en el hogar en Reino Unido.

NHS Direct Online constituye un elemento del nuevo National Knowledge Service de NHS. Está dirigido principalmente al público, mientras que la National Electronic Library for Health está dirigida a los profesionales de la salud.

Los usuarios del servicio online no son necesariamente los mismos que los usuarios del servicio telefónico. Es natural que el servicio online pueda estar alcanzando a un usuario más experto en TI. Es bastante más probable (ya que NHS Direct no proporciona ningún dato) que el grupo de usuarios también incluya a profesionales de la salud.

NHS Direct también ha desarrollado su presencia en la televisión digital a través de la cual esperaba alcanzar más de 6 millones de usuarios. Esta fue lanzada en diciembre de 2006.

La extensión del servicio

Reino Unido es una sociedad multicultural y con múltiples idiomas. NHS Direct (al menos en Inglaterra) ha demostrado una habilidad de alcanzar a usuarios cuya primera lengua no es el inglés mediante sus servicios en idiomas no ingleses centrados en los lenguajes más utilizados. En Gales el servicio es proporcionado en galés, aunque el uso real de esta característica era relativamente limitado, suponiendo el 1,5 por ciento del total de llamadas.

La experiencia en los últimos años de amenazas sanitarias ha tenido un impacto en NHS Direct a nivel local y nacional. Se refiere a su papel de constituir una fuente de información, consejo y reconforte. El servicio tiene un papel particular a la hora de responder a las alertas sanitarias y posibles epidemias como la organización clave en la identificación del problema y de la difusión de información hacia una población preocupada.

El desarrollo futuro de NHS Direct y NHS24

El desarrollo de NHS Direct en Inglaterra y Gales estaba asociado con significativas reducciones de personal en el periodo 2005-2006. Esto hacía surgir algunas preocupaciones respecto a la capacidad del servicio, a la luz de las restricciones de gasto que estaban afectando de manera general al NHS. Existía una reducción del 13 por ciento en el número de asesores en NHS Direct en 2006.

Sin embargo, el éxito del servicio había llevado al Departamento de Salud a planear un ambicioso programa de expansión. El plan era incrementar la capacidad de gestionar 1,3 millones de llamadas al mes (en Inglaterra) al comienzo de 2007.

Una revisión del servicio en Inglaterra por la National Audit Office se centraba en la necesidad de abordar tres áreas clave:

- Capacidad, para atender las nuevas demandas de servicio se tendrán que desarrollar nuevas estrategias de recursos humanos, desarrollar redes para gestionar las variaciones en la demanda entre centros y ser capaz de proporcionar una justificación para financiación adicional.
- Seguridad, para mantener o incluso mejorar sobre las cifras de seguridad actuales mientras los servicios se expanden.

¿El futuro?

La continua reorganización de los servicios sanitarios en Reino Unido impactará sobre NHS Direct y NHS 24. La mayor predisposición tecnológica en Inglaterra y Gales, junto con el desarrollo de una mayor provisión online se encuentra bien establecida. Sin embargo, Escocia ha puesto un mayor énfasis en la provisión de servicios localmente específicos y en evitar el retraso en la respuesta a las preguntas telefónicas.

Conforme el servicio se expande hacia nuevas áreas como odontología, gestión de las citas de los pacientes y servicios de emergencia, se está mostrando más complicado proporcionar el conjunto de servicios rápido, seguro e integrado necesarios para ello. El entorno tecnológico cada vez más complejo y cambiante dentro del que ha elegido moverse no siempre ha conducido a la consolidación y la reflexión. En Escocia, el plan de la vinculación electrónica de los historiales de pacientes permitía un mayor acceso por parte del personal médico (y algún otro) del NHS puede mostrar ser un aspecto problemático.

La nota de advertencia de un directivo recogida en un artículo de *Primary Care* de 2003, se había mostrado profética:

> NHS Direct ha conseguido un crecimiento del 20 por ciento en capacidad con el mismo personal. Pero al ser un servicio telefónico, la demanda se produce en el mo-

mento. Cuando disponemos de la capacidad proporcionamos un buen servicio, pero si la capacidad no está, se puede cruzar la línea rápidamente, por lo que esto va a suponer un problema.

(*Primary Care*, junio de 2003)

Notas

1. NHS Direct cuestiona las cifras de T*he Guardian.*
2. *Fuente:* Informe Anual de NHS Direct y Cuentas de 2006.
3. El autor agradece a J. F. Munro *et al.*, "Evaluación of NHS Direct first wave sites", 2nd Interim Report to Dept of Health, marzo de 2000, como fuente básica.
4. *Fuente: The Scotsman,* 6 de octubre (2005).

Preguntas

1. Examinando la Figura 3, ¿qué estructuras y procesos directivos son necesarios para gestionar las relaciones entre NHS Direct y NHS como un todo?
2. ¿Cuáles son las principales cuestiones respecto a la gestión del cambio como NHS Direct? (Enumere aquellas bajo las categorías de: papeles, estilos e inductores del cambio).

Apéndice 1. Tamaño y tendencias en el personal en NHS: NHS cambios en el personal, 1999-2004

Incrementos en personal

	Sep. de 2009	Sep. de 2004	Incremento desde el plan de NHS[1]
Personal frontera, del cual	926.200	1.119.600	193.400 (21%)
Todos los médicos (excluyendo ortodontistas)	94.000	117.000	23.100 (25%)
Enfermeras (incluyendo comadronas asistentes sanitarios)	329.600	397.500	67.900 (21%)
Personal de ambulancias	14.800	17.300	2.500 (17%)
Personal científico, terapéutico y técnico	102.400	128.900	26.500 (26%)
Apoyo al personal clínico	296.600	368.300	71.700 (24%)
Otro personal frontera[2]	88.800	90.600	1.800 (2,1%)
Infraestructura de NHS[3]	171.200	211.500	40.300 (24%)
Personal total de NHS	1.097.400	1.331.100	233.700 (21%)

Incremento en las cifras de formación

	En 1999/2000	En 2004/2005	Incremento desde el plan de NHS[1]
Admisión en la facultad de medicina	3.970	6.294[4]	2.320 (58%)
Comisiones de formación de enfermeras y comadronas	18.710	25.020	6.310 (34%)

1. Cambio desde que el plan de NHS toma como base la cifra anual más cercana antes de julio de 2000, comparada con la última posición anual.
2. Incluye el personal en prácticas (diferente al de las enfermeras) y otro personal no médico.
3. Incluye las funciones centrales, propiedades y patrimonio, así como directivos y alta dirección.
4. Información provisional, ya que las cifras de estudiantes de julio de 2005 todavía no han sido confirmadas.

Fuente: Informe del presidente ejecutivo de NHS, diciembre de 2005.